Os Segredos do Código

editado por
DAN BURSTEIN

OS SEGREDOS DO CÓDIGO

O mais completo e bem pesquisado guia
para entender as fascinantes questões levantadas
pelo livro *O Código DaVinci*

SEXTANTE

Publicado originalmente com o título: *Secrets of the Code*

Publicado em acordo com a Baror International, Inc., Armonk, New York, USA

editores colaboradores
John Castro / David A. Shugarts / Brian Weiss

consultores editoriais
Peter Bernstein / Annalyn Swan – A. S. A. P. Media

pesquisadores
Jennifer Doll / Kate Stohr / Nicole Zaray

tradução
Carlos Irineu da Costa / Claudio Figueiredo / Pedro Jorgensen Jr.

preparo de originais
Valéria Inez Prest

revisão
Clara Diament
Sérgio Bellinello Soares

projeto gráfico e diagramação
Valéria Teixeira

capa
Raul Fernandes

fotolitos
RR Donnelley América Latina

impressão e acabamento
Geográfica e Editora Ltda.

CIP-BRASIL. CATALOGAÇÃO-NA-FONTE
SINDICATO NACIONAL DOS EDITORES DE LIVROS, RJ

S458

Os segredos do Código
/ editado por Dan Burstein ; tradução de Carlos Irineu da Costa, Claudio Figueiredo, Pedro Jorgensen Jr. – Rio de Janeiro : Sextante, 2004.

Tradução de: Secrets of the Code
ISBN 85-7542-147-6

1. Brown, Dan, 1964-. O Código Da Vinci. 2. Maria Madalena, santa na literatura. 3. Jesus Cristo na literatura. 4. Cristianismo na literatura.
I. Burstein, Dan.

04-2494.
CDD 813
CDU 821.111(73)-3

Editora Sextante / GMT Editores Ltda.
Rua Voluntários da Pátria, 45 – Gr. 1.404 – Botafogo
22270-000 – Rio de Janeiro – RJ
Tel.: (21) 2286-9944 – Fax: (21) 2286-9244
Atendimento: 0800-22-6306
E-mail: atendimento@esextante.com.br
www.sextante.com.br

Sumário

Parte II
Resenhas e comentários sobre o *CDV*

Parte III
Sob a pirâmide

Edimburgo
ESCÓCIA
Mar do Norte
INGLATERRA
Londres
Paris
FRANÇA
Vézelay
Oceano Atlântico
La Rochelle
ITÁLIA
ANDORRA
Roma
ESPANHA
Mar Mediterrâneo
© 2004 por Jaye Zimet / Fora de escala

Locais-chaves no *CDV*

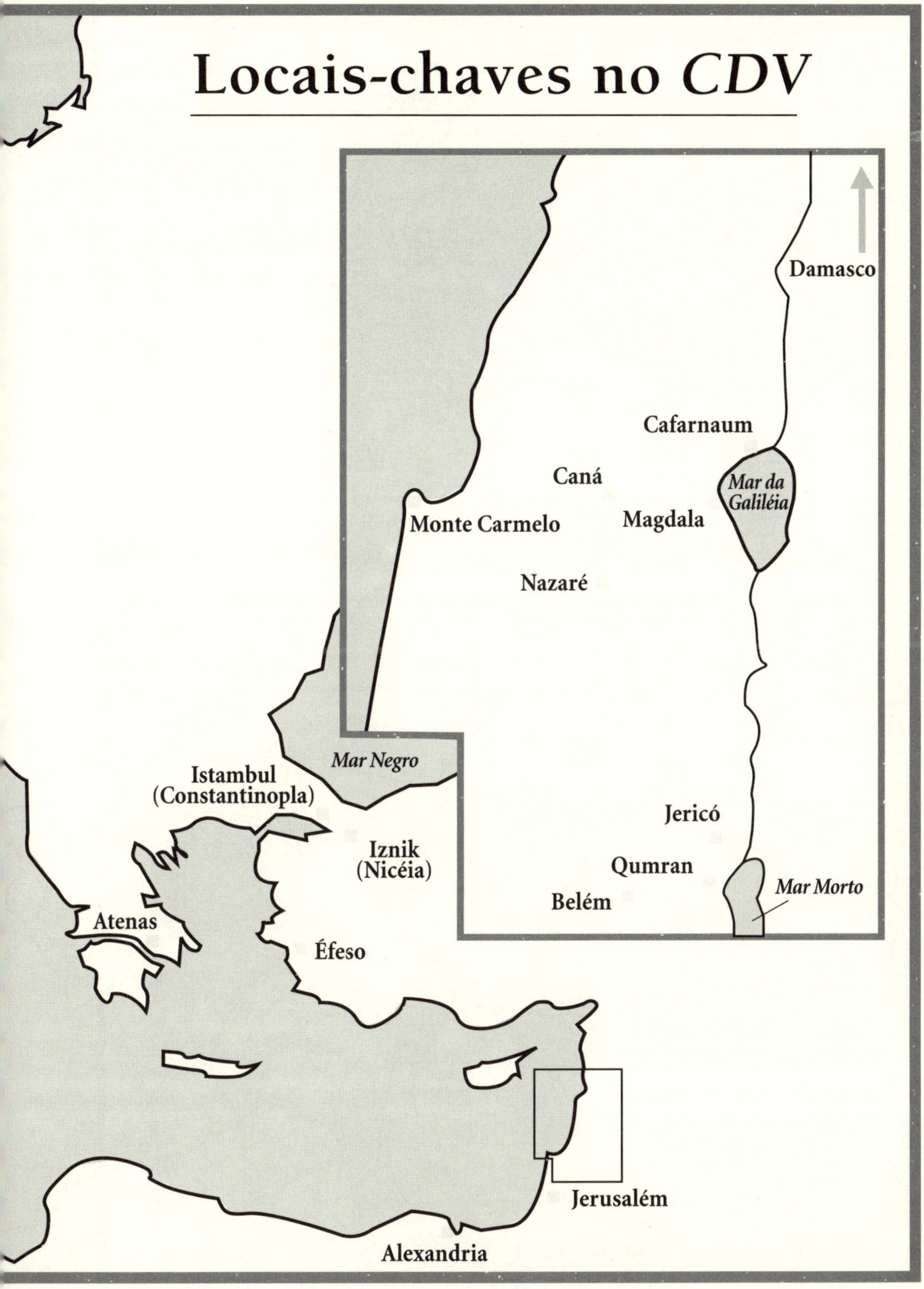

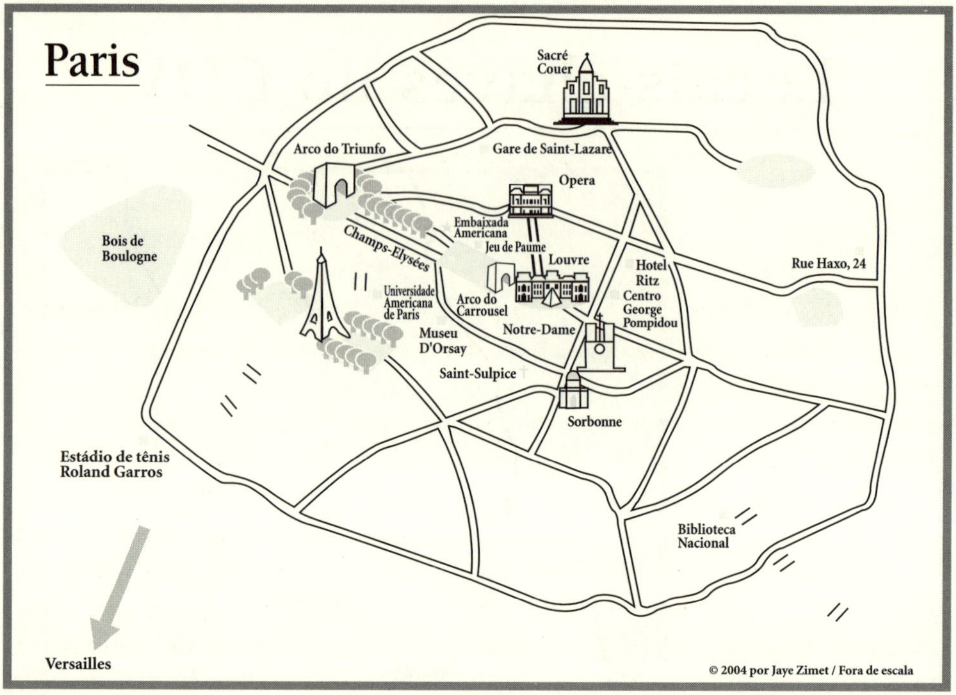
Paris
Sacré Couer
Arco do Triunfo
Gare de Saint-Lazare
Opera
Embaixada Americana
Jeu de Paume
Bois de Boulogne
Champs-Elysées
Louvre
Hotel Ritz
Rue Haxo, 24
Universidade Americana de Paris
Arco do Carrousel
Centro George Pompidou
Museu D'Orsay
Notre-Dame
Saint-Sulpice
Sorbonne
Estádio de tênis Roland Garros
Biblioteca Nacional
Versailles
© 2004 por Jaye Zimet / Fora de escala

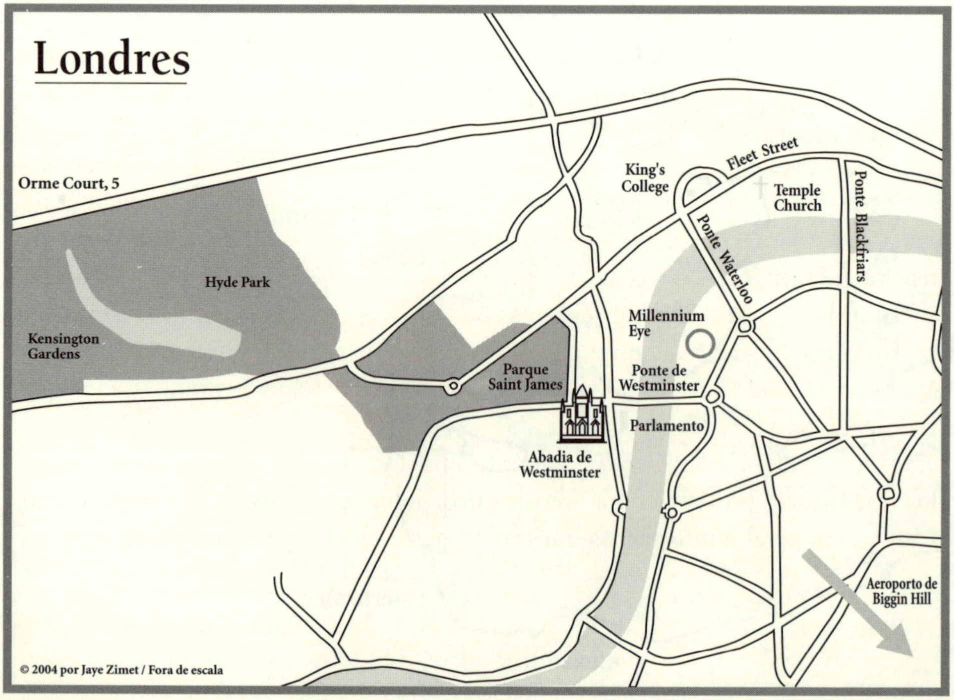
Londres
Fleet Street
King's College
Orme Court, 5
Temple Church
Ponte Blackfriars
Ponte Waterloo
Hyde Park
Millennium Eye
Kensington Gardens
Parque Saint James
Ponte de Westminster
Parlamento
Abadia de Westminster
Aeroporto de Biggin Hill
© 2004 por Jaye Zimet / Fora de escala

Nota do editor

Os segredos do Código é um compêndio de idéias e textos extraídos de livros, sites, revistas e entrevistas realizadas com escritores e estudiosos de destaque em seus campos de atividade. Por serem tantas e tão variadas as nossas fontes – que incluem transcrições de textos antigos –, optamos por manter as grafias e convenções de denominação tal como aparecem nos respectivos originais e uniformizá-las somente em nossos próprios textos. Em alguns casos, renumeramos as notas de rodapé para facilitar a leitura.

O leitor atento há de notar certas variações de grafia no corpo do texto. A grafia do nome Leonardo da Vinci, por exemplo, segue em geral a forma convencionalmente adotada nos textos de História da Arte, mas, quando referido no título *O Código Da Vinci*,* o D é sempre maiúsculo, assim como no livro de Dan Brown. Algumas fontes apresentam o nome Magdalene grafado com o *e* no fim, outras o suprimem. Mesmo sob o risco de incorrer em incoerências, deixamos inalteradas, sempre que possível, as formas utilizadas nos originais.

Procuramos indicar com clareza a procedência dos materiais, para que o leitor tenha facilidade em distinguir os excertos de obras previamente publicadas dos textos e notas de responsabilidade dos editores. O leitor verá que os editores se expressam nas introduções aos capítulos, nas discussões intersticiais, nas perguntas das entrevistas, nos comentários laterais, boxes, legendas e notas explicativas entre colchetes. As contribuições dos convidados, assim como entrevistas e extratos de textos já publicados, aparecem claramente identificadas com o nome do autor, copyright e permissão para reimpressão. Quaisquer omissões a respeito da proveniência dos materiais ou equívocos na identificação de textos que integram este livro terão sido inadvertidos. Pedimos antecipadamente aos interessados que nos desculpem.

O processo de montagem deste volume consistiu na seleção de passagens e capítulos que dessem ao leitor uma amostra do conteúdo dos livros dos quais foram extraídos, em geral muito mais abrangentes, ou das idéias de determinado especia-

---

* Brown, Dan. *O Código Da Vinci*. Rio de Janeiro: Editora Sextante, 2004.

lista. Foi tremendamente difícil tomar decisões editoriais que significaram deixar de lado muitos materiais extraordinários. Queremos agradecer aos autores, editoras, periódicos, sites e especialistas que tão generosamente puseram seus trabalhos à disposição deste projeto. Convidamos o leitor a comprar os livros aqui referidos, a visitar os sites mencionados e a aprofundar a leitura das muitas idéias citadas nestas páginas em suas fontes originais.

As exigências de nosso plano de produção impossibilitaram a inclusão de algumas entrevistas e passagens, bem como de bibliografia, cronologia e índice. Pretendemos colocar alguns desses itens à disposição do público em nosso site www.secretsofthecode.com.

Sobre a edição brasileira

Os livros publicados no Brasil cujos trechos aqui reproduzimos estão identificados nas seções de notas, ao final de cada parte, acompanhados do nome da editora, cidade e ano de edição. É importante assinalar que todos os extratos contidos nesta obra, inclusive aqueles referentes a textos bíblicos e apócrifos, foram traduzidos da versão original americana de *Secrets of the Code*, razão pela qual o leitor poderá encontrar algumas discrepâncias com materiais similares já editados em português.

Introdução
À procura de Sofia

Como muitas pessoas, tomei conhecimento de *O Código Da Vinci*,[1] de Dan Brown, no verão de 2003, já então o primeiro colocado na lista dos mais vendidos do *New York Times*. Deixei-o ficar durante um certo tempo à minha cabeceira ao lado de dezenas de livros não lidos, pilhas de revistas, apresentações comerciais ainda por analisar e muitas outras coisas típicas da corrida pela atenção do consumidor neste mundo complexo, caótico e repleto de informações em que vivemos.

Até que um dia, finalmente, peguei *O Código Da Vinci* (*CDV*) e comecei a lê-lo. Li a noite inteira, fascinado. Simplesmente não conseguia largá-lo – uma experiência que não é nova, com certeza, mas que também já não é tão freqüente a esta altura da minha vida, entrando na casa dos cinqüenta. Num dado momento, por volta das quatro horas da madrugada, ao ler a explicação que Leigh Teabing dá a Sophie Neveu de como e por que ele via Maria Madalena na *Última Ceia*, eu resolvi me levantar da cama e ir vasculhar as prateleiras da nossa biblioteca à procura de livros de arte. Olhei para o quadro de Leonardo que já vira centenas de vezes, é claro, e pensei: "Sim, realmente parece que há uma mulher sentada ao lado de Jesus!"

De manhã, já tendo acabado de ler o romance, percebi que há muito tempo eu não me sentia tão desafiado intelectualmente por um livro. Queria saber o que era e o que não era verdade, onde terminavam os fatos e começava a ficção, distinguir a especulação informada da pura fantasia literária. Mal pude esperar até que a livraria do meu bairro abrisse. Enquanto sorvia um copo de café com leite, esquadrinhei uma penca de livros mencionados ou aludidos no *CDV*: *O Santo Graal e a linhagem sagrada*,[2] *A grande heresia: O segredo da identidade do Cristo*,[3] *Os Evangelhos gnósticos*,[4] *The Woman With the Alabaster Jar: Mary Magdalen and the Holy Grail* (A mulher do vaso de alabastro: Maria Madalena e o Santo Graal), *The Nag Hammadi Library* (A Biblioteca de Nag Hammadi) e muitos outros. Para minha surpresa, descobri dezenas de livros recentes sobre Maria Madalena, a cultura da deusa, o sagrado feminino, as raízes do cristianismo, a escritura e codificação da Bíblia e os Evangelhos apócrifos, em particular os gnósticos. Encontrei prateleiras cheias de livros místicos sobre tradições templárias, sociedades secretas e lugares mencionados no *CDV* de que nunca ouvira falar, como Rennes-le-Château, na França, e Rosslyn Chapel, na Escócia. Saí da loja com centenas de dólares em livros embaixo do braço e fui para casa estudar todo esse material. Só mais tarde vim a saber que o site de Dan Brown contém uma bibliografia.

Durante semanas continuei comprando livros que descobria serem relevantes para penetrar os segredos do *CDV*. Devorei o novo livro de Elaine Pagels, *Além de toda crença: O Evangelho desconhecido de Tomé*,[5] com os olhos já abertos para o mundo das escrituras apócrifas por sua obra pioneira de 1979, *Os Evangelhos gnósticos*. Descobri uma plêiade de estudiosos versados nos idiomas copta, grego, hebraico e latim que traduziram e analisaram cuidadosamente antigos documentos com a intenção de colher novas informações e obter possíveis novas interpretações para os acontecimentos descritos na Bíblia. Li todos os livros de Baigent, Leigh e Lincoln, Lynn Picknett e de outros que passaram anos e anos garimpando boa parte da matéria-prima utilizada por Dan Brown. Absorvi o detalhadíssimo livro de Susan Haskins sobre Maria Madalena, que documenta dois mil anos de mito e metáfora sobre a mulher que Dan Brown sugere ter sido a noiva de Cristo.

Redescobri livros que já havia lido: *Moses* (Moisés), vigorosa biografia de Moisés escrita por Jonathan Kirsch, na qual ele procura desemaranhar a verdadeira história da vida de Moisés com base em passagens indiretas do Antigo Testamento, como as fascinantes alusões à idéia de que Miriam, ao contrário do que nos diz a Bíblia, não era irmã de Moisés mas uma sacerdotisa com sua legião de fiéis e um papel próprio na libertação dos escravos judeus no Egito. Reli a seguinte passagem: "Alguns estudiosos dizem que Miriam é real e Moisés inventado. Outros sugerem que ambos existiram mas não eram irmãos – Miriam, afirmam, era ela própria sacerdotisa e profeta", porém na Bíblia acabou absorvida na figura de "irmã" de Moisés, uma espécie de forma ancestral de construção de versões politicamente convenientes. Essa arraigada prática dos redatores bíblicos – alterar relacionamentos, dissolver as realizações das mulheres nos feitos dos homens, mudar as narrativas originais para ajustá-las às necessidades políticas do momento – talvez tenha se manifestado na forma como a história de Jesus, Maria Madalena e outros de seu círculo foi editada no Novo Testamento.

Reli *O pêndulo de Foucault*,[6] de Umberto Eco (um pastiche literário, uma paródia criada com base no mesmo material místico tratado no *CDV*.) Mais tarde, Eco diria aos entrevistadores de *Jesus, Mary and da Vinci* (Jesus, Maria e Da Vinci) – especial produzido pela ABC para explorar a tese de Dan Brown – que as suposições do *CDV* se fundamentavam em contos de fadas do século XIX, equivalentes a *Pinóquio* e *Chapeuzinho Vermelho* – "teorias erradas", tão falsas quanto a crença de que a Terra é plana.

Retomei o clássico de Norman O. Brown, *Love's Body* (Corpo do amor), de 1960, um de meus preferidos em outra fase da minha vida, e a sua brilhante síntese de mito e arquétipo no que tange ao sagrado feminino e ao papel das idéias míticas na criação da consciência ocidental. Muitas das citações reunidas por Norman O.

Brown com base em diversas culturas e campos interdisciplinares pareciam se encaixar perfeitamente no universo simbológico de Robert Langdon. Para Langdon, cálices e lâminas são símbolos universais do feminino e do masculino. E ele os vê em toda parte: na estrela de seis pontas de Davi, adotada nos primórdios da história judaica, na interação espacial entre Jesus e a pessoa sentada ao seu lado na *Última Ceia*, nas pirâmides do Louvre, do arquiteto I. M. Pei – uma delas virada para cima e a outra para baixo. Como disse Norman O. Brown: "Todas as metáforas são sexuais: os objetos convexos são pênis e os côncavos vaginas." Langdon também teria apreciado em Brown a recorrente invocação a Yeats na tentativa de entender como a unidade sagrada dividida em masculino e feminino pode ser um dia restaurada: "*Nothing can be sole ou whole / That has not been rent*" ("Não pode ser único nem inteiro algo que não tenha estado cindido").

Revisitei *The Passover Plot* (A trama da Páscoa judaica), campeão de vendas do ano de 1965, de autoria de Hugh J. Schonfield, que me lembro de ter visto meus pais lendo e discutindo. O exemplar que comprei, de uma edição antiga, trazia na orelha estas interessantes palavras em letras adornadas: "*The Passover Plot* afirma – e se propõe a prová-lo com indicações detalhadas extraídas da Bíblia e dos recém-descobertos Pergaminhos do Mar Morto – que Jesus planejou a sua própria detenção, crucificação e ressurreição; que preparou tudo para ser drogado na cruz e retirado mais tarde em segurança, simulando assim a própria morte para confirmar as profecias messiânicas... Jamais uma tese tão audaciosa foi apresentada por tão ilustre autoridade – nem sustentada com evidências tão irrefutáveis." Um déjà vu e tanto para quem está lendo o sucesso de Dan Brown quarenta anos depois.

Li também *A última tentação de Cristo*,[7] escrito há mais cinqüenta anos por Nikos Kazantzakis, e assisti pela primeira vez à adaptação de Martin Scorsese para o cinema dessa obra que pinta em cores vívidas uma possível relação amorosa entre Jesus e Maria Madalena (Willem Dafoe e Barbara Harshey, no caso).

Ao mesmo tempo em que eu absorvia esses livros e materiais e conversava com amigos sobre suas experiências com a leitura do *CDV*, começou a desenhar-se em minha mente a idéia de juntar essas vertentes de discussão em um único volume. Seria um modo de compartilhar com outros leitores e entusiastas dessa obra a massa de conhecimentos e críticas que eu vinha pesquisando. Assim nasceu a idéia de criar este livro.

Pouco depois de decidir trabalhar com esse material com a intenção de criar para o leitor um guia extra-oficial do romance, eu li num relatório que as vendas de cerca de noventa títulos haviam aumentado nas livrarias de todo o país por causa de sua ligação com o tema do *CDV*. Percebi, então, que havia muitos outros leitores envolvidos na mesma busca que eu, o que só fez confirmar meu instinto e meu desejo de criar este livro. Felizmente, Gilbert Perlman e seus colegas da CDS compartilhavam a minha opinião e se mostraram dispostos a mover céus e terra para realizar a produção e publicação do livro numa velocidade tal que lhe permitisse fornecer um contexto relevante para os milhares de novos leitores que compram o *CDV* a cada dia.

Em minha "ocupação principal" de investidor em negócios de risco, é rotina deparar-me com afirmações ao mesmo tempo interessantes e fora do comum a respeito de inovações e novas tecnologias. Para julgá-las, nossa firma executa o procedimento conhecido como "análise e avaliação". Trata-se de descobrir se existe, por trás da propaganda, um verdadeiro negócio que possa ser construído com êxito. Nossa abordagem geralmente começa com uma lista de perguntas.

Minha pesquisa sobre o *CDV* foi bastante parecida. A lista inicial de perguntas foi a seguinte:

- O que sabemos efetivamente a respeito de Maria Madalena? Ela era de fato uma prostituta, como a identifica a tradição cristã? Se não era, por que foi durante tanto tempo assim retratada pela Igreja e por que o Vaticano mudou de idéia na década de 1960?
- Existem reais evidências de que Jesus e Maria Madalena eram casados? A mulher do vaso de alabastro descrita no Novo Testamento – que unge Jesus com um caro bálsamo aromático e enxuga os pés dele com seu próprio cabelo – era Maria Madalena ou outra Maria, uma prostituta redimida de fato? E, se era Maria Madalena, seria tal ato um ritual de reverência ou a metáfora de um relacionamento de natureza sexual?
- O Evangelho de Filipe encontrado em Nag Hammadi diz realmente que Jesus beijava Maria Madalena na boca com freqüência – e, se as palavras são realmente essas e a tradução está correta, seria isso também uma metáfora? Ou seria a manifestação concreta de um relacionamento amoroso?
- É possível que Jesus e Maria Madalena tenham tido um filho e gerado uma descendência que chegou aos tempos modernos? Qual a validade das muitas lendas a respeito da fuga de Maria Madalena para a França? É possível que os reis merovíngios fossem descendentes da sua progenitura? E que dizer dos cultos à "Madona Negra" na França e em outros lugares? Maria Madalena pode ter sido uma mulher negra oriunda do Egito ou da Etiópia?
- Era o Jesus histórico um rabino, mestre ou líder espiritual judeu e, como tal, até provavelmente casado? Ou já havia naquela época uma tradição de celibato e ascetismo entre os líderes judeus do sexo masculino?
- Maria Madalena pode ter sido ela própria uma personalidade espiritual importante, a parceira amorosa e/ou esposa de Jesus e a pessoa que ele queria que liderasse o movimento depois de sua morte? Existem registros históricos de disputas e manifestações de ciúme dos apóstolos em face do papel desempenhado por Maria Madalena? É plausível, de alguma forma, a afirmação contida no *CDV* de que Jesus foi o "primeiro feminista"?

- Os Evangelhos gnósticos e outras escrituras apócrifas são dignos de crédito – tanto quanto os Evangelhos tradicionalmente reconhecidos? Os relatos que eles contêm são significativamente diferentes? O que acrescentam à nossa compreensão acerca da efervescência intelectual e filosófica dos cem primeiros anos da era cristã?
- É fato que os líderes da Igreja Católica, do imperador Constantino ao papa Gregório, executaram um ataque planejado contra as escrituras apócrifas? Que editaram o que veio a se tornar o cânone por motivos políticos? Que unificaram deliberadamente em uma só pessoa Maria Madalena e uma outra Maria dos Evangelhos, esta sim uma prostituta?
- É fato que os Pais da Igreja caluniaram Maria Madalena como parte de uma operação mais ampla para ocultar antigas tradições cristãs de cultos da deusa e suprimir o papel da mulher na Igreja?
- É fato que os gnósticos praticavam rituais sexuais sagrados? Existe uma tradição de *hieros gamos* ("casamento sagrado") que vem do Egito, passa pela Grécia, alcança o cristianismo primitivo e é transmitida aos templários e membros do Priorado de Sião?
- Quem eram os Cavaleiros do Templo e o que teriam encontrado nas escavações do Monte do Templo durante as Cruzadas?
- Como foi que os templários conquistaram poder e influência e os perderam mais tarde? Há alguma evidência de que eles possam ter encontrado o Santo Graal?
- Existem indícios de que os templários e outras sociedades secretas da época acreditassem que o Santo Graal estivesse relacionado não a um cálice ou a uma taça de vinho mas a Maria Madalena, aos seus restos mortais, a documentos sobre seu papel na Igreja primitiva, à sua progenitura e ao futuro da descendência Jesus–Maria Madalena?
- O Priorado de Sião é de fato uma organização histórica? Caso seja, terá chegado à França contemporânea tendo como alguns de seus grandes mestres os expoentes da cultura européia mencionados no *CDV:* Leonardo, Newton, Victor Hugo, Claude Debussy, Jean Cocteau, etc.?
- O que se passa hoje dentro da Igreja no sentido de se reavaliar a doutrina, reconsiderar os princípios fundamentais e repensar o papel da mulher? Por que filmes como *A Paixão de Cristo* são recebidos com tamanho frenesi? Como a Igreja está respondendo aos atuais escândalos de abusos sexuais, e o que a história indica como o curso mais provável dos acontecimentos? O que é o Opus Dei e que papel desempenha na Igreja Católica?
- Terá Leonardo da Vinci realmente inserido mensagens simbólicas secretas na *Última Ceia* e em outras obras suas? Será de fato Maria Madalena, e não o apóstolo João, a pessoa retratada à direita de Cristo?

Neste volume, o leitor encontrará trabalhos que abordam essas e muitas outras questões – materiais extraídos de livros, periódicos, sites, artigos, comentários e entrevistas com estudiosos, especialistas e pensadores que as vêm pesquisando há vários anos. Desejo sinceramente que essas fontes sejam tão úteis aos interessados em tirar suas próprias conclusões e formular suas próprias idéias a respeito do tema quanto foram para mim.

Antes, porém, de convidar o leitor a se lançar sobre os textos desta coletânea que escolhemos chamar de "A Biblioteca de Sofia", eu gostaria de compartilhar uma série de observações sobre o que penso ser o motivo pelo qual o *CDV* desperta tanto o interesse do público e está tão perfeitamente sintonizado com o espírito contemporâneo.

1. O *CDV* é um romance de *idéias*. A despeito do que se possa dizer sobre alguns diálogos canhestros e inverossimilhanças da trama, o fato é que Dan Brown soube construir uma história de mistério, ação e aventura combinando eficazmente idéias altamente complexas com pensamentos fragmentários e pequenos detalhes. Nossa cultura está continuamente em busca de oportunidades para satisfazer a imaginação coletiva com algo mais do que informação intelectual de baixa categoria. Mesmo entre os escritores mais eruditos e sisudos, são pouquíssimos os que estão escrevendo romances que lidam com grandes conceitos históricos, filosóficos e cosmológicos. E, no caso destes últimos, a maioria produz romances de difícil compreensão, até para a média dos leitores instruídos e sofisticados. Dan Brown nos trouxe um fascinante mundo de idéias e conceitos em que somos capazes de nos mover sem nenhum pré-requisito acadêmico. Ao abrirmos a primeira página do livro, nos deparamos com Saunière cambaleando pela Grande Galeria do Louvre às dez e quarenta e seis da noite e somos em seguida arrastados para uma desabalada gincana através da história da civilização ocidental. Em nenhum momento o romance nos obriga a realizar grandes vôos mentais, mas deixa palavras-chaves a cada página para aqueles que têm intenção de se aprofundar na matéria.

2. Tal como *Ulisses*,[8] de James Joyce, o *CDV* é uma narrativa de acontecimentos que se desenrolam num único período de 24 horas. E, assim como *Finnegans Wake*,[9] também de Joyce, termina no mesmo lugar onde começa. Claramente, Dan Brown leva a forma literária muito a sério. Talvez jogue com os fatos de maneira mais veloz e livre do que alguns gostariam, mas sua capacidade de condensar extensas discussões intelectuais e religiosas em falas curtas e de rápida compreensão é, sem dúvida, uma forma de arte. Isso não significa que o *CDV* seja "grande literatura". Não estou seguro de que ele resistirá à prova do tempo, apesar de sua atual popularidade. Mas a sociedade deveria valorizar, mais do que costuma fazer, o talento artístico dos grandes autores de histórias de mistério, espionagem e ação/aventura. Dan Brown, se verá, é um artista literário desse gênero.

3. Nossa cultura materialista, tecnológica, científica e transbordante de informação é ávida não apenas pelo fascínio intelectual das grandes idéias, mas também pelo senso de missão e significado. As pessoas estão buscando redescobrir a sensibilidade espiritual ou, pelo menos, um contexto para suas vidas. O *CDV*, como os romances ao estilo Harry Potter que a ele se assemelham em espírito, é uma clássica jornada de herói (com a diferença de que no caso em questão a heroína, mais do que uma parceira plena e igual, é na verdade mais importante do que o próprio herói). O *CDV* pode ser lido como uma moderna *Odisséia* através do mito, dos arquétipos, da linguagem simbólica e da prática religiosa. Os personagens não apenas cuidam de evitar que os mais preciosos segredos caiam em mãos erradas como adquirem autoconhecimento, identidade e um lugar no mundo.

4. Vivemos uma época – tal qual os dias lendários do rei Artur, o tempo das Cruzadas, o século XIX – de renovado interesse pelo romance da busca pelo Santo Graal, afirmação válida no estrito sentido do desabrochar de uma nova literatura sobre o Santo Graal do cristianismo. Dan Brown recorre amplamente a esse grande volume de obras ocultas e misteriosas, vale dizer, Nova Era. Mas a busca do Santo Graal renova-se também num sentido mais amplo e metafórico. A corrida para desvendar os segredos do genoma humano, para ir a Marte, para entender o big-bang e comprimir as comunicações em bits digitais sem fio – tudo isso é, de certa forma, a busca pelo Santo Graal. Uma espécie de milenarismo atrasado, quem sabe: quando a verdadeira virada de milênio aconteceu há alguns anos, muitos observadores se surpreenderam com a fraca manifestação da febre milenarista. Mas então vieram o 11 de setembro, os atos apocalípticos de terrorismo, as guerras no Afeganistão e no Iraque, as explosões de violência por todo o Oriente Médio, tudo com a marca do extremismo religioso e a mesma retórica da fé versus os infiéis do tempo das Cruzadas. O nascimento da nossa nova era começou, finalmente, a ganhar um aspecto mais milenar. O *CDV* segue essa mesma linha, indo buscar os principais elementos de sua trama mil e dois mil anos atrás – os primórdios da era cristã e as Cruzadas. Em *The Holy Grail: Imagination and Belief* (O Santo Graal: Imaginação e crença), um livro notável publicado pouco depois do *CDV*, Richard Barber, o mais importante historiador medieval britânico, rastreia a trajetória do Santo Graal como inspirador da imaginação artística, de Wagner a Monty Python, passando por T. S. Eliot, e observa a freqüência com que a expressão Santo Graal aparece na grande imprensa, em geral não muito propensa a dar demasiada atenção a assuntos religiosos. De acordo com Barber, o *New York Times* mencionou o Santo Graal apenas 32 vezes em 1985-86 contra 171 vezes em 2001-02; e *Le Figaro*, 56 vezes em 1997-98 contra 113 em 2001-02.

5. As mulheres formam uma parte considerável do público leitor do *CDV*, que por sua vez responde de muitas formas ao novo modo de pensar sobre o papel da mulher na nossa cultura. Dan Brown resgatou Maria Madalena de sua fama de

pecadora, penitente e prostituta. No livro, até mesmo a inteligente e sofisticada Sophie Neveu a vê dessa forma até ser esclarecida por Langdon e Teabing. Ouso dizer que acho provável que um grande número de pessoas tenha aprendido, ao ler o *CDV*, que Maria Madalena não é mais considerada prostituta desde as clarificações oficiais da Igreja na década de 1960. Contudo, mil e quatrocentos anos de fama de pecadora não é algo que se supere facilmente. E o *CDV* levou essa correção que a Igreja fez com toda a discrição para o amplo conhecimento e debate público. E não foi só isso. O *CDV* sustenta que Maria Madalena, muito mais do que "não prostituta", foi uma personalidade forte e independente, autora de um evangelho próprio, mecenas de Jesus e co-fundadora de seu movimento, a única que lhe foi fiel na hora em que ele mais precisou, sua parceira amorosa e mãe de seu filho. Para milhões de mulheres que ainda hoje se sentem menosprezadas, discriminadas ou indesejadas em Igrejas de todos os credos, o romance é uma oportunidade de ver a história da religião sob uma luz inteiramente nova. Assim como as mulheres vêm descobrindo novas heroínas pioneiras em todos os ramos de atividade – ciências, artes, esportes – ao longo dos últimos trinta anos, o *CDV* abre os olhos de todos para uma visão espantosamente distinta do vigoroso papel da mulher na origem do cristianismo. Esses temas se tornaram o carro-chefe da Escola de Teologia de Harvard e de outros centros de produção intelectual, mas foi o *CDV* que os tornou o foco da atenção das mulheres (e homens) instruídas que vivem fora do ambiente acadêmico. Para as católicas em particular – muitas das quais há tempos se angustiam com a atitude da Igreja em relação ao aborto, ao controle da natalidade, ao divórcio e ao sacerdócio –, o livro é uma revelação de como a metade feminina da equação humana foi, quem sabe, deliberadamente suprimida por motivos políticos com a ascensão do poder institucional centralizado da Igreja Católica Romana. Os fatos apresentados no *CDV* – acontecimentos reais, comprovados – contam uma história que muita gente não conhece. Por exemplo, o sacerdócio não era vedado às mulheres nos primeiros dias da Igreja e o celibato dos padres só se tornou uma regra seis séculos depois de Cristo. Além disso, Maria Madalena não é a única personalidade feminina importante nos Evangelhos tradicionais. Várias mulheres de destaque são nominalmente mencionadas, a maioria das quais permaneceu ignorada mesmo pelos fiéis da época. É claro que a Virgem Maria, mãe de Jesus, tem há muito tempo uma legião de seguidores profundamente devotados. E se tornou, nos anos recentes, uma figura ainda mais importante na Igreja – tendência que João Paulo II incentivou. Mas a nova imagem de Maria Madalena pintada por Dan Brown – poderosa, forte, independente, inteligente, porta-estandarte do cristianismo muito depois da morte de Jesus e, além disso – por que não –, sensual – faz dela uma figura muito mais acessível e humana do que a santa Virgem Maria, altiva e perfeita.

6. Numa época de crescente fundamentalismo e extremismo religioso em todo o mundo, o *CDV* apresenta elementos relevantes para o estudo da história ocidental.

Primeiro, sublinha a diversidade e a efervescência do mundo judaico-cristão de dois mil anos atrás – diversidade e efervescência mais tarde reprimidas pelas campanhas da Igreja contra as heresias. Depois, sugere que algumas das idéias pagãs e orientais que alcançaram o pensamento mediterrâneo oriental talvez fossem legítimas e valiosas. Ao chamar nossa atenção para as Cruzadas e a Inquisição, assim como para as intensas batalhas ideológicas em torno das interpretações, o *CDV* convida o leitor a imaginar que aquilo que ele sempre ouviu ou em que sempre acreditou pode afinal *não* ser verdade. Uma linha que contrasta com a do filme de Mel Gibson, *A Paixão de Cristo*, de 2004, que apresenta uma versão *da verdadeira* forma como tais acontecimentos se desenrolaram. A obra de Dan Brown insinua uma variedade de conspirações e mundos ocultos: o impressionante acobertamento da grande operação para eliminar o Priorado de Sião, a conspiração de segredo do próprio Priorado, a conspiração do Opus Dei para ganhar poder na Igreja e a conspiração assassina do Mestre para impor a sua própria versão da verdade. Dessa forma, o *CDV* constitui uma crítica implícita da intolerância, da loucura em nome de Deus e da crença de que só existem um Deus verdadeiro, uma fé verdadeira e um modo verdadeiro de praticar a devoção religiosa.

7. Baseando-se em descobertas arqueológicas recentes – como os textos de Nag Hammadi e os Pergaminhos do Mar Morto –, na análise histórica da arte de Leonardo e de outros pintores, na interpretação dos símbolos e na criptografia, o *CDV* entrelaça várias linhas de investigação científica e arqueológica de nossa época. Dessa forma, delineia os elementos da maior história de detetive jamais contada: vivemos uma época de descobertas de provas autênticas da origem do ser humano e de muitas de suas crenças e idéias. A jornada de autoconhecimento de Sophie é, na verdade, uma analogia da nossa própria jornada. Sophie talvez seja descendente direta de Jesus, mas todos descendemos de pessoas que vagaram pela Terra naqueles tempos, que tiveram aqueles pensamentos e praticaram aqueles costumes. Ser capaz de compartilhar os insights dos filósofos gnósticos estabelecidos no deserto egípcio dezesseis ou dezoito séculos atrás é uma experiência extraordinária. Estamos decifrando simultaneamente os códigos de nossos DNAs biológico e cultural. Com as novas pesquisas e ferramentas científicas, talvez venhamos a descobrir o que Leonardo estava tentando nos dizer – ou até se ele estava tentando nos dizer alguma coisa.

8. A idéia de que Robert Langdon é um *simbologista* – especialidade acadêmica que parece ser da lavra do próprio Dan Brown – dotado de um tremendo talento para explicar signos e símbolos é outro ponto fascinante do livro. Estamos saindo a toda velocidade da era de Gutenberg para entrarmos no mundo "webficado" da mídia interativa. Trata-se de uma transição do mundo do pensamento literal, hierarquizado, estruturado e racional para um caldo futurístico de imagem, idéia, movimento, emoção, aleatoriedade e interconexão. Em certo sentido, estamos nos movendo para trás no tempo, rumo a uma época em que os signos e símbolos visuais

eram muito mais importantes. Os ícones das nossas telas de computador são reencarnações das pinturas rupestres da França. O fato de Dan Brown estar afinado com os ricos *inputs* e significados oriundos de fontes não literais e não racionais que penetram em nossas vidas é um aspecto crítico da experiência de ler o livro. Ler o *CDV* é uma experiência realmente similar àquela descrita por Langdon quando diz que, para ele, ver um filme da Disney é como ser "esmagado por uma avalanche de alusões e metáforas". O personagem Langdon, como assinalado em algum lugar deste livro, é uma fascinante mescla de Indiana Jones e Joseph Campbell. Ao espalhar códigos, símbolos e anagramas por toda a sua obra, Dan Brown a tornou ainda mais interessante e interativa para nós como participantes da experiência.

9. Conspiração, segredo, privacidade, roubo de identidade, a tecnologia e seus problemas são temas que aparecem em todos os livros de Dan Brown, muito apropriados à nossa época. A leitura do *CDV* estimula a discussão e a formulação de novas idéias a respeito dessas questões. A Igreja norte-americana moderna ocultou durante anos casos hediondos de abuso sexual; o presidente dos Estados Unidos talvez tenha promovido a invasão de um país estrangeiro baseado em provas forjadas da existência de armas de destruição em massa; executivos de empresas como a Enron e a Worldcom lograram acionistas e fiscais das agências reguladoras em bilhões e bilhões de dólares inexistentes. Não se pode ler o *CDV* sem ouvir os ecos desses episódios contemporâneos de mentira e acobertamento – e a verdade que vem à tona no final.

O *CDV* é fato ou ficção? Meu objetivo principal é fornecer material para que os leitores tirem suas próprias conclusões a respeito. Quero deixar perfeitamente claro que não me considero um grande conhecedor dos assuntos tratados no livro. Tenho um enorme interesse e uma permanente curiosidade por esses temas, mas não possuo nenhuma credencial acadêmica, artística ou religiosa. Vejo-me como um a mais entre os leitores do romance. Apenas me envolvi com essas idéias e saí a pesquisá-las com maior profundidade, a buscar os especialistas mais considerados ao meu alcance, a identificar as fontes mais autorizadas e a reunir tudo isso num único volume concebido para satisfazer o interesse de outros leitores, curiosos ou interessados.

Como homem de negócios, porém, acho que devo ao leitor pelo menos um sumário da tese geral que creio estar apresentada no livro. Minha conclusão pessoal é a de que o *CDV* é uma fascinante e bem elaborada obra de ficção, construída, do começo ao fim, com interessantes partículas de fatos pouco conhecidos e provocações estimulantes, mesmo que fortemente especulativas. Seu máximo valor se expressa quando lido como livro de idéias e metáforas – um caderno de notas ao estilo de Leonardo, que ajuda o leitor a refletir sobre sua própria filosofia, sua cosmologia, suas crenças religiosas e suas críticas.

Feitas essas advertências, permita-me apresentar um breve resumo de minhas conclusões pessoais a respeito da questão "fato versus ficção". A resposta a essa pergunta tem pelo menos dois aspectos distintos.

Primeiro, eu diria que, quanto mais Dan Brown volta no tempo, mais confiável é o terreno intelectual em que ele se move. Muitos antropólogos, arqueólogos e outros especialistas endossariam os termos gerais da discussão a respeito do sagrado feminino desenvolvida no *CDV*. Hoje há muita literatura acadêmica séria sustentando a tese de que, antes da ascensão do monoteísmo judaico-cristão, vários sistemas de crenças politeístas pagãs tendiam a dar igual atenção a deusas e deuses, bem como à natureza espiritual e divina do sexo, da procriação, da fertilidade e da natividade. Da mesma forma, um grande volume de trabalhos acadêmicos independentes e pesquisas de teólogos e especialistas em religião criticam a identificação de Maria Madalena com a prostituta mencionada no Novo Testamento. Além disso, destacam o papel por ela desempenhado na fundação do cristianismo como muito mais importante do que o que lhe foi atribuído pela tradição oficial. Como, no entanto, nenhum pesquisador sério é propenso a tirar conclusões que não se apóiem em sólidas evidências, inexistem acadêmicos renomados positivamente *convencidos* de que Jesus e Maria foram casados. Não é difícil, porém, encontrar estudiosos altamente qualificados e dignos de crédito – e mesmo teólogos – abertos à *possibilidade* de que tenha havido entre eles um relacionamento amoroso.

Uma boa parte do que o *CDV* tem a dizer sobre o papel do sagrado feminino na pré-história, sobre Maria Madalena, sobre o cristianismo primitivo e a diversidade de pensamento então existente e, finalmente, sobre a posterior consolidação da Igreja Católica Romana como instituição – sobre a maior parte dessa discussão, portanto – se apóia na obra de estudiosos respeitados e em indicações reais, como os textos de Nag Hammadi. Dan Brown interpreta esse material da maneira mais dramática, exagerada e conspirativa possível. É claro: trata-se de um romance. Mas as idéias por trás de seus temas me parecem válidas e bem fundadas.

À medida que avançamos na leitura, contudo, percebemos que, embora siga como uma história fascinante, o *CDV* se afasta progressivamente do academicismo responsável. As narrativas das Cruzadas e dos templários, tal como apresentadas, não estão em descompasso com as opiniões dominantes. Contudo, as idéias de que o Santo Graal simboliza Maria Madalena e a descendência real de Jesus, de que existe um compromisso duradouro do Priorado de Sião com o espírito do sagrado feminino, de que *A Última Ceia* é uma mensagem codificada de Leonardo da Vinci sobre a verdadeira história de Jesus e Maria e de que o Priorado chegou à época moderna por meio de uma cadeia ininterrupta de grandes mestres, de Leonardo a Pierre Plantard, mostram que Dan Brown deixou para trás o terreno das teses acadêmicas e mergulhou fundo nas águas dos mitos medievais e da Nova Era. Quase tudo isso é reciclagem de lendas e tradições documentadas por outros escritores ao longo das últimas décadas. Boa parte está tão longe de poder ser qualificada como evidência histórica que não vale nem a pena discutir se é fato ou ficção. Para alguns, não passa de um monte de disparates. Para mim, e quem sabe para muitos outros, são absurdos como história, mas uma extraordinária matéria-prima de ficção e folclore, capaz de gerar discussões infinitamente fascinantes sobre o mito, a metáfora e o nosso DNA cultural.

Muitos analistas contestam as concepções de Dan Brown a respeito da doutrina religiosa e da história do cristianismo. Na realidade, já há vários livros sendo escritos com críticas ao *CDV* do ponto de vista religioso. Eu sugiro que sejam lidos também. Mas, se Dan Brown acertou ou não em sua teologia, não é o foco desta obra, apesar de alguns argumentos aqui apresentados.Ao contrário, optei por chamar a atenção para as inter-relações entre as idéias e metáforas que se podem destacar do debate em torno deste livro. Não tenho intenção de polemizar nem de ser crítico ou desrespeitoso com as crenças religiosas dos leitores. Tampouco é meu desejo defender ou depreciar obras cujos trechos aqui reproduzimos e que serviram de fonte para o *CDV*. O fato de determinado texto constar deste livro não significa que eu considere verazes os seus argumentos. Quer dizer apenas que, na minha opinião, o leitor deve conhecê-los para chegar às suas próprias conclusões.

O que se segue neste livro é uma compilação de idéias e opiniões de autores que, juntos, configuram um amplo leque de pensamento. Esta obra foi concebida para ajudar o leitor em sua busca de conhecimento e insight – de *sofia*, se lhe agrada.

Gostaria de deixar cristalinamente claro: o *CDV* é um romance. É entretenimento. É algo para se desfrutar. E parte desse desfrute, pelo menos para mim, é seguir suas idéias e fios de discussão, rastrear suas inter-relações. O *CDV* é essencialmente isso.

Dan Burstein
Abril de 2004

Notas – Introdução

1. Brown, Dan. *O Código Da Vinci*. Rio de Janeiro: Editora Sextante, 2004.
2. Baigent, Michael; Leigh, Richard; Lincoln, Henry. *O Santo Graal e a linhagem sagrada*. Rio de Janeiro: Nova Fronteira, 1993.
3. Picknett, Lynn; Prince, Clive. *A grande heresia: O segredo da identidade do Cristo*. São Paulo: Beca, 2000.
4. Pagels, Elaine. *Os Evangelhos gnósticos*. São Paulo, Cultrix, 1979.
5. Idem. *Além de toda crença: O Evangelho desconhecido de Tomé*. Rio de Janeiro: Objetiva, 2004.
6. Eco, Umberto. *O pêndulo de Foucault*. Rio de Janeiro: Record, 2002.
7. Kazantzakis, Nikos. *A última tentação de Cristo*. São Paulo: Círculo do Livro, 1998.
8. Joyce, James. *Ulisses*. 13. ed. Rio de Janeiro: Civilização Brasileira, 2003.
9. Idem. *Finnegans Wake* (*Finnicius Revém*). São Paulo: Ateliê Cultural, 2002. 5 v.

LIVRO I

Masculino, feminino e heresia na história da religião

Parte I

Maria Madalena e o sagrado feminino

1 MARIA MADALENA

Como uma mulher de posses foi transformada em prostituta pela história

Mas Cristo a amava mais do que a todos os outros discípulos e a beijava na [boca] com freqüência. Os demais discípulos se ofenderam e expressaram sua desaprovação. Disseram-lhe:
– Por que a amas mais do que a todos nós?
O Salvador respondeu, dizendo-lhes:
– Por que eu não vos amo como a ela?

– DO EVANGELHO DE FILIPE

Maria Madalena é, sob vários aspectos, a estrela do *CDV*. É adequado, portanto, que ela seja o ponto de partida dessa odisséia de exploração das histórias e mistérios do romance de Dan Brown. Mas quem foi essa mulher que, nos Evangelhos tradicionais, desempenha um papel tão importante nos momentos críticos? Claramente, ela é uma das mais próximas companheiras do Jesus itinerante. Seu nome é mencionado doze vezes no Novo Testamento. É um dos poucos seguidores de Jesus presentes à sua crucificação e que lhe presta assistência após a sua morte. É a pessoa que retorna ao seu túmulo três dias depois e a quem o Jesus ressuscitado primeiro aparece. Nesse momento, ele a instrui – na verdade a credencia – a difundir a notícia de sua ressurreição e a se tornar, de fato, a figura mais importante entre os apóstolos, a portadora da mensagem cristã a eles e ao mundo.

Tudo isso está de acordo com as afirmações contidas nos registros oficialmente reconhecidos e incorporados ao Novo Testamento. Quem estuda os relatos apócrifos – os Evangelhos gnósticos e as várias Escrituras perdidas – logo encontra indicações de que Maria Madalena e Jesus podem ter tido um relacionamento muito próximo, uma relação íntima de marido e mulher, e de que ela pode ter sido uma líder e pensadora a quem Jesus confiou segredos que não compartilhava nem com os apóstolos. Talvez Maria Madalena tenha sido objeto de rivalidades e ciúmes entre os apóstolos, alguns dos quais, ao que parece, notadamente Pedro, menosprezavam o seu papel no movimento por causa de seu sexo e consideravam problemático o seu relacionamento com Jesus. Talvez ela representasse uma filosofia mais humanística e individualizada, mais próxima, quem sabe, daquela que Jesus realmente pregou do que a que foi reconhecida pelo Império Romano, na época de Constantino, como o pensamento cristão oficial e, desde então, o seu padrão dominante.

Maria Madalena é, talvez, mais conhecida na história como prostituta. Mas ela era mesmo uma prostituta? Terá Jesus a perdoado simplesmente – e ela apenas se arrependido e mudado seu comportamento – para ilustrar os tradicionais princípios cristãos do pecado, da absolvição, da penitência e da redenção? Ou ela não era realmente uma prostituta, mas uma mulher rica que apoiava e patrocinava o movimento de Jesus, mais tarde (século VI) declarada pelo papa Gregório a mesma Maria efetivamente prostituta mencionada nos Evangelhos? E, ao fundir três diferentes Marias do Evangelho em uma só, terá esse papa agido deliberadamente para marcar Maria Madalena com o estigma da prostituição? Ou terá sido um inocente erro de interpretação numa época sombria em que estavam disponíveis poucos documentos originais e a linguagem bíblica era uma mistura de hebraico, aramaico, grego e latim? Tinha de fato a Igreja necessidade de simplificar e codificar os Evangelhos e salientar os temas do pecado, da penitência e da redenção? Ou terá sido um estratagema muito mais maquiavélico (mil anos antes de Maquiavel) para arruinar a reputação histórica de Maria Madalena e assim destruir os últimos vestígios dos cultos pagãos da deusa e do sagrado feminino no cristianismo primitivo, apagar o papel da mulher na Igreja e enterrar o lado mais humanístico da fé cristã?

Terá sido ainda algo mais? Teria sido a letra escarlate da prostituição colocada pelo papa Gregório sobre Maria Madalena – que manteria a pecha oficial de pecadora arrependida que ela carregou pelos catorze séculos seguintes – o início de uma grande operação de ocultação de seu casamento e, em última instância, da linhagem real e sagrada de sua descendência?

Sua descendência? Sim, é claro. Se Jesus e Maria Madalena eram casados ou, pelo menos, mantinham um relacionamento íntimo, é muito provável que tenham tido um filho ou filhos. E o que aconteceu com ela depois da crucificação? A Bíblia se cala, mas por todo o Mediterrâneo, de Éfeso ao Egito, certas lendas e tradições sugerem que Maria Madalena fugiu de Jerusalém com seu filho (ou filhos) e se fixou como evangelista. As narrativas mais interessantes dizem que ela passou o resto da vida na França... hipótese que Dan Brown recolhe e integra na trama do *CDV*.

Representação do pecado e da redenção, penitente e virtuosa, fiel e incasta, Nossa Senhora e meretriz, não surpreende que Maria Madalena tenha sido sempre uma figura de proa na literatura e na cultura. Há mais de mil anos, homens devotos já subiam ao palco para representá-la no drama da Paixão, as primeiras obras teatrais produzidas na Europa Ocidental. E desde então ela é presença constante na arte sacra.

Dan Brown não é o primeiro escritor de nossa época a se deixar fascinar por Maria Madalena ou a levantar a questão de seu possível casamento com Jesus. Nikos Kazantzakis propôs a existência desse relacionamento amoroso no romance *A última tentação de Cristo*, há mais de cinqüenta anos (ao adaptá-lo para o cinema na década de 1980). O teólogo protestante William E. Phipps abordou muitas dessas questões em *Was Jesus Married? The Distortion of Sexuality in the Christian Tradition* (Jesus era casado? A distorção da sexualidade na tradição cristã), publicado originalmente em 1970 e reeditado em 1989. A ópera-rock *Jesus Cristo superstar*, outra obra de mais de trinta anos, também admite a existência de uma relação amorosa entre Jesus e Maria Madalena. A "nova" Maria Madalena se ajusta perfeitamente ao interesse da nossa sociedade no que se refere aos papéis relacionados aos gêneros, à mulher em posição de liderança e às várias permutações concebíveis entre amor, sexo e casamento. O *CDV* vem, portanto, na hora certa.

Neste capítulo, alguns dos mais importantes estudiosos do tema Maria Madalena em todo o mundo discutem diferentes versões de quem ela teria sido na história, o significado de sua presença nos Evangelhos tradicionais e, finalmente, o modo como os Evangelhos gnósticos e outras escrituras apócrifas podem contribuir para ampliar nossa capacidade de entendê-la nos dias atuais. Alguns desses especialistas se propõem a deslindar exclusivamente o significado do que está contido na Bíblia. Outros se dedicam aprofundar e enriquecer o debate com novas evidências e interpretações. E há os que se concentram menos no que dizem os textos do que no significado de Maria Madalena em termos de arquétipo, mito e metáfora.

O debate sobre Maria Madalena no século XXI abarca todas as questões passíveis de análise. Teria ela vindo de Magdala, no Mar da Galiléia, e era então, provavelmente, uma mulher judia? Ou seria oriunda de algum povoado de nome similar no Egito ou na Etiópia? Era branca e ruiva, como geralmente retratada na época medieval, ou uma negra africana? Era familiarizada com os costumes e o modo de vida da Terra Santa ou uma estrangeira, uma pessoa originária de outro lugar, como o próprio Jesus é às vezes descrito? Era rica e, portanto, capaz de financiar o movimento de Jesus com seus recursos pessoais? Como sabemos que era rica? Porque provinha de um próspero povoado pesqueiro? Porque o nardo indiano, perfume que usou para ungir Cristo, era considerado um produto caro, de luxo? Porque deu comida e alojamento a Jesus e seus seguidores, que haviam renunciado às coisas terrenas? Considerando, por outro lado, que Maria Madalena era apenas uma das muitas mulheres que teriam dado apoio material a Jesus, que dizer das outras, muitas delas identificadas pelo próprio nome? Seria ela uma descendente da estirpe de Benjamim, da mesma forma como alguns relatos sugerem ter sido Jesus um descendente da estirpe de Davi, e seu casamento um fato politicamente importante por unir os dois clãs? Teria Jesus, de alguma forma, sido casado como era o costume? Afinal, os rabinos judeus da época em sua maioria eram casados, e, no Novo Testamento, Jesus é chamado de *rabboni* por Maria Madalena e por muitos de seus seguidores. Como rabino judeu, não era de esperar que ele fosse casado? Pedro e vários outros apóstolos não foram explicitamente mencionados como homens casados? Por que motivo teria Jesus praticado o celibato quando a linguagem bíblica recomenda reiteradamente, "sede férteis", "crescei e multiplicai-vos"?

Era Maria Madalena ou outra Maria a mulher que, segundo os Evangelhos, ungiu Jesus com essências perfumadas trazidas num vaso de alabastro e que depois lavou os pés dele com suas lágrimas e os secou com o próprio cabelo? Se era Maria Madalena, são essas ações sinais de respeito cerimonial ou metáforas de relações sexuais? E, neste último caso, será uma alusão à sua vida pregressa de prostituta? Ou um indício de que ela e Jesus eram, na verdade, casados? Será uma metáfora poética não apenas de relações sexuais, mas de relações sexuais especialmente carregadas de significado, sagradas como a prática do *hieros gamos* ("casamento sagrado"), que provém de culturas ainda mais antigas – grega, minóica e egípcia? Teria sido ela uma "prostituta" como nas antigas culturas em que os homens praticavam o ato sexual com as "prostitutas do Templo" em busca de experiências arrebatadoras, divinas, místicas e religiosas? Será o casamento em Canaã, mencionado no Novo Testamento, na verdade uma narrativa metafórica do casamento de Maria Madalena e Jesus Cristo, a qual, por sua vez, evoca o Cântico de Salomão no Antigo Testamento? E essas narrativas não remontam ainda mais longe, ao que Carl Jung e Joseph Campbell viam como os arquétipos e mitos universais da unidade sagrada de macho e fêmea, do anelo de totalidade e de amor – amor não apenas na concepção do Novo Testamento, mas também num sentido plenamente corporal, erótico e humanístico?

Existem textos sagrados e documentos capazes de esclarecer a verdadeira história do que ocorreu em Israel na época de Cristo, assim como a trajetória de Jesus, Maria Madalena e seus seguidores? Podem tais documentos e relíquias ter sido enterrados sob o Monte do Templo, em Jerusalém, e se tornado o Santo Graal buscado pelos cavaleiros cruzados? Teriam de fato os cavaleiros templários encontrado esse material e o levado da Terra Santa para a França medieval? E, se ele for um dia encontrado – seja enterrado embaixo da Capela Rosslyn, na Escócia, sob a pirâmide do Louvre ou em qualquer outro lugar –, terá o poder de mudar substancialmente a história e a fé cristãs ou de influenciá-las tanto quanto os Evangelhos gnósticos e os Pergaminhos do Mar Morto?

Dan Browm fez um extraordinário trabalho aludindo a muitas dessas perguntas no *CDV*. Num punhado de páginas, por meio de uma "detetivesca" história de mistério e suspense, ele consegue se referir a essas e muitas outras questões-chaves... notadamente à possibilidade de que Leonardo da Vinci, sabedor da verdadeira história de Jesus Cristo e Maria Madalena, a tenha por isso representado na *Última*

Ceia. Nesse afresco, de acordo com o *CDV*, o olhar oblíquo de Pedro e sua mão em lâmina apontada para Maria Madalena estão ali para indicar a animosidade existente entre eles a respeito do futuro da Igreja. No romance, Sophie Neveu, em conversa com seus professores Teabing e Langdon tarde da noite, pergunta:

> – Está me dizendo que a Igreja Cristã ia ser conduzida por uma mulher?
> – Era esse o plano. Jesus foi o feminista original. Pretendia que o futuro de Sua Igreja ficasse nas mãos de Maria Madalena – disse Teabing.

É fácil ver por que as questões levantadas pelo *CDV* levam as pessoas a falar, discutir, pesquisar – mesmo que alguns aspectos da trama sejam improváveis e apesar das modificações impostas à composição original da história da religião. Neste capítulo, damos a palavra a vários especialistas para que abordem aspectos diversos do debate sobre Maria Madalena. Alguns, como Lynn Picknett e Margaret Starbird, constituem fontes originais das hipóteses do *CDV*. Suas idéias, embora situadas no extremo do continuum, são de qualquer modo desafiadoras e provocativas. Susan Haskins, Esther de Boer, Deirdre Good, Karen King e Richard McBrien são autoridades acadêmicas que há muitos anos estudam os detalhes mais arcanos dos dados disponíveis sobre Maria Madalena e questões afins. Todos são de opinião de que ela tem sido injustiçada pela história. Esquivam-se das idéias mais extremas, mas trabalham conscientemente para criar uma nova visão, matizada e multifacetada, a seu respeito e devolvê-la ao seu lugar de direito na história. Katherine Ludwig Jansen e Kenneth Woodward, porém, são mais conservadores. No entanto, mesmo os conservadores estão hoje dispostos a atribuir a Maria Madalena um papel histórico significativamente mais importante do que o que lhe é conferido pela visão tradicional da Igreja.

Começamos, pois, nossa discussão com um interessante artigo publicado na revista *Time*, resultado do extraordinário fascínio por Maria Madalena despertado em 2003 pelas idéias do *CDV*.

Maria Madalena: santa ou pecadora?

DAVID VAN BIEMA. MATÉRIA DE LISA MCLAUGHLIN

A bela criptógrafa e o atraente professor universitário estão fugindo da cena de um horrível assassinato que não cometeram. Em meio à fuga, na qual utilizam um carro blindado, um jatinho particular, aparelhos de vigilância eletrônica e a violência estritamente necessária para manter o interesse do leitor, nossos heróis saem em busca do homem que não só tem o poder de isentá-los de toda a culpa como também possui a chave de um mistério que pode mudar o mundo. Para explicá-lo, o historiador Sir Leigh Teabing – aleijado, jovial e fabulosamente rico – aponta uma figura numa famosa pintura.

> – Quem é ela? – indagou Sophie.
>
> – Essa, minha cara – respondeu Teabing –, é Maria Madalena.
>
> Sophie virou-se:
>
> – A prostituta?
>
> Teabing inspirou depressa, como se a palavra o tivesse ofendido pessoalmente.
>
> – Madalena não era isso. Esse infeliz equívoco é o legado de uma campanha feita pela Igreja primitiva para sujar a imagem de Madalena.

Os livros de ocasião tendem a evitar as questões mais delicadas da história da Igreja no século VI. E é nesse ponto, talvez, que fiquem a dever. O *CDV*, de Dan Brown… é uma dessas histórias de conspiração hipercafeinadas, com capítulos de duas páginas. Mas Brown, que lá pelo fim do livro já enredou Maria Madalena numa trama bastante intrincada e abusiva, foi esperto na escolha do seu artifício narrativo. A personagem que ele arregimentou é uma das poucas do Novo Testamento que o leitor poderia imaginar em trajes de banho (afinal, gerações de grandes mestres pintaram-na com os seios à mostra), além de ser uma figura bíblica cuja verdadeira identidade está atualmente em discussão tanto na teologia quanto na cultura pop.

Três décadas atrás, a Igreja Católica Romana admitiu sem alarde o que os críticos vinham dizendo havia séculos: a tradicional imagem de Maria Madalena como prostituta arrependida não tem respaldo no texto da Bíblia. Uma vez livres desse pressuposto negativo e limitador, acadêmicos e admiradores, empregando graus variados de conhecimento e imaginação, propuseram várias outras Madalenas: a rica e honrada patrocinadora de Jesus, a apóstola legítima, a mãe do filho do Messias e até a sua profética sucessora. Essa gama de possibilidades inspirou uma onda de literatura acadêmica e popular que inclui o bem-sucedido romance histórico de Margaret George *Maria Madalena: A mulher que amou Jesus.*[1] E granjeou para Madalena uma nova legião de seguidores entre os católicos que vêem nela um poderoso modelo feminino e um possível argumento contra a exclusividade masculina na função sacerdotal. A mulher que segundo três Evangelhos foi a primeira testemunha da ressurreição de Cristo está tendo o seu próprio renascimento. Ellen Turner, anfitriã de uma celebração alternativa para a santa no seu tradicional feriado de 22 de julho, comenta: "Maria [Madalena] foi maltratada pela Igreja, mas ainda é a mesma para nós. Trazer à luz a sua história nos permite resgatar o verdadeiro significado de Jesus."

Em 1988, o livro *Maria Madalena: Uma mulher que mostrou sua gratidão*,[2] volume de uma série infantil sobre figuras bíblicas e típico produto de sua época, explicava que sua personagem "não era famosa pelas grandes coisas que fez ou disse; ela entrou para a história como a mulher que amou Jesus com todo o seu coração e não se constrangia em demonstrá-lo a despeito do que pensavam as outras pessoas". Tudo isso faz parte, certamente, de seu currículo. Muitas Igrejas cristãs a apontariam também como exemplo de arrependimento e prova do poder do amor de Cristo para salvar até o mais decaído dos homens. (A palavra *maudlin* deriva de sua fama de penitente sofredora.) Séculos de doutrina católica consolidaram a imagem habitual de menina levada que se tornou a esperança de todas as meninas levadas, a tentadora redimida que tem presença ativa não apenas na imaginação fértil dos alunos das escolas paroquiais mas também como padroeira de instituições católicas para moças rebeldes, como o Lar Maria Madalena e suas sinistras lavanderias no filme *Em nome de Deus*...

O único problema é que ela não era levada, só desempenhava o papel. A primeira menção a Maria Madalena (seu nome a liga a Magdala, um povoado da Galiléia) ocorre no Evangelho de Lucas, como uma de várias mulheres aparentemente ricas que, curada por Jesus de possessão (Jesus a liberta de sete demônios), se junta a ele e aos apóstolos e "os sustenta com seus próprios recursos". Seu nome não reaparece até o momento da crucificação. Ela está ao pé da cruz com outras mulheres. Os discípulos fugiram. Na manhã do domingo da Páscoa, ela vai até o sepulcro de Jesus, sozinha ou acompanhada de outras mulheres, e o encontra vazio. Então fica sabendo que ele ressuscitou – em três dos Evangelhos, por intermédio de anjos; no outro, pelo próprio Jesus. A narrativa de João é a mais dramática. Madalena está só diante do túmulo vazio. Ela dá a notícia a Pedro e a um discípulo não identificado, mas somente este parece aceitar a ressurreição. Eles vão embora. Madalena encontra Jesus, que lhe pede que não o abrace, mas que se dirija "aos meus irmãos para dizer-lhes que ascendi ao céu para junto de meu Pai... e meu Deus..." As versões de Lucas e Marcos contêm elementos de farsa: Madalena e outras mulheres tentam avisar os homens, "que não acreditaram nelas por acharem despropositadas as suas palavras". No final, eles as aceitam.

Apesar das discrepâncias, a impressão que se tem é a de uma mulher de posses, corajosa, inteligente e devotada, que desempenha um papel crucial – talvez insubstituível – na hora decisiva do cristianismo. De onde provém, então, o escândalo? A imagem de Maria Madalena foi distorcida quando os líderes da Igreja primitiva enxertaram em sua história referências de várias mulheres menos notáveis que a Bíblia sempre menciona ou identifica por meio de um segundo nome. Uma delas é a "pecadora" do Evangelho de Lucas que lava os pés de Jesus com suas lágrimas e os enxuga com o próprio cabelo, depois os beija e os unge com um bálsamo. "Seus muitos pecados foram perdoados, pois o amava muito", diz. Outras são Maria de

Betânia e uma terceira mulher de identidade desconhecida, em Lucas, que também ungem Jesus de uma ou outra forma. Esse amálgama foi oficializado pelo papa Gregório, o Grande, em 591: "Aquela que Lucas chama de pecadora e que João chama de Maria [de Betânia] acreditamos ser a Maria de quem, segundo Marcos, Jesus expulsou sete demônios", declarou Gregório num sermão. Essa posição se tornou doutrina da Igreja, embora não tenha sido adotada pelas Igrejas Ortodoxa e Protestante quando romperam com o catolicismo.

O que levou Gregório a fazer isso? Uma das teorias sugere ter sido o intento de reduzir o número de Marias – houve uma fusão similar de personagens chamados João. Outra tese sustenta que a pecadora e Maria Madalena foram unificadas somente para prover uma personagem obviamente importante de um passado pessoal até então inexistente. Outros põem a culpa na misoginia. Quaisquer que fossem as motivações de Gregório, entretanto, essa fusão teve um efeito drástico e, do ponto de vista feminista, trágico. O testemunho da ressurreição, em vez de aclamado como prova de um status discipular de certo modo maior que o dos homens, foi relegado a um plano secundário em favor de uma narrativa pungente, mas muito menos central, sobre a redenção de uma pecadora penitente. "É o padrão costumeiro", escreve Jane Schaberg, professora de estudos religiosos e da mulher da universidade de Detroit Mercy e autora de *The Ressurrection of Mary Magdalene* (A ressurreição de Maria Madalena), publicado em 2002. "A mulher poderosa é desapoderada e tachada de meretriz e libertina." Para resumir, Schaberg cunhou o termo *harlotized* [transformada em rameira].

Usando como expediente o equivalente litúrgico da letra miúda dos contratos, a Igreja Católica separou oficialmente, na revisão de seu missal, em 1969, Maria Madalena de Maria de Betânia e da pecadora de Lucas. Tal novidade, no entanto, só muito lentamente chegou aos bancos das igrejas (não foi suficiente, por exemplo, para que a atuação de Maria Madalena junto ao túmulo passasse a ser lembrada no Domingo de Páscoa em vez de relegada ao meio da semana). Enquanto isso, novas pesquisas lançavam água no moinho daqueles que vêem o seu eclipse como resultado de uma conspiração chauvinista. Os historiadores do cristianismo estão cada vez mais fascinados por um grupo de antigos seguidores de Cristo conhecidos em geral como gnósticos, cujos escritos foram revelados somente há cerca de cinqüenta anos. Os gnósticos eram, por sua vez, fascinados por Maria Madalena. O chamado Evangelho de Maria [Madalena], datado, possivelmente, do ano 125 d.C. (cerca de quarenta anos depois do Evangelho de João), diz que ela testemunhou uma aparição de Jesus, cujas palavras transmitiu aos discípulos homens. Esse papel é uma usurpação da autoridade de intermediário que os Evangelhos canônicos atribuem a Pedro. Maria o retrata terrivelmente irado, dizendo:

> – Teria [Jesus] realmente falado com uma mulher sem o nosso conhecimento?

O discípulo Levi sai então em defesa de Madalena:
– Pedro, tu sempre foste destemperado... Se o Salvador a fez merecedora, quem és tu para rejeitá-la? Certamente que o Salvador a conhece muito bem. É por isso que a amava mais do que a nós.

São palavras agressivas, principalmente levando-se em conta que a autoridade do papado remonta a Pedro. É claro, os Evangelhos gnósticos não são a Bíblia. Na verdade, existem indícios de que a Bíblia foi padronizada e canonizada justamente para excluir esses livros, que os líderes da Igreja primitiva consideravam heréticos por muitas razões não ligadas a Madalena. Contudo, as feministas se apressaram a citá-los tanto como prova da primitiva importância de Maria Madalena, pelo menos em algumas comunidades, quanto como uma espécie de narração virtual de uma batalha de gêneros esquecida, na qual os Pais da Igreja prevaleceram sobre aquelas que nunca tiveram chance de ser reconhecidas como mães dessa mesma Igreja. "Eu penso que se tratava de uma luta de poder", diz Schaberg, "e os textos canônicos que temos [hoje] vêm dos vencedores."

Schaberg vai além. Em seu livro, ela retorna a João à luz dos escritos e significados gnósticos para nele encontrar "fragmentos da tese" de que Jesus talvez considerasse Maria Madalena sua sucessora na missão profética que realizava. Essa é uma posição isolada até o momento, mas que serve para ilustrar o inevitável abalo a que estariam sujeitas as idéias correntes a respeito da liderança masculina na Igreja no caso de um resgate de Madalena como "vencedora". Para proibir até mesmo a discussão sobre o sacerdócio feminino em 1995, João Paulo II citou "o exemplo de Cristo, atestado pelas Sagradas Escrituras, que escolheu seus apóstolos somente entre os homens..." Esse argumento estaria enfraquecido à luz da "nova Madalena", a quem o próprio papa se referiu pelo desusado epíteto de "apóstola dos apóstolos". Segundo Chester Gillis, chefe do departamento de Teologia da Universidade de Georgetown, para os católicos convencionalistas a ausência de Maria Madalena em muitas cenas bíblicas envolvendo os discípulos homens, como o ritual tipicamente "ordenatório" da Última Ceia, a exclui como precedente sacerdotal. Gillis concorda, no entanto, que sua reavaliação "certamente favorece a reivindicação de um papel mais forte para a mulher na Igreja".

A combinação das reconsiderações católicas com as revelações gnósticas resultou em desvairadas especulações em torno da figura de Maria Madalena, como a do seu casamento com Jesus. ("Nenhuma outra personagem dos Evangelhos teve uma vida pós-bíblica tão tumultuada e bizarra", observa Schaberg.) O Evangelho gnóstico de Filipe refere-se a Madalena como "a que era chamada de companheira [de Jesus]" e afirma que ele "a beijava na [boca] com freqüência". A maioria dos estudiosos descarta a hipótese de um casal Jesus-Madalena por não encontrar eco nos Evangelhos canônicos depois de eliminadas as falsas Madalenas. Mas é uma hipótese que, por outro lado, preenche um anseio narrativo profundo: o de que o homem primordial tenha o seu par, de que o yang de Jesus tenha o seu yin e, como já sugeriram alguns neopagãos, o de que o seu deus tenha uma deusa. Martin Luther King acreditava que Jesus e Madalena eram casados, assim como o patriarca mórmon Brigham Young.

A idéia de que Maria Madalena estava grávida de Jesus no momento da crucificação encontrou sólido abrigo na França, que já nutria a tradição de sua chegada ao país num barco sem leme levando o Santo Graal, o cálice da *Última Ceia*, dentro do qual o seu sangue fora vertido. Vários reis franceses ajudaram a promover a lenda de que os descendentes do filho de Madalena fundaram a linhagem merovíngia da realeza européia, resgatada por Richard Wagner na ópera *Parsifal* e mais recentemente reavivada na pessoa de Diana, princesa de Gales... A idéia de que a própria Madalena era o *Santo Graal* – o receptáculo humano da descendência de Jesus – apareceu no livro *O Santo Graal e a linhagem sagrada*,[3] que inspirou o *CDV*, de Dan Brown. Quando Brown disse, há pouco tempo, que "Maria Madalena é uma personagem histórica que está tendo a sua vez", se referia a uma figura portadora de muitas filigranas míticas...

Sexo sagrado e amor divino

Uma radical reconceituação de Maria Madalena

LYNN PICKNETT

Extraído de *Mary Magdalene* (Maria Madalena), de Lynn Picknett. Publicado sob permissão de Carroll & Graf Publishers, selo da Avalon Publishing Group. Copyright © 2003 por Lynn Picknett. Lynn Picknett é escritora, pesquisadora e palestrante sobre o tema dos mistérios paranormais, ocultos e históricos.

Quem foi essa misteriosa Maria Madalena tão cuidadosamente marginalizada pelos autores dos Evangelhos do Novo Testamento? De onde veio e por que era tão ameaçadora para os homens da Igreja em ascensão?

Em *A grande heresia: O segredo da identidade do Cristo*,[4] eu falo sobre a persistente controvérsia que cerca essa personagem bíblica...

> A fusão, numa mesma pessoa, de Maria Madalena, Maria de Betânia (irmã de Lázaro) e a "pecadora não identificada" que unge Jesus no Evangelho de Lucas há muito é objeto de um inflamado debate. A Igreja Católica decidiu desde cedo que essas três personagens eram uma só e apenas recentemente, no ano de 1969, voltou atrás nessa posição. A qualificação de Maria como prostituta provém da *Homilia 33*, do papa Gregório I, publicada em 591 d.C., na qual ele declara:

"Aquela que Lucas chama de mulher pecadora e que João chama de Maria acreditamos ser a Maria de quem, segundo Marcos, Jesus expulsou sete demônios. E o que esses sete demônios significavam senão todos os vícios?... É evidente, meus irmãos, que essa mulher usava o bálsamo para perfumar sua carne em atos proibidos."

A Igreja Católica do Oriente, por outro lado, sempre considerou Maria Madalena e Maria de Betânia personagens distintas.

A Igreja Católica usou sistematicamente de astúcia ao reconhecer o valor de Madalena como exemplo para mulheres incorrigíveis sob seu domínio, como as lavadeiras do Lar Madalena, na Irlanda. David Tresemer e Laura-Lea Cannon escrevem no prefácio à tradução do Evangelho de Maria Madalena, de Jean-Yves Leloup, em 1997:

> Somente em 1969 a Igreja Católica rejeita oficialmente o rótulo de prostituta aplicado por Gregório a Maria Madalena, assim admitindo seu erro – embora a imagem de Madalena como meretriz penitente tenha permanecido nos ensinamentos públicos de todas as Igrejas cristãs. Assim como as erratas escondidas nas últimas páginas dos jornais, a correção da Igreja passou despercebida, enquanto o item original incorreto continuava a influenciar os leitores.

Seria, no entanto, precipitado desassociá-la, por excesso de zelo reabilitador, de toda suspeita de "prostituição". Várias pesquisas assinalaram que os "sete demônios" de que ela teria sido libertada podem ser uma referência deturpada aos sete guardiões do inferno dos Mistérios pagãos capaz de proporcionar uma pista valiosa a respeito do seu verdadeiro passado. De fato, havia no mundo pagão as chamadas "prostitutas do Templo", mulheres que literalmente encarnavam e transmitiam a sagrada "sabedoria meretrícia" por meio do sexo transcendental. Assim, é claro, se fora de sua cultura elas seriam consideradas pouco mais do que prostitutas de rua, que dirá entre os discípulos homens da Terra Santa, imbuídos da justeza das restrições morais e sexuais da Lei judaica...

A escolha das palavras para descrever o seu status moral em Lucas é muito interessante: ela é *harmatolos*, aquela que cometeu um crime contra a Lei judaica, embora não necessariamente o da prostituição. Trata-se de um termo, tomado do arco-e-flecha, que significa errar o alvo e que podia também se referir a alguém que por alguma razão deixava de observar os mandamentos religiosos – ou não pagava os impostos – talvez porque não fosse na verdade judeu.

Maria de Betânia é também descrita com o cabelo solto e descoberto, sem nenhuma preocupação com o respeito próprio esperado da mulher judia, uma vez que se mostrar assim significava licença sexual, como ocorre atualmente entre os judeus ortodoxos e muçulmanos do Oriente Médio. De fato, Maria enxuga os pés de Jesus com seu cabelo – um curioso ato, demasiado íntimo, talvez mesmo iconoclasta, para ser executado em público por uma mulher desconhecida e que haveria de ser considerado absolutamente escandaloso pelos discípulos...

O fato de uma mulher aparecer em público com o cabelo solto era motivo suficiente para um pedido de divórcio, tão hediondo era o pecado. Maria de Betânia, uma mulher *harmatolos*, que de alguma forma ignora os costumes judaicos ou está à margem da lei religiosa, parece totalmente alheia aos clamores que suas ações podem causar. Ainda mais significativo é o fato de que Jesus não apenas não a censura por desprezar a Lei Judaica como a incentiva tacitamente a atacar aqueles que criticam seu comportamento.

Ambos se comportam como estrangeiros numa terra estranha: não admira que não sejam compreendidos, particularmente pelos Doze, que, como nos é dito seguidas vezes, não conseguem entender os ensinamentos de Jesus ou o propósito de sua missão. Maria de Betânia, provavelmente uma outsider, parece, no entanto, compartilhar algum tipo de segredo particular com Jesus – ambos são outsiders.

Se a unção não era um costume judaico, a que tradição pertencia? Havia na época um rito *pagão* sumamente sagrado no qual uma mulher ungia a cabeça e os pés – e também os genitais – do homem escolhido, tendo em vista um fim muito especial. Era a unção do rei sagrado. As sacerdotisas ungiam o escolhido antes de lhe outorgarem o seu destino num ritual sexual conhecido como *hieros gamos* ("casamento sagrado"). A unção constituía um ato preparatório à penetração durante o ritual – que não tinha as implicações emocionais e legais das formas usuais de casamento – em que o sacerdote-rei era banhado pelo poder de deus ao mesmo tempo em que a sacerdotisa-rainha era possuída pela grande deusa. Sem o poder da mulher, o rei escolhido não teria força e não poderia reinar... Tal era o significado original do "matrimônio sagrado"...

O conceito do casamento sagrado é essencial para o entendimento de Jesus, de sua missão e de seu relacionamento com a mulher mais importante de sua vida – sem falar de dois homens também muito significativos... A persistência da imagem de Maria de Betânia/Maria Madalena como prostituta começa a fazer sentido quando se percebe que esse ritual é a expressão máxima do que os historiadores vitorianos chamavam de "prostituição do Templo" – com seu puritanismo arrogante e hipócrita e sua sexualidade reprimida, isso não nos deveria surpreender – embora o termo que originalmente designava a sacerdotisa fosse *hierodule*, ou "serva sagrada". Era somente por meio dela que um homem podia adquirir o conhecimento de si mesmo e dos deuses. Nessa síntese da obra das servas sagradas – o *hieros gamos* –, o rei é santificado e escolhido e, é claro, imediatamente após a unção bíblica Judas trai Jesus, e o mecanismo de cumprimento de seu destino final na crucificação é posto em movimento...

O casamento sagrado era um conceito conhecido pelos pagãos da época de Jesus:

versões dele eram comumente praticadas por veneradores de vários outros deuses mortos/ressuscitados, como Tamuz (para o qual havia um templo em Jerusalém naquela época) e o egípcio Osíris, cuja consorte Ísis exalou vida em seu corpo morto tempo suficiente para conceber seu mágico filho Hórus, o Deus da Coragem com cabeça de falcão. Tresemer e Cannon afirmam categoricamente: "As aparições [de Maria Madalena] com óleos especiais para ungir Jesus Cristo a associam à tradição dos sacerdotes e sacerdotisas de Ísis, cujos bálsamos eram usados para que a passagem pelo limiar da morte se completasse sem perda da consciência."[5] Isso a situa no contexto específico da tradição xamanista egípcia, que só agora começa a ser reconhecida...

Em todas as versões do casamento sagrado, a representante da deusa, na forma de sua sacerdotisa, se unia sexualmente com o rei escolhido antes de sua morte sacrificial. Três dias depois, o deus ressuscitava e a terra voltava a ser fértil...

Essa mulher que ungiu Jesus era com certeza muito especial, uma grande sacerdotisa de alguma antiga tradição pagã – mas seria também Maria Madalena, como afirmou a Igreja até 1969?... Vejamos as pistas disponíveis sobre a verdadeira natureza da mulher misteriosa conhecida como a Madalena.

Onde ficava Magdala?

Essa mulher enigmática, que claramente exerceu um papel central na missão de Jesus, é referida na Bíblia como "Maria Madalena" ou simplesmente "a Madalena", o que transmite a sensação de que os autores do Evangelho queriam que seus leitores soubessem quem ela era e a reconhecessem imediatamente pelo nome... A seguinte análise, do início do século XX, contém uma interpretação amplamente convencional ainda hoje geralmente aceita:

> O nome de Maria Madalena se refere provavelmente à cidade de Magdala ou Magadã... hoje Medjdel, que se diz significar "a torre". Ficava a uma curta distância de Tiberíades, e sua menção... estava relacionada ao milagre dos sete pães. Uma antiga atalaia ainda marca o lugar. De acordo com autoridades judaicas, a cidade era famosa tanto por sua riqueza quanto pela corrupção moral de seus habitantes...[6/7]

Na verdade, em nenhuma passagem do Novo Testamento é dito de onde veio Maria Madalena, o que levou estudiosos e fiéis a supor que ela era oriunda de algum lugar situado às margens do lago da Galiléia – embora se deva dizer que existem fortes razões para se acreditar que sua região de origem possa ser outra: talvez fosse até mesmo uma estrangeira. Na verdade... são convincentes os indícios de que o próprio Jesus não era proveniente daqueles arredores, embora a suposição de que fosse um judeu da Galiléia esteja arraigada ao ponto de ser considerada um fato incontestável...

Não temos, de fato, nenhuma necessidade de aprisionar a origem de Maria Madalena à região da Galiléia, dada a existência de duas outras interessantes alternativas. Embora não existisse nenhuma Magdala na Judéia de sua época, havia no Egito – do outro lado da fronteira – não apenas um povoado chamado Magdalum, provavelmente a Migdol mencionada em Ezequiel, como uma comunidade judaica grande e florescente, especialmente concentrada no grande porto marítimo de Alexandria. Efervescente cadinho cosmopolita de muitas raças, nacionalidades e religiões, Alexandria, cidade de João Batista, foi o provável destino da Sacra Família em sua jornada para escapar à perseguição dos sicários de Herodes... Se Madalena era, de fato, oriunda da cidade egípcia de Magdalum, teríamos então uma pista do motivo de ela ter sido tão marginalizada – afinal, ainda que a Galiléia daquela época fosse uma promissora mescla de nacionalidades e religiões, a natureza humana sempre foi desconfiada de estrangeiros. Além disso, os Evangelhos deixam claro o pensamento isolacionista de um Simão Pedro, por exemplo, pelo menos no início de sua missão...

No entanto, a condição de *sacerdotisa* do Egito só faria multiplicar a hostilidade dos judeus homens em relação a Madalena. Uma mulher rica, decidida, independente e, como se não bastasse, investida de uma autoridade pagã!... Eles deviam ter grandes reservas em relação a essa sacerdotisa estrangeira que os acompanhava o tempo todo...

Mas pode ter sido outro o motivo de Maria Madalena ser tão desconsiderada pelos homens que seguiam Jesus. Ainda que tenha vivido no Egito – afinal, pelo que sabemos, tanto João Batista quanto o próprio Jesus permaneceram lá por alguns anos –, talvez não fosse essa a sua origem. É muito significativo o fato de ter existido na Etiópia, durante muito tempo, um lugar também chamado Magdala... Situada em uma formação rochosa, essa localidade hoje tem o nome de Amra *Mariam* (Maria): embora os etíopes atuais reverenciem mais a Virgem Maria do que Maria Madalena, o topônimo indica a existência de uma antiga ligação com esta última na região, que pode até ter sido – algo impensável para muitos – a sua terra natal.

Um passado etíope certamente faria dela uma presença exótica e talvez perturbadora para os mais isolacionistas entre os missionários de Jesus, como Simão Pedro. Apesar do que possam dizer os revisionistas politicamente corretos de hoje em dia, o Império Britânico não inventou o racismo: se Maria Madalena fosse uma sacerdotisa pagã *negra*, decidida, rica – e a mais próxima aliada de Jesus (para dizer o mínimo) –, não seria de admirar que à sua presença os Doze se debatessem num mar de emoções descorteses, nascidas do medo do estrangeiro, do desconhecido...

Noiva de Cristo?

Seria o relacionamento obviamente estreito entre Jesus e Madalena devido à sua condição de legalmente casados, como alguns – em primeiro lugar Baigent, Leigh e

Lincoln em seu livro *O Santo Graal e a linhagem sagrada*[8] – afirmaram? Em caso afirmativo, há um estranho silêncio a respeito no Novo Testamento, pois, apesar do que os cristãos (principalmente católicos) possam pensar hoje em dia, os sacerdotes e rabinos da Terra Santa *deviam* se casar, porque se abster de procriar era (e ainda é entre os judeus ortodoxos) visto como uma ofensa a Deus. O celibato era motivo de censura por parte dos patriarcas da sinagoga e, quem sabe, também de sussurros sobre desejos inaturais no seio da congregação. Como rabino judeu, seria muito estranho Jesus *não* ser casado, e, se tivesse uma esposa, ela certamente estaria mencionada nas Escrituras – como "Miriam a esposa do Salvador" ou "Maria a esposa de Jesus". Mas não há nada, nenhuma frase que possa ser ao menos remotamente interpretada como alusão à sua esposa de direito. Seria porque essa pessoa não existia ou porque sua esposa, embora conhecida, era tão intensamente rejeitada que os autores dos Evangelhos canônicos preferiram ignorá-la? Ou ainda porque eles teriam se casado numa cerimônia não reconhecida pelos judeus? E se, por outro lado, como vivamente sugerido nos Evangelhos gnósticos, Jesus e Madalena eram um casal apaixonado, por que teriam deixado de formalizar o seu relacionamento?...

À parte a hipótese de haver algum tipo de proscrição legal contra o seu amor – como serem parentes próximos ou legalmente casados com outras pessoas –, não parece existir qualquer motivo para não terem firmado um compromisso público. Teria sido essa relutância causada pelo fato de não serem, na verdade, estritamente judeus e portanto não poderem se casar numa sinagoga? É significativo, por outro lado, o fato de que as sacerdotisas pagãs, mesmo as que praticavam o sexo sagrado, tivessem muitas vezes de observar o preceito do celibato, razão pela qual permaneciam solteiras...

A conexão francesa

São muitas as lendas que dizem ter Maria Madalena viajado à França (ou Gália, na época) depois da crucificação de Jesus, acompanhada de um variado grupo de pessoas que inclui uma jovem serva negra chamada Sara, Maria Salomé e Maria Jacobina – supostamente tias de Jesus –, além de José de Arimatéia, o rico proprietário do sepulcro onde Jesus foi colocado antes da ressurreição, e São Maximino, um dos setenta e dois discípulos mais próximos de Jesus e primeiro bispo de Provença. Embora os detalhes da narrativa variem de versão para versão, parece que Madalena e seu séquito foram obrigados a fugir da Palestina em condições mais do que precárias – seu barco fazia água e não tinha leme, remos nem vela, o que se crê ter sido obra de uma deliberada sabotagem por parte de certas facções de sua terra natal. Mesmo descontando os inevitáveis exageros que fazem parte da criação dos mitos (o estado do barco, por exemplo, parece bastante improvável), considerando-se a tensa situação entre Madalena e Simão Pedro descrita nos Evangelhos gnósticos, não é difícil arriscar um palpite sobre a possível, senão provável, identidade de pelo menos um dos conspiradores que poderiam querer vê-la e a seus acompanhantes no fundo do mar. A lenda do barco furado nos faz lembrar com um calafrio as palavras de Maria em Pistis Sofia: "Tenho medo de Pedro, porque ele me ameaçou e porque odeia o nosso sexo." Mas, ainda que alguém tenha pretendido matá-los, eles teriam sobrevivido milagrosamente e aportado no litoral deserto da região hoje conhecida como Provença...

Reza a lenda que eles desembarcaram (sem dúvida muito agradecidos, depois de vagarem por águas salgadas durante semanas) no que hoje é a cidade de Saintes-Maries-de-la-Mer, nas terras úmidas da Camargue, onde o Ródano deságua no Mediterrâneo. As três Marias – Maria Madalena, Maria Jacobina e Maria Salomé – são objeto de grande veneração na igreja que se ergue dos charcos circundantes como uma imponente vela de navio, ao passo que na cripta há um altar dedicado a Sara, a egípcia, a pequena serva negra de Maria Madalena, hoje a adorada santa padroeira dos ciganos que afluem à cidade no feriado de 25 de maio, quando milhares de fiéis devotados conduzem a estátua de Sara até o mar, para a sua imersão cerimonial. O fato de a tradição medieval considerar os ciganos originários do Egito – *egypsies** – confere sentido à sua veneração da menina egípcia Sara. A cor de sua pele e o fato de o Egito ser então conhecido como a terra do *Khem*, ou negror, podem ser mesmo muito significativos. Considerando-se a divisão de uma mesma mulher em três, operada no Novo Testamento – Madalena, Maria de Betânia e a "pecadora" não identificada de Lucas –, quem sabe as mulheres do barco furado não fossem simplesmente três aspectos de uma mesma mulher...

A mulher do vaso de alabastro
Maria Madalena e o Santo Graal

MARGARET STARBIRD

The Woman With the Alabaster Jar: Mary Magdalen and the Holy Grail (A mulher do vaso de alabastro: Maria Madalena e o Santo Graal) Copyright © 1993 por Margaret Starbird. Reproduzido sob permissão da Bear & Company, uma divisão da Inner Traditions International, www.innertraditions.com. Mestre pela Universidade de Maryland, Margaret Starbird estudou na Universidade Cristã Albrechts em Kiel, Alemanha, e na Escola de Teologia Vanderbilt. É também autora de *The Goddess in the Gospels: Reclaiming the Sacred Feminine* (A deusa nos Evangelhos: Resgatando o sagrado feminino).

* Segundo o *Merriam-Webster's Dictionary*, a palavra inglesa para cigano, *gypsy*, provém de *Egyptian*, por meio das variantes *gypcian* e *Egipcien*. (N.T.)

Passei a suspeitar de que Jesus fizera um casamento dinástico secreto com Maria de Betânia e que ela era descendente da tribo de Benjamim, cuja herança ancestral era a terra ao redor de Jerusalém, a Cidade Santa de Davi. Um casamento dinástico de Jesus com a filha da casa real de Benjamim teria sido uma bênção para o povo de Israel durante a sua época de maior infortúnio como nação ocupada.

Saul, o primeiro rei ungido de Israel, pertencia à tribo de Benjamim, e sua filha Micol foi esposa do rei Davi. Ao longo da história das tribos de Israel, as de Judá e de Benjamim foram as aliadas mais próximas e mais leais. Seus destinos se entrelaçaram. O casamento dinástico de uma descendente de Benjamim, herdeira das terras ao redor da Cidade Santa, com o messiânico filho de Davi teria exercido grande influência sobre a facção fundamentalista zelote da nação judaica – um abençoado signo de esperança durante o período mais sombrio de Israel.

Em seu romance *King Jesus* (Rei Jesus), de 1946, o mitógrafo do século XX Robert Graves sugere que a descendência e o casamento de Jesus foram mantidos em segredo, e deles só tinha conhecimento um seleto círculo de líderes leais. Para proteger a descendência real, o casamento teria sido ocultado dos romanos e dos tetrarcas de Herodes e a segurança da esposa e da família de Cristo depois de sua crucificação confiada aos poucos que conheciam suas identidades. Todas as referências ao casamento de Jesus, supõe Graves, foram deliberadamente obscurecidas, editadas ou destruídas. Mas a esposa grávida do filho ungido de Davi teria sido a portadora da esperança de Israel – a portadora do Sangraal, a descendência real.

Magdal-eder, a torre do rebanho

No capítulo 4 do profeta hebreu Miquéias há uma bela profecia sobre a restauração de Jerusalém no momento em que todas as nações transformarem suas espadas em relhas de arado e se reconciliarem com Deus. Dizem os versículos 8, 9 e 10:

> E a ti, ó [Magdal-eder] torre do rebanho,
> Outeiro da filha de Sião,
> A ti virá, sim, a ti virá o primeiro domínio,
> O reino da filha de Jerusalém.
> E agora, por que fazes tão grande pranto?
> Não há em ti rei?
> Pereceu o teu conselheiro,
> De modo que se apoderaram de ti dores, como da que está de parto,
> Sofre dores e trabalha, ó filha de Sião,
> Como a que está de parto;
> Porque agora sairás da cidade,
> E morarás no campo...

É provável que as referências originais a Maria Madalena na tradição oral, as "perícopes" do Novo Testamento, tenham sido mal interpretadas antes de transformadas em texto. Suspeito de que o epíteto "Madalena" era uma alusão ao "Magdal-eder" de Miquéias, a promessa de restauração de Sião que se seguiria ao seu exílio. Talvez as primeiras referências verbais ligando o epíteto "Magdala" ao nome de Maria de Betânia não tivessem nenhuma relação com uma obscura cidade da Galiléia, como já se sugeriu, mas fossem referências deliberadas a essas linhas de Miquéias, à "torre" ou "outeiro" da filha de Sião obrigada ao exílio político.

O topônimo Magdal-eder significa literalmente "torre do rebanho", no sentido de um lugar elevado usado pelo pastor como posto de observação, de onde ele toma conta de suas ovelhas. Em hebraico, o epíteto Magdala significa literalmente "torre" ou "elevado, grande, magnificente". Essa denotação ganharia especial relevância se a Maria assim denominada fosse de fato a esposa do Messias. Seria o equivalente a chamá-la em hebraico de "Maria a Grande" e, ao mesmo tempo, uma referência à profética restauração da soberania da "filha de Jerusalém" (Miquéias 4:8).

Numa antiga lenda francesa, a exilada "Magdal-eder", a Maria refugiada que busca asilo na costa meridional do país, é Maria de Betânia, a Madalena. A lenda francesa primitiva conta que Maria "Madalena", Marta e Lázaro de Betânia chegaram num barco ao litoral da Provença. Outras histórias creditam a José de Arimatéia o papel de guardião do Sangraal, que eu sugeri que talvez fosse *a descendência real de Israel*, e não um cálice propriamente dito. O receptáculo que continha a sua descendência, o arquetípico cálice do mito medieval, deve ter sido a esposa do rei ungido Jesus.

A imagem de Jesus que surge de nossa versão é a de um líder carismático que encarna os papéis de profeta, cura e Rei-Messias, condenado e executado pelo Exército Romano de Ocupação, cuja esposa e descendência foram retirados em segredo de Israel por amigos leais e transferidos para a Europa Ocidental à espera da culminação da profecia na plenitude dos tempos. Os amigos de Jesus que tão ardentemente acreditavam ser ele o Messias, o Ungido de Deus, teriam considerado a preservação de sua família um dever sagrado. O receptáculo, o cálice que materializava a promessa do Milênio, o "Sangraal" da lenda medieval era, eu concluí, a própria Maria Madalena...

Contudo, uma tradição derivada de [outra] lenda da costa mediterrânea da França antiga nos diz que... José de Arimatéia era o guardião do "Sangraal" e que a criança no barco era egípcia, o que significa, literalmente, "nascida no Egito". Parece provável que, depois da crucificação de Jesus, Maria Madalena tenha considerado necessário esconder-se no refúgio mais próximo para proteger seu filho ainda não nascido. José de Arimatéia, influente amigo de Jesus, pode ter sido o seu protetor.

Se nossa teoria está certa, a criança *nasceu* de fato no Egito, tradicional lugar de asilo para judeus cuja segurança se encontrava ameaçada em Israel. Alexandria estava ao alcance de quem viesse da Judéia e tinha comunidades judias consolidadas na época de Jesus. É muito provável que tenha sido então o refúgio emergencial de Maria Madalena e José de Arimatéia. Anos mais tarde, eles teriam deixado Alexandria e buscado um abrigo mais seguro no litoral da França.

Estudiosos de Arqueologia e Lingüística descobriram que os topônimos e lendas de uma região contêm "fósseis" de seu passado remoto. Os fatos podem ser alterados e as narrativas abreviadas no decorrer do tempo, mas traços fossilizados da verdade permanecem enterrados sob os nomes de pessoas e lugares. Todo ano, de 23 a 25 de maio, realiza-se um festival na cidade de Saintes-Maries-de-la-Mer, na França, no santuário dedicado a Santa Sara, a egípcia, também chamada de Sara Kali, a "Rainha Negra". As pesquisas revelaram que esse festival, cuja origem remonta à Idade Média, homenageia uma criança "egípcia" que acompanhava Maria Madalena, Marta e Lázaro quando de sua chegada à região, num pequeno barco, por volta do ano 42 d.C. Parece que se difundiu entre os habitantes locais a suposição de que a criança, por ser "egípcia", tinha pele escura. Como não se encontrou nenhuma outra explicação razoável para a sua presença, deduziu-se posteriormente que ela devia ter vindo de Betânia como serva da família.

O nome Sara significa "rainha" ou "princesa" em hebraico. Essa Sara é também caracterizada nas lendas locais como uma "jovem", não mais que uma criança. Existe, portanto, num pequeno povoado do litoral da França, um festival anual em homenagem a uma menina de pele escura chamada Sara. O "fóssil" dessa lenda está no fato de a criança se chamar "princesa", em hebraico. Uma filha de Jesus nascida depois da fuga de Maria Madalena para Alexandria teria cerca de doze anos à época da viagem à Gália referida na história. Como princesa da linhagem de Davi, ela é *simbolicamente* negra, "não reconhecida nas ruas" (Lamentações 4:8). Madalena era ela própria o "Sangraal", no sentido de ter sido o "cálice", ou receptáculo, que um dia carregara *in utero* a descendência real. A negritude simbólica da Noiva dos Cânticos e da princesa davídica das Lamentações se estende a essa Maria escondida e sua filha...

Em suma, as duas fugitivas reais de Israel, mãe e filha, poderiam ser logicamente representadas na arte européia antiga como mãe e filha de pele escura, aquelas que se ocultam. As Madonas Negras dos antigos relicários da Europa (séculos V ao XII) talvez fossem veneradas, portanto, como símbolos dessa outra Maria e de sua filha, o Sangraal, que José de Arimatéia levou em segurança até o litoral da França. O símbolo do homem da casa real de Davi seria uma haste florescente, e o da mulher, um cálice – uma taça ou receptáculo que contém o sangue real de Jesus. Exatamente o que se diz ter sido o Santo Graal!

Maria Madalena
O modelo para a mulher na Igreja

ENTREVISTA COM SUSAN HASKINS

Susan Haskins é autora de *Mary Magdalen: Myth and Metaphor* (Maria Madalena: Mito e metáfora). Segue-se à entrevista um excerto desse livro, publicado em 1993.

Em sua opinião, quem foi a verdadeira Maria Madalena?

A verdadeira Maria Madalena é a personagem dos Evangelhos: a mais importante entre os seguidores de Cristo que, tal como mencionado em Lucas, apoiavam e contribuíam para o custeio do grupo itinerante. Presente à crucificação, ela foi, segundo o Evangelho de João, uma das poucas pessoas – ao lado da Virgem Maria, da esposa de Cléofas e de São João – a ter o privilégio de ficar embaixo da cruz. Testemunhou a deposição do corpo de Cristo no sepulcro de José de Arimatéia, para onde retornou ao amanhecer, com uma ou duas outras Marias, levando bálsamos. Ainda de acordo com esse Evangelho, foi a única testemunha da primeira aparição do Cristo ressuscitado e a única pessoa a quem ele transmitiu a primeira mensagem da nova vida cristã. O Evangelho de Marcos acrescentou mais tarde que sete demônios foram expulsos do corpo de Maria Madalena. Não temos a menor idéia de sua aparência física. Na arte medieval e posterior, ela é retratada com um longo cabelo – ora ruivo, ora louro –, este um atributo do ideal de beleza feminina. Não sabemos como era a sua vida. Dado que ela, como outras seguidoras, apoiava o grupo "com seus próprios recursos", supõe-se que fosse uma mulher adulta – havia entre elas casadas e separadas – e relativamente abastada e independente. Concordo, portanto, com aqueles que a consideram mecenas e apoiadora de Jesus.

Que representações de Maria Madalena surgiram ao longo da história? Alguma se encaixa na teoria exposta por Dan Brown no CDV *de que Maria Madalena pode ter sido mulher de Jesus e gerado um filho dele?*

A teoria de que Maria Madalena pode ter sido mulher de Jesus e gerado um filho dele tem uma longa história, que foi muito popularizada pela publicação de *O Santo Graal e a linhagem sagrada*,[9] de Michael Baigent, Richard Leigh e Henry Lincoln, e acabou seguida pelo bispo Spong e outros. Já no século XVI, Lutero parece ter pensado que Maria Madalena mantinha relações íntimas com Cristo! Mas, na ausência de quaisquer evidências concretas de casamento ou filho, eu não daria crédito a tal hipótese.

Por que a Igreja retratou Maria Madalena como prostituta durante tantos anos? Ela teve simplesmente a má sorte de ser confundida com outras Marias do Novo Testamento ou houve algum tipo de conspiração envolvida?

A Igreja retratou Maria Madalena como prostituta por causa dos diversos comentários feitos pelos Pais da Igreja a partir do século III, na tentativa de saber quem eram os personagens dos Evangelhos. Há várias Marias no Novo Testamento, o que criou confusões. Dado que à primeira menção de Maria Madalena em Lucas, seguindo Cristo desde a Galiléia ao lado de outras discípulas e discípulos, temos em seguida o episódio da mulher não identificada, qualificada de pecadora, que foi perdoada por Cristo na casa do fariseu, o papa Gregório, o Grande (595 d.C.), fundiu essas duas personagens, assim como a de Maria de Betânia. Embora essa mulher seja chamada meramente de "pecadora", supõe-se que seu pecado seja o da carne, embora a palavra *porin*, usada para descrevê-la, não signifique prostituta. A transformação de Maria Madalena em prostituta arrependida diminuiu o seu papel como primeira apóstola, potencialmente muito importante e poderoso. Não temos como saber ao certo se houve fraude, mas com certeza a política eclesiástica estava envolvida. A Igreja primitiva tinha padres e bispos do sexo feminino, mas, no século V, a função sacerdotal estava vedada às mulheres, apesar de alguns monumentos sepulcrais no sul da Itália mostrarem que elas ainda a desempenhavam. A redução do papel de Maria Madalena a penitente e prostituta a situa no mesmo plano de Eva, cuja sexualidade e gênero foram julgados pela hierarquia eclesiástica como responsáveis pelo pecado original.

A senhora crê que Jesus e Maria Madalena possam ter sido casados?

Eu pessoalmente não creio que Jesus e Maria Madalena tenham sido casados. Que um importante relacionamento existiu entre eles é inegável, mas terá sido algo mais do que o fato de ela ser a sua mais importante discípula? As pessoas acham essa idéia tentadora por muitas razões: dado o caráter enigmático da relação descrita nos Evangelhos – principalmente nos Evangelhos gnósticos –, o casamento seria uma espécie de conseqüência lógica. Os rabinos eram geralmente casados, razão pela qual muitas vezes foi sugerido que Cristo devia ser também, embora não haja nos Evangelhos nada que indique isso. Não temos nenhum indício da existência de um filho, e os laços com a dinastia merovíngia são muito improváveis.

Como se encaixa a figura de Maria Madalena traçada no CDV com outras figuras oriundas de sistemas de crenças religiosas anteriores? Existe alguma mulher comparável a Maria Madalena nas culturas grega, egípcia, judaica ou pagãs/tribais?

O *CDV* é interessante por seu escopo narrativo: a figura da deusa, suprimida pela Igreja primitiva. O tema da ressurreição é encontrado nos sistemas de crenças egípcio, sumério e cristão: Ísis e Osíris, Istar e Tamuz, Maria Madalena e Cristo. Maria Madalena pode ser vista como a deusa cristã.

O que, na sua opinião, nos diz o Evangelho de Filipe sobre o relacionamento entre Jesus e Maria Madalena e sobre a rivalidade desta com Pedro a respeito do controle da Igreja?

O Evangelho de Filipe é visto por alguns estudiosos como uma alegoria do relacionamento entre Cristo e sua Igreja, de seu amor por sua Igreja. Se bem me lembro, Elaine Pagels considera o antagonismo entre Pedro e Maria Madalena uma metáfora do antagonismo entre o desenvolvimento da Igreja nos séculos II e III – baseado na hierarquia dos bispos, padres e diáconos – e o gnosticismo, que valorizava a inspiração ou conhecimento individual, sem a intermediação da Igreja. Pedro tinha também ciúme de Maria Madalena por causa de questões de gênero.

Por que Maria Madalena foi uma das poucas pessoas presentes à crucificação? Por que razão ela teria comparecido e os demais discípulos não? E qual a importância do fato de Maria Madalena ter sido a primeira a ver Jesus depois da ressurreição?

É interessante que Maria Madalena tenha sido uma das poucas pessoas presentes à crucificação. Mas isso está apenas no relato de João; nos demais, ela a presencia à distância, com outras mulheres. Não sabemos quem editou os Evangelhos nem por que eles são apenas aproximadamente idênticos, mas presume-se que sejam oriundos de diferentes tradições orais. As discípulas estavam lá, mas não os discípulos, porque os homens ficaram com medo, particularmente Pedro, que negou Jesus três vezes.

É, ou pelo menos deveria ser, um fato da maior importância para os cristãos que Maria Madalena tenha sido a primeira pessoa para quem Jesus apareceu depois da ressurreição, porque a pedra angular do cristianismo é a promessa da vida eterna – mensagem que Cristo pediu que ela transmitisse ao mundo. Foi o preconceito masculino presente nos sistemas judaico e helênico que desautorizou o testemunho da mulher e assim possibilitou aos discípulos homens reclamar o direito exclusivo de transmitir a notícia da ressurreição. É claro, também, que se pode ver como igualmente importante – por questões de redação do cânone, de apologética cristã e de política eclesiástica – o interesse da Igreja em negar à mulher esse papel e afirmar a premissa de que "Tu és Pedro e sobre esta pedra eu construirei a minha Igreja".

Por que o tema de Maria Madalena é por si só tão instigante?

Maria Madalena tem uma bela imagem de mulher independente, que segue um pregador carismático e provê um marco ético e teológico aos seus seguidores. É também uma mulher dinâmica, modelo de liderança e fidelidade. Ela presencia a crucificação, ao contrário dos discípulos. Ela é corajosa. Ao amanhecer, vai sozinha, ou acompanhada de outras mulheres, ao sepulcro. Ela encontra Cristo. Jesus é igualitário. Cura as mulheres de suas aflições sem críticas nem estigmas sociais: a "pecadora" em Lucas, a mulher samaritana, a mulher que sofria de hemorragia, a mulher adúltera, Maria Madalena com seus sete demônios. Após a ressurreição, Jesus aparece primeiro a uma mulher, Maria Madalena, a quem atribui a missão de transmitir ao mundo a mensagem cristã da vida eterna.

Maria Madalena representa a pecadora redimida desde o século VI, motivo pelo qual tem sido um modelo para todos os cristãos – homens e mulheres. Ela lhes oferece esperança. Sua proximidade com Jesus tem sido motivo de fascínio desde o início do cristianismo, mas seu culto só começou a florescer no século XI. Ela representa a mulher falível redimida e assume o papel de intercessora perante Deus. O renovado interesse por ela em nossa época se deve em parte ao feminismo, em especial no que tange aos recentes estudos acadêmicos sobre o papel da mulher na religião e à reafirmação do direito ao sacerdócio que lhe vem sendo negado há dezessete séculos. Maria Madalena, como primeira discípula e apóstola, é o modelo para a mulher na Igreja, seja católica ou protestante, e na sinagoga também.

Os quatro excertos que apresentamos a seguir, da obra seminal de Susan Haskins, *Mary Magdalen: Myth and Metaphor*, dão ao leitor uma amostra da opinião da autora sobre o papel das apóstolas, da forma como o relacionamento de Maria com Cristo é retratado no Evangelho de Filipe, de qual teria sido a exata relação entre eles, de onde teria ido Maria Madalena depois da crucificação, e, finalmente, de como algumas cidades francesas construíram pequenas indústrias em torno do culto a Maria Madalena. De maneira inequívoca, sem meias palavras, Haskins expõe seu ponto de vista:

> E, então, a transformação de Maria Madalena estava completa. De personagem evangélica que cumpria um papel ativo de mensageira da Nova Vida – a apóstola ante os apóstolos –, ela se tornou, como prostituta redimida, o modelo do arrependimento cristão: uma figura manipulável e controlável, uma eficiente arma e instrumento de propaganda contra o seu próprio sexo.

Maria Madalena
Mito e metáfora

SUSAN HASKINS

De *unica* Magdalena

Sabemos muito pouco a respeito de Maria Madalena. Sua imagem predominante é a de uma bela mulher de longo cabelo dourado chorando por seus pecados, a própria encarnação da milenar equiparação da beleza feminina à sexualidade e ao pecado. Durante quase dois mil anos, a idéia que se fez de Maria Madalena foi a de uma prostituta que, ao ouvir as palavras de Jesus Cristo, se arrependeu de seus pecados e dedicou o resto de sua vida a amá-lo. Em numerosas imagens de devoção, ela aparece com uma capa escarlate e o cabelo solto, ora ajoelhada diante da cruz, ora sentada aos pés de Cristo na casa de Maria e Marta de Betânia, e ainda como uma formosa prostituta prostrada diante de Jesus na casa do fariseu, tendo ao lado o jarro contendo o bálsamo. Mulher cujo nome evoca por si só imagens de beleza e sensualidade, é em vão que a procuramos no Novo Testamento. Tudo o que realmente sabemos sobre ela vem dos quatro Evangelhos, algumas poucas breves referências que formam uma visão inconsistente e até contraditória. Essas fugazes imagens convergem, no entanto, em quatro aspectos notáveis: Maria Madalena era uma das seguidoras de Jesus, esteve presente à crucificação, foi testemunha – a testemunha, de acordo com o Evangelho de João – da ressurreição e a primeira a ser incumbida da suprema missão de proclamar a mensagem de Cristo. Ela foi a portadora da notícia de que, por meio da vitória de Cristo sobre a morte, a vida eterna era oferecida a todo aquele que crê...

Um dos aspectos mais surpreendentes dos relatos evangélicos é o papel atribuído às seguidoras de Jesus como suas apoiadoras e testemunhas dos acontecimentos daquela primeira Páscoa. Sua fé e tenacidade, reconhecidas pelos primeiros comentadores cristãos, acabaram relegadas ao segundo plano depois de uma progressiva perda de importância em benefício de novas ênfases e interpretações. O verdadeiro significado de seu testemunho foi substancialmente ignorado, enquanto a própria Maria Madalena era recriada como um personagem inteiramente diferente, no século VI, para servir aos propósitos da hierarquia eclesiástica. Essa remodelação promovida pelos Pais da Igreja primitiva distorceu nossa visão de Maria Madalena e das outras mulheres; precisamos, por isso, retornar aos Evangelhos para entendê-las melhor.

Marcos nos diz que Maria Madalena era uma das mulheres que, durante a jornada de Cristo na Galiléia "o seguiam e *serviam*" (itálico meu; Marcos 15:41; ver também Mateus 27:55). O termo "servir" foi traduzido do grego *diakonien*, que significa servir, assistir, e tem a mesma raiz da palavra "diácono", o que demonstra as importantes funções atribuídas às mulheres no grupo de discípulos. Lucas, por quem ficamos também sabendo que o grupo foi parte da entourage de Cristo durante um tempo considerável antes de sua crucificação (8:1-4), corrobora seu papel de servidora e o amplia com as palavras "com seus próprios recursos" (v. 3). Muitas vezes se supôs que esse papel era doméstico, uma vez que a vida da mulher na sociedade judaica do século I se circunscrevia ao ambiente do lar, no desempenho de tarefas como triturar a farinha, cozinhar, lavar, alimentar os filhos, arrumar as camas e fazer as roupas. Até a época moderna se considerou que a função das mulheres entre os seguidores de Cristo era meramente doméstica e, assim, secundária, suposição só recentemente questionada por alguns estudiosos. Mas a expressão "com seus próprios recursos" indica que as mulheres contribuíam com os meios necessários para que os pregadores itinerantes realizassem seu trabalho. Ainda que elas sabidamente apoiassem os rabinos com dinheiro, haveres e alimento, sua participação na prática do judaísmo era insignificante. Embora lhes fosse permitido ler a Tora nos serviços religiosos, não podiam recitar lições em público para "salvaguardar a honra da congregação".

Um rabino chamado Eliézer, do primeiro século da era cristã, é citado dizendo: "Antes sejam queimadas as palavras da Tora do que confiadas a uma mulher!"[10] Por essa mesma razão, na sinagoga, as mulheres ocupavam um lugar separado dos homens. Seu acesso era restrito às galerias superiores, e elas não podiam usar os filactérios – caixinhas de couro contendo pergaminhos com passagens do Antigo Testamento, que os judeus trazem presas à testa e ao braço esquerdo – nem cumprir nenhuma função litúrgica. Eram excluídas do sacerdócio com base na suposta impureza da menstruação, tal como definido numa ordenação do Templo (Levítico 15) – tabu também invocado pela Igreja cristã e usado até bem recentemente como uma poderosa arma contra seu ingresso no ofício eclesiástico. Segundo consta em Levítico 21 e 22, um sacerdote devia ser limpo e sagrado em todos os momentos para poder oferecer sacrifício. As mulheres eram aceitas, porém, na condição de profetisas, como atesta o Antigo Testamento, e eram, como no caso de Ana, filha de Fanuel, até mesmo celebradas como tal no dia de Cristo (Lucas 2:36-38).

É nesse contexto que a frase de Lucas adquire especial importância, pois sugere que a presença das seguidoras de Cristo era fundamental para o grupo como um todo, no sentido de que elas doavam seus bens e rendas para propiciar meios de vida a ele e seus discípulos enquanto percorriam regiões do interior pregando e curando. Isso, por sua vez, lança novas luzes sobre essas mulheres, uma vez que a capacidade de dispor dos próprios recursos pressupõe independência financeira e talvez maturidade, hipótese corroborada pela afirmação de que uma das Marias é "mãe de Tiago", presumivelmente o apóstolo (Marcos 15:40 e 16:1). Ainda mais importante é a recente sugestão de que as discípulas também pregavam, ao contrário da suposição generalizada que as diferencia sob esse aspecto de seus congêneres masculinos, uma vez que o termo "seguir", tal como empregado por Marcos em referência aos presentes à crucificação – "as quais o seguiam e serviam quando ele estava na Galiléia" (15:41) –, foi usado tecnicamente para indicar a sua plena participação, tanto na crença quanto nas atividades dos pregadores itinerantes, como corroborado pelo Atos dos Apóstolos e pelas palavras de Paulo sobre o papel das mulheres. Em nenhum ponto desses textos há indicações de que Cristo considerava a contribuição das mulheres inferior ou subsidiária à dos discípulos homens. Na verdade, pode-se dizer que ela foi, durante e após a crucificação, mais plena de coragem e firmeza de propósito, embora não necessariamente de fé, do que a dos homens, que fugiram. Ao contrário dos onze discípulos, que temeram por suas vidas, as mulheres o seguiram, presenciaram a crucificação, testemunharam o sepultamento, descobriram o túmulo vazio e, como verdadeiras discípulas, foram recompensadas com a primazia da notícia da ressurreição e, no caso de Maria Madalena, com o primeiro encontro com Jesus ressuscitado.

O desinteresse de Cristo pelas convenções de sua época e seu desejo de mudar radicalmente certas *tradições* sociais são expressos no tratamento que ele dispensa às mulheres, no mínimo pelo fato de elas participarem efetivamente de seu séquito. Embora costumassem apoiar financeiramente os rabinos, era certamente algo inusitado as mulheres acompanharem os pregadores como discípulas itinerantes. Cristo acolheu também no grupo as mulheres que, conforme o relato em Lucas, foram curadas de "espíritos malignos e enfermidades" (8:2-3) e que, de outro modo, talvez fossem pessoas marginalizadas na sociedade. Joana, uma das poucas mulheres da comunidade identificadas pelo nome, era casada com Cuza, intendente de Herodes, e, portanto, deve ter deixado a família e a corte para seguir Cristo. Vale notar que a referência ao status social de Joana, como mulher casada, tem o efeito de determinar, por oposição, o de Maria Madalena: entre as mulheres mencionadas, somente ela não é referida por uma designação que a ligue a um homem como esposa, mãe ou filha; é a única identificada pelo lugar de nascimento. É, portanto, como uma mulher *independente* que Maria Madalena é apresentada, o que implica que devia ser também uma pessoa de posses, para poder optar por seguir e apoiar Cristo...

Os "sete demônios" de Maria Madalena a que tanto Marcos quanto Lucas se referem foram motivo de especulação por parte dos primeiros comentadores cristãos. Sua associação aos "maus espíritos e enfermidades" atribuídos a algumas mulheres talvez tenha sido o motivo de sua identificação com os sete pecados capitais. Sugeriu-se que Maria Madalena era a mais conhecida entre as mulheres porque sua "cura foi a mais dramática", uma vez que os sete demônios talvez indicassem uma "possessão de extraordinária malignidade".[11] No entanto, em nenhum lugar do Novo Testamento a possessão demoníaca é tratada como sinônimo de pecado.[12] A possibilidade de que o mal de Maria Madalena fosse de natureza psicológica, isto é, visto como loucura, e não moral ou sexual, é algo que parece jamais ter sido objeto de consideração por parte dos primeiros comentadores da Bíblia, embora tenha preocupado seus intérpretes do século XIX em diante. Afinal, não há no episódio do homem possuído pelo demônio nenhuma indicação de que o "espírito imundo" era de natureza sexual (Lucas 8:26-39)... A Sra. Balfour, célebre evangélica do século XIX, foi uma das primeiras a negar que a doença de Maria Madalena fosse de outra natureza que não psicológica, e, mais recentemente, J. E. Fallon escreveu que, longe de estar em pecado, ela provavelmente sofria de algum "distúrbio nervoso violento e crônico".

Além de vinculada aos ambíguos "sete demônios", Maria Madalena recebeu uma referência negativa relacionada ao seu suposto lugar de nascimento: seu segundo nome, Magdalini, em grego, significava que ela provinha de El-Mejdel, um próspero povoado pesqueiro situado na margem noroeste do lago da Galiléia, a pouco mais de seis quilômetros ao norte de Tiberíades. A aparente notoriedade desse lugar nos primeiros séculos do cristianismo – ele foi destruído no ano 75 d.C. por infâmia devida ao comportamento licencioso de seus habitantes – talvez tenha ajudado mais tarde a manchar o nome e a reputação de Maria Madalena.[13] (Hoje, na beira do lago, uma placa enferrujada informa ao turista que Magdala, ou Migdal, foi uma próspera cidade ao fim do período do Segundo Templo e também o local de nascimento de Maria de Magdala, que "seguiu Jesus e o serviu".)

Pode-se dizer que nenhum dos elementos que acabamos de detalhar constitui por si só razão suficiente para provar que Maria Madalena foi uma pecadora ou prostituta. Na verdade, é possível que tal afirmação jamais tivesse obtido aceitação – pelo menos no grau em que obteve – se Maria Madalena não tivesse sido confundida com outras personagens femininas dos Evangelhos, algumas explicitamente descritas como pecadoras e outra que, por sua história, parece ter sido de fato prostituta. Para os comentadores posteriores, num ambiente eclesiástico que se aferrava mais e mais ao ideal do celibato, a condição de mulher só podia ajudar a dar credibilidade a essa falsa identificação. Por essa via puderam os sete demônios que a possuíam encarnar o estigma moral e social, a monstruosa dimensão da luxúria e da tentação – fraquezas que os primeiros intérpretes cristãos do Gênesis associavam tradicionalmente à Fêmea. Maria Madalena, a mais importante discípula, primeira apóstola e amiga dileta de Cristo, foi transformada em meretriz penitente...

A companheira do Salvador

Seu estreito relacionamento com Cristo é enfatizado no Evangelho de Filipe, em que é retratada com uma das "três que sempre acompanhavam o Senhor: Maria sua mãe, sua irmã e Magdalene [sic], que era dita sua companheira. Sua irmã, sua mãe e sua companheira eram todas Marias. E a companheira do Salvador é Maria

Madalena". A palavra grega *koinonos*, usada para descrever Maria Madalena, embora seja muitas vezes interpretada com o significado de "companheira", se traduz mais corretamente como "cônjuge", ou "consorte", uma mulher com quem um homem já teve intercurso sexual. Duas páginas adiante, há outra passagem que amplia com imagens sexuais o relacionamento anteriormente descrito:

> Mas Cristo a amava mais do que a todos os outros discípulos e a beijava na [boca] com freqüência. Os demais discípulos se ofenderam e expressaram sua desaprovação. Disseram-lhe:
>
> – Por que a amas mais do que a todos nós?"
>
> O Salvador respondeu, dizendo-lhes:
>
> – Por que eu não vos amo como a ela?

O mais notável exemplo de como o amor erótico foi muitas vezes usado como meio de expressão de experiências místicas é, provavelmente, o Cântico dos Cânticos, fantástico epitalâmio espiritual que descreve com imagens sumamente sensuais e voluptuosas o que os rabinos deviam interpretar como alegoria do amor de Jeová por Israel e os primeiros comentaristas cristãos como representação do amor de Cristo pela Igreja, pela alma cristã – às vezes na pessoa de Maria Madalena – e pela Virgem Maria. No Evangelho de Filipe, a união espiritual de Cristo e Maria Madalena está expressa em termos de sexualidade humana; da mesma forma, o que sucede na alcova nupcial, lugar da plenitude, ou *pleroma*, é uma metáfora da união de Cristo com a sua Igreja. Embora trate de questões sacramentais e éticas, o principal tema do texto é a idéia, comum a muitos escritos gnósticos e mais tarde cristãos, de que os infortúnios da humanidade são causados pela diferenciação dos sexos surgida da separação de Eva de Adão, destruindo-se assim a unidade andrógina original (Gênesis 1:27) pela qual anseia eternamente o espírito gnóstico. Como explica o autor do Evangelho de Filipe: "Quando Eva estava ainda dentro de Adão, não havia morte. Quando ela foi separada, a morte passou a existir. Quando ele voltar a ser completo e recuperar sua natureza original, a morte não mais existirá." O Evangelho de Filipe faz da câmara nupcial uma metáfora da "re-união" de "Adão" e "Eva", quando então seria abolida a polaridade masculino-feminino e realizada a androginia, ou estado espiritual, por meio do advento de Cristo, o Noivo.[14] O relacionamento de Cristo e Maria Madalena simboliza essa união espiritual perfeita. Alguns gnósticos foram, no entanto, acusados por seus adversários de pôr em prática conceitos eróticos e tomar parte em orgias sexuais que eram reedições profanas do ritual cristão: segundo Epifânio, os gnósticos tinham um livro chamado *Great Questions of Mary* (Grandes perguntas de Maria) que mostrava Cristo fazendo a Maria Madalena uma revelação das cerimônias obscenas que uma seita precisava celebrar para obter a salvação. Indignado, ele escreveu:

> Pois em Great *Questions of Mary* ditas "Grandes"... afirmam que ele [Jesus] fez-lhe [a Maria] uma revelação, levando-a consigo até a montanha e rezando; e então ele gerou de si uma mulher e começou a unir-se com ela, e, assim, deveras, tomando do próprio fluido, mostrou que "devemos fazê-lo, para poder viver"; e então quando Maria caiu no chão, envergonhada, ele a ergueu e disse: "Por que duvidas, ó mulher de pouca fé?"[15]

Essa parte do Evangelho de Filipe pode ser considerada em dois planos distintos: um que simboliza o amor de Cristo pela Igreja – na pessoa de Maria Madalena – e outro representativo de uma situação histórica em que ela representa o elemento feminino na Igreja. Como vimos, o tratamento preferencial que Maria Madalena recebe de Cristo – seja no Evangelho de Maria, seja no Evangelho de Filipe – provoca ciúme nos outros discípulos, principalmente em Pedro. O Pistis Sophia, um dos poucos textos encontrados antes dos escritos de Nag Hammadi, menciona um conflito similar entre Maria Madalena e Pedro, que se queixa em nome dos discípulos de que ela domina a conversa sobre a queda de Pistis Sophia do reino da Luz, impedindo-os de falar. Jesus o repreende. Mais tarde, Maria Madalena diz a Jesus que tem medo de Pedro: "Porque ele costuma me ameaçar e odeia o nosso sexo." (Jesus lhe responde afirmando que quem quer que se inspire no espírito divino pode tomar da palavra, dando a entender que a inspiração anula a diferença de sexo e reiterando o tema da androginia presente no Evangelho de Filipe.) Já se sugeriu que a oposição de Pedro a Maria talvez reflita a histórica ambivalência dos líderes da comunidade ortodoxa em relação à participação da mulher na Igreja. Todavia, no final do século II, os princípios igualitários definidos no Novo Testamento, aos quais, nesse contexto, São Paulo adere, haviam sido rejeitados em nome do retorno ao sistema patriarcal judaico que os precedera. Portanto, no plano da interpretação histórica, os textos gnósticos talvez se refiram a uma tensão política existente no interior da Igreja primitiva. Trata-se do processo indicado nos Evangelhos sinópticos* pela descrença dos discípulos nos relatos femininos da ressurreição e em Paulo por sua omissão a respeito do testemunho das mulheres, mas nunca referido diretamente pelos cristãos ortodoxos – qual seja, a supressão do elemento feminino do contexto da Igreja, que se estendeu gradualmente a partir do século II.

Mal-afamada Madalena

A genuína humanidade de Cristo e, portanto, também a sua sexualidade foram objeto de vários estudos qualificados durante as últimas três décadas. Se na época

---

* Termo que se refere aos três primeiros Evangelhos do Novo Testamento (Mateus, Marcos e Lucas). (N.T.)

renascentista as imagens de Cristo enfatizavam sua humanidade chamando a atenção para a sua genitália, em tempos recentes o problema tem sido o de como lidar com sua sexualidade no contexto da sua existência humana. A sugestão de que ele talvez fosse casado, como era próprio de um rabino naquela época, levou um escritor, como já vimos, a conjecturar que seu casamento possa ter se dado com a própria Maria Madalena. Essa hipótese foi discutida pelo teólogo protestante William E. Phipps em *Was Jesus Married? The Distortion of Sexuality in the Christian Tradition* (Jesus era casado? A distorção da sexualidade na tradição cristã), publicado originalmente em 1970 e reeditado em 1989. O casamento de Jesus com Maria Madalena, sugere o autor, pode ter ocorrido em algum momento da sua segunda década de vida; uma hipótese ainda mais ousada é a de que Maria Madalena lhe tenha sido infiel e ele a tenha perdoado movido por um amor inquebrantável. Essa experiência, de acordo com Phipps, deu a Cristo um entendimento muito mais profundo da natureza do adultério e do amor, *agape*, levando-o a rejeitar com veemência a idéia do divórcio. A "intrigante conjectura" de Phipps pode, portanto, servir como justificativa para que se conceda a Maria Madalena o poder de influenciar em alguma medida as idéias de Cristo sobre as relações humanas, tema que foi recentemente abordado, com muito menos autoridade, por autores mais populares. Em *Jesus the Man* (Jesus, o homem), publicado em 1992, a Dra. Barbara Thiering chega a afirmar que Maria Madalena não só foi casada com Jesus, tendo lhe dado uma menina e dois meninos, como o abandonou após a crucificação (à qual ele sobreviveu por mais trinta anos). Ao que parece, Cristo se casou novamente. A autora, conferencista da Faculdade de Teologia da Universidade de Sidney, baseia suas afirmações numa nova interpretação dos Pergaminhos do Mar Morto.

A idéia de que Maria Madalena tenha sido esposa de Cristo e gerado filhos tornou-se tema de debate com *O Santo Graal e a linhagem sagrada*,[16] de Baigent, Leigh e Lincoln, uma das mais bizarras manifestações do interesse do recém-findo século XX pela história de Cristo e pela teoria da conspiração. Depois de uma crucificação encenada, em que Jesus é retirado dopado da cruz ou substituído por Simão de Cirene, sua família é obrigada a fugir dos que, a começar por São Pedro, não fazem parte da trama e estão determinados a preservar a reputação de Cristo, o Messias. Com seu irmão Lázaro e outros, Maria Madalena chega ao sul da França levando o Sang Raal, ou Santo Graal, que os autores interpretam como o sangue sagrado de Cristo na forma de seu filho ou filhos. Uma vez estabelecida na comunidade judaica do sul da França, a família se liga por vínculos de casamento aos reis merovíngios e daí a Godofredo de Bouillon (que por pouco não se torna rei de Jerusalém) e, por meio dele, à casa de Lorraine, aos Habsburgo e ao sempre obscuro, mas sempre presente, Priorado de Sião, guardião de todo o segredo, qualquer que fosse, que se diz estar escondido perto da cidade de Rennes-le-Château (e que se propõe também a criar um Estado europeu unificado, cujo trono será ocupado por um descendente de Cristo e, é claro, Maria Madalena). Saunière, o pároco daquela localidade, descobre documentos codificados na igreja e constrói a misteriosa Torre de Magdala para abrigar sua biblioteca. Os autores vão submetendo esbaforidamente aos seus propósitos toda informação que passa à sua frente. O livro, que não contém nenhuma idéia nova que sirva para lançar luzes sobre a figura histórica de Maria Madalena, cuida o tempo todo de tentar juntar provas em favor de algumas das mais artificiosas lendas que se acumularam ao redor dela ao longo dos séculos, norteando-se pela idéia de que onde há fumaça há fogo...

[Numa análise ao mesmo tempo brilhante, densa e complexa, Susan Haskins narra a multifacetada história de como o culto de Maria Madalena veio a se tornar tão importante na França. Ela examina todo o leque de mitos e lendas em que Maria aparece fugindo de Jerusalém rumo aos mais variados destinos – Éfeso, onde havia um persistente culto grego da deusa dedicado a Diana e para onde se acredita tenha ido Maria, mãe de Jesus (é costume mostrar aos visitantes de hoje a casa onde se diz ter vivido a Virgem Maria); o deserto do Egito, onde teria permanecido trinta anos como eremita; e até Nortúmbria, na Inglaterra, onde ela, José de Arimatéia e o Santo Graal se ligaram definitivamente às lendas de Avalon e do rei Artur. Foi, porém, na França medieval que surgiu uma verdadeira indústria de criação de provas da chegada e permanência de Maria Madalena no país. O fascinante relato de fraudes, mitos fabricados e credulidade humana feito por Haskins merece a atenção de todos os leitores do *CDV*. Quem acredita que Pierre Plantard e os *Dossiês secretos* são uma fraude ou quem acha que Baigent, Leigh e Lincoln – e Dan Brown, sob esse aspecto – foram excessivamente levianos no trato da história devia ver o que abades, bispos e nobres empreendedores fizeram durante as Cruzadas: inventaram relíquias – mechas de cabelo, lágrimas – de Maria Madalena. Trouxeram da Terra Santa objetos pretensamente sagrados e obtiveram grandes lucros no negócio de relíquias, que aplicaram depois em poções de suposto valor medicinal. Promoveram também procissões, peregrinações, festivais e algumas das primeiras produções teatrais ao ar livre, que levaram turistas, negócios e comércio para pequenas cidades francesas. E, em todo lugar onde o nome e a imagem de Maria Madalena como penitente eram invocados, o objetivo era encobrir festivais de libertinagem. Como diz Haskins:]

As grandes heures *de Vézelay*

Nos séculos XII e XIII, grandes peregrinações levavam multidões aos mais famosos santuários em busca de curas, expulsão de demônios e outras manifestações similares da intervenção divina. Mas esses não eram os únicos propósitos de tais festividades, uma vez que a depravação e a libertinagem freqüentemente eram companheiras das relíquias levadas em procissão... A sedução, ao que parece, era corrente, e as caftinas costumavam exercer seu ofício à vista de todos. Mas... os conselhos locais não estavam nem um pouco inclinados a acabar com as peregrinações porque elas proporcionavam lucros substanciais às cidades, dado que os fiéis precisavam se alojar e se alimentar – além disso, toda essa decadência parecia fazer parte da festa.

Iam a Vézelay tocar o túmulo de Maria Madalena peregrinos de todas as regiões da França; alguns de lugares distantes, como a Inglaterra, para serem curados, perdoados e exorcizados de seus demônios no lugar sagrado. E, com eles, seguiam também os mercadores, sempre prontos a lucrar com os piedosos...

[O culto de Maria Madalena tinha tanta força, e seu espírito era tido como detentor de um tal poder de intercessão perante Deus, que tudo se creditava a ele – de levar a paz à Borgonha a colocar cavaleiros mortos de volta em suas selas. Bulas expedidas pelos papas Lúcio III, Urbano III e Clemente III confirmaram todas que o corpo de Maria Madalena jazia, de fato, na cidade francesa de Vézelay. Mas como ela teria ido de Jerusalém até à França e o que teria feito durante os anos que passou lá? Haskins nos apresenta a seguinte história:]

Sempre havia, porém, a incômoda questão de como o corpo de Maria Madalena chegara ao seu lugar de descanso na Borgonha, tão distante de seu local de nascimento na Judéia. Prestava-se reverência a um túmulo, mas, embora se dissesse que o corpo da "abençoada Madalena" jazia na igreja do monastério, ele nunca fora visto, tampouco se fizera um relato adequado de sua chegada da Palestina depois da ascensão de Jesus. A resposta dada, no século XI, às perguntas inconvenientes podia ser "resumida em poucas palavras", como assinalava um tanto agressivamente um documento publicado em Vézelay: "Tudo é possível para Deus, que faz o que lhe agrada. Nada é complicado depois que ele decidiu fazer alguma coisa em benefício dos homens." Quando essa resposta se revelava insatisfatória, o narrador falava de como Maria Madalena lhe aparecera, em pé, ao lado do próprio túmulo, dizendo: "Sou eu, sou aquela que muitas pessoas crêem estar aqui." Quem duvidava da existência do corpo de Maria Madalena era alertado sobre os castigos divinos que já haviam sido infligidos a outros céticos. Uma desculpa para não expor os seus restos mortais foi dada num manuscrito do final do século XII, que falava da ocasião em que o próprio Geoffrey [abade de Vézelay] decidiu remover os despojos da pequena cripta onde haviam sido encontrados e colocá-los num precioso relicário. De repente, a igreja mergulhou numa terrível escuridão. As pessoas que ajudavam fugiram apavoradas, e todos os que estavam presentes padeceram. Daí em diante, a idéia de mexer no túmulo sagrado foi completamente abandonada, uma vez que tal ato claramente provocava a ira dos céus. Tudo o que se requeria era fé, diziam os monges de Vézelay aos peregrinos intimidados.

Documentos publicados pela abadia no século XIII para justificar sua pretensão de possuir as relíquias de Maria Madalena contam que a fé dos peregrinos diminuíra tanto que ficou clara para os monges a necessidade de criar alguma forma de recuperar-lhes a credibilidade. A abadia fez publicar então uma torrente de material hagiográfico em que surgiu um novo elemento na história de Madalena. Versões, às vezes totalmente contraditórias, explicavam como o corpo havia chegado, não diretamente da Palestina, mas de algum lugar da Provença onde fora sepultado entre os anos 882 e 884 e de como um "santo roubo" fora perpetrado por um certo Aléaume para levar os preciosos restos mortais ao lugar do seu último descanso...

Contudo, a história mais amplamente aceita era a de que Maria Madalena chegara por barco, tal como outros santos e apóstolos que foram para a França, acompanhada por Maximino, um dos setenta e dois discípulos (pois, como observou Duchesne com malícia, "uma mulher não poderia ter ido sozinha porque ela sempre precisa de alguém para apoiá-la"). Desembarcaram em Marselha e lá pregaram o Evangelho. Nessa primeira versão, nossa santa voltava a ser a *apostola apostolorum,* a primeira apóstola dos Evangelhos, que agora, com sua chegada à França e sua pregação, dava prosseguimento ao apostolado, tendo convertido, na passagem por Marselha, o seu príncipe pagão. (Um narrador monástico posterior, considerando ser sua obrigação explicar discretamente como uma mulher podia ter tomado parte em tais atividades apostólicas, masculinas por definição, lembrou que a disciplina eclesiástica não era propensa a permitir o apostolado feminino e que Maria Madalena, em vez disso, ao chegar sozinha à França, não havia pregado mas se retirado para viver em solidão.)[17] De acordo com essa mesma lenda, Maximino acabou se tornando o primeiro bispo de Aix. Maria Madalena morreu antes de seu companheiro, que a sepultou e foi por sua vez sepultado perto dela, anos depois. Um altar especial na igreja de St. Sauveur, em Aix, foi dedicado a Maximino e a Maria Madalena como fundadores da cidade, que também quis ostentar a honra de ter sido evangelizada no século I. Uma falsa escritura, supostamente datada de 7 de agosto de 1003, refere-se a essa consagração, tendo sido redigida no final do século XII pelo arcebispo e cônegos da igreja em apoio à asseveração de que os ossos dos ilustres fundadores da cidade de Aix ainda estavam no túmulo do qual Vézelay alegava terem sido retirados por meio de um *furtum sacrum.*

Lembrando a relação de Madalena com Lázaro e Marta, uma versão posterior narra toda a história da família, da fuga de Betânia, na Palestina, durante a perseguição aos judeus – pois, como amigos íntimos de Cristo, eles teriam sido alvos imediatos – à sua viagem por mar até Aix. Segundo esse relato, Lázaro se tornou o primeiro bispo de Marselha, Marta viveu em Tarascon, derrotou o dragão do pecado, e, por fim, morreram todos; os ossos de Lázaro e Maria Madalena foram levados para a Borgonha, mas os de Marta permaneceram na Provença, onde foram "descobertos" em 1187.

Durante todo o século XIII circulou uma coleção alarmantemente confusa de versões da viagem de Maria Madalena, em que ela aparecia ora ao lado de Maximino, ora de Lázaro e Marta – e ainda de Sidônio e Marcelina, servidora de Marta –, e às vezes como apóstola em Marselha e no sul da Gália. Mas os resultados eram quase sempre os mesmos: as relíquias estavam agora em Vézelay, como conseqüência de um "santo roubo", dessa vez atribuído a um certo Badilon...

Não fossem as rivalidades monásticas da Idade Média e as peregrinações a Vézelay, Maria Madalena talvez não tivesse se tornado tão popular. Sem sua reclamação pelos monges de St. Maximin e sua conseqüente adoção pelos dominicanos, o conceito da Madalena penitente, que passou trinta anos no deserto, podia não ter chegado jamais à Itália, onde, a partir do século XIII, começou a aparecer em liturgias e afrescos pintados nas igrejas e monastérios de toda a península. Depois, foi levada para Nápoles por Carlos d'Anjou, rei de Nápoles e Sicília, e daí para a Península Ibérica, por meio de alianças matrimoniais entre sua própria casa e a dos reis da Espanha. O movimento fundado em nome de Maria Madalena na Alemanha, em 1225, para alívio moral de prostitutas e pecadoras, e que cresceu vigorosamente durante toda a Idade Média e perdurou sob várias formas até o início do século XX, possivelmente não teria existido se Vézelay não tivesse reivindicado a posse das relíquias da mais amada e ilustre penitente do cristianismo.

Em busca do tempo perdido

A *madeleine* (madalena) – bolinho em forma de concha, tradicional da *pâtisserie* francesa – está associada a Maria Madalena. É feito tradicionalmente com ovos, manteiga, farinha e açúcar. É o ato de morder a *madeleine*, com todas as lembranças nostálgicas que ela evoca, que faz Marcel Proust começar a escrever o seu longuíssimo romance *Em busca do tempo perdido*.[18] Reza a lenda que as freiras de um convento devotado a Maria Madalena na cidade de Commercy inventaram ou aperfeiçoaram a *madeleine* e venderam a receita aos padeiros por uma fabulosa soma para se manterem depois da extinção do convento no rastro da Revolução Francesa. As *madeleines* se tornaram onipresentes na França, mas eram produzidas em quantidades singularmente grandes no feriado de Maria Madalena, 22 de julho.

[No excerto a seguir, de Boer usa um critério detalhista e rigoroso de pesquisa para garimpar evidências textuais contidas nos Evangelhos e em outros documentos históricos a respeito de Maria Madalena. São muitas as suas idéias sobre quem foi Maria Madalena, de onde ela pode ter vindo e que tipo de relacionamento teria tido com Jesus. Suas conclusões são, no entanto, mais circunspectas do que as de outros especialistas representados neste livro. De Boer faz questão de renunciar à tentação de tirar conclusões que não estejam baseadas em sólidas evidências.]

Maria Madalena
Além do mito

ESTHER DE BOER

Extraído de *Maria Madalena – Discípula, apóstola e mulher.*[19] Utilizado sob permissão da Trinity Press International. Esther de Boer estuda Teologia na Universidade Livre de Amsterdã e é ministra da Igreja Holandesa Reformada em Ouderkerk aan de Amstel.

Teria sido Maria Madalena deliberadamente condenada ao ostracismo, na Idade Média, por causa do papel da mulher? Vale a pena recordar o momento preciso em que ela se tornou oficialmente uma penitente.

Até o Concílio de Trento (1545-1563), ainda havia calendários de santos que não atribuíam a Maria Madalena nenhum predicado e que a celebravam como primeira testemunha da ressurreição do Senhor. As formas de comemoração do seu dia variavam de lugar para lugar. Sob a autoridade do Concílio, porém, começaram a ser produzidos livros litúrgicos obrigatórios para toda a Igreja Católica Romana. No primeiro Missal Romano, publicado em 1570, Maria Madalena recebe o epíteto de "penitente". Com isso, o missal não estava endossando apenas a imagem de Maria Madalena disseminada por Gregório, o Grande, e outros; essa imagem veio também da Igreja da Contra-Reforma. Em contraste com a doutrina da graça da Reforma, a Contra-Reforma enfatizava a doutrina da penitência e do merecimento. Nesse ponto, Santa Maria Madalena pôde desempenhar, então, um importante papel de penitente, a penitente abençoada *por excelência.*

O Segundo Concílio do Vaticano (1962-1965) encarregou-se da elaboração de uma revisão do Missal Romano, finalmente publicado em 1970. Nessa edição revisada, a leitura do Evangelho no dia de Santa Maria Madalena é João 20:1-18, em que o seu encontro com o Senhor Ressuscitado ocupa o lugar central. A palavra "penitente" não é mais usada. O comentário adicional agora dado pelo missal é:

> Maria Madalena foi uma das mulheres que seguiram Cristo em suas

> viagens. Esteve presente à sua morte e foi a primeira a vê-lo depois da ressurreição (16:9). Sua veneração se disseminou na Igreja ocidental sobretudo no século XII.[20]

Pode-se dizer, portanto, que Maria Madalena foi oficialmente classificada como penitente durante exatos quatrocentos anos... Quem se interessa por Maria Madalena deve se sentir bastante decepcionado com a pouca luz lançada sobre ela pelas fontes primitivas. Quem era essa mulher antes de conhecer Jesus, que tipo de vida levava, que idade tinha, como se deu sua conversão, o que lhe aconteceu mais tarde? Essas fontes não nos deixam mais do que conjecturas.

Isso nos leva à primeira encruzilhada de nossa aventura. Que conclusão devemos tirar do fato de os evangelistas nos dizerem tão pouco?... A resposta mais óbvia seria a de que eles achavam que qualquer informação adicional sobre Maria Madalena era irrelevante para a história da fé em Jesus que pretendiam contar...

Dificilmente vemos o nome Magdalene ou Magdalena. Encontramos, porém, as variantes Magda e Madalena. Pode-se supor, portanto, que Magdalena é um primeiro nome. Nada está mais longe da verdade. Os quatro Evangelhos do Novo Testamento também nunca dizem Maria Madalena, o nome a que estamos acostumados, mas Maria a Madalena. O Evangelho de Lucas o faz ainda mais enfaticamente, falando de Maria "chamada Madalena" (Lucas 8:2). Esse acréscimo pretende deixar claro de que Maria se trata: a Maria que veio de Magdala.

Maria Madalena: seu nome evoca uma imagem de seu passado.

A cidade de Magdala não é mencionada no Novo Testamento, pelo menos no texto que estamos acostumados a ler. Mas o Novo Testamento foi distribuído em um grande número de manuscritos, alguns dos quais registram o topônimo Magdala: em uma versão de Marcos (8:10) e em outra de Mateus (15:39), aparecem, respectivamente, Dalmanuta e Magadã, topônimos que os estudiosos não foram capazes de identificar com precisão. Se os dois apóstolos se referiam a Magdala, esse é o lugar ao qual Jesus e seus discípulos se dirigiram em travessia depois de alimentarem quatro mil pessoas com sete pães e alguns peixes.

Na região de Magadã/Dalmanuta, ou Magdala, os fariseus pediram a Jesus um sinal dos céus "para desafiá-lo" (Mateus 16:1-4; Marcos 8:11-13). O máximo que podemos concluir do Novo Testamento é que havia escribas na região de Magdala e que ela era acessível por barco.

Muito se tem discutido a respeito de sua possível localização. A literatura rabínica deixa claro que devemos procurar Magdala nas proximidades de Tiberíades, junto ao lago da Galiléia.

Hoje, ao norte de Tiberíades fica o vilarejo de Mejdel. O nome lembra Magdala, suposição que se encaixa muito bem com testemunhos de antigos peregrinos que situam Magdala entre Tiberíades e Cafarnaum, mais ao norte.

Registros de peregrinações ocorridas entre os séculos VI e VII dão testemunho, sem exceção, de que Magdala era eqüidistante de Tiberíades e Tabga, um lugar próximo a Cafarnaum. Alguns peregrinos se referem à casa de Maria Madalena, que puderam visitar, e à igreja que a imperatriz Helena (século IV) mandou construir em sua homenagem. Em seu relato de viagem (1249), Ricoldus de Monte Crucis nos diz que a igreja não era mais usada no final do século XIII. Ele registra:

> Então chegamos a Magdala... o povoado de Maria Madalena junto ao Mar de Genesaré. Nossos olhos se encheram de lágrimas, e nós choramos por termos encontrado uma esplêndida igreja, absolutamente intacta, onde proclamamos o Evangelho de Madalena.[21]

Se Magdala se situava, de fato, onde hoje é Mejdel, então Jesus *deve* ter estado lá. A cidade ficava na estrada que liga Nazaré, vilarejo onde ele cresceu (a cerca de trinta e cinco quilômetros de Magdala), a Cafarnaum, onde foi morar mais tarde.

Magdala localizava-se a cerca de dez quilômetros de Cafarnaum. Não é absurdo pensar que Jesus a conhecia bastante bem. De todo modo, parece possível que ele tenha doutrinado e talvez curado pessoas ali, como relata o Evangelho de Marcos:

> E passou por toda a Galiléia, pregando em suas sinagogas e expulsando demônios... (Marcos 1:39; cf. Mateus 4:23 e Lucas 8.1-3)

Também a julgar pela literatura rabínica, Magdala tinha uma sinagoga. Ao lado dela havia uma *beth ha-midrash*, escola destinada à explicação e aplicação da Sagrada Escritura (provavelmente no começo do século II, talvez antes)...

Num *midrash* sobre Lamentações 2.2 que começa com as palavras "O Senhor destruiu sem piedade todas as casas de Jacó", Magdala é citada como exemplo. Os sábios fazem uma longa descrição da devoção do povoado. Havia trezentas tendas onde se podiam comprar os pássaros necessários aos rituais de purificação. E o tributo religioso destinado a Jerusalém pesava tanto que se tinha de levá-lo em carroças. Mesmo assim, a cidade foi arrasada. Por quê? Embora a resposta dada a essa pergunta no caso de duas outras cidades seja "desunião" e "bruxaria", no que se refere a Magdala o "adultério" é citado como motivo (Ika Rabbah, II, 2,4). Portanto, essa cidade era associada não apenas à devoção como também ao adultério...

Devemos pensar em uma Maria de Magdala que buscava proporcionar prazer a todos os homens? A única referência à promiscuidade sexual em Magdala... está no mencionado *midrash* sobre as Lamentações. Os sábios dão o "adultério" como razão para a destruição de Magdala. No entanto, o adultério é mencionado num contexto de devoção. Apesar disso, Magdala foi arrasada. Não há nenhum motivo óbvio para associar-se particularmente Maria Madalena ao adultério, da mesma forma como não há razão para descrevê-la como extraordinariamente devota por causa da devoção de Magdala.

Contudo, podemos admitir que seu nome evoque a atmosfera geral de Magdala, o modo de vida de uma cidade comercial situada em uma rota internacional, na qual pessoas de todas as religiões e costumes se encontravam no mercado. Um lugar próspero que tinha de conviver com a violência da ocupação e a revolta política permanente por causa dessa situação, uma cidade tolerante na qual as culturas judaica e helenística eram conhecidas a fundo.

Maria Madalena deve seu nome ao nome hebreu da cidade. Ela é especificamente chamada de Maria de Magdala e não de Maria de Tariquéia, o que reforça a impressão de que era judia...

Os Evangelhos do Novo Testamento concordam quando relatam que Maria Madalena era uma das seguidoras de Jesus. Ela não era a única mulher; havia outras. Esses Evangelhos não nos dão nenhuma indicação de como isso aconteceu exatamente...

Ser discípulo de Jesus e pertencer ao seu pequeno grupo de seguidores permanentes tinha amplas conseqüências na vida cotidiana, notadamente para uma mulher. Significava viajar, abandonar tudo para segui-lo. Significava optar por uma vida de pobreza e simplicidade. Significava ter de lidar com outros discípulos, ricos e pobres, da cidade ou do país, fossem zelotes, coletores de impostos ou pescadores. Significava abstinência sexual. Significava também correr riscos, tanto em relação aos judeus quanto aos romanos. Maria Madalena teve de aceitar tudo isso para acompanhar Jesus...

O que a levou a fazer isso? Certamente foi atraída pelo fascínio da autoridade de Jesus, como tantos outros. Mas podemos dizer mais em vista do que sabemos até hoje sobre ela.

Maria Madalena foi criada numa cidade em que a revolta e o sofrimento causados pela ocupação romana eram tangíveis, o que pode tê-la tornado receptiva justamente ao componente não violento, espiritual e curativo do reino de Deus tal como expresso por Jesus.

Ela cresceu num lugar onde as culturas judaica e helenística viviam lado a lado, em meio a pessoas de diferentes países e religiões que iam a Magdala a negócios. É bastante provável, portanto, que tenha se sensibilizado com a ênfase dada por Jesus à vida interior das pessoas, às suas inclinações e à sua maneira de agir, e não às suas diferenças externas, e que tenha se tornado receptiva à idéia de que Deus tem piedade de todos sem distinção, porque Ele é Deus de toda a criação – dos seres humanos e também da natureza, que particularmente ao redor de Magdala era rica e abundante...

Maria Madalena veio de Magdala, junto ao mar da Galiléia, centro de comércio que fazia parte de uma rota internacional, onde pessoas de todas as religiões e costumes se encontravam no mercado; um lugar próspero, em que se comercializavam peixe salgado, tecidos tingidos e produtos agrícolas; uma comunidade tolerante, na qual as culturas judaica e helenística eram conhecidas a fundo; uma cidade fortificada, com uma localização estratégica, numa região que sofria muito com a ocupação romana e com a revolta que esta causava. Por outro lado, a natureza ali era rica e pródiga. Maria Madalena deve ter tido uma criação judaica. Contudo, ela não é identificada por seus laços de família como as outras Marias mencionadas nos quatro Evangelhos, mas por sua cidade de origem, Magdala. Desde a juventude ela conheceu a violência, a riqueza e a pobreza, a injustiça e as diferentes culturas e religiões, tudo isso num ambiente natural esplêndido e extraordinariamente fértil. Em determinado momento, começou a seguir Jesus. Não é inconcebível que o tenha conhecido na sinagoga de Magdala. O Evangelho de Lucas é o único a relatar que Jesus a livrou de sete demônios. Não sabemos exatamente o que isso diz a seu respeito, mas é presumível que seu contato com Cristo tenha lhe proporcionado libertação e enriquecimento. João a retrata como uma das pessoas mais próximas de Jesus. Na crucificação, ela estava bem embaixo da cruz com a família dele. Com base na descrição feita em Marcos das mulheres que estavam junto à cruz, de acordo com o que os Evangelhos nos dizem a respeito da atitude de Jesus para com as mulheres e, finalmente, segundo as narrativas da ressurreição em Lucas e João, concluímos que Maria Madalena devia pertencer ao pequeno círculo de discípulos que seguiam Jesus em caráter permanente. Ela era influenciada pela autoridade dele e por sua mensagem sobre a chegada do reino de Deus. Aceitava seus ensinamentos: a importância que ele atribuía à boa vontade em lugar do bom comportamento exterior e a ênfase que dava à infinita bondade de Deus, que não se limitava a alguns, mas era consagrada a todos.

Os evangelistas mencionam Maria Madalena em suas narrativas sobre Jesus porque ela é a principal testemunha de sua morte, do sepultamento de seu corpo, do túmulo vazio e da revelação que se segue. Vimos que a presença dela junto ao túmulo de Jesus foi uma demonstração de coragem diante das autoridades judaicas e romanas.

É surpreendente que Marcos, Lucas e João convidem o leitor a comparar Maria Madalena com Pedro. Em Marcos, ela aparece no mesmo plano de Pedro; em Lucas, Pedro é claramente mais importante do que Maria Madalena, ao passo que, em João, Pedro empalidece ao seu lado...

Ainda que, mais tarde, os Pais da Igreja e as duas ordens da Igreja tenham enfatizado a distância entre Maria Madalena e Jesus, os demais escritos mostram a intimidade que havia entre eles.

A começar pela Epístola dos Apóstolos. Assim como no Evangelho de Lucas, os discípulos não crêem na notícia da ressurreição que lhes é dada pelas mulheres. Em contraste com Lucas, porém, no registro da Epístola o Senhor lhes confia a tarefa de falarem em seu nome. Ele as envia, uma a uma, Maria Madalena e Maria, irmã de Marta. Ao persistir o ceticismo, o Senhor aparece aos onze discípulos. Mas não sozinho, e sim com as duas Marias. Eles aparecem juntos. Portanto, com sua solidariedade, o Senhor mostra que as mulheres estão certas. No Evangelho de Tomé, Jesus promete dar orientação especial a Maria Madalena. Em resposta ao pedido de Pedro para excluí-la do círculo dos discípulos, ele diz:

> Eu a guiarei pessoalmente para fazer dela homem, de modo que ela também possa se tornar um espírito vivo semelhante ao de vós homens. Pois toda mulher que se fizer homem entrará no reino dos céus (Evangelho de Tomé, Logion II, 4).

O Evangelho de Filipe diz que Maria Madalena era chamada de companheira de Jesus. Assim como Maria mãe de Jesus e a irmã desta, Maria Madalena estava sempre com ele. O autor escreve:

> O Salvador amava Maria Madalena mais do que a todos os outros discípulos, e a beijava na boca com freqüência (Evangelho de Filipe 63:34-35).

Não devemos entender esse "beijar" em sentido sexual, e sim espiritual. As graças que se dão aqueles que se beijam os faz renascer. Isso é descrito em uma passagem anterior:

> Se os filhos de Adão, apesar de morrerem, são numerosos, quanto mais numerosos não serão os filhos do homem perfeito, que não morrem mas são continuamente gerados... porque se alimentam da promessa de entrar no reino dos céus. A promessa vem da boca, pois o Verbo veio da boca e pela boca foi alimentado e se tornou perfeito. É por meio do beijo que o perfeito concebe e dá à luz. Por isso, nós também nos beijamos uns aos outros. Somos concebidos pela graça que temos entre nós (Evangelho de Filipe 58:20-59:6).

Maria Madalena se torna fértil por meio da graça que há em Cristo. Receber essa graça a faz renascer.

Para os Pais da Igreja, a distância que há entre Jesus e Maria Madalena é a mesma que existe entre Deus e a mulher pecadora. A intimidade demonstrada nos escritos aqui mencionados é uma intimidade entre professor e aluna...

Concluímos que Maria Madalena foi uma discípula corajosa e persistente, como atesta o fato de ter sido, ao que parece, uma das poucas pessoas a presenciar a crucificação e o sepultamento e a retornar ao túmulo...

O fato de Maria Madalena ser mulher desempenhou um papel decisivo em nossa busca, desde as fontes primeiras. Observamos que, acima de tudo, os três primeiros Evangelhos do Novo Testamento se mostram ambíguos a respeito das discípulas.

Elas têm de ser mencionadas como testemunhas, mas a forma como são apresentadas é abrupta e limitada. Cotejamos esse dado com a visão romana e judaica nada positiva do testemunho da mulher. Vimos também que o fato de terem existido discípulas não devia ser visto com simpatia. Tanto a tradição judaica quanto a legislação romana propagavam a maternidade como o único mérito da vida da mulher. Tampouco os Evangelhos chamam, em nenhum momento, Maria Madalena e as outras mulheres de verdadeiras discípulas, exceto quando elas se incluem no masculino plural "discípulos". Já os Pais da Igreja e a literatura evangélica complementar à Bíblia fazem uso da forma feminina da palavra "discípulo".

O fato de Maria Madalena ser mulher possibilitou aos Pais da Igreja retratá-la como congênere de Eva, a mulher que trouxe o pecado ao mundo. Para eles, Maria Madalena é a "nova Eva", que pode anunciar a mensagem da redenção. Ela parece, portanto, estar quase no mesmo plano de Cristo, visto como o novo Adão. Nada, porém, está mais longe da verdade. Das origens do cristianismo a Agostinho, enfatiza-se a grande distância entre os dois (...)

Em alguns escritos, Pedro é a personificação da visão ortodoxa a respeito da mulher. Maria Madalena o teme "porque ele detesta o nosso sexo", e ele por sua vez a teme também; não quer, de maneira nenhuma, que essa "nova Eva" se torne influente. "Que Maria saia de nosso meio", ele diz, "uma vez que as mulheres não são dignas da vida". E pergunta aos irmãos: "Devemos mudar de opinião e ouvi-la? Ele a preferiu a nós?"

Podemos nos perguntar até que ponto Maria Madalena tirou partido, conscientemente, do fato de ser mulher. Teria ela se ligado a Jesus, entre outras coisas, por causa da maneira aberta como ele lidava com as mulheres? Eu não encontrei nenhum texto que confirmasse essa conjectura. Além disso, de acordo com o Diálogo do Salvador, ela é, sem sombra de dúvida, uma parceira de diálogo na discussão doutrinal sobre as "obras da feminilidade" que precisam ser destruídas. Ela não reage quando Mateus cita como palavras do Senhor: "Orai onde não exista mulher." Outra questão que tem ocupado os espíritos ao longo dos séculos é se Maria Madalena se sentia atraída por Jesus como mulher. Não encontramos essa indicação em lugar nenhum...

Maria, Maria

Mary é o nome de mulher mais comum nos Estados Unidos. De acordo com o censo, mais de três milhões de mulheres – quase três por cento de todas as norte-americanas – se chamam Mary.

"O *CDV* usa a ficção para interpretar a obscuridade histórica."

ENTREVISTA COM DEIRDRE GOOD

Deirdre Good ensina o Novo Testamento no Seminário Teológico Geral da Igreja Episcopal de Nova York. É doutora pela Escola de Teologia de Harvard. Participou recentemente de várias conferências sobre Maria Madalena e o *CDV*.

Quem foi a verdadeira Maria Madalena e como foi a sua vida?

O Evangelho de Lucas nos diz que ela era uma rica seguidora e discípula de Jesus, por ele libertada de sete demônios. Seu nome indica o lugar de onde veio: Magdala, um povoado da costa da Galiléia conhecido no tempo dos romanos pela salga do pescado. Migdal fica bem ao norte de Tiberíades. Maria Madalena foi uma das discípulas que retornaram ao túmulo de Jesus ao amanhecer do terceiro dia depois da sua morte, possivelmente para levar fragrâncias. Segundo relatos evangélicos diversos, as mulheres encontraram um anjo que anunciou: "Ele ressuscitou!" De acordo com o Evangelho de João, ela teve a visão do Jesus ressuscitado, tornando-se com isso ao mesmo tempo profeta e apóstola. Não sabemos como ela era. Mas temos representações suas em obras de arte do Oriente e do Ocidente cristãos e nos mistérios medievais.

Como estudiosa das origens do cristianismo, eu identifico Maria Madalena nos Evangelhos de Lucas e de João, no "texto mais longo"* de Marcos e nos extracanônicos Evangelho de Tomé, de Maria, de Filipe e de Pedro, bem como nos posteriores Pistis Sophia e Salmos Maniqueus. Nos textos primitivos, sua fidelidade a Jesus a leva a visitar o túmulo com duas outras mulheres. Depois, segundo várias narrativas, ela é a apóstola e profeta a quem o Jesus ressuscitado aparece. Sua inspiração nos é transmitida pelos relatos da visão que teve de Jesus (João 20; Evangelho de Maria). Em João 20, Jesus se dirige a ela pelo seu nome semítico: Mariam! Ela o reconhece respondendo: "Rabboni!" Em alguns documentos (o final do "texto mais longo" de Marcos, o Evangelho de Maria, o Evangelho de Tomé e Pistis Sophia), ela enfrenta a hostilidade dos demais apóstolos (especialmente de Pedro) e seu testemunho é recebido com descrença. Outros apóstolos, porém (Levi), falam em seu nome. Na tradição cristã, Maria Madalena é, portanto, a apóstola dos apóstolos. Nos Salmos Maniqueus, Jesus a lembra do encontro da ressurreição e confirma que ela deve se dirigir aos demais discípulos, especialmente a Pedro.

---

* Os doze versículos finais (16:9-20) do Evangelho Marcos, cuja autenticidade é objeto de discussão entre os especialistas. (N. T.)

Qual é a sua opinião sobre a imagem de Maria Madalena descrita no CDV?

O que o *CDV* faz é usar a ficção para interpretar a obscuridade histórica e preencher suas lacunas. É uma estratégia usada com êxito por outros – e melhores – romancistas: Charles Dickens, por exemplo. É uma estratégia válida, desde que rejeitemos a pretensão de Brown de que o que ele está dizendo é verdade. A afirmação de que Jesus e Maria Madalena eram casados é uma fantasia concebida para expressar o caráter especial de seu relacionamento. No entanto, Jesus tinha relacionamentos também especiais com outros discípulos – o "Amado Discípulo" do Evangelho de João, Pedro e assim por diante. Devemos nos perguntar se a afirmação de Brown de que Jesus e Maria Madalena eram casados não é uma forma limitadora de descrever o relacionamento particular do homem Jesus com a mulher Maria Madalena. Se a pessoa parte dessa forma particular de relacionamento, irá procurá-la a toda hora e em todo lugar. Não é realmente isso que está na *Última Ceia*, de Leonardo da Vinci, porque os historiadores da arte, analisando os esboços dos personagens feitos pelo artista para preparar o quadro, identificam a figura à direita de Jesus como João. As imagens de João sempre o retratam com um homem jovem, imberbe, portanto.

Em sua opinião, o que explica esse interesse contemporâneo por Maria Madalena?

Esse renovado interesse por Maria Madalena coincide com o aparecimento da pesquisa feminista – que desfruta de um status de disciplina respeitada – sobre o papel da mulher e a questão do gênero como construção cultural no âmbito das origens do cristianismo. A descoberta e a publicação em inglês dos originais coptas de Nag Hammadi vêm chamando a atenção de mulheres e demais interessados em categorias de gênero por antigos materiais extracanônicos. O sucesso do livro de Elaine Pagels, *Os Evangelhos gnósticos*,[22] e a divulgação dos textos de Nag Hammadi pela Internet proporcionaram ao público o acesso a uma nova classe de materiais. A investigação das fontes históricas completas sobre Maria Madalena suscitou a questão do papel da mulher nos movimentos cristãos primitivos. Maria Madalena foi claramente identificada como uma proeminente apóstola e profeta.

Tendo investigado os nomes e significados comparados de Maria Madalena, do Novo Testamento, e Miriam, do Antigo Testamento, qual é a sua conclusão a respeito?

Eu creio que há uma conexão de nome e função entre a Miriam da Bíblia hebraica, de um lado, e Maria Madalena e Maria, mãe de Jesus, de outro. Essa é a tese de meu novo livro *Miriam, the Magdalen, and the Mother* (Miriam, a Madalena, e a mãe), que será publicado em 2005 pela Indiana University Press. Miriam, na tradução grega da Escritura hebraica, é Mariam. Essa mesma forma é usada para descrever as mulheres a quem Gabriel se dirige em Lucas 2 e a mulher a quem Jesus aparece no jardim em João 20. Além disso, assim como Miriam a profeta, a mãe de Jesus louva a Deus (na canção chamada *Magnificat*) pela inversão de destinos realizada por Deus no passado. Ela antecipa também o que Deus fará no ministério de seu filho Jesus, descrito no Evangelho de Lucas. O papel profético da mãe de Jesus continua no Proto-Evangelho de Tiago, uma das narrativas não canônicas do nascimento de Cristo.

Tal como Miriam, Maria Madalena é recebida com descrença quando proclama sua visão do Senhor ressuscitado, sem dúvida por causa de seu gênero. No final, seu testemunho é reconhecido. Esse aspecto se coaduna com a experiência da maioria das mulheres que sentiram a vocação do ministério.

A senhora poderia fazer alguns comentários a respeito de como se manifestava nos tempos bíblicos a questão celibato versus casamento?

Em Mateus 19:12, numa discussão sobre casamento e divórcio, Jesus diz aos discípulos:

> Pois há alguns eunucos que assim nasceram dos ventres de suas mães; e há eunucos que pelos homens foram feitos tais; e outros há que a si mesmos se fizeram eunucos por amor ao reino dos céus. Quem for capaz de aceitá-lo que aceite.

Alguns comentadores interpretam essa passagem como uma recomendação de celibato. E quando, na tradição cristã subseqüente, o celibato passou a ser considerado um modo de existência mais elevado que o casamento, Jerônimo interpretou Mateus 19:10-12 como indicação de que "Cristo ama os virgens mais do que ama os outros".

Comentadores modernos tenderam a seguir essa opinião, entendendo a passagem como um convite ao celibato para alguns ou ligando-a explicitamente ao ensinamento de Paulo, em 1 Coríntios 7, que recomenda o celibato como preferível ao casamento. No Evangelho de Mateus, porém, os eunucos, como pessoas voluntariamente submissas, se privam de ser "grandes" ou exercer autoridade sobre outros. Dado que Mateus 20:26-7 equipara todo status dentro de sua comunidade ao de servo ou escravo, podemos abraçar a tese de que, no seio da comunidade de Mateus, o eunuco é o servo perfeito. Tendo renunciado voluntariamente a todas as honras decorrentes da família própria, bens e riqueza, os eunucos de sua comunidade são exclusivamente leais ao reino. À pergunta de Pedro "Veja, nós deixamos tudo para seguir-te. Que recompensa teremos então?", Jesus oferece status e poder não neste mundo, mas no outro: "Na renovação de todas as coisas, quando o Filho do Homem se sentar no trono da sua glória, vós que me seguistes também vos sentareis em doze tronos, para julgar as doze tribos de Israel. E todo aquele que, por amor ao meu nome, deixou casa e irmãos e irmãs e pai e mãe e filhos e terras receberá cem vezes mais e herdará a vida eterna" (19:27-30).

Muitas pessoas crêem que o fragmentário Evangelho de Filipe diz que Jesus beijava Maria Madalena na boca com freqüência. A senhora acredita que isso é verdade? Se é verdade, o que significa?

O Evangelho de Filipe está, na verdade, em muito melhor estado do que o Evangelho de Maria! Embora tenham sido ambos publicados na mesma coleção, *The Nag Hammadi Library* (A Biblioteca de Nag Hammadi), em inglês, eles pressupõem mundos simbólicos bastante diferentes. Não devemos supor, pelo fato de o Evangelho de Filipe falar em homens e mulheres, que ele está descrevendo homens e mulheres reais. O Segundo Apocalipse de Tiago relata que Jesus chamava Tiago de seu amado e que lhe concedeu uma compreensão mais profunda de coisas que outros não conheceram. Tanto no Segundo quanto no Terceiro Apocalipse de Tiago, Jesus e esse discípulo se beijam e se abraçam como sinal de seu relacionamento especial. No chamado Evangelho Secreto de Marcos, Jesus revela o mistério do reino de Deus a um rapaz que ele ama. Em Pistis Sophia, texto copta do século IV, Filipe, João, Tiago e Mateus, assim como Mariamne (Maria), são todos referidos como amados de Jesus. Isso, provavelmente, é um indício de que eles possuíam capacidades especiais de percepção espiritual. É fácil imaginar, portanto, que fossem objeto do ciúme dos demais.

Crítica à teoria da conspiração envolvendo o papa Gregório

Entrevista com Katherine Ludwig Jansen

Katherine Ludwig Jansen é professora adjunta de História da Universidade Católica. É autora de *The Making of the Magdalen: Preaching and Popular Devotion in the Later Middle Ages* (A construção de Madalena: Oração e devoção popular no fim da Idade Média).

Assim como Esther de Boer, Jansen salienta fatos mencionados em documentos bíblicos reconhecidos e na história oficial da Igreja. Ela rejeita a tese da ocultação e faz a defesa do papa Gregório e da hierarquia católica na discussão sobre Maria Madalena, o pecado e a penitência. E conclui, por outro lado, que há um aspecto sob o qual a Idade das Trevas parece ter sido mais iluminada do que a época atual: Maria Madalena, uma mulher, foi então considerada apóstola de pleno direito, ao passo que hoje ainda se discute, em muitos grupos religiosos, se a mulher deve ou não assumir um papel de liderança na pregação da sua fé.

Em sua opinião, quem foi a verdadeira Maria Madalena?

Como historiadora, fui treinada para basear minhas análises e opiniões em evidências históricas. No caso de Maria Madalena, os únicos elementos de que dispomos para documentar a sua existência são os que estão contidos no Novo Testamento. E os quatro Evangelhos apresentam apenas doze referências a essa mulher, onze das quais diretamente relacionadas aos episódios da Paixão e da ressurreição. A exceção é Lucas 8:2-3, que acrescenta o detalhe de que "Maria, chamada Madalena" foi a seguidora de quem Jesus expulsou sete demônios. Daí em diante, ela se tornou uma de suas fiéis discípulas, servindo-o com seus próprios recursos (Lucas 8:3). Com base nessa evidência textual, parece claro que Maria Madalena era uma mulher financeiramente independente que usou seus recursos para apoiar Jesus e seu grupo de seguidores.

Por que a Igreja retratou Maria Madalena como prostituta durante tantos anos?

Em meu modo de ver, "ocultação" e "conspiração" não são maneiras úteis de abordar a confusão histórica em torno da identidade de Maria Madalena. Devemos começar observando que, além da Virgem Maria e de Maria Madalena, cinco outras mulheres também chamadas Maria são mencionadas nos Evangelhos – o que deu margem a muita confusão. Não obstante, os escritores da Igreja primitiva tenderam a manter a distinção entre elas em suas discussões sobre Maria Madalena, como fez a Igreja Ortodoxa do Oriente, que jamais confundiu Maria Madalena com Maria de Betânia, muito menos com a pecadora anônima de Lucas (7:37-50). Na verdade, a Igreja Ortodoxa sempre teve celebrações diferentes para mulheres diferentes.

Somente no final do século VI é que a figura de Maria Madalena foi fundida à de Maria de Betânia e à da pecadora anônima de Lucas. O papa Gregório, o Grande, unificou numa única pessoa as identidades de três personagens distintas do Evangelho. No momento em que ele transplantou a pecadora de Lucas para a pessoa de Maria Madalena, esta foi transformada em prostituta, em larga medida porque os pecados femininos eram invariavelmente interpretados como sexuais. Se Maria Madalena fosse casada, esse pecado talvez tivesse sido traduzido como o do adultério. Contudo, como era solteira, ele foi descrito como o da lascívia, o que equivalia à prostituição.

Quais foram as motivações de Gregório para fundir a personagem de Maria Madalena com a da pecadora?

Seria um erro grosseiro de interpretação histórica vê-lo como uma conspiração ou um ato de má-fé de sua parte. Deve-se ver Gregório em seu próprio contexto, um período marcado por grandes conturbações: invasões germânicas, pragas e fome foram apenas algumas das catástrofes que ele teve de enfrentar durante o seu pontificado, o que lhe exigiu assumir não apenas o papel de líder espiritual como também o de líder político. Numa época de tantas crises e incertezas, Gregório tentou criar alguns elementos de segurança e estabilidade para a sua comunidade. O texto em que é criada a nova identidade de Maria Madalena é um sermão no qual ele responde claramente a perguntas sobre a identidade de Maria Madalena feitas por pessoas de sua comunidade que, ao que parece, buscavam clareza em sua fé como uma defesa diante do desmoronamento do mundo romano. A figura compósita de Maria Madalena criada por Gregório teve a virtude de parecer uma resposta definitiva a todas as indagações que os fiéis cristãos se faziam sobre a relação entre uma e outra Maria.

Essa identificação criou raízes porque preenchia uma necessidade profunda em termos teológicos. Maria Madalena, agora reesculpida como a grande pecadora, foi chamada a se tornar a grande santa. Gregório sugeriu que ela o fizesse por meio da penitência, que, em seu caso, foi o ato de lavar os pés de Cristo com suas lágrimas e secá-los com o próprio cabelo. Na Idade Média e no começo da era moderna, a imagem de Maria Madalena como santa pecadora cresceu na mesma proporção em que o sacramento da penitência passava por reformulações e ganhava cada vez mais relevância. Em todo momento histórico em que esse sacramento passou ao primeiro plano, elevou-se também a importância da santa pecadora. Na minha opinião, a imagem de santa pecadora é certamente uma das razões pelas quais tantas pessoas se sentiram atraídas por Maria Madalena pelos séculos afora: ela dava aos pecadores comuns – homens e mulheres – a esperança de poderem também se redimir.

Por que Maria Madalena foi uma das poucas pessoas presentes à crucificação? Por que teria ela comparecido quando outros discípulos não o fizeram? Qual a importância de Maria Madalena ter sido a primeira a ver Jesus após a ressurreição?

Depois da prisão de Jesus, quase todos os outros discípulos se esconderam por medo de serem presos também. Maria Madalena e as outras mulheres não. Se em razão de os romanos não considerarem as discípulas um perigo ou se por serem as mulheres mais firmes em sua lealdade a Jesus é uma questão que permanece em aberto. De toda forma, elas não abriram mão de sua fé: compareceram e presenciaram a crucificação. Em minha opinião, o papel mais importante de Maria Madalena é o de primeira testemunha da ressurreição de Jesus. Ele a encarrega de transmitir essa notícia aos demais discípulos. Nesse momento, ela fez por merecer o epíteto que lhe foi atribuído pelos comentadores medievais: *apostola apostolorum* – a apóstola dos apóstolos, que vigorou durante toda a Idade Média. Sendo assim, um dos mais importantes dogmas do cristianismo – a ressurreição – foi tanto testemunhado quanto anunciado por uma mulher. O título "apóstola dos apóstolos" é hoje tão apropriado para celebrar seu papel na história do cristianismo quanto foi na Idade Média.

O debate da Beliefnet

KENNETH WOODWARD VERSUS KAREN KING

A Beliefnet.com se apresenta como uma "e-comunidade ecumênica" destinada a ajudar as pessoas a satisfazerem suas necessidades religiosas e espirituais. Desde a publicação do *CDV*, foram veiculados pela Beliefnet vários artigos e mensagens sobre Maria Madalena e outros temas levantados no livro. Este capítulo reproduz os principais argumentos de um debate entre Kenneth L. Woodward e Karen King. Woodward é editor-colaborador da *Newsweek*. King é professora de História Eclesiástica na Escola de Teologia de Harvard.

Uma outra Maria totalmente diferente

KENNETH WOODWARD

Tal como Jesus, Maria Madalena vem sendo submetida a uma plástica cultural.
Que pauta têm em mente as intelectuais feministas?

Qual a razão do súbito interesse por Maria Madalena? Sim, estou a par dos dois ou três novos livros sobre o tema, assim como do campeão de vendas, o *CDV*, e do novo filme *Em nome de Deus*. A questão é: há algo de novo sendo dito sobre essa conhecida personagem bíblica?

Na verdade, não. Os estudiosos sabem há décadas, senão há mais tempo, que Maria Madalena não era prostituta e que foi equivocadamente igualada pela tradição cristã primitiva à mulher penitente, referida em Lucas, que pouco antes da crucificação unge os pés de Cristo e os enxuga com o próprio cabelo. Não constitui novidade que seu direito à fama foi assegurado pela incumbência que lhe deu Cristo de transmitir aos apóstolos a notícia da ressurreição. Esse tipo de "redefinição" estava prontamente disponível no verbete com seu nome na *New Catholic Encyclopedia* (Nova enciclopédia católica), de 1967 – publicação nada obscura para qualquer jornalista interessado em tirar a limpo a pretensão de que algo de novo está sendo dito.

A questão de Jesus ser casado – possivelmente com Maria Madalena – é também um conceito antigo que remonta a um período muito anterior ao livro teológico de ocasião *Was Jesus Married? The Distortion of Sexuality in the Christian Tradition* (Jesus era casado? A distorção da sexualidade na tradição cristã), de William E. Phipps, publicado originalmente em 1970 e reeditado em 1989. A resposta de Phipps – de que ele provavelmente era casado, como a maioria dos homens judeus de sua época – não foi nada convincente. A tese oposta, de que Jesus era gay e nutria um sentimento especial por João, o "Amado Discípulo", também não é novidade; eu tomei conhecimento dela na década de 1960, quando a noção de Jesus como um absoluto "outsider" era popular em círculos existencialistas. Circulava a idéia de que, em virtude de seu "nascimento ilegítimo" e sua origem rural, ele era estranho aos grupos de poder de seu tempo. Para completar a imagem de outsider, o bispo anglicano Hugh Montefiore juntou homossexualidade à mistura. Assim como Jesus, Maria Madalena vem sendo submetida a uma plástica cultural.

No que se refere a personagens bíblicas, não basta dizer que toda geração retoma idéias já imaginadas e descartadas pelas gerações precedentes. A novidade no caso de Maria Madalena não é o que se está dizendo sobre ela, mas o novo contexto em que ela está sendo situada – e quem está fazendo isso e por quê. Em outras palavras, Maria Madalena se converteu no projeto de uma certa linha de pesquisa acadêmica ideologicamente comprometida com o feminismo. Eis a verdadeira novidade...

No século XIII, o notável Peter Abelard pregava um sermão em que dizia haver uma simetria entre Miriam e Maria Madalena como anunciadoras da Boa Nova. (Já naquele tempo, Maria Madalena era conhecida como "apóstola dos apóstolos".) A descoberta de correspondências entre personagens do Novo e do Antigo Testamento foi um importante aspecto da exegese bíblica medieval. No contexto atual, alguns exegetas se concentram no Êxodo 15:20-21, em que Miriam é chamada de "profeta" e conduz as mulheres israelitas com seu canto e sua dança. Para feministas em busca de sinais de liderança feminina na Bíblia hebraica (para não dizer de elementos para criar o seu próprio enredo), essa passagem tem dado margem à criação de uma narrativa toda própria, segundo a qual Miriam foi, tanto quanto seu irmão Moisés, considerada profeta, o que gerou rivalidades entre os antigos israelitas – de um lado os seguidores de Moisés, de outro os de Miriam.

Todavia – assim prossegue a versão –, os homens que editaram a Bíblia eliminaram as referências à liderança de Miriam que as feministas crêem ter existido em antigas tradições orais. Não contentes, algumas delas sustentam que os antigos israelitas criaram de fato uma sociedade igualitária antes da ascensão do reinado dos homens. Temos assim o caso clássico de um patriarcado – equivalente feminista do pecado original – que apaga as evidências da liderança da mulher, mais exatamente de seu status de profeta. Paralelamente, o mito bíblico do Éden é substituído pela idéia feminista de uma sociedade igualitária original ocultada pelos redatores homens da narrativa do Êxodo, acontecimento fundacional do judaísmo.

Se há alguma verdade – pelo menos um pingo de verdade – nisso tudo, não é coisa que um simples jornalista esteja capacitado a julgar. Contudo, um jornalista há de observar que não são muitos os estudiosos da Bíblia, homens ou mulheres, que dão crédito a tais especulações. E estes, dada a total inexistência de evidências históricas e arqueológicas, se apóiam na chamada "análise retórica" dos textos bíblicos. Um jornalista talvez também deva notar que, para o feminismo religioso, não importa a veracidade ou a falsidade dessas especulações. Assim é que, pelo menos desde o final da década de 1970, algumas mulheres judias vêm organizando *seders** feministas em que se reserva um copo de vinho para Miriam ao lado do tradicional reservado para Elias. Elas o fazem não porque crêem que Miriam, como Elias, foi levada aos céus de corpo e alma e assim retornará na plenitude dos tempos, mas apenas para tornar as coisas, digamos, igualitárias.

O mesmo padrão aparece na redefinição feminista de Maria Madalena. Nessa questão, a estrutura narrativa opera da seguinte maneira: o movimento originalmente liderado por Jesus era igualitário e não excludente em termos de gênero (tese hoje rejeitada por feministas judias de segunda geração por fazer de Jesus uma exceção entre os homens judeus de sua época, sendo portanto anti-semita). Entre as mulheres que seguem Jesus, Maria Madalena é a que mais se destaca: ela é citada com mais freqüência (doze vezes) do que qualquer outra, à exceção da mãe de Jesus. A menção mais importante está em João 20:11-18, em que o Jesus ressuscitado aparece somente para Maria e a encarrega de transmitir a notícia aos apóstolos (homens). Daí seu tradicional epíteto de "apóstola dos apóstolos".

Ora, deveria estar claro para todo leitor do Novo Testamento que as mulheres que seguiam Jesus agiam como discípulas, às vezes muito mais do que alguns dos seus doze escolhidos. Os Evangelhos sinópticos (Mateus, Marcos e Lucas), por exemplo, mencionam a presença *exclusiva* de mulheres ao pé da cruz. (O Evangelho de João acrescenta João, o "Amado Discípulo".) Mas um pequeno grupo de pesquisadoras feministas – orientadas e formadas pela Escola de Teologia de Harvard, principalmente – vai muito mais longe. Elas afirmam com estardalhaço que na Igreja primitiva havia o partido de Madalena e o partido de Pedro – outra vez homens versus mulheres, como no caso de Miriam – e que o de Pedro não apenas saiu vencedor como cuidou de apagar os rastros e a memória da facção de Madalena do Novo Testamento, além de macular sua reputação. Cita-se, a propósito, um sermão do papa Gregório no ano de 591, como se ele tivesse inventado uma tradição antifeminina selando-a (retroativamente) com sua infalibilidade. Pôr a culpa num papa se encaixa perfeitamente na pauta feminista, inserindo-lhe uma nota anti-hierárquica, na verdade antipapal. Em suma, o patriarcado é novamente o réu.

Mas há uma diferença entre as duas Marias – Miriam e Madalena. Para advogar sua causa, os defensores feministas de Maria Madalena trocaram as cartas. Da mesma forma como uma hermenêutica feminista da suspeição – a pesquisa bíblica baseada na suspeição da autoria masculina – determina que o texto do Novo Testamento, sendo trabalho de homens, deve ser por esse mesmo motivo encarado com

* Jantar cerimonial realizado na primeira noite do Pessach (passagem, Páscoa), festa judaica que comemora a fuga dos hebreus do Egito (aniversário do Êxodo). (N. T.)

desconfiança, uma hermenêutica feminista do resgate – resgate das provas do partido de Maria Madalena – é obrigada a recorrer a outras fontes. Essas fontes são os vários escritos não incluídos no Novo Testamento sancionado no século IV. É a própria exclusão desses textos pelos hierarcas masculinos da Igreja que credencia esse material aos olhos de pesquisadores cujo objetivo é mostrar que o patriarcado suprimiu a liderança feminina na Igreja. Entre eles, o Evangelho de Maria é de longe o mais enaltecido; chega a dar a impressão de ter sido redigido por algum doutor em Teologia pela Escola de Teologia de Harvard.

O Evangelho de Maria, o Evangelho de Filipe (em que Jesus e Maria se beijam) e outros textos apócrifos do século II apareceram tarde demais para prover qualquer informação histórica confiável a respeito de Jesus, Pedro ou Maria Madalena. Mas dão assim mesmo boas indicações do que alguns grupos – tradicionalmente considerados gnósticos – compreenderam a respeito da história de Jesus e seus seguidores...

Karen King, professora da Escola de Teologia de Harvard, diz que existe uma relação entre o Evangelho de Maria, que exalta o papel de Maria Madalena, e a Primeira Epístola de Paulo a Timóteo, que recomenda que as mulheres se mantenham caladas na igreja. Ela argumenta que esses documentos foram produzidos mais ou menos na mesma época, por volta de 125 d.C., e que, considerados em conjunto, refletem uma explícita guerra de gêneros no seio da Igreja primitiva. Mas ela o faz tomando certas liberdades a respeito de sua datação. Ninguém sabe quando eles foram escritos, mas alguns estudiosos situam Timóteo no ano 90 d.C. e outros situam o Evangelho de Maria no final – não no início – do século II. King maximiza as datas de ambos, como suportes de livros sem nada no meio, para que sirvam aos seus propósitos. Em suma, a nova Maria Madalena é uma velha gnóstica.

De qualquer modo, até que ponto é digna de crédito a suposição de que a rejeição da Igreja ao gnosticismo sob todas as suas formas era essencialmente uma guerra de gêneros? Em sua rigorosamente equilibrada "Introdução ao Novo Testamento", o falecido Raymond E. Brown expõe resumidamente como foram preservadas e aceitas as escrituras redigidas pelos cristãos, assim como os critérios utilizados. Entre estes estavam a sua origem apostólica real ou presumível e sua conformidade à regra da fé. Nenhum envolvia gênero. Além do mais, não há motivo para crer que comunidades inteiras de cristãos usaram o Evangelho de Maria ou o Evangelho de Filipe como textos autorizados. Sim, eles estavam em circulação, mas vários livros de minha biblioteca – alguns contendo os Evangelhos gnósticos – também estão, o que não faz de mim um gnóstico...

Durante muitos anos guardei uma antologia de textos de várias religiões do mundo em cuja capa o leitor é convidado a escolher aquelas que mais o atraem para "criar suas próprias escrituras". Um pacote ao alcance de qualquer um, pensei, indicativo dos ventos que sopram no variado clima da religião norte-americana contemporânea. A proposição subjacente é a de que todos os textos sagrados têm igual valor, e o leitor é livre para tornar sagrados aqueles que mais lhe agradam... É o máximo em matéria de religião orientada para o consumo, é claro, com a vantagem adicional de contornar a autoridade de qualquer comunidade religiosa quanto aos escritos que são e que não são reconhecidos como sagrados.

Algo parecido acontece, eu creio, com os textos gnósticos que sustentam a infeliz Maria Madalena no papel que lhe foi confiado de líder da Igreja – ou, a se acreditar em Lynn Picknett, de "Deusa Oculta da Cristandade". Ao menos a minoria dos estudiosos feministas que promovem os escritos gnósticos atribuindo-lhes valor igual ao dos textos do Novo Testamento pode dizer que no início da história cristã eles estavam disponíveis aos cristãos e eram lidos ocasionalmente. Daí se segue, aparentemente, que, se a pessoa não gosta do cânone estabelecido, pois então que crie o seu. Se o Evangelho de Maria tem credenciais tão válidas quanto, digamos, o Evangelho de Marcos, é claro que Maria Madalena pode ser o que as feministas de hoje querem que ela seja.

Se eu tivesse de escrever uma narrativa envolvendo Maria Madalena, creio que o foco seria o seguinte. Um pequeno grupo de mulheres instruídas decidiu dedicar suas vidas profissionais aos fragmentos de literatura gnóstica descobertos no século passado, achados que abriram a perspectiva de se fazer carreira em uma nova especialidade acadêmica no campo já pisado e repisado dos estudos bíblicos. Tornaram-se, então, especialistas nessa literatura, da mesma forma como outros se tornam especialistas na biologia do caranguejo bernardo-eremita. Mas, ao contrário daqueles que pesquisam esse crustáceo decápode marinho, elas passaram, em certos casos, a se identificar com o objeto de seus estudos – algumas, talvez, por não terem nenhuma comunidade religiosa com a qual se identificar, a não ser aquela formada pelo interesse acadêmico comum; outras, rebeladas quem sabe contra todas as comunidades religiosas credenciadas, satisfizeram seu interesse pela religião em primeiro lugar...

Qual o próximo capítulo? Ele já está diante de nós na forma do novo livro de Karen King, de Harvard, *What Is Gnosticism?* (O que é o gnosticismo?), que pretende não só mostrar a grande diversidade existente entre os gnósticos – um gnosticismo verdadeiro e plural, muito justo – como também despojar os gnósticos de sua oposição ao cristianismo ortodoxo, dissolvendo assim a própria categoria da heresia. Em suma, salvo melhor juízo, qualquer coisa pode ser verdade. Muito norte-americano. Muito inclusivo e não sentencioso. E, nesta época pós-moderna, muito "agora". Num ambiente assim, até mesmo a figura de Maria Madalena pode ser prostituída com a finalidade de criar polêmica.

Deixemos Maria Madalena falar

KAREN KING

A tradição não é imutável. Textos recém-descobertos, como o Evangelho de Maria, nos permitem ouvir outras vozes de um antigo debate cristão.

Num artigo sobre o recente interesse em Maria Madalena, Kenneth Woodward escreve: "A novidade no caso de Maria Madalena não é o que se está dizendo sobre ela, mas o novo contexto em que ela está sendo situada – e quem está fazendo isso e por quê." Como ele próprio assinala, os estudiosos concordam, pelo menos desde a década de 1960, que ela não era prostituta. Da mesma forma, a especulação de que Maria e Jesus eram casados não chega a ser novidade. "A verdadeira novidade", ele diz, "se converteu no projeto de uma certa linha de pesquisa acadêmica ideologicamente comprometida com o feminismo" – afirmação com a qual eu concordo inteiramente.

O resto de seu artigo é, no entanto, mais uma expressão da aversão de Woodward pelo feminismo do que uma análise ou mesmo uma crítica dessa linha de pesquisa. O leitor talvez queira avaliar por si mesmo exemplos do que há de melhor em matéria de análise retórica e pesquisa acadêmica feminista sobre Maria Madalena, como a obra clássica de Elisabeth Schussler Fioreza, *As origens cristãs a partir da mulher*,[23] e o mais recente livro de Jane Schaberg, *The Ressurrection of Maria Madalena* (A ressurreição de Maria Madalena).

Parte do interesse recente pela figura de Maria Madalena tem a ver com a descoberta, no Egito, de textos cristãos primitivos, como o Evangelho de Maria, o Diálogo do Salvador e o Evangelho de Tomé. O Evangelho de Maria está em papiros do século V d.C. que chegaram ao mercado de antiguidades do Cairo em 1896 e foram mais tarde comprados por um estudioso alemão, levados a Berlim e finalmente publicados em 1955. Os demais, um verdadeiro tesouro em papiros manuscritos, resultam da espantosa descoberta de um vaso de argila selado, feita em 1945 por dois camponeses egípcios que extraíam fertilizantes do solo ao pé do Jabel al-Tarif, uma montanha próximo ao povoado de Nag Hammadi, no Alto Egito. Conhecidos como os Códices de Nag Hammadi, esses papiros do século IV d.C. contêm farta literatura cristã antiga – quarenta e seis obras no total, quase todas até então desconhecidas. Esses e outros textos originais abriram novas perspectivas para o estudo dos primórdios do cristianismo. Eles mostram que o cristianismo primitivo era muito diferente do que imaginávamos.

Os primeiros cristãos debateram intensamente questões fundamentais, como o significado dos ensinamentos de Jesus, a natureza da salvação, o valor da autoridade profética, o papel das mulheres e dos escravos e as diferentes visões da comunidade ideal. Afinal, os primeiros cristãos não tinham o Novo Testamento, o Credo de Nicéia, o Credo dos Apóstolos nem ordens religiosas estabelecidas, hierarquia eclesiástica e igrejas edificadas. Na verdade, não possuíam um entendimento único de Jesus. Nenhum dos elementos que podemos considerar essenciais para definir se o cristianismo existia ainda. Longe de serem pontos de partida, o Credo de Nicéia e o Novo Testamento representam o destilado da experiência e da experimentação – e de uma quantidade não pequena de antagonismos e lutas.

Uma das conseqüências dessas lutas foi dar aos vencedores a possibilidade de escrever a história do período de acordo com a sua perspectiva. Os pontos de vista dos vencidos foram em ampla medida perdidos, uma vez que suas idéias só sobreviveram em documentos que os denunciavam. Agora não mais. As recentes descobertas trouxeram à luz uma profusão de obras primárias que ilustram o caráter plural do cristianismo primitivo e dão vez a vozes alternativas. Elas nos ajudam também a compreender melhor os vencedores, tendo em vista que seus conceitos e práticas foram moldados no cadinho desses primeiros debates cristãos...

Situar a figura de Maria Madalena nesse novo contexto nos ajuda a entender como a sua errônea imagem de prostituta pôde ter sido inventada e mais tarde florescido no Ocidente durante mais de um milênio sem nenhuma evidência que a sustentasse. Várias das obras recém-descobertas a descrevem como discípula dileta de Jesus e apóstola depois da ressurreição. No Evangelho de Maria, por exemplo, ela acalma os temores dos discípulos e lhes transmite o ensinamento especial que só a ela Jesus concedeu. O texto afirma que Jesus a conhecia completamente e a amava mais do que aos outros discípulos. E reitera a tradicional imagem de Pedro em conflito com Maria Madalena, tema abordado com grande sofisticação por Anne Brock em seu novo livro *Mary Magdalene, the First Apostle: The Struggle for Authority* (Maria Madalena, a primeira apóstola: A luta pela autoridade).

Contudo, nesses escritos recém-descobertos, Maria é fiadora apostólica de uma posição teológica derrotada na batalha pela ortodoxia. O Evangelho de Maria, por exemplo, contém uma interpretação radical dos ensinamentos de Jesus como caminho para o conhecimento espiritual, e não como revelação apocalíptica; reconhece a realidade da morte e a ressurreição de Jesus, mas rejeita seu sofrimento e morte como caminho para a vida eterna; também não aceita a imortalidade do corpo, afirmando que somente a alma será salva; é, entre todos os textos cristãos primitivos, o que apresenta o argumento mais direto e convincente sobre a legitimidade da liderança feminina. Revela uma dura crítica ao poder ilegítimo e uma visão utópica da perfeição espiritual, contesta nossas idéias românticas de harmonia entre os primeiros cristãos e nos convida a repensar os fundamentos da autoridade da Igreja. Tudo isso escrito em nome de uma mulher.

O Evangelho de Maria nos permite ver que, ao transformarem Maria Madalena em prostituta arrependida, os líderes da Igreja lograram dois objetivos de uma só vez: impedir que seu nome fosse invocado em defesa da liderança da mulher e fustigar teologias que os Pais da Igreja haviam condenado como heresia.

O Sr. Woodward tem toda a razão quando diz que essas descobertas contestam a narrativa tradicional da história cristã, na qual se afirma que Jesus ministrou o verdadeiro ensinamento aos apóstolos homens, que, por sua vez, o transmitiram rigorosamente inalterado aos bispos que os sucederam. A pureza desse Evangelho está assegurada sobretudo pelo Credo de Nicéia e pela interpretação ortodoxa do cânone bíblico.

Ainda que não descrevam uma "aberta guerra de gêneros" na Igreja primitiva, os novos textos contêm reais evidências de que uma das questões em discussão era a liderança da mulher. No Evangelho de Maria, Pedro é descrito como um destemperado – assim como em muitas passagens dos Evangelhos do Novo Testamento. Ele sente ciúme de Maria e se recusa a acreditar que Jesus lhe teria concedido qualquer ensinamento especial. Essa imagem parece sugerir que os cristãos que, como Pedro, recusam à mulher o direito de doutrinar o fazem por ciúme e falta de compreensão...

O Evangelho de Maria nos permite ouvir outra voz desse debate ancestral, perdido durante quase dois mil anos, que amplia o nosso entendimento da dinâmica do cristianismo primitivo mas que não está acima de críticas. Por exemplo, a rejeição do corpo como expressão verdadeira da individualidade no Evangelho de Maria é altamente problemática para o feminismo contemporâneo, que assevera a dignidade do corpo humano.

É claro que a questão da liderança da mulher não desapareceu. Não é apenas uma antiga controvérsia. Em nossa época, as feministas trabalham para garantir que a verdadeira história de Maria Madalena, assim como outras vozes alternativas da Antiguidade, sejam ouvidas – não apenas pelos leitores da *New Catholic Encyclopedia* (Nova enciclopédia católica), de 1967, mas também por um público mais amplo. Por outro lado, estudiosos e leigos que consideram contestatórias essas novas obras tendem a rejeitá-las como heresia e se esforçam para marginalizar sua influência sobre a discussão atual. Fica parecendo, então, que toda essa comoção em torno de Maria Madalena é apenas mais um episódio da longa história do debate dos cristãos consigo mesmos. Por que, então, lhe dar atenção?

Eis por quê: dado que uma parte importante da crença e prática cristãs se apóia em reivindicações históricas, uma visão exata da história é crucial. Um dos critérios para se fazer boa história é levar em conta todas as evidências, sem marginalizar aquelas de que não se gosta. Quer as comunidades religiosas adotem ou rejeitem os ensinamentos contidos nos textos recém-descobertos, os cristãos conseguirão entender melhor sua própria tradição e se aprofundar mais responsavelmente nela se conhecerem o relato histórico preciso dos primórdios do cristianismo.

Além disso, tendo em vista o papel de destaque da religião no mundo de hoje – em especial nessa interseção da religião com a violência –, creio ser importante que cristãos e não-cristãos reconheçam a multiplicidade de vozes existentes nas várias tradições religiosas e a gama de possibilidades que elas oferecem para o tratamento das complexas questões do nosso tempo. Nesse sentido, a tradição não é imutável – ela está sendo continuamente construída à medida que os fiéis recorrem ao passado para enfrentar o presente... A religião não é, portanto, simplesmente dada – algo que ou se aceita ou se rejeita. As religiões são interpretadas o tempo todo... Uma narrativa histórica exata não garante que a figura de Maria Madalena deixe de ser prostituída com propósitos duvidosos como tem sido há séculos – mas devolve, sim, alguma dignidade a essa importante mulher discípula de Jesus.

Maria Madalena, santa padroeira da educação de elite

Tanto Oxford quanto Cambridge, as mais tradicionais universidades da Inglaterra, têm faculdades batizadas em homenagem a Maria Madalena.

O Magdalen College de Oxford, fundado em 1448, foi uma das primeiras faculdades do mundo a ensinar Ciências. O coro dessa instituição – cuja história remonta aos primórdios da escola – é conhecido por realizar em sua famosa torre, todo mês de maio, as cerimônias da chegada da primavera. O filme *Terra das sombras*, de Richard Attenborough, sobre a vida de C. S. Lewis, retrata essas celebrações. Alguns dos especialistas cujas obras apresentamos neste livro veriam, sem dúvida, intrigantes conexões míticas e metafóricas entre os ritos primaveris de influência pagã da pré-história do cristianismo, a torre do Magdalen College (lembremo-nos de que a etimologia de Magdala deriva de uma antiga palavra para "torre") e o interesse de C. S. Lewis pelos temas da fé, teologia, simbolismo e mito. O Magdalen College tem, entre seus alunos e professores, nove laureados com o Prêmio Nobel.

Em Cambridge, o nome do Magdalene College, fundado em 1542, se escreve com um *e* final para distingui-lo do de Oxford. Antigamente, porém, a pronúncia do nome dessa faculdade era Maudleyn, palavra que parece conter duas referências (fãs de Dan Brown, tomem nota): por um lado, seu fundador chamava-se lorde Audley; por outro, a palavra *maudlin* ("excessivamente sentimental, lacrimoso") chegou à língua inglesa com essa pronúncia renascentista do nome de Madalena, cujas lágrimas estão entre as mais famosas da história.

"É pecado praticar sexo no casamento?"

ENTREVISTA COM O REVERENDO RICHARD P. MCBRIEN

Richard McBrien é professor de Teologia da Universidade de Notre-Dame. No programa de televisão *Jesus, Mary e Da Vinci* (Jesus, Maria e Da Vinci), da ABC, ele despertou considerável controvérsia com a sua explicação lógica dos motivos pelos quais Jesus pode ter sido casado. Na entrevista a seguir, McBrien fala sobre tais motivos e sobre Maria Madalena como personalidade da história cristã.

O que o senhor pensa sobre a possibilidade de Maria Madalena estar representada na Última Ceia*?*

Estou aberto a essa possibilidade. No Novo Testamento, não há nenhum indício de que ela estivesse presente. A questão é se Da Vinci a colocou realmente lá. É uma idéia defensável, dadas as feições nitidamente femininas da pessoa que tem a cabeça encostada em Jesus.

Por que a Igreja retratou Maria Madalena como prostituta durante tantos anos?

Talvez porque alguns de seus líderes não conseguissem enfrentar o fato de Maria Madalena ter sido um dos principais discípulos de Jesus, sua amiga íntima e primeira testemunha da ressurreição.

No especial da ABC Jesus, Mary e Da Vinci, *o senhor menciona que ter sido casado não comprometeria a divindade de Jesus. Poderia nos explicar por quê?*

Não pretendo ser leviano, mas por que não? A Epístola aos Hebreus (4:15) diz que Jesus era como nós em todas as coisas, exceto por não pecar. É pecado praticar relações sexuais no casamento?

O senhor disse também que, se Jesus foi casado, era só "um pulinho" até Maria Madalena. Por que Maria Madalena?

Porque ela foi a discípula mais próxima dele durante toda a sua vida. Ao contrário dos homens, que se acovardaram, ela e as outras mulheres ficaram ao seu lado até o fim. Segundo pelo menos três tradições do Novo Testamento, ela foi a primeira pessoa a vê-lo depois da ressurreição. Ele precisou adverti-la para que não "o tocasse" porque não havia ainda ascendido ao seu Pai no céu.

Os principais personagens religiosos da época teriam sido casados também?

Talvez não todos, mas certamente a maioria. Está claro que alguns dos apóstolos eram casados, inclusive Pedro.

Por que tantas pessoas hoje em dia consideram Maria Madalena uma personagem tão fascinante?

Talvez por estarem tão afastadas da fé em razão das opiniões negativas, rígidas e reprovadoras da Igreja a respeito da sexualidade humana. Pensar sobre Maria Madalena suscita a questão da sexualidade de Jesus e leva as pessoas a considerarem também o lugar da mulher na Igreja. Um Jesus casado comprometeria séculos de preconceito contra a intimidade sexual.

A que o senhor atribui o renovado interesse em Maria Madalena?

Alguns textos recentes de estudiosos de renome, além do próprio movimento feminista, têm influenciado esse interesse. Mas é óbvio que nada atraiu tanta atenção sobre ela quanto o *CDV*.

2 O sagrado feminino

O sagrado feminino é a outra face de Deus que não foi reconhecida em dois milênios de cristianismo – pelo menos não como consorte igual e plena.

– Margaret Starbird

Neste capítulo, exploramos os pródromos da tese do "sagrado feminino", que constitui o centro da trama do *CDV*. Como os leitores do romance devem se lembrar, logo ao chegar, no meio da noite, ao Château Vilette, de Leigh Teabing, Sophie Neveu é bombardeada pelas explicações e pirotecnias teóricas de Teabing e Langdon sobre o Santo Graal, Maria Madalena e o sagrado feminino. Langdon diz a Sophie: "O Santo Graal representa o sagrado feminino e a deusa... O poder da mulher e sua capacidade de gerar vida já foi muito sagrado, mas ameaçava a ascensão da Igreja Católica, predominantemente masculina, de forma que o sagrado feminino foi demonizado e declarado impuro... Quando o cristianismo surgiu, as velhas religiões pagãs não morreram com facilidade. Lendas de buscas de cavaleiros pelo Graal perdido eram na verdade histórias sobre buscas proibidas do sagrado feminino. Cavaleiros que alegavam estar 'procurando o cálice' estavam usando um código para se protegerem da Igreja, que havia subjugado as mulheres, banido a deusa, queimado os hereges e proibido a adoração ao sagrado feminino pelos pagãos."

A tese que Langdon e Teabing expõem a Sophie sobre a conexão sagrado feminino, deusa proscrita e Maria Madalena suscita algumas das questões intelectualmente mais instigantes do romance. É uma tese implausível sob diversos aspectos, especialmente na forma como esses mistérios estão inseridos na trama, mas profundamente interessante. Em sua análise, o Langdon ficcional recorre intensamente a vários especialistas cuja obra está representada neste capítulo – Margaret Starbird, Elaine Pagels, Timothy Freke e Peter Gandy, Riane Eisler e outros.

Nas páginas seguintes, esses mesmos estudiosos apresentam argumentos sobre o papel do sagrado feminino no desenvolvimento da cultura, do pensamento, da política, da filosofia e da religião ocidentais. Eles lembram os cultos de adoração da deusa no Egito, na Grécia, em Creta e em Roma e os papéis de gênero no contexto da época bíblica judaico-cristã; filtram a experiência cristã da Igreja primitiva e medieval; e examinam a espiritualidade, mitos, lendas e tradições que conferem às mulheres em geral – e a Maria Madalena em particular – um valor sagrado.

O leitor deve ter em mente que boa parte desse material é, por definição, mística, mítica e poética; muitas das fontes são fragmentos de textos que passaram por vários idiomas e traduções. Um número considerável das breves passagens oriundas de fontes bíblicas ou gnósticas aqui tratadas de maneira sucinta foi objeto de detalhadas análises e extensos comentários em outras publicações.

Deus não se parece com um homem

ENTREVISTA COM MARGARET STARBIRD

Duas obras não ficcionais de Margaret Starbird são especificamente mencionadas no *CDV* ao despertarem o interesse de Sophie Neveu pelas prateleiras da biblioteca de Leigh Teabing, em Château Villete: *The Woman With the Alabaster Jar: Mary Magdalen and the Holy Grail* (A mulher do vaso de alabastro: Maria Madalena e o Santo Graal) e *The Goddess in the Gospels: Reclaiming the Sacred Feminine:* (A deusa nos Evangelhos: Resgatando o sagrado feminino). Na entrevista a seguir, especialmente realizada para este livro, Starbird explica sucintamente a sua visão do sagrado feminino. E declara que "caracterizar Maria Madalena como uma apóstola, tão importante quanto Pedro ou talvez ainda mais, não é suficiente". No início da entrevista, fazemos uma introdução ao pensamento de Starbird. Em seguida, apresentamos breves excertos dos dois livros mencionados.

De que maneira o conceito de sagrado feminino difere do pressuposto, presente na maioria das religiões, de primazia das deidades masculinas?

Pouco a pouco, nós vamos tomando consciência de que o Divino a que chamamos "Deus" não se parece em nada com o patriarca retratado no teto da Capela Sistina, no Vaticano. Há dois milênios, os cristãos atribuem a Deus imagens exclusivamente masculinas e usam pronomes masculinos ao falar do Criador. Contudo, percebemos intelectualmente que Deus não é homem. Deus está além dos gêneros, é o "tecelão" além do "véu", além da nossa capacidade de concebê-lo. Por isso, nós o limitamos imputando-lhe atributos. Deus não é homem nem mulher, razão pela qual os judeus sempre foram orientados a nunca criar imagens suas. Mas os cristãos abandonaram essa idéia e conferiram a Deus e Jesus os epítetos "Pai" e "Filho". A expressão grega para "Espírito Santo", quando traduzida para o latim, tornou-se masculina: "Spiritus Sanctus". Do século V em diante, toda a Trindade foi caracterizada como masculina na Europa Ocidental.

O sagrado feminino é a *outra* face de Deus que não foi reconhecida em dois milênios de cristianismo – não como consorte igual e plena, pelo menos. A Virgem Maria certamente encarna um aspecto feminino de "Deus": a Mãe Abençoada, nossa defensora junto ao trono de Seu filho. Mas, no cristianismo, o paradigma da união, o princípio gerador da vida no planeta Terra, não é celebrado nem sequer reconhecido.

Eu penso que precisamos reclamar o feminino perdido em todos os níveis: físico, psicológico, emocional e espiritual. Ficamos muito empobrecidos com a perda da noiva e da mandala da união sagrada, que deviam ser patrimônio hereditário dos cristãos. Sofremos a perda do Eros-relacionamento e da conexão profunda com o feminino – o corpo, as emoções, a intuição, a afinidade com tudo o que é vivo, as bênçãos do planeta belo e abundante.

Quem é "a noiva perdida" da tradição cristã? Como ela se harmoniza com o conceito de sagrado feminino?

Só existe um modelo de vida no planeta Terra – a "união sagrada". Em culturas ancestrais, essa realidade fundamental era reconhecida em cultos que celebravam a mutualidade e a "simbiose" da união íntima entre masculino e feminino: Tamuz/Istar, Baal/Astarté, Adônis/Vênus, Osíris/Ísis. Nessas culturas, as alegrias da câmara nupcial se irradiavam pelas plantações e rebanhos, assim como para os súditos do reino. Havia ritos similares em várias liturgias de todo o Oriente Próximo. O Cântico dos Cânticos é uma versão escrita de antigos poemas litúrgicos dos ritos de *hieros gamos* ("casamento sagrado") de Ísis e Osíris. Invariavelmente, o rei é executado, sua noiva sai a procurá-lo chorando a sua morte e se reúne a ele no fim. No Cântico dos Cânticos, o perfume da noiva que paira sobre o noivo na mesa do banquete é o nardo [nardo indiano, uma fragrância ou bálsamo oriental]. No Evangelho, esse óleo reaparece como o bálsamo usado por Maria para ungir Jesus, e seu aroma "enche toda a casa" (João 12:3).

Em sete das oito listas de mulheres que acompanhavam Jesus, Maria Madalena é mencionada em primeiro lugar. Mesmo assim, seu status de "primeira-dama" lhe foi negado mais tarde. Convinha aos Pais da Igreja do século IV elevar oficialmente a mãe de Jesus à condição de "Theotokos" (Genitora de Deus, Mãe de Deus) e ignorar a sua noiva/amada. Resultou disso uma distorção do modelo fundamental da vida em nosso planeta – a "união sagrada" de consortes mutuamente devotados.

A senhora acabou de falar em hieros gamos, *mencionado no* CDV *e entendido como a expressão grega para "casamento sagrado". Mas o que isso realmente significa? E como se relaciona com Jesus?*

Eu creio que Jesus encarnava o arquétipo do noivo sagrado e que ele e sua noiva manifestavam a mitologia do *hieros gamos*. A sua união era, em minha opinião, a pedra angular da comunidade cristã primitiva, uma forma radicalmente nova de se viver um consórcio. Em 1 Coríntios 9:5, Paulo menciona que os irmãos de Jesus e os outros apóstolos viajam com suas "irmãs-esposas", expressão muitas vezes traduzida como "irmãs em Cristo". Mas seu significado verdadeiro é "irmãs-esposas". O que é uma "irmã-esposa"? Há outra passagem nas Escrituras em que irmã e esposa aparecem juntas: o Cântico dos Cânticos. O noivo chama a sua amada de "minha irmã, minha noiva". Essa expressão se refere a um relacionamento íntimo que vai além daquele existente em um casamento arranjado. É um relacionamento movido por interesse e afeição mútuos e por uma afinidade especial. De acordo com Paulo, esses apóstolos viajavam como casais de missionários e não como pares de homens, como fomos levados a crer. Eu acredito firmemente que o modelo desse relacionamento era Jesus viajando com sua própria amada. É a essa intimidade que o Evangelho de Filipe alude quando afirma: "Havia três Marias que caminhavam com Jesus. Sua mãe, sua irmã e sua consorte eram todas Marias"; e segue dizendo que Jesus beijava Maria Madalena com freqüência, provocando ciúme nos outros discípulos.

Qual a importância do simbolismo do cálice – ou Graal?

O cálice, ou vaso, é um símbolo onipresente do "receptáculo" feminino. Eu tenho uma ilustração de um cântaro com seios, de cerca de 6000 a.C., que representa o feminino como nutriz. Marija Gimbutas [arqueóloga e comentadora pioneira dos símbolos da deusa e das culturas de adoração da Deusa na Europa e no Oriente Próximo pré-históricos] observou inscrições rupestres da letra V datadas de tempos pré-históricos. O triângulo apontado para baixo é universalmente entendido como o triângulo púbico feminino, e o hexagrama é um antiqüíssimo símbolo da dança cósmica do cálice e da lâmina, os triângulos masculino e feminino que representam as deidades indianas Shiva e Shakti.

Que papéis as mulheres desempenharam nos primórdios da Igreja cristã?

Antes de qualquer evangelho ser escrito, as mulheres eram, ao que parece, bastante consideradas no seio das primeiras comunidades cristãs. Nas epístolas da década de 50 d.C., Paulo menciona algumas mulheres, entre as quais Febe, uma diaconisa, Prisca e Júnia, que exerciam liderança em comunidades cristãs primitivas. Na Epístola aos Romanos (16:6-12), ele louva várias delas – Maria, Pérside, Trifosa e Trifena – por seu árduo trabalho. Mulheres ricas sustentaram o ministério de Jesus desde o início e lhe foram fiéis até o fim, permanecendo ao pé da cruz enquanto os apóstolos homens se encolhiam em seus refúgios. Elas abriam suas casas como locais de reunião e espaços de vida comunal, e algumas delas serviram como diaconisas e até como sacerdotisas nos primeiros dias da Igreja. A Dra. Dorothy Irvin descobriu e tornou públicos numerosos murais e mosaicos de comunidades cristãs primitivas em que mulheres aparecem vestindo hábitos com insígnias sacerdotais. Seguindo as diretrizes da Primeira Epístola a Timóteo, a hierarquia negou mais tarde às mulheres o direito de doutrinar e predicar.

Qual a sua opinião sobre os esforços de estudiosos feministas modernos no sentido de devolver a Maria Madalena o papel de apóstola primaz?

Apesar de minha grande simpatia pelas pesquisas que posicionam Maria Madalena como a mais fiel entre todos os seguidores de Jesus durante o seu ministério, eu não acho que intitulá-la de apóstola, no mesmo plano de Pedro ou talvez ainda mais importante do que ele, seja suficiente. Não resta dúvida de que Maria Madalena foi totalmente devotada e fiel a Cristo. Mas os Evangelhos nos contam também outra história. Nos textos cristãos mais antigos, Maria Madalena não é somente igual a Pedro em status. Ela é identificada como a arquetípica noiva do noivo eterno e como modelo da busca e do desejo da alma humana (e de toda a comunidade humana) de união com o Divino. Ela representa o caminho da ligação com "Eros", o caminho do coração, e, com seu noivo, constitui o paradigma da imagem do Divino como um consórcio – papel muito mais relevante que o de apóstola ou "emissária".

Tomando essa idéia de maneira excessivamente literal, algumas pessoas crêem que intitular Maria Madalena de esposa de Jesus a desmerece de alguma forma. O argumento parece ser o de que isso a define em termos de seu relacionamento com um homem, diminuindo-lhe a estatura. Eu penso que essa é uma visão muito estreita. Deve-se ter em mente que o casamento sagrado que discutimos aqui não se refere simplesmente a um rabino judeu do século I e sua esposa. Trata-se do padrão arquetípico da totalidade, da harmonia das polaridades e da "conjunção" *logos/sophia* (razão/sabedoria) que representa o Divino como união dos contrários.

Nos Evangelhos, Jesus é apresentado como noivo, mas o que se diz hoje é que ele não tinha noiva. Nos antigos ritos de *hieros gamos*, a noiva real proclamava e até outorgava a realeza pela unção do noivo. A mulher do vaso de alabastro que ungiu Jesus é a encarnação desse arquétipo ancestral, prontamente reconhecido em todos os rincões do Império Romano. Não havia nada de subserviente no ato mítico de reconhecimento e endosso de Maria Madalena ungindo Jesus no rito do *hieros gamos*.

Maria e Jesus
Reedição de antigos cultos da fertilidade?

MARGARET STARBIRD

Extraído de *The Goddess in the Gospels: Reclaiming the Sacred Feminine* (A deusa nos Evangelhos: Resgatando o sagrado feminino). Copyright © 1998 por Margaret Starbird. Reproduzido sob permissão da Bear & Company, uma divisão da Inner Traditions International.

As primeiras representações cristãs da Virgem com seu filho estão calcadas em imagens muito mais antigas da deusa egípcia Ísis, a Irmã-Noiva de Osíris, trazendo ao colo seu filho sagrado Hórus, Deus da Luz. Os poemas rituais do culto de Ísis e Osíris guardam semelhanças com o Cântico dos Cânticos, às vezes palavra por palavra. As Deusas da Lua e da Terra no mundo antigo tinham muitas vezes a tez escura para representar o princípio feminino em contraposição ao masculino/solar – dualismo comum nas antigas civilizações do Mediterrâneo. Muitas deusas eram negras: Inanna, Ísis, Cibele, Ártemis, para citar somente algumas.

Para os primeiros cristãos, a Deusa dos Evangelhos era Maria Madalena, cujo epíteto significava "elevada" ou "vigia/bastião"...

Depois de chegar ao apogeu no século XII, a importância singular de Maria Madalena na Europa Ocidental diminuiu pouco a pouco a partir de meados do século XIII – época que apresenta uma dramática correspondência com a Cruzada albigense contra os cátaros e os adeptos da "Igreja do Amor". A escalada da Inquisição no século XIII foi particularmente virulenta no sul da França em resposta às várias versões de cristianismo de orientação evangélica, seitas heréticas populares que ameaçavam seriamente a hegemonia da Igreja Católica Romana. Com a colaboração do rei da França, o papa promoveu uma Cruzada contra os heréticos albigenses – uma sangrenta guerra de destruição que durante toda uma geração varreu cidades inteiras e liquidou o florescimento cultural da região conhecida como Languedoc.

Nessa mesma época, belos e importantes epítetos que um dia haviam pertencido a Maria Madalena foram transferidos à Abençoada Virgem. As igrejas construídas para "Nossa Senhora" veneravam ostensivamente a mãe de Jesus como progenitora do arquétipo feminino – "única em seu gênero". Proliferaram estátuas e efígies da Virgem, quase sempre com seu filho no colo, fazendo lembrar as estátuas egípcias de Ísis e Hórus. Depois de meados do século XIII, a "voz da Noiva" foi eficazmente silenciada, embora ainda se sussurrasse que os maçons da Europa haviam guardado a verdadeira fé e impresso seus símbolos nas mesmas pedras com que construíram suas catedrais góticas...

A unção de Jesus descrita nos Evangelhos é uma reedição dos ritos do culto à fertilidade correntes no antigo Oriente Médio. Ao derramar o precioso bálsamo de nardo sobre a cabeça de Jesus, a mulher que a tradição identificou com "a Madalena" ("a Grande"!) praticou um ato idêntico ao rito de casamento do *hieros gamos* – a unção do Noivo/Rei eleito pela representante real da Grande Deusa!

O próprio Jesus reconheceu e agradeceu esse rito, no contexto de seu papel de rei sacrificado: "[Ela] ungiu meu corpo para o sepultamento" (Marcos 14:8). Quem ouvisse a narrativa evangélica da unção no festim em Betânia teria certamente reconhecido esse rito como a unção cerimonial do Rei Sagrado, assim como teria reconhecido a mulher, "a mulher do vaso de alabastro", que foi ao jardim do sepulcro no terceiro dia para terminar a unção para o sepultamento e chorar seu noivo torturado. Ela encontrou um túmulo vazio...

Nos rituais pagãos que cercam os mitos antigos, a deusa (a Irmã-Noiva) vai ao túmulo no jardim para lamentar a morte de seu Noivo e se rejubila ao vê-lo ressuscitado. "O amor é mais forte que a morte" é a pungente promessa do Cântico dos Cânticos e poemas de amor afins da Idade Média que celebram os ritos ancestrais do casamento sagrado...

O sangue real e a vinha de Maria

MARGARET STARBIRD

O sangraal

Poetas medievais do século XII, época em que a lenda do Graal apareceu na literatura européia, mencionam uma "Família do Graal", presumivelmente guardiões do cálice mais tarde considerados indignos desse privilégio. Alguns estudiosos do Graal estabelecem uma conexão entre o termo *sangraal* e a palavra *gradales*, que na língua provençal parece ter significado "taça", "travessa" ou "bacia". Mas já se sugeriu que, dividindo-se a palavra *sangraal* depois do g, o resultado é *sang raal*, que em francês antigo significa "sangue real".

Essa segunda derivação do francês *sangraal* é extremamente instigante e talvez esclarecedora. De repente, surge outra interpretação da conhecida lenda: em vez de taça ou cálice, a nova versão afirma que Maria Madalena levou o "sangue real" à França mediterrânea. Outras narrativas creditam a José de Arimatéia o ato de ter transportado o sangue de Jesus àquela região em uma espécie de vaso. Talvez tenha sido Maria Madalena, sob a proteção de José de Arimatéia, quem de fato tenha conduzido a linhagem real do rei Davi à costa francesa do Mediterrâneo.

A conexão merovíngia

Alguns indícios sugerem que o sangue real de Jesus e Maria Madalena acabou circulando nas veias dos monarcas merovíngios da França. O termo "merovíngio" talvez seja ele próprio um fóssil lingüístico. As tradições da família real dos francos mencionam um antepassado de nome Meroveu (Mérovée, em francês). Mas a palavra "merovíngio" se separa foneticamente em sílabas facilmente reconhecíveis: *mer* e *vin*, Maria e vinha. Assim decomposta, seria possível considerá-la uma alusão à "vinha de Maria" ou talvez à "vinha da Mãe".

O emblema do rei merovíngio Clóvis era a flor-de-lis (*iris*, em inglês). O nome latino da flor da íris, típica de países do Oriente Médio, é *gladiolus*, ou "pequena espada". A flor-de-lis de três folhas da casa real da França é um símbolo masculino, na verdade uma imagem gráfica do compromisso da circuncisão, no qual estão implícitas todas as promessas de Deus a Israel e à casa de Davi. Thomas Inman discute exaustivamente a natureza masculina da "flor de luz" em *Ancient Pagan and Modern Christian Symbols* (Símbolos cristãos modernos e pagãos antigos), do século XIX. Não deixa de ser engraçado que esse mesmo símbolo masculino, a "pequena espada", seja hoje o emblema internacional do escotismo!

A tradição gnóstica e a Divina Mãe

ELAINE PAGELS

Extraído de *Os Evangelhos gnósticos*,[24] de Elaine Pagels. Utilizado sob permissão da Random House, Inc.

Um grupo de fontes gnósticas proclama-se depositário de uma tradição secreta que teria recebido diretamente de Jesus por meio de Tiago e Maria Madalena. Os membros desse grupo rogavam ao Pai e Mãe divinos: "De ti, meu Pai, e por intermédio de ti, minha Mãe, os dois nomes imortais, Pais do divino ser, e vós, que estais no céu, a humanidade, do nome poderoso..."

Uma vez dito no Gênesis que a humanidade foi criada "homem e mulher" (1:27), alguns concluíram que o Deus a cuja imagem e semelhança fomos feitos deve ser ao mesmo tempo masculino e feminino – Pai e Mãe.

Como esses textos caracterizam a Divina Mãe? A resposta não é simples, uma vez que esses próprios relatos são extremamente diferentes. Contudo, podemos começar esboçando três caracterizações. Em primeiro lugar, vários grupos gnósticos descrevem a Divina Mãe como parte de um casal original. O doutrinador e poeta Valentino baseia-se na premissa de que Deus é essencialmente indescritível. Mas sugere que o divino pode ser imaginado como uma díade em que há, de um lado, o

Pai Inefável, Inescrutável e Primal; e de outro, a "Mãe de Tudo o que Existe", Ventre, Graça e Silêncio. Valentino sustenta que o Silêncio é o complemento adequado do Pai, designando aquele como feminino e esse como masculino, dado o gênero gramatical das palavras gregas. Descreve, então, como o Silêncio recebe, como num ventre, a semente da Fonte Inefável, no qual gera todas as emanações do ser divino, dispostas em pares harmoniosos de energias masculinas e femininas.

Seguidores de Valentino rogavam-lhe proteção como Mãe e "Silêncio místico e eterno". Por sua vez, Marcus, o mago, a invoca como Graça (em grego, o termo feminino *charis*): "Que Ela que está diante de todas as coisas, a incompreensível e indescritível Graça, te preencha e faça crescer dentro de ti o teu próprio conhecimento." Nessa celebração secreta da missa, Marcus ensina que o vinho simboliza o sangue da Graça. Quando a taça de vinho é oferecida, ele reza para "que a Graça flua" em todos os que provam da bebida. Profeta e visionário, Marcus se autodenomina "*ventre* e *receptáculo* do Silêncio" (como ela o é para o Pai). As visões que teve do ser divino lhe apareceram, relata ele, em forma de mulher.

Outro escrito gnóstico, chamado a Grande Proclamação, citado por Hipólito em sua *Refutação de todas as heresias*, expõe a origem do universo da seguinte maneira: do poder do Silêncio surgiu "um grande poder, O Espírito do Universo, que governa todas as coisas, e é homem... o outro... uma extraordinária Inteligência... é uma mulher que tudo produz". Seguindo o gênero das palavras gregas para "espírito" (*nous*-masculino) e "inteligência" (*epinoia*-feminino), esse autor explica que tais poderes associados "se revelaram uma dualidade... Espírito em Inteligência, separáveis um do outro e no entanto um só, em estado de dualidade". Segundo o doutrinador gnóstico, isso significa que:

> em todos existe [poder divino] em estado latente... Um poder único dividido acima e abaixo; gerando a si mesmo, desenvolvendo-se, buscando-se a si mesmo, encontrando-se a si mesmo, sendo mãe de si mesmo, pai de si mesmo, irmã de si mesmo, cônjuge de si mesmo, filha de si mesmo, filho de si mesmo – mãe, pai, unidade, sendo a fonte do círculo completo da existência.

Como pretendiam ser interpretados esses gnósticos? Os doutrinadores divergiam. Alguns postulavam o entendimento do divino como masculino-feminino – o "grande poder homem-mulher". Outros enfatizavam que essas palavras têm que ser compreendidas como metáforas, uma vez que, na realidade, "o divino não é homem nem mulher". Um terceiro grupo sugeria que se pode descrever a Fonte primal tanto em termos masculinos quanto femininos, dependendo do aspecto que se queira destacar. Contudo, os defensores dessas diferentes interpretações concordavam que o divino deve ser compreendido no sentido de uma relação harmoniosa e dinâmica de opostos – conceito que talvez se assemelhe ao yin e yang orientais, mas que permanece distante do judaísmo e cristianismo ortodoxos...

Enquanto algumas fontes gnósticas sugerem que o Espírito constitui o elemento maternal da Trindade, o Evangelho de Filipe contém uma orientação igualmente radical a respeito da doutrina da concepção sem pecado, ou sem intercurso, mais tarde desenvolvida. Aqui, novamente, o Espírito é ao mesmo tempo Mãe e Virgem, contraparte e consorte do Pai Celestial: "É permitido dizer um mistério? O Pai de todas as coisas uniu-se com a virgem que desceu à Terra" – isto é, com o Espírito Santo que veio ao mundo. Mas como esse processo deve ser entendido de maneira simbólica e não literal, o Espírito continua sendo uma virgem. O autor explica então que "Adão foi dado à luz por duas virgens, o Espírito e a Terra virgem", de modo que "Cristo nasceu, portanto, de uma virgem" (isto é, do Espírito). Mas o autor ridiculariza os cristãos literalistas que equivocadamente atribuem a concepção sem intercurso a Maria, mãe de Jesus, como se ela pudesse ter concebido independentemente de José: "Eles não sabem o que estão dizendo. Quando foi que uma mulher concebeu de uma mulher?" Ao contrário, diz ele, a concepção sem intercurso se refere à união misteriosa dos dois poderes divinos, o Pai de Todas as Coisas e o Espírito Santo.

Além do Silêncio eterno e místico e do Espírito Santo, alguns gnósticos propõem uma terceira caracterização da Divina Mãe: a Sabedoria. Nesse caso, a palavra grega feminina para "sabedoria", *sophia*, traduz um termo hebreu feminino, *hokhmah*. Antigos intérpretes refletiram sobre o significado de certas passagens bíblicas – por exemplo, a dos Provérbios que diz que "Deus fez o mundo em Sabedoria". Pode a Sabedoria ser o poder feminino no qual a criação de Deus foi "concebida"? De acordo com um doutrinador, o duplo significado do termo concepção – físico e intelectual – sugere essa possibilidade: "A imagem do pensamento [*ennoia*] é feminina, uma vez que... se trata do poder de conceber."

O Deus-homem e a deusa

ENTREVISTA COM TIMOTHY FREKE

Timothy Freke, formado em Filosofia, e Peter Gandy, mestre em Artes de civilizações clássicas com especialização em religiões pagãs antigas, são co-autores de *Jesus and the Lost Goddess: The Secret Teachings of the Original Christians* (Jesus e a deusa perdida: Os ensinamentos secretos dos primeiros cristãos) e de *The Jesus Mysteries: Was the "Original Jesus" a Pagan God?* (Os Mistérios de Jesus: O "Jesus original" era um deus pagão?), além de vinte outros livros.

Nesta entrevista, Freke aborda algumas das questões discutidas em *Jesus and the Lost Goddess*, do qual se segue um extrato. Freke e Gandy são os principais arquitetos da tese que afirma que o sistema de crenças dos primeiros cristãos foi totalmente subvertido a partir da institucionalização do cristianismo pelo Império Romano. A crença do movimento cristão primitivo na experiência gnóstica da iluminação mística e na união mística do Deus-homem (Jesus) com a deusa (Maria Madalena) era tão ameaçadora para a Igreja Católica Romana que teve de ser brutalmente reprimida. A deusa, assim como as tradições místicas e gnósticas, foram então eliminadas dos documentos, crenças e práticas do cristianismo. Para os primeiros cristãos, Madalena representa – nas palavras de Teabing, no *CDV*, ao explicar a Sophie os esforços do Priorado de Sião para manter viva a tradição da deusa – "a deusa, o Santo Graal, a Rosa e a Divina Mãe".

Qual era a importância do culto da deusa nas culturas pagãs?

Ao lado do mito do Deus-homem, os Mistérios Pagãos falavam do mito da deusa perdida e redimida, que era uma alegoria da queda e redenção da alma. A mais conhecida versão pagã desse mito é o de Deméter e Perséfone. Os primeiros cristãos adaptaram-no ao seu mito de Sofia – a deusa cristã cujo nome significa "sabedoria".

O que há de distintivamente "feminino" em Sofia?

A deusa representa o Todo, o universo, tudo o que sentimos, tudo o que imaginamos – o fluir dos fenômenos, das formas e das experiências. Deus – o arquétipo masculino – representa o Único, a fonte misteriosa de toda consciência, que concebe e testemunha o fluxo de fenômenos a que chamamos vida. (Vida, ou Zoë, era outro nome da deusa cristã.) Sofia já era venerada pelos místicos judeus e pagãos antes da ascensão do cristianismo.

Mas a deusa não é sempre retratada sob uma luz única.

A mitologia cristã é profunda e tem múltiplos planos. Essa relação se dá sob muitas formas e em numerosos níveis. Do surgimento das coisas a partir do nada, ela vem a se tornar a relação entre Jesus e as duas Marias que representam os dois aspectos da deusa – mãe virgem e meretriz pecadora e redimida. Trata-se, uma vez mais, de imagens extraídas da mitologia pagã antiga.

Como Eva se encaixa na tradição da "deusa decaída"?

Eva representa a metade (não uma costela, como se costuma traduzir, equivocadamente) de Adão (cujo nome quer dizer "humano"). O mito de Eva reflete os mitos pagãos da queda da alma na encarnação, que o mito de Jesus busca corrigir.

Qual é o conceito filosófico por trás do sagrado feminino?

Para os antigos, o princípio masculino era a consciência indivisível. O princípio feminino era a multiplicidade dos fenômenos, das experiências, do que está sendo testemunhado. Essa dualidade é essencial à vida. Sem isso nada existe. A sabedoria é o estado da alma (princípio feminino) quando ela é pura o bastante para reconhecer sua verdadeira natureza, para ser A Consciência em tudo, que, para Paulo e seus companheiros, foi simbolizada pelo Cristo ou "Rei".

A jornada de Sofia
A deusa pagã das centúrias perdida no moderno mundo cristão

TIMOTHY FREKE E PETER GANDY

Extraído de *Jesus and the Lost Goddess: The Secret Teachings of the Original Christians* (Jesus e a deusa perdida: Os ensinamentos secretos dos primeiros cristãos), de Timothy Freke e Peter Gandy.

Nesta passagem de *Jesus and the Lost Goddess*, Freke e Gandy vão buscar as fontes da tradição da deusa em mitos gregos e fontes judaicas. Eles constroem sua imagem da deusa com base em citações do Antigo Testamento, mitos gregos e tradições pagãs. Abordam a narrativa de Helena de Tróia, a visão da Psique como entidade feminina em Platão e nos Mistérios de Elêusis, que reeditavam regularmente o mito de Deméter e Perséfone. E acabam por encontrar o tema da deusa perdida até mesmo na lenda *A Bela Adormecida*.

A deusa cristã

O mito do Deus-homem Jesus só pode ser adequadamente compreendido ao lado do mito da deusa Sofia. Depois de tantos séculos de hegemonia patriarcal, é ao mesmo tempo chocante e tranqüilizador descobrir uma deusa no coração do cristianismo: uma figura sincrética, criada, como seu filho/irmão/amante Jesus, com base em fontes pagãs e judaicas.

Sofia, cujo nome significa "sabedoria", foi durante séculos a deusa dos filósofos pagãos. Com efeito, o termo "filósofo", usado originalmente por Pitágoras, significa "amante de Sofia". Embora muitas vezes descritos hoje em dia como acadêmicos enfadonhos, esses brilhantes intelectuais eram na verdade místicos devotados à deusa. Parmênides, por exemplo, costuma ser lembrado como fundador da lógica ocidental, embora sua obra-prima seja um poema visionário em que ele desce aos infernos para ser instruído pela deusa.

Sofia foi também uma importante figura mítica para os gnósticos judeus, como Filon [filósofo grego, de Alexandria, 25 a.C.-50 d.C.]. Embora mais tarde rejeitada por literalistas judeus, a tradição judaica da deusa existiu durante muito tempo. Em certa época, os israelitas adoraram a deusa Asserá como consorte do Deus judaico Jeová. No século V a.C., ela era conhecida como Anat Jahu. Em textos escritos entre os séculos IV e V a.C., como os Provérbios, Sofia de Salomão e Sofia de Jesus, o Filho de Sirac, ela se torna Sofia, companheira de Deus e co-criadora.

As origens da deusa cristã

Como em toda a mitologia cristã, o mito da deusa perdida é uma síntese de mitos judaicos e pagãos preexistentes. Examinemos, então, algumas dessas fontes.

Fontes judaicas

A Exegese da Alma [um dos mais intrigantes Evangelhos perdidos encontrados entre os documentos da Biblioteca de Nag Hammadi] chama atenção para alguns temas mitológicos judaicos que se desenvolvem no mito de Sofia. Menciona Jeremias, na passagem em que Deus proclama a Israel, como se à deusa perdida:

> Tu te prostituíste a muitos pastores e depois retornaste a mim. Olha honestamente e verás onde foi que prostituíste a ti mesma. Tornaste-te despudorada com todos. Não me invocaste como parente nem como Pai nem como autor da tua virgindade.

De maneira semelhante, em Ezequiel Deus anuncia:

> À entrada de cada rua erigiste um bordel, e desonraste a tua beleza, dando teu corpo a todos os que vinham, multiplicando as tuas depravações. Tu te prostituíste com os egípcios, aqueles que são teus vizinhos, homens profundamente carnais.

A Exegese da Alma decodifica o significado alegórico desse texto:

> O que significa "os filhos do Egito, homens profundamente carnais", senão o mundo do corpo e o reino dos sentidos e dos assuntos desta Terra, pelos quais a psique foi contaminada?

Também a consonância entre os mitos de Sofia e do Gênesis é assinalada na Exegese da Alma. No Gênesis, Adão representa a Consciência e Eva simboliza a psique. No início existiu um ser humano primordial, Adão, de quem Deus retirou "um lado" (não uma "costela" como dizem as traduções tradicionais!) e criou Eva. Isso exprime a projeção da psique desde a Consciência. As duas são essencialmente uma, mas aparecem como opostas. A psique (Eva) conduz a Consciência (Adão) a se identificar com o corpo. Isso é simbolizado pela Queda do Éden. O casamento místico corrige a separação primal de Adão e Eva. Consciência e psique. Citando o ensinamento de Paulo "Eles se tornarão um só corpo", a Exegese da Alma comenta:

> Originalmente, eles eram unidos um ao outro quando estavam com o Pai, antes de a mulher desencaminhar o homem, seu irmão. Esse casamento os juntou novamente, e psique se uniu ao seu verdadeiro amante.

Em outro texto judaico, os Provérbios, os dois estados fundamentais da psique são representados pelas Senhoras Sabedoria e Insensatez. De acordo com Filon, a Senhora Insensatez é como uma meretriz que leva ao Inferno aqueles que lhe dão atenção. Dona Sabedoria, no entanto, é comparada a um convite de casamento e a uma esposa fiel – imagens que se referem ao tema do casamento místico.

O mito de Helena

Tal como sucede com a história de Jesus, a fonte mais importante do mito da deusa cristã é a mitologia pagã. A Exegese da Alma compara o mito cristão de Sofia às histórias iniciatórias de Homero, *Ilíada* e *Odisséia*, nas quais Helena é raptada e deve ser resgatada. Segundo os pitagóricos, Helena é um símbolo da psique, e seu rapto representa a queda da psique na encarnação...

O mito de Helena foi importante para os primeiros cristãos... Ao imitarem deliberadamente o mito de Jesus e da deusa, esses mestres gnósticos se identificavam com o papel do Salvador que veio para revelar a gnose às suas seguidoras perdidas, simbolizadas por Helena/Sofia.

O Fédon, *de Platão*

O *Fédon* de Platão contém um relato da queda e redenção da psique ao qual sem dúvida recorreram os primeiros cristãos para criar a sua própria versão do mito da deusa perdida:

> A Psique é arrastada pelo corpo para a região do mutável, onde vagueia perplexa. O mundo gira ao seu redor e ela fica como bêbada sob

> sua influência. Mas, ao retornar a si mesma, ela reflete. E passa então para o reino da pureza, da eternidade, da imortalidade e da imutabilidade, que são seus afins. Quando é ela mesma e não se encontra impedida nem confusa, está sempre com eles. Quando renuncia a seus extravios e se põe em comunhão com o imutável, se torna ela própria imutável. Esse estado da psique é chamado Sofia.

O mito de Afrodite

O mito pagão da deusa Afrodite conta fundamentalmente a mesma história do mito cristão posterior da deusa perdida. Tal como Sofia, Afrodite tem uma natureza ao mesmo tempo impoluta e decaída. Plotino [filósofo egípcio-romano do século III d.C.] explica que ela é, na essência, a "Afrodite dos Céus" que "aqui embaixo se tornou meretriz". Ele escreve: "Zeus representa a consciência; e Afrodite, a filha que dele provém, a psique." E comenta:

> A natureza da psique é amar a Deus e almejar ser una com Ele no nobre amor de uma filha pelo seu nobre Pai. Uma vez nascida humana, porém, seduzida pelas promessas desta esfera, ela encontra outro amante, um mortal, deixa seu Pai e se perde. Mas, um dia, acabando por odiar a sua vergonha, ela renuncia ao mal da Terra, procura novamente o Pai e encontra a paz. O verdadeiro bem da psique está na devoção à Consciência, sua afim. Para a psique, o mal reside em freqüentar estranhos. Mas suponhamos que a psique tenha alcançado o seu esplendor, ou melhor, que este tenha se revelado a ela. Então, enquanto essa presença persistir, todas as distinções se desvanecem. É como a união de amante e amado. Uma vez que o tenha para si, ela não o trocará por nada neste universo.

O mito de Deméter e Perséfone

O mais influente de todos os mitos da deusa em seus dois aspectos é o de Deméter e Perséfone, ensinado nos Mistérios de Elêusis. O gnóstico pagão Salustius [conselheiro do imperador romano Juliano que viveu por volta de 360 d.C. e que buscava um retorno ao paganismo] nos diz que esse mito é uma alegoria da queda da Psique na encarnação. Olimpiodoro, da mesma forma, explica: "A Psique decai à maneira de Perséfone." Lúcio Apuleio fala dos "ritos da queda sombria" e "ritos da ascensão luminosa" de Perséfone ao escrever sobre a sua própria iniciação:

> Cheguei aos confins da morte e pisei a soleira da porta de Perséfone e, trazido em meio a todos os elementos, retornei à minha condição prístina.

O literalista cristão Hipólito descreve os ensinamentos da queda e ascensão da Psique como o mistério revelado aos que eram "admitidos no nível mais alto dos ritos eleusinos" e afirma que os iniciados da escola Naassena de gnosticismo cristão [seita da época de Adriano – 110-140 d.C. – que acreditava na divindade da serpente e realizava ritos misteriosos dedicados à Grande Mãe] desenvolveram seus ensinamentos especificamente com base nessa fonte.

Platão nos diz que o nome "Perséfone" se origina de *sophe* e significa "sábio", derivando-se, portanto, da mesma raiz de "Sofia". Perséfone, que era conhecida como Coré, que significa "Filha" ou "Menina", representa a psique decaída. No texto cristão Atos de Tomé, a psique é chamada de Coré. Deméter quer dizer "Mãe". Ela é a Rainha Celestial que representa a psique imaculada.

No mito, a filha de Deméter, Perséfone, é raptada por Hades, Deus dos Infernos, o que simboliza a queda na encarnação. Antes da iniciação, os iniciados nos Mistérios de Elêusis tinham de imitar a dor sentida por Deméter e Perséfone quando de sua separação. Isso representa a experiência da *metanoia* resultante da dor dos iniciados ao se verem separados de sua natureza profunda e perdidos no mundo. Hermes desce aos infernos para resgatar Perséfone e a faz juntar-se finalmente à sua mãe Deméter. Esse ato expressa o resgate da psique de sua identificação com os limites do círculo do eu e sua reunião com sua verdadeira natureza no centro.

Contudo, Hades dá secretamente a Perséfone, para que ela coma, sementes de romã; e por comer tais sementes ela deve retornar aos infernos e lá permanecer uma terça parte de cada ano. As sementes de romã simbolizam as sementes de vidas futuras que nós criamos nesta vida, as quais nos trazem de volta à encarnação humana para continuar a jornada do despertar. Representam aquilo que os antigos chamavam de nosso "destino" e que no jargão espiritual moderno é geralmente conhecido como nosso "carma". O tema do retorno aos infernos durante "uma terça parte de cada ano" é uma alusão à natureza tríplice do eu: Consciência, psique, corpo. Um terço de nossa identidade – o corpo – está nos infernos.

As figuras de Deméter e Perséfone foram desenvolvidas pelos gregos com base na antiga mitologia egípcia. Porfírio [filósofo pagão, 232-303 d.C.] explica que a egípcia Ísis equivale tanto a Deméter quanto a Perséfone. Na mitologia egípcia, os aspectos mais sublime e mais baixo da deusa são representados por Ísis e sua irmã Néftis, esposa do Deus do Mal, Set, que, como Hades, simboliza o mundo material.

Esses mitos egípcios são as fontes primeiras do que viria a se tornar o mito cristão da deusa perdida e redimida. Embora tenha sido eliminada do cristianismo, essa narrativa perene sobreviveu na forma de contos de fadas como *A Bela Adormecida*. Como o seu próprio nome sugere, a Bela Adormecida é uma imagem da psique adormecida no mundo. No conto, ela é uma princesa condenada a dormir para sempre, aprisionada num castelo sombrio cercado por uma floresta impenetrável, mas que no final é resgatada por seu amor, o príncipe herói.

A deusa nos Evangelhos

No mito cristão de Sofia, a deusa, representação da psique, é a figura central, ao passo que seu irmão-amante, representação da Consciência, é um personagem secundário. No mito de Jesus, dá-se o oposto. O Deus-homem é o personagem central. Contudo, o mito da deusa perdida constitui um importante subtexto da narrativa de Jesus, que talvez fosse óbvio aos iniciados cristãos familiarizados com as duas alegorias. O mito de Sofia deixa clara a natureza da missão mítica de Jesus – ele vem resgatar sua irmã-amante Sofia, a psique perdida na identificação com o corpo. "Cristo veio por causa dela", afirma O Tratado Tripartite [outro dos Evangelhos gnósticos de Nag Hammadi].

Virgem e prostituta

Nos Evangelhos, a Virgem Maria e Maria Madalena representam respectivamente a Sofia sublime e a Sofia decaída. São chamadas pelo mesmo nome para reforçar o fato de que, mitologicamente, são dois aspectos da mesma figura. Como no mito de Sofia, a primeira Maria é uma virgem, tal como Sofia quando vivia com seu Pai, e a segunda é uma prostituta redimida por seu amante Jesus, tal como Sofia quando perdida no mundo.

A deusa como mãe e prostituta é aludida na genealogia criada para Jesus pelo Evangelho de Mateus. Essa genealogia segue, como era de esperar, a linha patriarcal, mas rompe esse padrão ao mencionar especificamente quatro famosas "mulheres [judias] decaídas": Tamar era prostituta do Templo. Rute se entregava vergonhosamente à exploração sexual. Betsabé foi condenada por cometer adultério com o rei Davi. Raab era caftina de um bordel. Na alegoria do Êxodo, ao chegar à Terra Prometida, Jesus/Josué resgata a prostituta Raab, que representa a psique, da cidade amuralhada de Jericó, que simboliza o corpo. Ao nomear especificamente Raab como uma das ancestrais de Jesus Cristo, o Evangelho de Mateus aponta para a consonância mitológica entre esse episódio e a narrativa evangélica de Jesus redimindo a prostituta Maria Madalena.

Maria Madalena, que representa Sofia, a irmã-amante de Jesus, é o "Amado Discípulo" que teria com ele um relacionamento particularmente íntimo, como os textos cristãos reiteradamente relatam. O Evangelho do Amado Discípulo (leia-se o Evangelho de João) [outra obra gnóstica] descreve Jesus e Maria tão próximos um do outro que, durante a Última Ceia, ela está reclinada em seu colo. Segundo o Evangelho de Filipe, Jesus "a amava mais que a todos os outros discípulos e beijava-lhe os lábios com freqüência". No Evangelho de Lucas, Maria esfrega o cabelo nos pés de Jesus. De acordo com o direito judaico, só o marido tinha permissão para ver a mulher com o cabelo solto. Deixá-lo cair na frente de outro homem era um sinal de comportamento impróprio por parte da mulher e motivo de divórcio compulsório. Essa passagem pode ser interpretada, portanto, como indicativo de que Jesus e Maria eram marido e mulher ou mesmo amantes libertinos com escassa consideração por formalidades morais.

Imagens do despertar de Psique

As mulheres desempenham um papel proeminente ao longo da narrativa de Jesus, particularmente no Evangelho do Amado Discípulo, e todas representam Sofia em seus vários estados de despertar. A Exegese da Alma retrata Sofia no auge do desespero como uma velha infértil. É nesse estado que ela experimenta a *metanoia* e pede ao Pai para resgatá-la. Na narrativa de Jesus, esse aspecto de Sofia é simbolizado por Isabel, mãe de João Batista, personagem que faz contraponto à Virgem Maria. Maria é jovem e infecundada. Isabel é velha e infértil. Nessa condição, como Sofia, ela solicita auxílio ao Pai, correspondendo à psique infértil da qual emana o pedido de ajuda. A resposta é João Batista, que expressa a iniciação *psíquica* da purificação por meio do batismo com água, que é o começo do caminho gnóstico do autoconhecimento.

Ao longo de sua missão, Jesus tem vários encontros com mulheres que são imagens de Sofia e representam estados progressivos do despertar da psique. Em determinado incidente, ele impede que uma mulher adúltera seja apedrejada até a morte dizendo que nenhum de seus acusadores é inatacável. Trata-se de uma alusão à decaída Sofia sendo maltratada por seus amantes adúlteros. A mulher dessa narrativa é uma vítima impotente, surpresa por ser salva. Isso simboliza o estágio inicial do despertar, no qual a psique corporificada é beneficiária da ajuda não solicitada do eu essencial, que ela experimenta como "graça".

Em outro episódio, Jesus conhece uma samaritana adúltera que representa a Sofia decaída. Ele se revela à mulher como Cristo e lhe oferece as "águas da vida". Essa narrativa leva um passo adiante o relacionamento entre Sofia, que corresponde à psique, e Jesus, que representa a Consciência. Nesse caso, Jesus ministra diretamente o ensinamento que conduz à gnose, simbolizado pelas águas da vida eterna, e revela que é o Cristo. Isso exprime um estado no qual os iniciados vislumbram pela primeira vez a sua verdadeira natureza e compreendem a possibilidade do conhecimento. A cena se desenrola junto ao poço de Jacó, ideado para reforçar a alusão ao mito de Sofia. Na mitologia judaica, Rebeca, mãe de Jacó, tira água desse poço, que Filon nos diz representar o recebimento da sabedoria de Sofia.

Na passagem seguinte, encontramos duas importantes figurações de Sofia: Marta e Maria, sua irmã. Lázaro, irmão delas, morreu, mas ambas crêem que Jesus, se estivesse presente, poderia tê-lo salvo. Movido pela fé de Marta e Maria, Jesus vai à caverna onde Lázaro está enterrado e opera o milagre de sua ressurreição. Nessa fábula notável, Lázaro representa o estado *hílico* [material, corpóreo] da morte espiritual nos infernos. Ele é trazido de volta à vida pelo poder de Cristo, que simboliza a Consciência, por meio da fé de Marta e de Maria, que representam os estágios *psíquico* e *pneumático* (espiritual) do despertar...

Outro episódio significativo ocorre durante a visita de Jesus à casa de Lázaro, Marta e Maria. Marta está outra vez servindo; Lázaro, que retornara da morte, senta-se à mesa. Enquanto isso, Maria unge Jesus com um "bálsamo muito caro", tornando-o assim formalmente o "Ungido", ou Cristo/Rei. Esses acontecimentos representam o estágio do despertar no qual os iniciados não estão mais espiritualmente mortos em estado *hílico*, simbolizado pelo ressuscitado Lázaro comendo à mesa, mas no estado *psíquico*, expresso por Marta, que está servindo. Eles já progrediram o suficiente no nível *pneumático* do despertar para reconhecer claramente a sua verdadeira identidade como Consciência, representada por Maria ungindo Jesus como o Cristo/Rei.

Credita-se a Jesus o ato de ter expulsado "sete demônios" de "Maria dita Madalena". O número sete é significativo. No esquema mítico gnóstico, o cosmo tem sete níveis, representados pelo Sol, a Lua e os cinco planetas visíveis, às vezes concebidos como forças demoníacas que nos prendem à armadilha da materialidade. Acima deles está o *ogdoad*, ou "oito", lar mitológico da deusa simbolizado pelo céu estrelado. A jornada gnóstica do despertar da encarnação é às vezes concebida como ascensão ao *ogdoad* por uma escada de sete degraus. A libertação de Maria dos sete demônios representa Jesus ajudando-a a subir os sete degraus da escada rumo aos céus.

A narrativa de Jesus culmina com Maria Madalena encontrando o túmulo vazio e testemunhando a primeira aparição do Cristo ressuscitado. Isso exprime a conclusão do processo de iniciação. Para os gnósticos, o corpo é um "túmulo" no qual existimos como espiritualmente mortos. O fato de Maria deparar-se com o túmulo vazio representa o entendimento de que não somos o corpo físico. Seu encontro com Jesus ressuscitado significa a compreensão de que nossa natureza essencial é a Consciência única de Deus.

Depois disso, Maria representa a psique sábia, verdadeiramente merecedora do nome "Sofia". Como aponta O Diálogo do Salvador, Maria é agora "uma mulher que compreende plenamente". No Evangelho segundo Maria, o Jesus ressuscitado lhe transmite os Mistérios Internos do Cristianismo, ensinamentos secretos que ela revela aos demais discípulos. Eles saem então a pregar "o Evangelho Segundo Maria". A despeito da misoginia dos literalistas cristãos, a tradição de Maria Madalena como *apostola apostolorum*, a apóstola dos apóstolos, prosseguiu na doutrina católica até os dias atuais.

Os temas do casamento místico

Segundo os gnósticos cristãos, existem na narrativa de Jesus muitas alusões ao casamento místico. A mais importante é o ritual da Eucaristia, que se baseia nos ritos ancestrais do casamento místico dos Mistérios Pagãos. Nos Mistérios de Elêusis, a deusa Deméter era representada pelo pão e o Deus-homem Dioniso pelo vinho. De modo análogo, os primeiros cristãos associavam o pão com Maria e o vinho com Jesus, chamado de "o verdadeiro vinho" no Evangelho de João. O literalista Epifânio registra com horror o fato de os iniciados na escola coliridiana de cristianismo celebrarem a Eucaristia em nome de "Maria Rainha do Céu":

> Eles adornam uma cadeira ou trono, estendem sobre ela uma toalha de linho e, num dado instante solene, nela colocam o pão, que oferecem em nome de Maria; e todos comem desse pão.

No ato de comer cerimonialmente o pão e beber o vinho, o Deus-homem e a deusa, que representam a Consciência e a psique, comungam do casamento místico. É claramente significativo que, enquanto Jesus oficia a celebração eucarística da Última Ceia, a "Amada Discípula" Maria Madalena repousa intimamente em seu colo.

Jesus já transformara milagrosamente água em vinho numa cerimônia de casamento em Canaã, o que, de acordo com os gnósticos cristãos, representa o casamento místico. A transformação da água em vinho é um símbolo arcaico da arrebatadora embriaguez da transformação espiritual. Os criadores da narrativa de Jesus tomaram emprestado da mitologia pagã esse tema, no qual o Deus-homem Dioniso transforma água em vinho em seu casamento com Ariadne. Na versão gnóstica cristã dessa narrativa, Jesus não é retratado como noivo. No Novo Testamento, porém, ele se refere a si próprio, e é reiteradamente mencionado por outros, como "o noivo"...

Num intrigante episódio cristão não canônico, Jesus leva Maria Madalena ao alto de uma montanha, e então uma parte dele se transforma em uma mulher com quem ele faz amor. A subida da montanha é uma imagem perene do caminho espiritual até o céu. A imagem de Jesus criando uma mulher de uma parte de si é uma alusão ao mito do Gênesis, no qual Eva se origina de uma parte de Adão, o que representa a Consciência sendo objetificada como psique. Na parábola cristã, Jesus (Consciência) mostra a Maria (psique decaída) a mulher encantada (psique sublime) que é a sua natureza original. Jesus então faz amor com a mulher, o que exprime a consumação do casamento místico no qual Consciência e psique comungam da realização de sua Unicidade essencial.

Resumo

- A deusa perdida é um mito cristão conjugado com o mito de Jesus. Jesus e a deusa representam Consciência e psique, ou espírito e alma. A deusa é retratada segundo seus dois aspectos, a psique pura e a psique corporificada. Esses dois aspectos podem ser vistos como as duas extremidades do raio do círculo do eu, uma conectada à Consciência no centro, outra conectada ao corpo na circunferência.

- O mito de Sofia narra a queda da psique na encarnação e sua redenção pelo amante-irmão, que representa a Consciência. A queda, o arrependimento, a redenção e o casamento de Sofia exprimem os estados *hílico*, *psíquico* e *pneumático* da consciência por que passa um iniciado em sua jornada rumo à realização da gnose.

- O mito de Sofia constitui o subtexto da narrativa de Jesus. As mais importantes figurações de Sofia nos Evangelhos são as duas Marias, mãe virgem de Jesus e amante prostituta, que representam a Sofia sublime e a Sofia decaída...

Os primeiros cristãos gnósticos praticavam atos sexuais?

A maioria de nossos especialistas identifica poucas evidências nesse sentido. Freke e Gandy comentam o assunto de passagem, observando que "os gnósticos violavam deliberadamente as normas sociais para se descondicionarem de seus personagens e assim tomarem consciência de suas verdadeiras identidades espirituais. Para alguns, como os da escola cainita, o meio de realizá-lo era a abstinência e a vida ascética. Para outros, como os da escola de Carpócrates, o meio era entregar-se à libertinagem..."

Parece que Carpócrates, gnóstico platônico de Alexandria fundador de uma seita cristã no início do século II d.C. – que, segundo Freke e Gandy, era composta de comunistas radicais que odiavam a propriedade privada –, ensinava aos seus alunos a "usufruir a vida, incluindo os prazeres do sexo, que são tão freqüentemente condenados pelos literalistas religiosos... Esses gnósticos entendiam o sexo como a celebração da união de Deus com a deusa, da qual emana toda a vida. Diz-se que costumavam praticar a nudez sacramental e até o intercurso ritual na igreja".

O cálice e a espada
A Arqueologia, a Antropologia e o sagrado feminino

Inclui excertos de *O cálice e a espada: Nossa história, nosso futuro*,[25] de Riane Eisler. Citações sob permissão de HarperCollins Publishers Inc.

Em sua conhecida obra *O cálice e a espada*, Riane Eisler lança as bases arqueológicas e históricas para o entendimento do papel central da deusa e do feminino na cultura antiga – papel que ela diz ter sido mais tarde rejeitado por hierarquias que favoreciam implicitamente a dominação, o patriarcado e a rigidez. Eisler é co-fundadora do Center for Partnership Studies, que promove um modo de vida baseado na "harmonia com a natureza, a não-violência e a igualdade econômica, racial e de gênero". Seu livro, mencionado por Dan Brown na bibliografia da edição americana do *CDV*, aborda algumas das discussões ali levantadas sobre os símbolos e representações históricas da cultura da deusa.

"São abundantes as indicações de que a espiritualidade, em particular a visão espiritual típica dos sábios videntes, foi um dia associada à mulher", escreve Eisler. E acrescenta: "Pelos registros arqueológicos da Mesopotâmia, ficamos sabendo que Istar, da Babilônia... era também conhecida como Senhora da Visão, Aquela que Comanda os Oráculos e que Profetiza." No Egito, onde existem fortes evidências de rainhas poderosas e faraós mulheres, os registros mostram que "a naja, signo hieroglífico da palavra 'deusa', era conhecida como o Olho, *uzait*, símbolo da inspiração mística e da sabedoria...".

Mencionando a Grécia, Eisler assinala que "o famoso santuário oracular de Delfos também ficava num lugar originalmente identificado com o culto da deusa. Na Grécia antiga, mesmo depois de tomado pelo culto de Apolo, o oráculo ainda falava pela boca de uma mulher".

Registros arqueológicos de muitos países do Oriente Próximo e Mediterrâneo Oriental mostram a tendência de se associar a mulher à justiça (direito) e à medicina (poderes curativos). A deusa egípcia Ísis era aparentemente vinculada a tais atributos. Mesmo a escrita, que durante muito tempo se supôs datada de cerca de 3200 a.C., na Suméria, parece ter raízes muito mais antigas e possivelmente femininas. Nas tábuas sumérias, a deusa Nidaba é retratada como escriba do céu sumério e inventora tanto das tábuas de argila quanto da arte da escrita. Na mitologia hindu, atribui-se à deusa Sarasvati a invenção do primeiro alfabeto.

A sociedade minóica legou registros artísticos e arqueológicos indicativos de que sua vida cotidiana era centrada no culto da deusa. "As evidências sugerem que, em Creta, as responsabilidades do poder eram basicamente equiparadas às da maternidade", diz Eisler, acrescentando que a Creta minóica era um "modelo de sociedade baseada no consórcio homem-mulher, na qual a mulher e os atributos a ela associados não eram objeto de desvalorização sistemática". Ali se praticou a democracia antes de sua ascensão em Atenas, floresceram as artes, prevaleceu a paz e manifestava-se na cultura um amor pela vida que continha aquilo a que Eisler se refere como "um vínculo de prazer" entre homens e mulheres. De acordo com essa autora e outros pesquisadores, o vestuário e as artes exprimiam uma sexualidade tranqüila e desinibida. Alguns estudiosos sugerem que a civilização minóica foi particularmente bem-sucedida, artística, rica e pacífica porque os instintos agressivos de seus homens eram canalizados não para a guerra, mas para os esportes, a dança, a música e o sexo.

Enquanto outras culturas substituíam suas deidades femininas por deuses guerreiros masculinos, a Creta de quatro mil anos atrás se aferrava às tradições da deusa. Talvez por isso, como assinala Eisler, "na ilha de Creta, onde a deusa era ainda suprema, não havia sinais de guerra; a economia prosperava e as artes floresciam". A deusa continuou no centro das práticas religiosas e rituais da sociedade minóica durante centenas de anos mais, antes de acabar, lá também, subjugada pelas figurações do Deus masculino. O processo de queda da deusa talvez se reflita na história da experiência cristã e no tratamento dispensado pela Igreja a Maria Madalena desde os primórdios e, quem sabe, até os dias atuais. Langdon, Teabing e Saunière estão, sem dúvida, diante de uma das maiores ocultações da escritura masculina da história.

Em Cnossos, o palácio minóico de Creta, os afrescos em calcário contam até hoje a história da deusa, de suas sacerdotisas e de seus rituais místicos, incluindo práticas sexuais sagradas. Esses e outros achados arqueológicos nos ajudam a compreender que a busca do sagrado feminino no inconsciente coletivo do pensamento ocidental e na experiência judaico-cristã é uma empresa intrigante, produtiva e historicamente valiosa.

Notas – Livro I – Parte I

1. George, Margaret. *Maria Madalena: A mulher que amou Jesus.* São Paulo: Geração, 2002.
2. Alex, Marlee. *Maria Madalena: Uma mulher que mostrou sua gratidão.* Rio de Janeiro: CPAD, 1997.
3. Baigent, Michael; Leigh, Richard; Lincoln, Henry. *O Santo Graal e a linhagem sagrada.* Rio de Janeiro: Nova Fronteira, 1993.
4. Picknett, Lynn. *A grande heresia: O segredo da identidade do Cristo.* São Paulo: Beca, 2000.
5. Leloup, pp. xx-xxi.
6. Edersheim, vol. 1, p. 571.
7. *A Dictionary of the Bible: Dealing with its language, literature, and contents including the Biblical theology.* Editado por James Hastings, M.A., D.D. Edinburgo, 1900, p. 284.
8. Baigent, Michael; Leigh, Richard; Lincoln, Henry. Op. cit. *O Santo Graal e a linhagem sagrada.*
9. Idem, ibidem.
10. Michná, Sotah: 3, 4, citados em Leonard Swidler, *Biblical Affirmations of Women.* Filadélfia, 1979, p. 163.
11. Witherington III, Ben. *Women in the Ministry of Jesus.* Cambridge, 1984, p. 117.
12. Embora João 8:46-9 faça uma comparação direta entre ser pecador e ter um demônio.
13. Fallon, J. E. "Mary Magdalen", NCE, v. IX, p. 387.
14. Isenberg, Wesley W. Introdução, *Gospel of Philip*, NHL, p. 131.
15. Epifânio (*Panarion*, 26.8 2-3), citado em H.-Ch. Puech, "Gnostic Gospel and Related Documents", em NTA, v. I., pp. 338-9.
16. Baigent, Michael; Leigh, Richard; Lincoln, Henry. Op. cit. *O Santo Graal e a linhagem sagrada.*
17. De Gaiffier, Baudouin. "Hagiographie bourguignonne", *Anlaecta Bollandiana*, v. LXIX, 1951, p. 140.
18. Proust, Marcel. *Em busca do tempo perdido.* Rio de Janeiro: Ediouro, 2002.
19. De Boeher, Ester. *Maria Madalena: Discípula, apóstola e mulher.* São Paulo: Madras, 1999.
20. Conselho Nacional Holandês para a Liturgia. *Altaarmissaal voor de Nederlandse kerkprovincie*, 1978, 864.
21. Manns, "Magadala" (nº 4), p. 335.
22. Pagels, Elaine. *Os Evangelhos gnósticos.* São Paulo: Cultrix, 1979.
23. Fioreza, Elisabeth Schussler. *As origens cristãs a partir da mulher.* São Paulo: Paulinas, 1992.
24. Pagels, Elaine. Op. cit. *Os Evangelhos gnósticos.*
25. Riane, Eisler. *O cálice e a espada: Nossa história, nosso futuro.* Rio de Janeiro: Imago, 1989.

Parte II

Ecos de um passado oculto

3 Os Evangelhos perdidos

O que me parece interessante no livro de Dan Brown é que ele levanta uma questão muito importante: se os líderes da Igreja eliminaram tantas coisas da história do cristianismo primitivo, que outras informações nos teriam sido sonegadas? O que mais há para ser sabido? Como historiadora, eu penso que esse é um tema da maior relevância, porque a resposta pode significar muito.

– Elaine Pagels

Os pilares religiosos que sustentam a trama de Dan Brown estão construídos sobre as fundações históricas do cristianismo primitivo, em especial a coleção de Evangelhos gnósticos encontrados em 1945 perto da cidade egípcia de Nag Hammadi. Esses documentos, que propiciaram notáveis descobertas a respeito de uma tradição alternativa mais tarde sufocada, são o pano de fundo da engenhosa mescla de fato e ficção que é o *CDV*. No capítulo 58, ambientado no suntuoso gabinete de Teabing, Sophie Neveu e Robert Langdon recebem um exemplar desses Evangelhos perdidos, com encadernação de couro, tamanho pôster, com provas irrefutáveis de que "o casamento de Jesus e Maria Madalena faz parte dos registros históricos".

Os textos que apresentamos agora – excertos de livros e entrevistas realizadas com alguns dos mais importantes especialistas mundiais – demonstram, acima de qualquer dúvida, que o tesouro documental de Nag Hammadi proporcionou uma nova interpretação, mais rica, mais matizada e talvez mais radical, das palavras de Jesus, do papel de seus seguidores e do cristianismo primitivo como um todo. Esses documentos lançam luzes sobre uma época em que as escolas concorrentes de culto cristão se entrelaçavam e o cânone definitivo ainda não fora estabelecido. Em particular, eles permitem à nossa época conhecer outra tradição – a tradição gnóstica – que, com sua ênfase na busca do conhecimento interior e do autodesenvolvimento, conflita com a interpretação ortodoxa da doutrina de Jesus contida no Novo

Testamento. E, o que é mais explosivo para a história da Igreja, eles atribuem a Maria Madalena um papel muito mais importante como discípula e companheira íntima de Jesus. Os gnósticos de Nag Hammadi pareciam ter menos necessidade de padres e igrejas. Dão a impressão de que se sentiam inteiramente à vontade interpretando seus Evangelhos e livros sagrados sem intermediação de ninguém – idéia que, para o cristianismo institucionalizado, era com certeza bastante ameaçadora.

Neste capítulo, convidamos o leitor a se juntar a nós na procura do significado e das implicações desses Evangelhos perdidos. Eles parecem destacar os temas do equilíbrio entre masculino e feminino, do bem e mal na humanidade e da importância de Maria Madalena como apóstola. Além disso, a palavra "companheira" usada em referência a Maria Madalena significa "cônjuge" ou simplesmente companheira de viagem? E que dizer da explícita afirmação do Evangelho de Filipe de que Jesus a beijava na boca com freqüência? Descrição factual ou metáfora? E, se metáfora, metáfora do quê? Estariam os Evangelhos gnósticos realmente nos falando de uma tradição antiautoritária e pró-feminina e de uma ênfase mais humana, mais na linha "o espírito está dentro de nós", que teriam sido deliberadamente marginalizadas e reprimidas como heresia pelos "vencedores" da história cristã?

O leitor será agora guiado, pelas mãos de especialistas que têm dedicado suas vidas profissionais ao estudo desse material, na jornada pelos estudos atuais e traduções de documentos originais que desempenham um papel tão importante no *CDV*.

Uma assombrosa descoberta

As chaves para a tradição alternativa e seu significado para a época atual

ELAINE PAGELS

Elaine Pagels é professora de Religião da Universidade de Princeton e autora dos sucessos de vendas *Além de toda crença: O Evangelho desconhecido de Tomé*[1] e *Os Evangelhos gnósticos*,[2] este último ganhador do National Book Critics Circle Award (Prêmio do Círculo Nacional de Críticos Literários) e do National Book Award (Prêmio Nacional do Livro).

Em dezembro de 1945, um camponês árabe do Alto Egito fez uma assombrosa descoberta arqueológica, cujas circunstâncias foram obscurecidas por boatos – devidos talvez ao fato de o acontecimento ter sido fortuito e envolvido o mercado negro. Durante anos, a própria identidade de seu autor permaneceu desconhecida. Uma das versões dizia tratar-se de um homem que tomara parte numa vendeta; outra, que a descoberta fora feita nas proximidades da cidade de Nag Hammadi, na montanha Jabal al-Tarif, que tem mais de 150 cavernas. De origem natural, algumas dessas cavernas foram esculpidas e pintadas desde a época da sexta dinastia, há cerca de quatro mil e trezentos anos, para serem usadas como lugar de sepultamento.

Trinta anos depois, o próprio Mohamed Ali al-Samman revelou o que aconteceu. Pouco antes de vingar a morte de seu pai, ele e os irmãos selaram seus camelos e se dirigiram a Jabal para pegar *sabakh*, uma terra macia usada como fertilizante. Quando cavavam ao redor de um rochedo, toparam com um pote de cerâmica de quase um metro de altura. Temendo que pudesse ser a morada de um *jinn*, ou espírito, Mohamed Ali hesitou em quebrá-lo. Mas, ao considerar que poderia também conter ouro, arrebentou-o com sua picareta e descobriu em seu interior treze livros de papiro com encadernação de couro. Ao retornar à sua casa em al-Qasr, ele largou os livros e as folhas soltas de papiro sobre a palha amontoada no chão, perto do fogão. Sua mãe, Umm-Ahmad, admitiu ter queimado vários papiros no fogão com a palha que utilizava para atiçar o fogo.

Poucas semanas depois, segundo o relato de Mohamed Ali, ele e os irmãos vingaram a morte do pai matando Ahmed Ismail. Sua mãe os alertara para deixar preparadas as picaretas. Ao saber que o inimigo estava nas imediações, não perderam a oportunidade: "Estropiaram-lhe os braços e as pernas... arrancaram-lhe o coração e o comeram, o supremo ato da vingança de sangue."

Temendo que a investigação do assassinato levasse a polícia à sua casa e que os livros fossem descobertos, Mohamed Ali pediu ao sacerdote local, al-Qummus Basilyus Abd al-Masih, que ficasse com alguns deles. Enquanto ele e os irmãos eram interrogados sobre o assassinato, Raghib, um professor de História da região, viu um dos livros e supôs que fosse valioso. Al-Qummus Basilyus deixou-o aos cuidados de Raghib, que o enviou a um amigo no Cairo para apurar o valor.

Vendido por comerciantes de antiguidades no mercado negro do Cairo, os manuscritos logo atraíram a atenção de funcionários do governo egípcio. Em circunstâncias bastante dramáticas, como veremos, eles compraram um e confiscaram dez e meio dos treze livros, chamados códices, que foram confiados ao Museu Copta do Cairo. Uma grande parte do décimo terceiro códice, contendo cinco textos extraordinários, foi contrabandeada para fora do Egito e colocada à venda nos Estados Unidos. A notícia da existência desse códice logo chegou a Gilles Quispel, renomado professor de Religião da cidade de Utrecht, na Holanda. Entusiasmado com a descoberta, Quispel pediu à Fundação Jung, de Zurique, que comprasse o material. Conseguiu seu intento, mas em seguida descobriu que faltavam algumas páginas. Foi então ao Egito, na primavera de 1955, para tentar encontrá-las. Ao chegar ao Cairo, dirigiu-se imediatamente ao Museu Copta, pegou emprestadas fotografias de alguns dos textos e correu de volta ao hotel para decifrá-los. O que viu na primeira linha o encheu de espanto. Incrédulo, ele leu: "Estas são as palavras secretas ditas pelo Jesus vivente e escritas por Judas Tomé, o gêmeo." Quispel tinha conhecimento de que seu colega H.-C. Puech, usando anotações de outro pesquisador francês, Jean Doresse, identificara essas mesmas linhas iniciais nos fragmentos de um Evangelho de Tomé em idioma grego, descoberto na década de 1890. Mas o achado do texto integral levantava novas questões: Teria Jesus tido um irmão gêmeo, como insinua o texto? Seria esse escrito um registro autêntico de seus ensinamentos? A julgar pelo título, o seu conteúdo era o Evangelho Segundo Tomé; mas, ao contrário dos Evangelhos do Novo Testamento, este se apresentava como *secreto*. Quispel constatou também que ele continha muitos dos ensinamentos presentes no Novo Testamento, que em contextos menos conhecidos adquiriam, porém, significados bastante distintos. Outras passagens diferiam completamente das tradições cristãs conhecidas: o Jesus "vivente" fala por meio de ensinamentos tão crípticos e instigantes quanto *koans* zen-budistas:

> Jesus disse: "Se trouxeres à luz o que está dentro de ti, isso que trouxeste à luz te salvará. Se não trouxeres à luz o que está dentro de ti, isso que não trouxeste à luz te destruirá."

O Evangelho de Tomé que Quispel tinha em mãos era apenas um dos cinqüenta e dois textos descobertos em Nag Hammadi. No mesmo volume, estava o Evangelho de Filipe, que atribui a Jesus palavras e atos totalmente distintos dos que aparecem no Novo Testamento.

> ...a companheira do [Salvador é] Maria Madalena. [Mas Cristo amava]-a mais do que a [todos] os discípulos e a beijava na [boca] [com freqüência]. Os demais discípulos [se ofenderam]... Eles lhe disseram:
> – Por que a amas mais que a todos nós?
> O Salvador respondeu-lhes dizendo:
> – Por que eu não vos amo mais do que a ela?

Outros ensinamentos dessa coleção qualificam de ingênuos mal-entendidos as usuais crenças cristãs da concepção sem pecado e da ressurreição do corpo. Com esses Evangelhos está o Apocryphon (literalmente, "livro secreto") de João, que começa se propondo a revelar "os mistérios [e as] coisas ocultas no silêncio" que Jesus ensinou ao seu discípulo João.

Mohamed Ali admitiu mais tarde que alguns textos se perderam – queimados ou jogados fora. Mas o que se conservou é assombroso: cerca de cinqüenta e dois escritos dos primeiros séculos da era cristã, incluindo uma coleção de Evangelhos primitivos até então desconhecidos. Com o Evangelho de Tomé e o Evangelho de Filipe foram descobertos também o Evangelho da Verdade e o Evangelho dos Egípcios, que se apresenta como "o [livro sagrado] do Grande [Espírito] Invisível". Há ainda outro grupo de escritos atribuídos a seguidores de Jesus, como o Livro Secreto de Tiago, o Apocalipse de Paulo, a Epístola de Pedro a Filipe e o Apocalipse de Pedro.

Cedo ficou claro, porém, que o que Mohamed Ali descobrira em Nag Hammadi eram traduções coptas, de cerca de 1.500 anos, de manuscritos ainda mais antigos. Os originais haviam sido escritos em grego, a língua do Novo Testamento: como reconheceram Doresse, Puech e Quispel, parte de um dos textos fora descoberta por arqueólogos cerca de cinqüenta anos antes, em fragmentos da versão original em grego do Evangelho de Tomé.

A data dos manuscritos não é motivo de controvérsias. O exame do papiro utilizado para engrossar as capas de couro, assim como do manuscrito copta, os situa entre 350 e 400 d.C. Mas os estudiosos divergem completamente quanto à datação dos textos originais. Alguns deles dificilmente seriam posteriores a 120-150 d.C., uma vez que Irineu, o bispo ortodoxo de Lyon, declarou em 180 d.C. que os heréticos "alardeiam possuir mais evangelhos do que realmente existem" e lamentou que em sua época esses escritos já circulassem amplamente – na Gália, em Roma, na Grécia e na Ásia Menor.

Quispel e seus colaboradores, responsáveis pela primeira edição do Evangelho de Tomé, sugeriram que o original datava aproximadamente de 140 d.C. Alguns argumentaram que, por serem textos heréticos, eles provavelmente foram escritos depois dos Evangelhos do Novo Testamento, datados de c. 60-100 d.C. Recentemente, contudo, o professor Helmut Koester, da Universidade de Harvard, sugeriu que a coleção de ensinamentos do Evangelho de Tomé, embora compilada por volta de 140 d.C., talvez contenha legados ainda *mais antigos* do que os Evangelhos do Novo Testamento, "possivelmente da segunda metade do primeiro século" (50-100) – da mesma época, portanto, ou mais antigos, que Marcos, Mateus, Lucas e João.

Especialistas que examinaram os escritos de Nag Hammadi observaram que alguns desses textos contêm narrativas sobre a origem da espécie humana muito diferentes da que aparece no Gênesis: o Testemunho da Verdade, por exemplo, conta a história do Jardim do Éden do ponto de vista da serpente! Nele, a serpente, que há muito se sabe representar na literatura gnóstica o princípio da sabedoria divina, convence Adão e Eva a compartilhar o conhecimento enquanto "o Senhor", movido pela inveja, os ameaça com a morte por essa pretensão e os expulsa do Paraíso por consumá-la. Em outro texto, que tem o misterioso título Trovão, Mente Perfeita, há um extraordinário poema expresso pela voz de um divino poder feminino:

> Pois eu sou a primeira e a última.
> Sou a honrada e a desprezada.
> Sou a meretriz e a sagrada.
> Sou a esposa e a virgem...

Sou a infértil,
E muitos são os seus filhos...
Sou o silêncio, que é incompreensível...
Eu sou o pronunciar do meu próprio nome.

A coleção abrange, portanto, textos bastante diversos – de evangelhos secretos, poemas e descrições semifilosóficas da origem do universo a magia, mitos e instruções sobre práticas místicas.

Mas por que teriam sido enterrados esses escritos – e por que permaneceram virtualmente desconhecidos durante quase dois mil anos? Supõe-se que tanto o fato de constituírem material proscrito quanto a sua ocultação na montanha de Nag Hammadi sejam o resultado de ásperas disputas ocorridas durante a formação do cristianismo primitivo. Os escritos de Nag Hammadi, bem como similares seus que circularam no começo da era cristã, foram denunciados como heresias pelos cristãos ortodoxos de meados do século II. Não é novidade que muitos dos primeiros seguidores de Cristo foram condenados por outros cristãos como heréticos, mas quase tudo o que até então sabíamos sobre eles provém das acusações e perseguições feitas por seus adversários. O bispo Irineu, líder da Igreja em Lyon por volta do ano 180 d.C., escreveu cinco volumes sob o título *Adversus Haeresis* (Contra as heresias), que começam com a promessa de

> expor os pontos de vista daqueles que hoje estão a ensinar heresias... para mostrar quão absurdas e contrárias à verdade são suas afirmações... Eu o faço para que... possais exortar aqueles a quem estais ligados a evitar esse abismo de loucura e blasfêmia contra Cristo.

Irineu denuncia como particularmente "prenhe de blasfêmias" um famoso texto chamado Evangelho da Verdade. Estaria ele se referindo ao mesmo Evangelho da Verdade descoberto em Nag Hammadi? Quispel e seus colaboradores, responsáveis pela primeira edição dessa escritura, dizem que sim; um de seus críticos sustenta, no entanto, que a primeira linha (que inicia "O Evangelho da Verdade") não é um título. Mas Irineu utiliza pelo menos um dos textos descobertos em Nag Hammadi – o Apocryphon de João – como munição em seu ataque contra essa "heresia". Cinqüenta anos mais tarde, o doutrinador romano Hipólito escreveu a sua vigorosa *Philosophumena* (Refutação de todas as heresias) para "expor e refutar as perversas blasfêmias dos heréticos".

A campanha contra a heresia continha uma involuntária admissão de seu poder de persuasão; ainda assim, os bispos prevaleceram. No século IV, com a conversão do imperador Constantino e a transformação do cristianismo em religião oficialmente sancionada pelo Estado, os bispos cristãos, antes vítimas da polícia, passaram a comandá-la. A posse de livros denunciados como heréticos foi transformada em crime. Muitas de suas cópias foram queimadas. Alguém, no entanto, talvez um monge do monastério de São Pacômio, no Alto Egito, pegou os livros proscritos e os escondeu para que não fossem destruídos – e naquele pote eles ficaram enterrados durante quase 1.600 anos.

É claro, porém, que aqueles que escreviam e divulgavam esses textos não se consideravam "heréticos". A maior parte dos escritos utiliza uma terminologia cristã inequivocamente relacionada com a herança judaica. Vários deles dizem conter tradições secretas acerca de Jesus, ocultas dos "muitos" que constituem o que, no século II, veio a ser chamado a "Igreja Católica". Esses cristãos são hoje conhecidos como gnósticos, termo oriundo da palavra grega *gnosis*, geralmente traduzida como "conhecimento". Assim como aquele que afirma nada saber a respeito da realidade última é chamado de agnóstico (literalmente "não conhecedor"), a pessoa que detém o conhecimento de tais coisas é chamada de gnóstico ("conhecedor"). Mas *gnosis* não é primariamente conhecimento racional. A língua grega distingue o saber científico ou reflexivo ("Ele sabe matemática") do conhecimento obtido por meio da observação e da experiência ("Ele me conhece"), que é *gnosis*. O termo, tal como usado pelos gnósticos, pode ser traduzido como "introvisão", uma vez que a gnose contém um processo intuitivo de autoconhecimento. E conhecer a si mesmo, eles afirmam, é conhecer a natureza e o destino humanos. De acordo com o mestre gnóstico Theodotus, que escreveu na Ásia Menor (c. 140-160), o gnóstico é aquele que passou a compreender

> Quem somos e o que nos tornamos; onde estávamos... e para onde vamos; do que estamos sendo libertados; o que é o nascimento e o que é o renascimento.

Mas o conhecimento de si mesmo, num nível mais profundo, é simultâneo ao conhecimento de Deus. E esse é o segredo da gnose. Outro mestre gnóstico, Monoimus, diz:

> Abandonai a busca de Deus, assim como a criação de outros pretextos similares. Procurai-o tomando a vós mesmos como ponto de partida. Aprendei quem é dentro de vós que torna tudo seu e dizei: "Meu Deus, meu espírito, meu pensamento, minha alma, meu corpo." Aprendei as fontes da tristeza, da alegria, do amor e do ódio... Examinai cuidadosamente essas questões e as descobrireis em *vós mesmos*.

O que Mohamed Ali descobriu em Nag Hammadi é, aparentemente, uma biblioteca de escritos, quase todos gnósticos. Embora afirmem conter ensinamentos secretos, muitos desses textos referem-se às escrituras do Antigo Testamento e outros às Epístolas de Paulo e aos Evangelhos do Novo Testamento. Em muitos, a *dramatis personae* é a mesma do Novo Testamento – Jesus e seus discípulos. Há, no entanto, surpreendentes diferenças.

Primeiro, os judeus e cristãos ortodoxos sustentam que a humanidade e seu criador são separados por um abismo: Deus é inteiramente outro ser. Mas alguns dos gnósticos que escreveram esses Evangelhos o contradizem: o autoconhecimento é o conhecimento de Deus; o eu e o divino são idênticos.

Segundo, o "Jesus vivente" desses textos fala de engano e esclarecimento, e não de pecado e arrependimento como o Jesus do Novo Testamento. Em lugar de vir para salvar-nos do pecado, ele vem como um guia que nos abre o caminho do entendimento espiritual. Quando o discípulo alcança o esclarecimento, Jesus não mais o auxilia como mestre espiritual: os dois se tornaram iguais – e mesmo idênticos.

Terceiro, os cristãos ortodoxos acreditam que Jesus é Senhor e Filho de Deus de uma forma única: ele é para sempre distinto do resto da humanidade que veio salvar. Mas o Evangelho de Tomé, em sua linha gnóstica, registra que, assim que Tomé o reconhece, Jesus lhe diz que ambos receberam seu ser da mesma fonte:

> Jesus disse: "Eu não sou o seu senhor. Mas vocês beberam, e por isso se embebedaram das mesmas águas borbulhantes que eu destilei... Aquele que beber da minha boca se tornará como eu: eu me tornarei ele, e as coisas que estão ocultas lhe serão reveladas."

Acaso esses ensinamentos – a identidade do divino e do humano, a preocupação com o engano e o esclarecimento, o criador que se apresenta não como Senhor, mas como guia espiritual – não soam mais orientais que ocidentais? Segundo alguns estudiosos, mudando-se os nomes, o "Buda vivente" poderia muito bem dizer as palavras que o Evangelho de Tomé atribui ao Jesus vivente. Teriam as tradições hindu e budista influenciado o gnosticismo?

Edward Conze, estudioso britânico do budismo, sugere que sim. Ele assinala que "os budistas estavam em contato com cristãos do sul da Índia que conheciam e utilizavam o Evangelho de Tomé". Na época em que o gnosticismo floresceu (80-200 d.C.), novas rotas entre o mundo greco-romano e o Extremo Oriente estavam sendo abertas; gerações de missionários budistas convertiam pessoas em Alexandria. Observemos também que Hipólito (c. 225), um cristão romano que dominava o idioma grego, conhecia os brâmanes hindus – e incluiu sua tradição entre as fontes de heresia...

Poderia o título Evangelho de Tomé – referência ao discípulo que, segundo se diz, foi à Índia – indicar a influência da tradição hindu? Os indícios, embora não conclusivos, apontam para essa possibilidade. Considerando que tradições similares podem surgir em lugares e épocas diferentes, é possível que tais idéias tenham se desenvolvido independentemente. O que hoje chamamos de religiões orientais e ocidentais, e tendemos a ver como correntes distintas, não eram claramente diferenciadas há dois mil anos. A pesquisa dos textos de Nag Hammadi está apenas começando: vamos aguardar o resultado do estudo comparado desses legados para saber se eles podem, de fato, remontar a fontes hindus.

Mesmo assim, idéias como as que costumamos associar às religiões orientais surgiram no Ocidente por meio do movimento gnóstico, no século I, mas foram reprimidas e condenadas por polemistas como Irineu. Aqueles que chamavam o gnosticismo de heresia estavam adotando – conscientemente ou não – o ponto de vista de cristãos que se identificavam como ortodoxos. Herético pode ser qualquer um cujo perfil não agrada a quem o denuncia. Segundo a tradição, herético é aquele que se afasta da verdadeira fé. Mas como se define a "verdadeira fé"? Quem a estabelece como tal e por que motivos?

Trata-se de um problema recorrente em nossa experiência. O termo "cristianismo", especialmente desde a Reforma, cobre uma imensa variedade de grupos. No século XX, tanto um cardeal católico do Vaticano quanto um pregador da Igreja Episcopal Metodista Africana de Detroit, um missionário mórmon da Tailândia e um fiel de uma aldeia do litoral da Grécia dizem representar o "verdadeiro cristianismo". Contudo, católicos, protestantes e ortodoxos concordam que essa diversidade é um desenvolvimento recente – e lamentável. De acordo com a lenda cristã, a Igreja primitiva era diferente. Cristãos de diversas crenças se voltam para ela em busca de uma forma mais pura e simples de sua própria fé. No tempo dos apóstolos, os membros da comunidade cristã repartiam seu dinheiro e seus bens; todos acreditavam nos mesmos ensinamentos e rezavam juntos; todos respeitavam a autoridade dos apóstolos. Passada a época de ouro, surgiram primeiro o conflito, depois a heresia: é o que diz o autor dos Atos dos Apóstolos, que se identifica como o primeiro historiador do cristianismo.

Mas os achados de Nag Hammadi perturbaram esse quadro. Se admitirmos que pelo menos alguns desses cinqüenta e dois escritos representam formas primitivas de ensinamento cristão, talvez tenhamos de reconhecer que o cristianismo primitivo era muito mais diverso do que quase todo o mundo imaginava.

Por mais diversificado e complexo que se mostre, o cristianismo contemporâneo provavelmente é mais unânime do que as Igrejas cristãs dos séculos I e II. Desde essa época, quase todos os cristãos – católicos, protestantes e ortodoxos – compartilham a mesma premissa. Primeiro, aceitam o cânone do Novo Testamento; segundo, professam o credo apostólico; e terceiro, respeitam formas específicas de instituições eclesiásticas. Mas tudo isso – o cânone das Escrituras, o credo e a estrutura institucional – surgiu em sua forma atual somente no final do século II. Antes, como atestam Irineu e outros, numerosos textos circulavam entre os diferentes grupos cristãos: os Evangelhos do Novo Testamento – Mateus, Marcos, Lucas e João –, os apócrifos Evangelho de Tomé, Evangelho de Filipe e Evangelho da Verdade, além de outros ensinamentos secretos, mitos e poemas atribuídos a Jesus e a seus discípulos. Aparentemente, só alguns deles foram descobertos em Nag Hammadi; muitos se perderam. As pessoas que se diziam cristãs professavam crenças e práticas religiosas variadas – e radicalmente distintas. Assim como eram também diferentes as estruturas de organização das comunidades cristãs espalhadas pelo mundo conhecido.

Por volta de 200 d.C., porém, a situação era outra. O cristianismo se tornara uma instituição dirigida por uma hierarquia – bispos, sacerdotes e diáconos – que se considerava guardiã da única "fé verdadeira". A maioria das igrejas, entre as quais a de Roma, assumiu o monopólio da fé e rejeitou todos os demais pontos de vista como heréticos. Deplorando a diversidade do movimento primitivo, o bispo Irineu e seus seguidores sustentavam que só podia existir uma Igreja, fora da qual, ele declarou, "não há salvação"". Somente os membros dessa Igreja são cristãos ortodoxos (literalmente "os que pensam direito"). E, afirmou Irineu, essa Igreja tem de ser *católica* – isto é, universal. Quem quer que contestasse essa concepção, defendendo outras formas de ensinamento cristão, era declarado herético e expulso. Quando, no século IV, algum tempo depois que o imperador Constantino se tornou cristão, os ortodoxos obtiveram apoio militar, a repressão às heresias se intensificou.

Os esforços da maioria para destruir qualquer traço de "blasfêmia" herética foram tão bem-sucedidos que, até às descobertas de Nag Hammadi, quase todas as nossas informações a respeito de outras formas de cristianismo primitivo provinham dos ferozes ataques ortodoxos contra elas. Embora o gnosticismo seja talvez a mais antiga – e ameaçadora – das heresias, os estudiosos conheciam somente uns poucos textos gnósticos originais, nenhum deles publicado antes do século XIX. O primeiro surgiu em 1769, quando um turista escocês chamado Jack Bruce comprou um manuscrito copta perto de Tebas (atual Luxor), no Alto Egito. Publicado somente em 1892, esse escrito diz conter diálogos de Jesus com seus discípulos – um grupo que inclui homens e mulheres. Em 1773, um colecionador encontrou numa livraria de Londres um texto antigo, também em copta, que registra um diálogo entre Jesus e seus discípulos acerca dos "mistérios". Em 1896, um egiptólogo alemão, alertado por publicações anteriores, adquiriu no Cairo um manuscrito no qual, para seu espanto, havia o Evangelho de Maria e três outros escritos. Três cópias de um deles, o Apocryphon [literalmente, "livro secreto"] de João, estavam também na biblioteca gnóstica descoberta em Nag Hammadi cinqüenta anos mais tarde...

Contudo, mesmo os cinqüenta e dois textos descobertos naquela cidade egípcia propiciam não mais que um vislumbre da complexidade do movimento cristão primitivo. Só agora começamos a ver que o que chamamos de cristianismo e o que identificamos como tradição cristã constituem na verdade apenas uma pequena seleção de fontes específicas, escolhidas entre dezenas de outras. Quem fez essa seleção e por quais razões? Por que foram esses outros textos rejeitados e proscritos como "heresia"? O que os tornou tão perigosos? Agora, pela primeira vez, os heréticos podem falar por si mesmos.

Sem dúvida, os cristãos gnósticos expressavam idéias que os ortodoxos abominavam. Por exemplo, alguns de seus escritos questionam a concepção de que o sofrimento, a labuta e a morte derivem do pecado, que, na versão ortodoxa, estragou uma criação divina originalmente perfeita. Outros falam do elemento feminino do divino, celebrando Deus como Pai *e* Mãe. E há ainda os que sugerem que a ressurreição de Cristo não deve ser entendida de maneira literal, mas simbólica. Textos mais radicais chegam a denunciar os próprios cristãos católicos como heréticos, pois, embora não "compreendam os mistérios... alardeiam que o mistério da verdade pertence somente a eles". Esses conceitos gnósticos fascinaram o psicanalista C. G. Jung, para quem eles expressavam "o outro lado da mente" – os pensamentos espontâneos, inconscientes, que todo ortodoxo exige que seus adeptos reprimam.

Contudo, o cristianismo ortodoxo, tal como o define o credo apostólico, contém alguns conceitos que muitos de nós hoje talvez achemos até estranhos. O credo exige, por exemplo, que os cristãos aceitem que Deus é perfeitamente bom, embora tenha criado um mundo onde há a dor, a injustiça e a morte; que Jesus de Nazaré nasceu de uma mãe virgem; e que, depois de ser executado por ordem do representante de Roma, Pôncio Pilatos, ele se ergueu do túmulo "no terceiro dia".

Por que motivo o consenso das Igrejas cristãs não apenas aceita essas idéias espantosas mas as estabelece como a única doutrina cristã verdadeira? Os historiadores sempre nos disseram que os ortodoxos objetavam os pensamentos gnósticos por motivos religiosos e filosóficos. Sim, certamente; no entanto, o exame das recém-descobertas fontes gnósticas sugere outra dimensão dessa controvérsia: que essas discussões religiosas – como a questão da natureza de Deus e de Cristo – apresentam implicações ao mesmo tempo políticas e sociais cruciais para o desenvolvimento do cristianismo como religião institucionalizada. Dito com todas as letras, os conceitos que apresentam implicações contrárias a esse desenvolvimento passam a ser rotulados de "heresia", enquanto os que implicitamente o sustentam se tornam "ortodoxos".

O estudo dos textos de Nag Hammadi, associado ao de outras fontes da herança cristã conhecidas há muito mais de mil anos, nos permite entender como a política e a religião convergem no desenvolvimento do cristianismo. Podemos ver, por exemplo, as implicações *políticas* de doutrinas ortodoxas, como a ressurreição do corpo, e também como as visões gnósticas sobre a ressurreição contêm, por sua vez, implicações opostas. Dessa forma, estaremos abrindo uma perspectiva surpreendentemente nova sobre as origens do cristianismo.

O que os textos de Nag Hammadi dizem sobre o cristianismo "libertado"

ENTREVISTA COM JAMES ROBINSON

James Robinson é professor emérito de Religião formado pela Universidade de Claremont e editor de *The Nag Hammadi Library* (A Biblioteca de Nag Hammadi). Uma das maiores autoridades mundiais em cristianismo primitivo, supervisionou a equipe de especialistas e tradutores que trouxeram à vida os Evangelhos perdidos.

Sendo um dos mais importantes especialistas mundiais do que hoje conhecemos como os Evangelhos apócrifos, como o senhor reage ao ver essas idéias históricas sendo repentinamente lançadas nas listas dos mais vendidos por causa da popularidade do CDV?

Esse livro tem tido um sucesso do tipo sensacionalista, o que muito preocupa os estudiosos que, como eu, procuram se ater aos fatos. Penso que o problema é essa obra ser um romance – e portanto se apresentar como ficção – mas ao mesmo tempo lançar mão de uma quantidade razoável de fatos, nomes conhecidos e coisas como as descobertas de Nag Hammadi para dar uma aparência de precisão factual. É difícil para o público leigo distinguir onde começa um e termina o outro. Portanto, estritamente desse ponto de vista, ele é muito desorientador.

Além disso, está claro para mim que Dan Brown não sabe grande coisa sobre os aspectos investigativos do meu campo e, de certa maneira, distorce as evidências para torná-las mais sensacionais do que são. Por exemplo, ele se refere aos achados de Nag Hammadi como "pergaminhos", o que não são. Eles são códices – livros com páginas individuais. Na verdade, eles são o mais antigo exemplo disponível de livros com encadernação de couro. Em outro momento, Dan Brown menciona o *Documento Q*, dizendo: "Supostamente, trata-se de um livro contendo os ensinamentos de Jesus, talvez escrito por ele mesmo." O interessante é que, embora cite esse documento, ele não o discute – talvez porque, como sabemos que Jesus não o escreveu, isso não ajudaria o seu argumento. Essas são apenas algumas das idéias mais sensacionais do que factuais lançadas no romance.

Então como o senhor caracteriza os textos de Nag Hammadi?

Os Evangelhos canônicos – Mateus, Lucas, Marcos e João – são uma espécie de biografia teológica de Jesus. Em contraste, os Evangelhos de Nag Hammadi não são evangelhos no sentido que se atribui tradicionalmente a essa palavra, ou seja, o de uma narrativa, mas o que hoje chamamos de evangelhos de ensinamentos. O Evangelho de Filipe, por exemplo, é um conjunto de materiais que não constitui por si só um documento original, mas uma espécie de coleção de excertos de várias fontes. O Evangelho da Verdade é um tratado teológico semifilosófico que, no entanto, não conta a história de Jesus em nenhum sentido dessa palavra. O único escrito de Nag Hammadi que pode reclamar ser de alguma forma o que poderíamos chamar de evangelho é o quarto (o Evangelho de Tomé), que usa esse termo como um título secundário apensado no final. Em seu início, porém, esse texto se define como "ensinamentos secretos". É uma coleção de ensinamentos, assim como os que aparecem em Mateus e Lucas, chamada teoricamente de Q, e que é mencionada no *CDV*.

Sabemos alguma coisa sobre as pessoas que teriam escrito esses textos?

Provavelmente eles foram escritos por diferentes pessoas em épocas distintas. Se isso aconteceu no séculos I e II, tudo leva a crer que seus autores eram gnósticos, adeptos de um movimento que praticamente disputava com o cristianismo ortodoxo a primazia de definir o que era o verdadeiro cristianismo. Os ortodoxos usavam livros chamados Evangelhos, conhecidos como Mateus, Marcos, Lucas e João. O movimento gnóstico aplicou a palavra evangelho a alguns de seus tratados, que não eram na verdade evangelhos no sentido do Novo Testamento, dado que essas Escrituras canônicas constituem relatos da biografia teológica de Jesus. Os Evangelhos de Nag Hammadi se parecem mais com uma coleção de excertos dispersos.

O senhor poderia nos explicar essa idéia de cristianismos concorrentes?

Os autores desses códices tentavam influenciar o que poderíamos chamar de a ala esquerda do cristianismo – algo de certa forma similar ao fenômeno Nova Era em nossa época. Eles achavam que a Igreja dominante naquele tempo (chamada de Igreja Católica Romana no *CDV*) era demasiado terrena, demasiado mundana, demasiado materialista, demasiado física e havia perdido os significados espiritual, alegórico, sublime e divinamente secreto de tudo isso. E era precisamente isso o que eles defendiam.

Por falar em Nova Era, a palavra "companheira" no Evangelho de Filipe indica para o senhor o mesmo que para outros estudiosos desses documentos – que Jesus e Maria eram casados? E até que se beijavam?

Não, isso não quer dizer automaticamente que eram casados ou não casados. "Companheira" não é necessariamente um termo relacionado ao sexo, como seria razoável inferir nos dias atuais. Parece-me que pode ter sido apenas uma forma de valorizar a narrativa, de torná-la mais instigante. Lendo-se a íntegra do Evangelho de Filipe, fica claro que o autor despreza o sexo físico como bestial, associando-o literalmente à condição animal. Na Igreja primitiva, o beijo era considerado uma metáfora de dar à luz. E as interpretações que vem suscitando são diversas. Ele era também chamado de Beijo da Paz, de certa forma análogo a uma cerimônia da Igreja moderna em que se pede que as pessoas apertem as mãos umas das outras e digam: "Que a paz de Cristo esteja com você."

A respeito da designação de Maria Madalena como companheira de Jesus, Brown afirma que os conhecedores do idioma aramaico sabem que isso significa "esposa". Mas o Evangelho de Filipe está escrito em copta, traduzido do grego, portanto não há nenhuma palavra no texto que mereça a consideração de especialistas em aramaico.

Penso que o único texto que contém informações históricas relevantes sobre Maria Madalena é o Novo Testamento, e ele não vai além de dizer que ela fazia parte do círculo de mulheres que acompanhavam o Jesus itinerante e seus seguidores. Acredito que os sete demônios de que Jesus a livrou talvez se refiram a algum tipo de doença nervosa ou mental, como epilepsia, por exemplo. Ele a ajudou a resolver um problema e ela se tornou sua discípula, leal ao extremo. Na minha opinião, Maria Madalena estava sozinha no momento da crucificação porque os outros discípulos se acovardaram com medo de serem presos. Para os romanos, as mulheres não tinham uma importância que justificasse sua prisão, por isso deixaram Maria se lastimar, imaginando que ela logo se perderia na multidão. Não resta dúvida de que o Novo Testamento é preciso ao registrar a presença de todas essas Marias no momento da crucificação e no domingo da Páscoa, desde que se possa dar crédito histórico a relatos sobre túmulos vazios.

Mesmo parecendo acreditar que seu papel foi mais circunscrito do que crêem os mais radicais, o senhor concordaria, porém, que o autor dos Evangelhos gnósticos era mais simpático às mulheres e ao seu papel na vida espiritual do que os homens da tradição ortodoxa?

Sim, certamente. Penso que os gnósticos eram mais liberados – se posso usar um termo mais moderno – sob muitos aspectos. Sua visão da mulher na Igreja, por exemplo, baseava-se mais nas qualidades manifestas da vivência religiosa da mulher do que na relação entre bispo e suplicante ou outras formas de autoridade. Eles acreditavam que as mulheres tinham experiências religiosas, inspirações espirituais e até visões. A idéia de que os homens estavam tratando de pôr as mulheres em seus lugares é uma descrição historicamente precisa daqueles primeiros séculos. E a existência de mulheres tentando fazer com que todos (inclusive os homens) as aceitassem como iguais é um fato histórico dos séculos II e III. O Evangelho de Maria é um bom documento nesse sentido.

Dito isso, as pessoas não devem confundir o que se sabe efetivamente com o que só pode ser produto de especulação. Mesmo com esses textos em mãos, não se deve atribuir a Maria Madalena mais do que se sabe sobre ela tal como relatado no Novo Testamento – e o Novo Testamento não diz que Jesus passava mais tempo em sua companhia do que com os outros discípulos. A partir daí começamos a cair no reino do que se pode chamar de "pensamento otimista", e em relação a isso nós, historiadores, temos de ser cautelosos. Não constitui prática acadêmica metodologicamente correta usar o "pensamento otimista" para fazer com que as evidências pendam para um ou outro lado – santa ou pecadora, casada ou não casada. Não é esse o método que nós, historiadores, usamos.

O que estava perdido é agora encontrado
Uma visão mais ampla do cristianismo e de suas raízes

ENTREVISTA COM ELAINE PAGELS

Elaine Pagels é professora de Religião da Universidade de Princeton e autora dos sucessos de vendas *Além de toda crença: O Evangelho desconhecido de Tomé*[3] e *Os Evangelhos gnósticos*,[4] este último ganhador do National Book Critics Circle Award (Prêmio do Círculo Nacional de Críticos Literários) e do National Book Award (Prêmio Nacional do Livro).

Em sua opinião, por que o CDV conquistou a atenção do público?

O que me parece interessante no livro de Dan Brown é que ele levanta uma questão muito importante: se os líderes da Igreja eliminaram tantas coisas da história do cristianismo primitivo, que outras informações nos teriam sido sonegadas? O que mais há para ser sabido? Como historiadora, eu penso que esse é um tema da maior relevância, porque a resposta pode significar muito. Por isso prefiro não fazer nenhum comentário negativo a respeito do livro. Não sou especialista nessa obra, mas gostaria de dizer que ela aborda um ponto muito importante.

Mas o que é que realmente sabemos agora sobre o cristianismo primitivo e suas raízes que não sabíamos uma geração atrás?

Os primeiros relatos sobre Jesus de Nazaré foram escritos pelo menos vinte anos depois de sua morte e provêm de cartas. Em seguida, vieram os Evangelhos do Novo Testamento, escritos entre quarenta e setenta anos após a sua morte. Portanto, tudo de que dispomos são relatos posteriores. Tais narrativas não são imparciais: seus autores são ora pessoas devotadas a Jesus, ora pessoas hostis a ele, como o historiador romano Suetônio, o senador e historiador romano Cassiodoro e certas fontes judaicas polêmicas do final do século I. O interessante, portanto, é que não temos nada além de relatos posteriores, uns muito positivos, outros muito negativos.

Graças aos achados de Nag Hammadi, em 1945, hoje sabemos que o movimento cristão primitivo era muito amplo e diversificado e que as visões de Jesus formavam um leque bem maior do que imaginávamos. Isso se aplica também ao entendimento tradicional que temos de seus discípulos e, de particular interesse neste momento, à versão, desenvolvida mais tarde, de que Maria Madalena era uma prostituta. Mas as fontes que estão agora disponíveis, como os Evangelhos de Maria Madalena, de Tomé e de Filipe, indicam que Maria Madalena não era vista simplesmente como uma das mulheres agregadas ao círculo que se reunia ao redor de Jesus, e sim considerada por muitos uma importante discípula e seguidora dele. E sabemos que havia outras também.

Não haveria então uma contradição? Os sistemas de crenças religiosas e sociais da cultura judaica da época não se opunham à idéia de que a mulher desempenhasse um papel independente como prosélita?

Nas comunidades judaicas, era bastante atípico ver mulheres participando, doutrinando ou viajando com homens. Eu mostro o grupo de Jesus como um círculo de seguidores, que aparentemente incluía homens e mulheres, reunidos ao redor de um rabino carismático itinerante. Isso não era comum. A maioria das fontes rabínicas – um pouco posteriores a Jesus – considera totalmente inapropriado ensinar às mulheres as escrituras divinas. Mesmo nas comunidades greco-romanas, somente os filósofos epicuristas e um ou outro mais tinham alunas. O mais usual eram entourages formadas exclusivamente por homens. Talvez a fama de prostituta de Maria Madalena tenha surgido porque a idéia de uma mulher que viajava com homens ou simplesmente passava seu tempo na companhia deles era muito estranha e obviamente suspeita.

É possível que ela fosse mais próxima de Jesus do que os demais discípulos e por isso depositária de conhecimentos secretos, como sugere o Evangelho de Maria?

Não temos detalhes, mas eu creio que sim; ela devia ter um importante relacionamento com Jesus. Há algumas pistas nesse sentido no Evangelho de Maria, em que é dito que ele lhe confidenciou coisas que não mencionou aos outros e que nutria por ela um amor especial. Não podemos ter certeza de que Jesus lhe revelasse coisas que não partilhava com os demais, mas há algumas sugestões nessa direção. Quanto a relacionamento sexual, não vejo evidências dele nas fontes que conheço. Dan Brown pegou uma frase do Evangelho de Filipe que sugere que Jesus amava Maria mais do que a todos os outros discípulos e a interpretou como prova de relacionamento sexual. Contudo, muitos estudiosos depreendem da leitura integral do Evangelho de Filipe que suas referências amorosas não devem ser tomadas literalmente, mas no sentido de uma união mística. Em algumas partes do texto, Maria é retratada como símbolo da sabedoria divina; em outras, como a própria Igreja, que é a noiva de Cristo. Ela é vista, portanto, como a contraparte espiritual de Jesus.

A senhora crê na possibilidade de existirem outros documentos, ainda não descobertos, capazes de lançar novas luzes sobre o relacionamento entre Maria e Jesus, assim como entre a tradição ortodoxa e a tradição perdida? E, caso positivo, por que alguns evangelhos teriam sido preservados e outros não?

É provável que muitas pessoas conservassem cópias desses textos. Mas como o papiro apodrece – a não ser que esteja nas zonas mais secas do mundo, como a região do Egito onde foram encontrados os escritos de Nag Hammadi –, a maior parte das cópias foi perdida. Quanto ao motivo de alguns evangelhos terem sido transmitidos ao longo da história e outros ocultados, foi justamente para tentar compreendê-lo que eu escrevi *Os Evangelhos gnósticos*.

Penso que, com o avanço e a popularização da tradição ortodoxa, alguns líderes da Igreja sentiram necessidade de distinguir os que eram de fato os ensinamentos corretos de Jesus dos que não eram. Eles tentavam consolidar uma vasta comunidade cristã então espalhada pelo que é hoje a Turquia, a África, a Espanha, a França, a Inglaterra, a Itália e o Egito – aquilo que os romanos consideravam o mundo conhecido. Alguns líderes, os bispos por exemplo, tentavam dizer algo como: "Bem, vamos ficar com aqueles ensinamentos essenciais com os quais estamos todos de acordo. Quanto ao restante do material, o místico, vamos simplesmente dizer que é irrelevante. Não precisamos dele – ele é desorientador, leva as pessoas a criarem seus próprios grupos, algo que não queremos porque, afinal, somos bispos." Há também uma razão mais séria. O movimento cristão procurava se consolidar e se unificar para resistir às perseguições e devastações promovidas pelo Estado romano. Como não temos detalhes desse processo, somos obrigados a tentar reconstituí-lo. É difícil, mas é o que eu busco fazer em meus livros.

O que esse processo de reconstituição a fez pensar sobre as diferenças entre as formas de religiosidade estimuladas pelos textos recusados e as que seguiram os textos canônicos do Novo Testamento?

Eu creio que os Evangelhos de Nag Hammadi foram escritos por pessoas que acreditavam ter tido visões e revelações e alcançado um entendimento mais profundo. Quem sabe um cristão batizado do século II, no coração do Egito, tenha precisado de um mestre espiritual que, ultrapassando os limites da ortodoxia, lhe tenha dito: "Sim, eu posso levá-lo além. Vou iniciá-lo nos Mistérios mais profundos, e você poderá receber o Espírito Santo para ter suas próprias revelações."

Esse pequeno grupo de pessoas dedicadas às preces e visões arrebatadoras pode ter influenciado as demais a se afastarem dos bispos locais. Estes, portanto, talvez tenham passado a entender a faculdade de ter revelações e visões como uma ameaça à unidade da Igreja. Esse problema permanece: um católico ou católica que aparecesse amanhã dizendo que teve uma visão da Virgem – "Nossa Senhora me falou que as mulheres também deviam poder rezar a missa" – seria certamente acusado de heresia.

No entanto, o cristianismo não teria conseguido se difundir sem revelações. Os Evangelhos do Novo Testamento, particularmente o de Lucas, estão cheios de sonhos e revelações. O movimento vive inicialmente um poderoso surto dessas ocorrências. Depois elas começam a se tornar problemáticas porque os líderes da Igreja se perguntam: "Espere aí, afinal de contas quais dessas revelações estão certas e quais estão erradas?" Então se tornou necessário o estabelecimento de padrões de ortodoxia. Os textos encontrados, como o Evangelho de Filipe e o Evangelho de Maria, foram descobertos no Egito na biblioteca de um mosteiro. E a ordem dada aos monges para que os destruíssem partiu de um bispo.

A senhora pode fazer um resumo dos textos gnósticos?

Embora costumássemos chamá-los de textos gnósticos, esse termo é comumente associado a uma visão negativa e dualística do mundo que não existe neles. Por essa razão eu não uso mais o termo gnosticismo nem denomino os textos de gnósticos. Prefiro considerá-los individualmente.

O Evangelho de Tomé contém a idéia de que, se a pessoa traz à luz o que tem dentro de si, isso que ela possui em seu íntimo irá salvá-la; mas, se ela não o faz, o que ela tem dentro de si irá destruí-la. E a idéia que está por trás disso tudo é a seguinte: quando alguém consegue trazer à luz algo que vem de seu interior – que seja intrínseco ao ser humano –, esse algo lhe permite ter acesso a Deus.

O Evangelho de Maria fala sobre ou, mais exatamente, orienta a busca do Filho do homem dentro da própria pessoa; em outras palavras, olhe para dentro de si mesmo para encontrar a divina fonte, não para Jesus o Deus-homem. As pessoas podem descobrir a divina fonte, que vem da mesma fonte de Jesus, dentro de si mesmas. Mais parece um ensinamento budista. Para os padres isso é heresia, obviamente. Eles afirmam que só é possível ter acesso a Deus por meio da Igreja. Mas esses evangelhos sugerem que as pessoas são capazes de tomar a iniciativa e encontrar o divino em seu íntimo. Podem prescindir da Igreja. Podem prescindir dos padres. Podem simplesmente meditar e ter suas próprias visões.

É possível que uma parte do cristianismo tenha sido influenciada pelos cultos de Mistério, como sugere Dan Brown?

Sim. Dan Brown está certo ao dizer que alguns cultos de Mistério, como o culto da Deusa-Mãe, envolviam os mistérios da sexualidade, da morte e da transcendência da morte. Mas eu não vejo evidências disso nos textos que encontramos. Trata-se de uma variante inteiramente distinta. Talvez haja nos rituais cristãos alguma influência dos cultos de Mistério, mas não identifico nenhum ritual sexual. Acredito que isso dê um bom romance, mas não sei de nenhuma evidência.

A questão da sexualidade era fundamental para os primeiros líderes da Igreja?

Sim, certamente foi uma questão para Paulo, apenas vinte anos após a morte de Jesus. Paulo considerava melhor ser celibatário, como ele mesmo, em benefício da evangelização do movimento. Muitos acreditam que ele era viúvo, que fora casado. Pedro era casado e tinha filhos. Isso era normal, é claro, entre os seguidores de Jesus, homens educados nos costumes judaicos, para os quais o casamento era um valor sagrado.

Eu penso que o que aconteceu foi que os seguidores de Jesus, mesmo os que não eram judeus, adotaram atitudes judaicas acerca da sexualidade: ela se destinava à procriação, toda relação sexual entre homem e mulher devia resultar em filhos. O relacionamento sexual entre pessoas do mesmo sexo era considerado por muitos judeus a suprema abominação. O aborto era proibido, assim como matar os bebês, o que nos primeiros séculos foi um método usual de controle da natalidade. Portanto, como entre os cristãos era proibido matar os bebês, fazer aborto ou mesmo tentar a contracepção, aos que pretendiam se devotar ao Reino e levar uma vida livre de responsabilidades familiares e da lida pelo dinheiro só restava a opção do celibato.

Voltando aos nossos dias, o que na sua opinião explica o amplo fascínio por essas questões espirituais numa época que poderia muito bem ser classificada como a da racionalidade e do ceticismo?

Primeiro, eu sei, por experiência própria e pela de muitas outras pessoas, que existe hoje uma profunda ânsia de entendimento e de um caminho espiritual. E isso vale tanto para evangélicos – eu não gosto da palavra fundamentalistas – quanto para batistas, católicos romanos, místicos e ateus. Muitas pessoas estão explorando as questões espirituais porque, na minha opinião, nós precisamos profundamente delas como parte da vida humana. Quer se acredite que o mundo foi criado em seis dias, quer se tenha outro entendimento filosófico, penso que nossos corações, nossas emoções e nossas atitudes em relação aos outros estão no centro dessa tradição.

Não lhe parece que esses textos e seu trabalho podem levar pessoas que têm problemas com a fé a dizer: "Quer dizer então que há aqui outra dimensão?"

Para mim isso é muito importante porque tentar engolir a fé cristã como muitas vezes ela é ensinada pode ser indigesto. Ela tem um componente que, se tomado de forma excessivamente literal, faz com que a maioria das pessoas se questione. Jesus nasceu realmente de uma virgem? O que queremos dizer com ressurreição dos mortos? O meu trabalho, na verdade, o que tento fazer com meus livros, é convidar as pessoas a dizer: "Podemos pensar nessas questões." Há como vê-las historicamente. É possível compreender a Bíblia não como algo que veio do céu numa nuvem de ouro, mas como uma coletânea de textos, oriundos de numerosas fontes e laboriosamente compilados, que contêm algumas verdades muito poderosas. Mas isso não significa que temos de considerar literalmente verdadeiro tudo o que está escrito nela e simplesmente tentar engolir. Podemos pensar sobre a Bíblia, discuti-la. Como disse Jesus: "Que os que buscam não parem de buscar até que encontrem. Quando encontrarem, ficarão perturbados. Quando se perturbarem, ficarão assombrados." Ele claramente nos convida a um processo de exploração – e não simplesmente a conhecer um conjunto de crenças que ou aceitamos ou rejeitamos. Podemos nos ater àquilo que mais amamos nela e entender que, para outros, talvez seja diferente. E os novos elementos agora disponíveis proporcionam uma notável oportunidade para isso.

O Evangelho de Tomé

INTRODUÇÃO DE HELMUT KOESTER

Passagens selecionadas do Evangelho de Tomé, do Evangelho de Filipe, do Evangelho de Maria e de Sofia de Jesus Cristo, extraídas de *The Nag Hammadi Library* (*A Biblioteca de Nag Hammadi*) em língua inglesa, terceira edição. Edição completa e revisada por James M. Robinson, editor geral.

O Evangelho de Tomé é uma coletânea de ensinamentos de Jesus. Esses ensinamentos, ou grupos de ensinamentos, são introduzidos, na maioria dos casos, pela expressão "Jesus (lhes) disse", às vezes por uma pergunta ou uma afirmação de um discípulo. Apenas um deles se estende num discurso mais longo entre Jesus e os discípulos...

A autoria desse Evangelho é atribuída a Dídimo Judas Tomé – Judas "o gêmeo". Na Igreja Síria, (Judas) Tomé era conhecido como o irmão de Jesus que fundou as Igrejas do Oriente, em especial a de Edessa (numa tradição algo posterior, ele chega a viajar à Índia). Outros escritos cristãos das Igrejas orientais foram atribuídos ao mesmo apóstolo.

Um bom número dos ensinamentos do Evangelho de Tomé tem paralelo nos Evangelhos do Antigo Testamento, nos Evangelhos sinópticos (Mateus, Marcos e Lucas) e também no Evangelho de João (o paralelo com esse último é particularmente notável).

O tema do reconhecer-se apresenta um desenvolvimento melhor nos ensinamentos que falam da consciência da origem divina da própria pessoa, e da qual nem Adão desfrutou, embora "tenha sido gerado por um extraordinário poder"... Os discípulos devem "ignorar" sua existência corruptível presente. A existência do discípulo gnóstico ideal é definida pelo termo "o solitário", que descreve aquele que deixou para trás tudo o que vincula o ser humano ao mundo. Esse objetivo é acessível também às mulheres, que, para atingi-lo, devem alcançar a "condição masculina" da existência solitária.

O Evangelho de Tomé

TRADUZIDO POR THOMAS O. LAMBDIN

Estes são os ensinamentos secretos que o Jesus vivo disse e Dídimo Judas Tomé escreveu.

(1) E ele disse: "Aquele que descobrir o significado destes ensinamentos não experimentará a morte."

(2) Jesus disse: "Que aquele que busca continue buscando até encontrar. Quando encontrar, ele se perturbará. Quando se perturbar, ficará assombrado e governará sobre o todo."

(3) Jesus disse: "Se aqueles que vos guiam vos disserem 'Vede, o reino está no céu', então os pássaros do céu vos precederão. Se vos disserem 'Ele está no mar', então os peixes vos precederão. Pois bem, o reino está dentro de vós e fora de vós. Quando vierdes a conhecer a vós mesmos, sereis conhecidos e compreendereis que sois os filhos do Pai vivo. Mas se não fordes capazes de conhecer-vos, vivereis na pobreza e sereis vós próprios essa pobreza."

(5) Jesus disse: "Reconhecei o que está à vossa vista e o que está escondido de vós se revelará. Pois nada existe de oculto que não virá um dia a se tornar manifesto."

(16) Jesus disse: "Os homens talvez pensem que é a paz que eu vim trazer a este mundo. Não sabem que é a discórdia que eu vim lançar sobre o mundo: fogo, espada e guerra. Pois havendo cinco numa casa, três ficarão contra dois e dois contra três, o pai contra o filho e o filho contra o pai. E eles permanecerão solitários."

(37) Seus discípulos disseram:

– Quando é que te revelarás a nós e quando é que te veremos?

E Jesus disse:

– Quando vos despirdes sem sentir vergonha e tirardes vossas vestes e as colocardes sob vossos pés como criancinhas e pisardes sobre elas, então [vereis] o filho daquele que vive e não tereis medo.

(70) Jesus disse: "Aquilo que tendes vos salvará se o tirardes de dentro de vós. Aquilo que não tendes dentro de vós vos matará se não o tiverdes dentro de vós."

(114) Simão Pedro lhes disse:

– Que Maria saia de nosso meio, pois as mulheres não são dignas da vida.

E Jesus disse:

– Eu mesmo a guiarei para torná-la homem, de modo que também ela possa se tornar um espírito vivo semelhante a vós homens. Pois toda mulher que se tornar homem entrará no reino do céu.

O Evangelho de Filipe

Introdução de Wesley W. Isenberg

O Evangelho de Filipe é uma compilação de afirmações que dizem respeito principalmente ao significado e ao valor dos sacramentos, no contexto de uma concepção valentiniana das vicissitudes humanas e da vida após a morte [os valentinianos rejeitavam a forma estritamente literal de a maioria de seus congêneres cristãos interpretar a Bíblia].

Tal como os Evangelhos canônicos do Novo Testamento, essas afirmações se apresentam sob uma gama de figuras literárias: aforismo, analogia, parábola, parênese, polêmica, diálogo narrativo, ensinamentos dominicais, exegese bíblica e proposições dogmáticas. Contudo, o Evangelho de Filipe não é como os do Novo Testamento.

É verdade que ele contém algumas palavras e atos de Jesus... [Mas] esses poucos ensinamentos e histórias sobre Jesus... não estão dispostos em nenhum tipo de estrutura narrativa como as que existem nos Evangelhos do Novo Testamento. Na verdade, o Evangelho de Filipe não é organizado de uma forma que possa ser apropriadamente resumido. Embora seja possível vislumbrar uma certa continuidade por meio de associações de idéias, de séries de contrastes ou de palavras-chaves, sua linha de pensamento é errática e desconexa. Mudanças completas de assunto são freqüentes.

O Evangelho de Filipe

TRADUZIDO POR WESLEY W. ISENBERG

[Este é o evangelho conhecido pela passagem "Ele a beijava na (...) com freqüência", que aparece em negrito].

...Cristo veio para resgatar alguns, salvar outros e redimir outros mais. Resgatou os excluídos e os trouxe para si. E os ofereceu como penhor, de acordo com seu plano. Não foi só ao aparecer que Cristo concedeu voluntariamente a sua vida, mas desde o dia em que o mundo veio à luz. Então ele chegou para tomá-la, uma vez que fora dada também como penhor. Ela caiu nas mãos de ladrões e foi feita prisioneira, mas ele a salvou. Ele redimiu as pessoas boas e as pessoas más deste mundo.

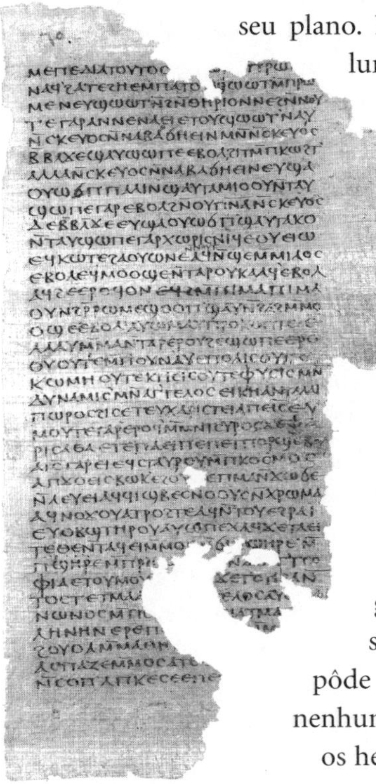

O Evangelho de Filipe. *Este fragmento é uma amostra do que resta dos Evangelhos apócrifos encontrados em Nag Hammadi, no deserto do Egito, em 1945. Sua natureza fragmentária é particularmente instigante. Essa passagem se refere ao fato aparentemente notório (entre os círculos gnósticos da época) de que Jesus costumava beijar Maria Madalena na b... Depois da primeira letra da palavra copta que designa "boca" há uma lacuna no fragmento que torna o restante da palavra indistinguível.* INSTITUTE FOR ANTIQUITY AND CRISTIANITY, CLAREMONT, CA.

Luz e Trevas, vida e morte, direita e esquerda são irmãs umas das outras. São inseparáveis. Por isso, nem os bons são bons nem os maus são maus, nem a vida é vida nem a morte é morte. Assim, cada um se dissolverá em sua fonte original. Mas os que foram glorificados acima do mundo são indissolúveis e eternos.

Alguns dizem que Maria concebeu por obra e graça do Espírito Santo. Eles estão errados. Não sabem o que dizem. Quando foi que uma mulher pôde conceber de uma mulher? Maria é a virgem que nenhum poder conspurcou. Ela é um grande anátema para os hebreus, que são os apóstolos e [os] apostólicos. Essa virgem que poder nenhum conspurcou [...] os poderes conspurcam a si mesmos. O senhor não disse "Meu [pai que está no] céu" (Mateus 16:17) como se tivesse outro pai, ele disse simplesmente "[Meu pai]".

A fé recebe, o amor dá. [Ninguém será capaz de receber] sem fé. Ninguém conseguirá dar sem amor. Então, para podermos receber de fato, nós cremos; e para podermos amar, nós damos, pois a pessoa que dá sem amor não tira proveito do que deu. Aquele que recebeu outra coisa que não o Senhor ainda é um hebreu.

A Sabedoria dita "estéril" é a mãe [dos] anjos. **E a companheira do [...] Maria Madalena... a [amava] mais do que a [todos] os discípulos e a beijava na [...] [com freqüência]**. Os demais [discípulos...]. Eles lhe disseram:

– Por que a amas mais do que a nós?

O Salvador lhes respondeu dizendo:

– Por que eu não vos amo como a ela? Juntos na escuridão, um homem cego e um homem que vê não são diferentes um do outro. Mas, quando surge a luz, o homem que vê a vê, enquanto o cego permanece na escuridão.

Grande é o mistério do casamento! Pois [sem] ele o mundo [não existiria]. Ora, a existência [do mundo...] e a existência do [...casamento]. Pensemos no [...relacionamento], pois ele possui [...] poder. Sua imagem consiste em uma [conspurcação].

As formas do espírito do mal são masculinas e femininas. Masculinas são as que se unem a almas que habitam formas femininas, e femininas são as que se juntaram às que têm forma masculina, mas que lhe foram rebeldes. E ninguém será capaz de lhes escapar, porque elas o deterão caso não recebam um poder masculino ou um poder feminino, o noivo e a noiva (...)

A câmara nupcial não é para os animais, nem para os escravos, nem para as mulheres impuras, mas para os homens livres e as virgens.

O mundo foi criado por meio de um equívoco. Pois aquele que o criou quis fazê-lo imperecível e imortal. Mas não conseguiu realizar seu intento. Pois o mundo nunca foi imperecível nem, nesse sentido, aquele que o criou. Posto que as coisas não são imperecíveis, mas os filhos são. Nada será capaz de receber imperecibilidade se não se tornar primeiro um filho. Mas aquele que não tem capacidade de receber não será igualmente incapaz de dar?

O Evangelho de Maria

Introdução de Karen King

O texto remanescente do Evangelho de Maria pode ser dividido em duas partes. A primeira (7, 1-9, 24) descreve o diálogo entre o Salvador ressuscitado e os discípulos, no qual Cristo responde às perguntas deles a respeito da matéria e do pecado.... O Salvador diz, efetivamente, que o pecado não é uma categoria moral, mas cosmológica, que resulta da mistura inadequada do material com o espiritual. No fim, todas as coisas se reduzirão às suas raízes. Depois de terminar sua fala, o

Salvador lhes faz um derradeiro cumprimento, aconselha-os a prestar atenção em todos os que tentarem desencaminhá-los e os encarrega de pregar o Evangelho no reino. Depois de sua partida, porém, os discípulos se sentem tristes, consternados e cheios de dúvidas. Maria Madalena os conforta dirigindo seus corações para o Bem e pedindo-lhes que reflitam sobre as palavras do Salvador.

Na segunda parte do texto... Maria descreve uma revelação especial que lhe foi feita pelo Salvador. A pedido de Pedro, ela conta aos discípulos coisas que não lhes haviam sido ditas. Seus conhecimentos baseiam-se numa visão que teve do Senhor e num diálogo particular que manteve com ele. Infelizmente faltam quatro páginas do texto original, que só contém o início e o final da revelação de Maria.

A revelação se dá em forma de diálogo. A primeira pergunta que ela faz ao Salvador é a respeito de como se dá a visão. Ele responde que a alma vê por meio da mente, que está entre a alma e o espírito. Nesse ponto, o texto se interrompe. Ao retomar... Maria já está descrevendo a revelação do Salvador sobre a ressurreição da alma acima dos quatro poderes, que consistem, provavelmente, nas manifestações fundamentais dos quatro elementos materiais. Agora livre de suas cadeias, a alma iluminada ressuscita além dos quatro poderes, subjugando-os com sua gnose, e vai repousar no silêncio eterno.

Depois que Maria termina de narrar sua versão aos discípulos, André e Pedro a contestam de duas formas. Primeiro, diz André, aqueles são ensinamentos estranhos. Em seguida, Pedro pergunta se o Salvador teria dito a uma mulher coisas que ocultou dos discípulos homens. Levi admoesta Pedro por discutir com a mulher como faria com os adversários e reconhece que o Salvador a amava mais do que aos outros discípulos. E roga que se envergonhem, que se espelhem no homem perfeito e que comecem a pregar como o Salvador os instruíra a fazer. Eles saem imediatamente a pregar e o texto termina.

O confronto entre Maria e Pedro, cena também encontrada no Evangelho de Tomé, no Pistis Sophia e no Evangelho dos Egípcios, reflete algumas das tensões do cristianismo do século II. Pedro e André representam posições ortodoxas que negam a validade das revelações esotéricas e recusam à mulher credenciais para doutrinar. O Evangelho de Maria ataca de frente essas duas posições com sua descrição de Maria Madalena. Ela é a amada do Salvador e portadora de ensinamentos superiores aos da tradição apostólica pública. Sua superioridade, baseada em visões e revelações privadas, fica demonstrada por sua capacidade de encorajar os discípulos vacilantes e encaminhá-los na direção a Deus...

O Evangelho de Maria foi originalmente escrito em grego, num período não especificado do século II. Infelizmente, as duas cópias remanescentes são extremamente fragmentárias...

O Evangelho de Maria

TRADUZIDO POR GEORGE W. MACRAE E R. MCL. WILSON

...Pedro lhe disse:

– Já que nos explicaste tudo, dize-nos também o seguinte: o que é o pecado do mundo?

E o Salvador respondeu:

– Não existe o pecado, sois vós que o criais quando fazeis coisas da mesma espécie do adultério, que é chamado de "pecado". Foi por isso que o Bem entrou no vosso meio e na (essência) de cada natureza, para devolvê-la às suas raízes. – Em seguida disse: – É por isso que [adoeceis] e morreis, pois [...] daquele que [... Aquele que] compreende que compreenda. [A matéria deu à luz] uma paixão sem igual, que proveio de (alguma coisa) contrária à natureza. Daí resulta uma perturbação que atinge todo o corpo. Foi por isso que eu vos disse: "sede corajosos" e, se estiverdes desanimados, (procurai) coragem na presença de diferentes manifestações da natureza. Quem tem ouvidos para ouvir que ouça...

Depois de dizer isso, partiu.

Mas eles ficaram desolados. Aos prantos, disseram:

– Como vamos pregar aos gentios o Evangelho do reino do Filho do Homem? Se eles não o pouparam, por que razão iriam nos poupar?

Então Maria se levantou, saudou-os a todos e disse a seus irmãos:

– Não choreis, não vos entristeçais nem hesiteis, pois a sua graça está inteiramente convosco e vos protegerá. Antes, louvemos a sua grandeza, pois ele nos preparou e nos fez homens. – Com essas palavras, Maria dirigiu seus corações para o Bem, e eles começaram a discutir as palavras do [Salvador].

Pedro disse a Maria:

– Irmã, nós sabemos que o Salvador te amava mais do que às outras mulheres. Dize-nos as palavras que lembras ter escutado do Salvador, aquelas que tu sabes [mas] nós não e que nem sequer escutamos.

Maria respondeu:

– Direi o que está oculto de vós. – E começou a lhes falar as seguintes palavras: – Eu tive uma visão do Senhor e Lhe disse: "Senhor, hoje me apareceste numa visão." Ele me respondeu: "Abençoada sejas, que não hesitas diante de mim. Pois onde está a mente está o tesouro." Então eu Lhe disse: "Senhor, quem tem uma visão a vê [por meio] da alma [ou] por meio do espírito?" O Salvador me respondeu: "Quem tem a visão não vê por meio da alma nem por meio do espírito, mas por meio da mente que [está] entre os dois – é ela [que] tem a visão e é [...]." – Tendo dito isso, Maria se calou, pois foi tudo o que o Salvador lhe revelara.

Então André respondeu dizendo aos irmãos:

– Dizei o que [tendes a] dizer sobre o que ela acaba de contar. De minha parte, eu não creio que o Salvador lhe disse isso. Pois esses ensinamentos contêm idéias estranhas.

Pedro respondeu com as mesmas preocupações. E lhes falou a propósito do Salvador:

– Por que teria ele falado em particular com uma mulher (e) não abertamente conosco? Devemos todos mudar de opinião e escutá-la? Ele a preferiu a nós?

Num lamento, Maria disse a Pedro:

– Meu irmão Pedro, o que estás pensando? Que criei essas idéias em meu próprio coração e que estou mentindo sobre o Salvador?

E Levi respondeu a Pedro:

– Pedro, sempre foste destemperado. Agora eu te vejo discutindo com a mulher como faria com os adversários. Mas se o Salvador a fez merecedora, quem és tu para rejeitá-la? O Salvador certamente a conhece muito bem. E é por isso que a amava mais do que a nós. Envergonhemo-nos, miremo-nos no homem perfeito e conquistemo-lo para nós mesmos como ele nos ordenou. E saiamos a pregar o Evangelho sem criar nenhuma regra além daquilo que foi dito pelo Salvador. Quando [...] e saíram [a] proclamar e a pregar.

Introdução a Sofia de Jesus Cristo

DOUGLAS M. PARROT

Na forma, Sofia de Jesus Cristo é um discurso de revelação feito pelo Cristo ressuscitado em resposta às perguntas de seus discípulos. Esse texto permite que se veja o processo pelo qual um material não cristão foi modificado e transformado num material cristão gnóstico... Não seria de surpreender se ele tivesse sido escrito pouco depois do advento do cristianismo no Egito – a segunda metade do século I d.C. Essa possibilidade é indicada pelo tom relativamente não polêmico da narrativa.

Sofia de Jesus Cristo foi dirigido a um público em cujo ambiente religioso o cristianismo era um elemento adicional [isto é, não originário]... Segundo ele, o Salvador (Cristo) veio da região supracelestial. Sofia é a responsável pela queda de gotas de luz do reino divino sobre o mundo visível; e há um deus que, com seus poderes subordinados, governa diretamente esse mundo em detrimento daqueles que provêm do reino divino.

Sugere-se que o sexo é o meio pelo qual se perpetua a escravização a tais poderes. Mas o Salvador (Cristo) rompeu as cadeias por eles impostas e ensinou os outros a fazer o mesmo... Deve-se notar ainda, em Sofia de Jesus Cristo, que os discípulos identificados pelo nome – Filipe, Mateus, Tomé, Bartolomeu e Maria – refletem uma tradição, própria ao gnosticismo, de mencionar discípulos caracteristicamente gnósticos e confrontá-los, com uma certa regularidade e de várias formas, com os discípulos "ortodoxos" ou "ortodoxos feitos gnósticos" (Pedro e João, principalmente).

A Sofia de Jesus Cristo

TRADUZIDO POR DOUGLAS M. PARROT

Depois da ressurreição, seus doze discípulos e sete mulheres continuaram a ser seus seguidores e foram para a Galiléia, até a montanha chamada "Presságio e Alegria". Quando se reuniram, perplexos com a realidade subjacente ao universo, ao plano, à sagrada providência, ao poder das autoridades e a tudo o que o Salvador está fazendo com eles no segredo do plano sagrado, Ele apareceu – não na sua forma anterior, mas como um espírito invisível. Tinha o aspecto de um grande anjo de luz. Mas não devo descrever a sua imagem. Nenhuma carne mortal o suportaria, somente a carne pura (e) perfeita, como aquela sobre a qual ele nos falou no monte chamado "das Oliveiras", na Galiléia. Ele disse:

– Que a paz esteja convosco! Eu lhes dou a minha paz! – E ficaram todos maravilhados e temerosos.

O Salvador riu e lhes disse:

– Em que estais pensando? (Por que) estais perplexos? O que estais buscando?

E Filipe respondeu:

– A realidade subjacente ao universo e ao plano.

O Salvador lhes disse:

– Quero que saibais que todos os homens nascidos na Terra desde a criação do mundo, sendo pó, apesar do tanto que perguntaram por Deus, quem ele é e como é, não o encontraram. Os mais sábios entre eles especularam sobre a ordem do mundo e (seu) movimento. Mas suas especulações não chegaram à verdade. Pois entre os filósofos se diz que essa ordem está orientada de três formas, sobre as quais eles não estão de acordo. Alguns dizem que o mundo se governa a si próprio. Outros, que é a providência (que o governa). Outros ainda, que é o destino. Mas não é nenhum deles. Uma vez mais, das três vozes que acabo de mencionar, nenhuma está próxima da verdade, e (elas provêm) do homem. Mas eu, que vim da Luz Infinita, eu estou aqui – pois o conheço (a Luz) – para lhes falar da exata natureza da verdade. Pois o que quer que seja de si mesmo é uma vida impura; é autogerado. A providência não vê nisso nenhuma sabedoria. E o destino não distingue...

Mateus lhe disse:

– Senhor, ninguém pode encontrar a verdade exceto por meio de ti. Portanto, mostra-nos a verdade.

O Salvador disse:

– Aquele que É é inefável. Nenhum princípio o conheceu, nenhuma autoridade, nenhum vassalo e nenhuma criatura desde a criação do mundo, exceto ele próprio e aqueles a quem ele queira fazer revelações por meio daquele que vem da Primeira Luz. De agora em diante, eu sou o Grande Salvador. Pois ele é imortal e eterno. Ele é eterno, não teve nascimento; pois tudo o que nasceu há de perecer. Ele é incriado, não teve começo; pois tudo o que teve começo há de ter fim. Como ninguém está acima dele, ele não tem nome; pois quem quer que tenha um nome é criação de outro... E ele tem uma aparência própria – não se parece com nada que já tenhais visto e recebido, possui uma fisionomia estranha que supera todas as coisas e é superior ao universo. Ele olha para todos os lados e vê a si próprio a partir de si próprio. Sendo infinito, é eternamente incompreensível. É imperecível e não se assemelha (a nada). Ele é o bem imutável. É indefectível. É eterno. É abençoado. Apesar de incognoscível, conhece a si próprio. Ele é imensurável. É insondável. É perfeito, não tem defeitos. É para sempre abençoado. Ele é chamado o "Pai do Universo"...

Mateus lhe disse:

– Senhor, meu Salvador, como foi o Homem revelado?

O Salvador perfeito disse:

– Quero que saibais que aquele que surgiu antes do universo infinito, Pai Autocriado e Autoconstruído, pleno de luz brilhante e inefável, no começo, quando decidiu fazer com que sua imagem se tornasse um grande poder, imediatamente o princípio (ou começo) daquela Luz apareceu como Homem Andrógino Imortal; que por meio deste Homem Imortal eles possam alcançar a sua salvação e despertar do olvido por intermédio do intérprete que lhes foi enviado, que está convosco até o fim da pobreza dos ladrões. E sua consorte é a Grande Sofia, que desde o começo foi destinada a se unir a ele pelo Pai Autocriado, a partir do Homem Imortal "que apareceu como Primeiro e divindade e reino", pois o Pai, que é chamado "Homem, Pai de Si Mesmo", o revelou. E ele criou um grande éon, cujo nome é Ogdoad, para a sua própria majestade... Todos os que vêm ao mundo, como uma gota caída da Luz, são por ele enviados ao mundo do Todo-Poderoso para serem por ele protegidos. E os grilhões do seu olvido os prendem por vontade de Sofia, para que assim possa se [revelar] a toda a pobreza do mundo o motivo da sua [do Todo-Poderoso] arrogância e cegueira e a ignorância que lhe foi imputada. Mas eu vim dos céus por vontade da grande Luz, (eu) que escapei desses grilhões; eu interrompi o trabalho dos ladrões; eu despertei a gota enviada por Sofia para que por meu intermédio ela possa gerar muitos frutos e ser completada e não voltar a ser incompleta e possa antes se [unir] a partir de mim, o Grande Salvador, para que a glória dele possa ser revelada, para que Sofia possa ser também perdoada por essa falta, para que seus filhos possam nunca mais ter imperfeições e possam conquistar honra e glória e subir até o Pai e conhecer as palavras da Luz masculina. E fostes enviados pelo Filho, que foi enviado para que pudésseis receber a Luz e tirar-vos do olvido das autoridades, e para que o atrito impuro do fogo que se lhes origina na parte carnal não possa se manifestar novamente por vossa causa. Pisai sobre as suas intenções malévolas...

São essas as coisas que [disse o] abençoado Salvador, [e ele desapareceu] de seu meio. [E seus discípulos] sentiram uma [grande e inefável alegria] em seus [espíritos desse] dia em diante. [E seus discípulos] começaram a pregar [o] Evangelho de Deus, [o Espírito] eterno e imperecível. Amém.

4 Os primórdios das seitas cristãs

Uma determinada forma de cristianismo... saiu vitoriosa dos conflitos dos séculos II e III. E ela decidiu qual era o ponto de vista cristão "correto"; estabeleceu quem podia exercer autoridade sobre a crença e a prática cristãs; e definiu quais formas de cristianismo seriam marginalizadas, excluídas, destruídas. Decidiu também quais livros seriam canonizados como as Escrituras e quais seriam excluídos como "heréticos", portadores de falsas idéias...

Apenas vinte e sete entre os primeiros livros cristãos foram incluídos no cânone, copiados pelos escribas através dos tempos e finalmente traduzidos para o inglês para ocupar seus lugares nas estantes de praticamente todos os lares dos Estados Unidos. Outros acabaram rejeitados, desprezados, desacreditados, atacados, queimados, praticamente esquecidos – numa palavra, perdidos.

– Bart D. Ehrman

No começo, não havia apenas um, mas muitos cristianismos. E entre eles havia uma bem estabelecida tradição de gnosticismo, uma das principais "heresias" sobre as quais Dan Brown constrói a trama do *CDV*.

Raízes sagradas e vinte séculos de primazia no mundo ocidental levaram à visão geralmente dominante de que o cristianismo moderno evoluiu de maneira mais ou menos linear e direta com base nos ensinamentos de Jesus. A imagem que a civilização ocidental se acostumou a ver é uma progressão natural: começa com Jesus, segue com a pregação dos apóstolos tal como descrita no Novo Testamento, passa pela fundação da Igreja por Pedro, prospera sob a égide de Constantino e do Concílio de Nicéia e daí, por meio do Império Romano, chega à Europa e assim por diante, até o mundo moderno. Quando o assunto é debate, conflito e heresia no pensamento cristão, nossas aulas de História e Ciências Humanas tendem a destacar a experiência relativamente recente da Reforma.

O *CDV*, de Dan Brown, pretende familiarizar o leitor com o lado menos conhecido, e até "oculto", dessa história, com base nas perguntas não respondidas a respeito do cristianismo primitivo:

- Quem foi Jesus?
- Quem foi Maria Madalena?
- O que leva as pessoas a aceitarem as idéias da concepção sem pecado e da ressurreição?
- Jesus e seus amigos judeus buscavam apontar um caminho diferente para o judaísmo ou criar uma nova religião?
- Até que ponto são dignos de crédito os quatro Evangelhos aceitos, dadas as suas discrepâncias narrativas?
- O que se há de fazer com todos os demais relatos que não tiveram lugar no Novo Testamento?

A história do cristianismo primitivo é uma narrativa pontuada por incompletudes, incógnitas, intrigas políticas e pessoais, ironias e doses consideráveis daquilo que no vernáculo político de hoje pode ser chamado de "meandros". É, portanto, antes de tudo, uma história de entendimentos ampla, e às vezes radicalmente diferente do que venha a ser a crença cristã correta, e de significativo zelo na identificação e perseguição daqueles cuja crença é considerada incorreta. Essas divergências e diversidades talvez remontem aos primórdios do movimento de Jesus. Como temos visto ao longo deste livro, as diferenças entre Pedro e os demais apóstolos, o problema do papel de Maria Madalena e as questões e dúvidas íntimas do próprio Jesus são hoje muito mais visíveis do que em qualquer momento dos últimos dezesseis séculos graças a pesquisas, análises textuais e estudos arqueológicos recentes.

Os estudiosos sabem há muito tempo que existe um lapso estimado de quarenta anos (talvez menos, mas talvez muito mais) entre a morte de Jesus e a escritura do primeiro Evangelho. Durante esse período, os seguidores de Jesus consolidaram suas crenças e decidiram por meio da tradição oral quem era Cristo e o que significaram sua vida e sua morte. Os Evangelhos são relatos dessa história com base em pontos de vista um tanto distintos, influenciados pelas circunstâncias e pelo público ouvinte do evangelista narrador. No fim, quatro Evangelhos e vinte e três outros textos foram canonizados na Bíblia (declarados as Sagradas Escrituras). Contudo, isso só veio a acontecer no século VI.

Como assinala Deirdre Good em suas palestras sobre Maria Madalena e o *CDV*: "Todos os personagens do Novo Testamento devem ser considerados judeus, salvo no caso de existirem evidências em contrário." A maioria dos especialistas concorda que Jesus era judeu. Os relatos do Novo Testamento indicam reiteradamente o seu envolvimento com a vida do Templo judaico – de seu precoce entendimento do ofício divino quando criança aos ataques contra os mercadores do Templo na maturidade. Trata-se, em todos os casos, do tradicional Templo judaico, cuja mudança ele pretende induzir com sua visão.

Era tal a efervescência no seio do judaísmo daquela época – diferentes cultos, seitas, clãs, tribos, profetas, falsos profetas, rabinos e doutrinadores, ora de influência grega, ora de influência romana – que o movimento de Jesus talvez não tenha sido considerado nada de espantosamente novo ou diferente quando surgiu. As comunidades judaicas espalhadas pelo Egito, Turquia, Grécia, Síria, Iraque e outros lugares tinham cada uma a sua própria tradição religiosa influenciada e modificada pela cultura onde se inseria. O judaísmo daqueles dias era uma grande tenda – mesmo que sob ela houvesse muito desgoverno, muita rebeldia e profundas, até inapeláveis, divisões.

É bem provável que durante um longo tempo após a morte de Jesus seus seguidores não fossem considerados membros de uma religião fundamentalmente distinta. O que mais tarde veio a se tornar o cristianismo teve início com judeus pregando a outros judeus uma forma cada vez mais distinta de judaísmo. Às vezes chamados de nazarenos pelos judeus e de cristãos pelos gentios (não-judeus), alguns círculos de adeptos de Jesus exigiam que os homens fossem circuncidados e que as regras rituais e alimentares judaicas fossem respeitadas apesar de professarem a crença – discordante da ortodoxia judaica – de que Jesus era o Filho de Deus e o único caminho para a salvação. Os ebionitas, recentemente descritos como "cristãos ainda em processo de ruptura da sua casca judaica", insistiam que, para fazer parte de seu movimento, a pessoa tinha de ser judia. Como diz Bart Ehrman, especialista contemporâneo em antigas crenças cristãs e escrituras perdidas, os ebionitas acreditavam piamente em Jesus, mas viam-no como "o Messias judaico enviado pelo Deus judaico ao povo judeu em cumprimento à Escritura judaica". Para os ebionitas, Jesus era um mortal tão justo que Deus o adotou como Seu filho e permitiu que seu sacrifício redimisse os pecados da humanidade.

O judeu grego Saulo opunha-se fortemente aos nazarenos, mas na estrada de Damasco teve uma visão em que Jesus lhe disse para passar o resto da vida pregando o Evangelho aos gentios. Saulo mudou seu nome para Paulo. Suas crenças eram significativamente diferentes das dos outros grupos que então emergiam da tradição judaica: Paulo defendia a idéia de que os homens convertidos não deviam ser obrigados à circuncisão e que seguir a Lei judaica não era necessário, motivo dos primeiros conflitos entre cristãos. Ele concentrou seus esforços na conversão dos gentios, ao passo que outros o fizeram no interior da comunidade judaica. Viajou muito e fundou igrejas cristãs por todo o Mediterrâneo Oriental. Ainda mais zelosos que os paulinos eram os marcionitas, que buscavam eliminar por completo a sua própria herança judaica, a ponto de considerar o Deus judaico um Deus fracassado.

Os apóstolos, e mais tarde os seus seguidores, saíram a espalhar a "Boa Nova" (o Evangelho). A difusão do cristianismo foi um processo lento, complicado e decididamente confuso, que deve ser entendido no contexto do mundo político nos primeiros séculos da nossa era. Foi a época do Império Romano. À medida que se expandia geograficamente, esse império incorporava populações cujas crenças religiosas eram basicamente pagãs e naturalísticas, ligadas às mitologias grega e egípcia, que conviviam sem que o Estado assumisse nenhuma delas.

Foi em meio a essa mistura de religiões que se ergueu o cristianismo. Em contraste com as religiões politeístas dominantes, o cristianismo e o judaísmo monoteístas ensinavam uma relação inteiramente diferente do homem com Deus (por oposição à relação do homem com os deuses) e um caminho absolutamente diverso para a salvação. No percurso, muitas interpretações distintas do sistema de crenças cristão surgiram, algumas tomando elementos das tradições pagãs circundantes e outras simplesmente assumindo entendimentos alternativos a respeito dos principais pontos doutrinais.

Outra tendência que surgiu sobre esse pano de fundo complexo – e que é especialmente relevante para quem se interessa pelos pródromos da versão histórica do *CDV* – foi o gnosticismo. Os gnósticos buscavam o conhecimento num sentido místico, cosmológico e oculto. Tendiam a amalgamar o cristianismo como filosofia acrescentando-lhe elementos gregos, egípcios, míticos e até orientais. Ao que parece, eram pessoas instruídas, herdeiras de uma mistura de tradições gregas e rabínicas de criar escolas para compartilhar conhecimentos e discussões. Numa época em que religião, ciência, filosofia, política, poesia, cosmologia e misticismo confluíam essencialmente para a mesma sopa primordial, os gnósticos criaram uma profusão de documentos, escrituras e evangelhos. Seguidores de uma variante do cristianismo em agudo conflito com os cristãos paulinos cada vez mais dominantes, eles foram declarados heréticos que deviam ser combatidos e reprimidos.

Alguns gnósticos viviam comunalmente no alto das montanhas ou no deserto, longe das exasperantes multidões integradas a outras correntes de pensamento. Deviam fazê-lo ou por desejarem pureza em sua busca ou por acharem que suas crenças eram a tal ponto execradas pelas visões cristãs e romanas dominantes que precisavam de céus mais seguros para praticá-las.

Durante os primeiros dois séculos, ocorreram transformações no cristianismo, então uma crença ensinada por evangelistas itinerantes a pequenas comunidades de fiéis reunidos em torno de igrejas locais – cada uma com seus próprios líderes, escritos e credos – à margem de qualquer autoridade ou hierarquia superior. Lentamente a princípio, depois com uma velocidade crescente, surgiu uma hierarquia formal, e com ela a necessidade de uniformidade doutrinal. Os bispos se reuniam em sínodos para declarar o que era correto segundo a doutrina. As outras visões eram heresias a serem erradicadas.

No ano 313, o imperador Constantino declarou, no Edito de Milão, ser "salutar e perfeitamente justa" a total tolerância do Império Romano com os que "se dedicassem ao culto dos cristãos" ou a qualquer outro similar. Com isso esperava-se que a perseguição oficial ao cristianismo e aos cristãos acabasse. Costuma-se dizer que

Constantino se converteu ao cristianismo, mas a maioria dos estudiosos entende que esse fato só se deu mais tarde, próximo de sua morte. Muitos historiadores preferem qualificar a decisão de Constantino como politicamente astuta – na verdade, uma ação que visava colocar à sua disposição o poder crescente do cristianismo. Mais do que isso, foi uma resolução nascida de um fascinante encadeamento de elos místicos, supersticiosos, militares e filosóficos. Como observa o historiador Paul Johnson: "Constantino era um adorador do sol, um de uma série de cultos pagãos tardios que possuía observâncias em comum com as cristãs. Os fiéis a Ísis adoravam uma Madona que amamenta seu filho sagrado." E os seguidores de Mitra, muitos dos quais militares veteranos, celebravam sua deidade de uma forma bastante parecida com a que os cristãos exaltavam Cristo. "Constantino era quase que certamente um adorador de Mitra... Muitos cristãos não faziam uma clara distinção entre o culto do sol e o seu próprio. Falavam em Cristo conduzindo sua biga pelo céu" e davam um banquete no dia 25 de dezembro, considerado o do nascimento do Sol no solstício de inverno. Qualquer que fosse a verdade, esse foi um momento fundamental na história do cristianismo. Quando o Estado se tornou ao menos nominalmente cristão, os bispos dirigentes se transformaram em autoridades judiciárias e administrativas, além de escriturais. Tanto Constantino quanto a Igreja ganharam poder.

Um tormento incessante para Constantino era a controvérsia com os seguidores de Ário (arianos), que contestavam o conceito de que Jesus era da mesma substância que o Pai. Somente o Pai era Deus, afirmavam Ário e seus seguidores; Cristo não era uma deidade. No intuito de resolver a questão, Constantino convocou no ano de 325 o Concílio de Nicéia, que terminou por declarar o arianismo uma heresia. Sempre se havia lutado contra o que a Igreja primitiva entendia como heresia (ver capítulo 5) – da heresia sabeliana, que dizia que o Pai e o Filho eram diferentes aspectos do Ser único e não pessoas distintas, à Inquisição e ao julgamento das feiticeiras de Salem – e ainda se continuaria a lutar. Embora as nuanças de opinião de arianos, donatistas e outros grupos heréticos sejam pouco claras para nós hoje em dia, os registros históricos deixam absolutamente evidente que Constantino não apenas presidiu o Concílio de Nicéia como interveio pessoalmente nessa assembléia, chegando a elaborar parte da linguagem que surgiu desse encontro para resolver definitivamente as polêmicas. O que aconteceu ou deixou de acontecer no Concílio de Nicéia é tema de discussão entre Dan Brown, no *CDV*, e o que muitos praticantes da religião e estudiosos acreditam ter ocorrido de fato. Contudo, a versão de Dan Brown é bastante atraente: tratava-se da luta pelo controle da infra-estrutura intelectual que iria governar boa parte da política e do pensamento europeus durante os mil anos seguintes. Em Nicéia, não era a verdade, ou a veracidade, das visões religiosas ou morais que estava em xeque. A aceitação ou rejeição das concepções dizia respeito fundamentalmente à política e ao poder. De Constantino em Nicéia ao papa Gregório quase trezentos anos depois, o que estava em questão (assim como muitas outras coisas), ao menos quando visto retrospectivamente, era o desenvolvimento da base intelectual e política que sustentaria a Europa pelos mil anos seguintes. Podemos dizer que dizia respeito à decodificação do código.

Este capítulo ajudará o leitor a compreender melhor a documentação, as suposições e os cenários sobre os quais Dan Brown construiu sua trama, das bases pagãs da teologia moderna ao breve florescer do gnosticismo antes de este ter sido "empurrado" para a clandestinidade.

Os Mistérios Pagãos por trás do cristianismo primitivo

TIMOTHY FREKE E PETER GANDY

Extraído de *The Jesus Mysteries: Was the "Original Jesus" a Pagan God?* (Os Mistérios de Jesus: O "Jesus original" era um deus pagão?), de Timothy Freke e Peter Gandy.

Durante toda a nossa vida, compartilhamos uma obsessão pelo misticismo que recentemente nos levou a investigar a espiritualidade no mundo antigo. O entendimento popular inevitavelmente se encontra muito atrasado em relação à vanguarda da pesquisa acadêmica; e nós, como a maioria das pessoas, possuíamos inicialmente uma visão muito imprecisa e ultrapassada do paganismo. Havíamos aprendido a imaginá-lo como um conjunto de superstições primitivas que incluíam o culto de ídolos, sacrifícios de sangue e filósofos solitários, vestidos com togas, andando às cegas em direção ao que hoje chamamos de *ciências*. Conhecíamos vários mitos gregos nos quais se exibia a natureza sectária e caprichosa dos deuses e deusas do Olimpo. Em suma, o paganismo nos parecia primitivo e fundamentalmente estranho. Depois de muitos anos de estudo, porém, nossa compreensão mudou.

A espiritualidade pagã era, na verdade, o sofisticado produto de uma cultura bastante desenvolvida. As religiões de Estado, como o culto grego dos deuses do Olimpo, eram pouco mais do que pompa e circunstância exterior. A verdadeira espiritualidade do povo expressava-se por meio de vibrantes e místicas "religiões de Mistério". Movimentos inicialmente secretos e heréticos, esses Mistérios se espalharam e floresceram por todo o Mediterrâneo antigo, inspirando as mentes mais extraordinárias do mundo pagão, que os entendiam como a própria fonte da civilização.

Toda tradição de Mistério tinha seus Mistérios Externos (exotéricos), que consistiam em mitos de conhecimento comum e rituais abertos a quem quisesse participar. Por outro lado, apresentava também os Mistérios Internos (esotéricos), segredos sagrados conhecidos apenas pelos que tivessem passado por um intenso processo de iniciação. Aos iniciados nos Mistérios Internos era revelado o significado místico dos rituais e mitos dos Mistérios Externos, processo que conduzia à transformação pessoal e à iluminação espiritual.

Os filósofos do mundo antigo eram os mestres espirituais dos Mistérios Internos. Eram trabalhadores místicos e milagreiros que mais pareciam gurus hindus do que acadêmicos empoeirados. O grande filósofo grego Pitágoras, por exemplo, hoje lembrado por seu teorema matemático, é conhecido por muito poucos como o que realmente foi: um sábio espalhafatoso – considerado capaz de fazer parar os ventos e ressuscitar os mortos.

No coração dos Mistérios havia mitos concernentes a um deus-homem morto e ressuscitado, conhecido por diferentes nomes: Osíris no Egito, Dioniso na Grécia, Átis na Ásia Menor, Adônis na Síria, Baco na Itália e Mitra na Pérsia. Todos esses deuses-homens eram fundamentalmente o mesmo ser mítico... Usaremos o nome combinado Osíris-Dioniso para denotar essa natureza universal e compósita; quando nos referirmos a uma tradição de Mistério específica, empregaremos seus nomes particulares.

Já no século V a.C., filósofos como Xenófanes e Empédocles ridicularizavam a interpretação literal das histórias dos deuses e deusas, as quais consideravam alegorias da experiência espiritual humana. Os mitos de Osíris-Dioniso não deviam, portanto, ser simplesmente entendidos como narrativas envolventes, mas como linguagem simbólica que contém codificados os ensinamentos místicos dos Mistérios Internos. Por essa razão, embora seus detalhes tenham sido desenvolvidos e adaptados ao longo do tempo pelas diferentes culturas, o mito de Osíris-Dioniso permaneceu essencialmente o mesmo.

Os vários mitos dos diferentes deuses-homens dos Mistérios compartilham o que o grande mitologista Joseph Campbell chamou de "a mesma anatomia". Assim como se pode falar da anatomia geral do corpo humano apesar da absoluta singularidade de cada um, nesses diferentes mitos é possível ver tanto a sua singularidade quanto a sua identidade fundamental. Uma comparação útil pode ser feita entre *Romeu e Julieta*, de Shakespeare, e o filme *Amor, sublime amor* (*West Side Story*), de Bernstein. O primeiro é uma tragédia inglesa do século XVI envolvendo famílias ricas italianas e o segundo, um musical americano do século XX sobre gangues de rua. Exteriormente essas obras se parecem muito pouco, apesar de serem essencialmente a mesma história. De modo similar, as narrativas sobre os deuses-homens dos Mistérios Pagãos são fundamentalmente a mesma, ainda que assumam formas diferentes.

Quanto mais estudávamos as várias versões do mito de Osíris-Dioniso, mais se tornava óbvio para nós que a história de Jesus continha todas as características desse relato imortal. Acontecimento a acontecimento, descobrimos que podíamos construir a suposta biografia de Jesus com base em temas míticos anteriormente relacionados a Osíris-Dioniso:

Osíris-Dioniso é Deus tornado carne, o salvador e "Filho de Deus".
Seu pai é Deus e sua mãe uma mortal virgem.
Ele nasceu numa gruta ou num humilde estábulo, em 25 de dezembro, diante de três pastores.
Ele oferece aos seus seguidores a chance de renascer por meio de ritos de batismo.
Ele transforma milagrosamente água em vinho numa cerimônia de casamento.
Ele entra triunfalmente na cidade montado num asno enquanto as pessoas o saúdam acenando com folhas de palmeira.
Ele morre na Páscoa em sacrifício pelos pecados do mundo.
Depois da morte, desce ao inferno, ressuscita no terceiro dia e ascende gloriosamente aos céus.
Seus seguidores aguardam seu retorno como juiz dos Últimos Dias.
Sua morte e ressurreição são celebradas com uma refeição ritual de pão e vinho, que simbolizam o seu corpo e o seu sangue.

Esses são apenas alguns dos temas comuns das narrativas de Osíris-Dioniso e da biografia de Jesus. E por que tais semelhanças não são do conhecimento geral? Porque, como iríamos descobrir mais tarde, a Igreja Católica Romana primitiva fez tudo o que estava ao seu alcance para evitar que o percebêssemos. Ela destruiu sistematicamente a literatura sagrada pagã por meio de um brutal programa de erradicação dos Mistérios, tarefa que realizou tão completamente que o paganismo é considerado uma religião "morta".

Embora nos surpreenda hoje, para os escritores do século I d.C. essas similaridades entre a nova religião cristã e os antigos Mistérios eram extremamente óbvias. Críticos pagãos do cristianismo, como o satirista Celso, lamentavam o fato de essa religião então recente não ser mais do que um pálido reflexo de seus próprios antigos ensinamentos. Compreensivelmente perturbados com essas semelhanças, alguns dos primeiros Pais da Igreja, como Justino Mártir, Tertuliano e Irineu, recorreram à afirmação desesperada de que elas eram produto de uma imitação diabólica. Lançando mão de um dos mais absurdos argumentos jamais vistos, eles acusaram o diabo de "plágio antecipado", por copiar ardilosamente a verdadeira história de Jesus antes de ela acontecer, numa tentativa de iludir os crédulos. Esses Pais da Igreja nos parecem não menos ardilosos do que o diabo que pretenderam incriminar.

Outros comentadores cristãos afirmaram que os mitos dos Mistérios eram como "ecos prévios" da vinda efetiva de Jesus, similares a premonições ou profecias. Essa é uma versão mais benigna da teoria da imitação diabólica, mas que nos pareceu não menos ridícula. Somente o preconceito cultural nos impedia de ver a história de Jesus como culminação literal de seus muitos precursores míticos. Analisada de modo imparcial, ela parecia ser apenas outra versão da mesma história básica.

A explicação óbvia é que, à medida que o cristianismo primitivo se tornava o poder dominante num mundo basicamente pagão, temas populares da mitologia pagã foram sendo enxertados na biografia de Jesus. Essa é uma possibilidade admitida até mesmo por alguns teólogos cristãos. A concepção sem pecado, por exemplo, é freqüentemente considerada um acréscimo exógeno posterior, que não deve ser entendido literalmente. Esses temas foram "tomados de empréstimo" ao paganismo da mesma forma como as festas pagãs foram adotadas como dias santos cristãos. Essa teoria é muito difundida entre aqueles que estão em busca do "verdadeiro" Jesus oculto sob o peso do entulho mitológico acumulado.

Embora inicialmente atraente, essa explicação também nos pareceu inadequada. Havíamos reunido uma coleção tão abrangente de similaridades que praticamente não restavam elementos importantes na biografia de Jesus que não se mostrassem prefigurados nos Mistérios. Como se não bastasse, descobrimos que nem mesmo os ensinamentos de Jesus eram originais, mas haviam sido antecipados pelos sábios pagãos! Se havia um Jesus "verdadeiro" debaixo de tudo isso, éramos obrigados a admitir que não tínhamos como saber nada sobre ele, uma vez que só dispúnhamos de acreções pagãs posteriores! Consideramos essa posição absurda. Deveria existir uma solução mais elegante para esse enigma.

Os gnósticos

Perplexos com essas informações, começamos a questionar a imagem da Igreja primitiva que nos foi transmitida e a investigar as evidências por nossa própria conta. Descobrimos que a comunidade cristã primitiva, ao contrário da congregação unida de santos e mártires que a história tradicional quis nos impingir, era na verdade constituída de um amplo espectro de diferentes grupos. De modo geral, eles podem ser classificados em duas escolas. De um lado, havia os que chamaremos de *literalistas*, porque o que os define é tomar a história de Jesus como um relato literal de acontecimentos históricos. Foi essa a escola de cristianismo adotada pelo Império Romano no século IV d.C. e que deu origem ao catolicismo romano e a todas as suas ramificações posteriores. De outro lado havia uma vertente de cristianismo radicalmente distinta chamada *gnóstica*.

Esses cristãos esquecidos foram mais tarde perseguidos pela Igreja romana literalista com tal pertinácia que até recentemente nós quase nada sabíamos sobre eles além do que foi escrito por seus detratores. Somente uns poucos textos gnósticos originais sobreviveram, nenhum dos quais publicados antes do século XIX. Essa situação mudou radicalmente, porém, com uma notável descoberta no ano de 1945, feita quando um camponês árabe topou com uma biblioteca inteira de Evangelhos gnósticos escondidos numa caverna nas imediações de Nag Hammadi, no Egito. Os estudiosos tiveram então acesso a vários textos de ampla circulação entre os primeiros cristãos, mas que foram deliberadamente excluídos do cânone do Novo Testamento –

Evangelhos atribuídos a Tomé e Filipe, textos que registram os Atos de Pedro e dos doze discípulos, Apocalipses atribuídos a Paulo e Tiago, e assim por diante.

Pareceu-nos extraordinário que pudesse ser encontrada uma biblioteca inteira de documentos do cristianismo primitivo contendo supostos ensinamentos de Cristo e de seus discípulos sem que quase ninguém, fora uns poucos seguidores modernos de Jesus, soubesse de sua existência. Por que motivo os cristãos não se apressaram a conhecer essas palavras recém-descobertas do Mestre? O que os mantém restritos ao pequeno número de Evangelhos selecionados no Novo Testamento? Parece que apesar dos dois mil anos passados desde o expurgo dos gnósticos, durante os quais a Igreja Católica Romana sofreu rupturas como a do protestantismo e de milhares de outros grupos alternativos, os gnósticos ainda não são considerados uma voz legítima no cristianismo.

Quem analisa com atenção os Evangelhos gnósticos toma conhecimento de uma forma de cristianismo absolutamente diversa da religião à qual estamos acostumados. Nós nos vimos estudando estranhos textos esotéricos com títulos como A Hipóstase dos Arcontes e Os Pensamentos de Norea. Era como se estivéssemos vivendo um episódio de *Jornada nas estrelas* – e de certa forma estávamos. Os gnósticos eram audaciosos "psiconautas" que exploravam as últimas fronteiras do espaço interior em busca das origens e do significado da vida. Eram livre-pensadores místicos e criativos. Ficou óbvio para nós o motivo pelo qual eles eram tão odiados pelos bispos da hierarquia católica romana literalista.

Para os literalistas, os gnósticos eram hereges perigosos. Em volumes de trabalhos antignósticos – um inadvertido testemunho do poder e da influência do gnosticismo no cristianismo primitivo –, eles os pintaram como cristãos "aculturados", que se haviam contaminado com o paganismo que os cercava e abandonado a pureza da verdadeira fé. Os gnósticos, por outro lado, viam a si próprios como a autêntica tradição cristã e consideravam os bispos ortodoxos uma "imitação da Igreja". Proclamavam saber os Mistérios Internos secretos do cristianismo, que os literalistas não possuíam.

À medida que nos aprofundávamos nas crenças e práticas gnósticas, nos convencíamos de que os literalistas estavam certos em pelo menos uma coisa: os gnósticos eram muito pouco diferentes dos pagãos. Tal como os filósofos dos Mistérios Pagãos, eles acreditavam na reencarnação, cultuavam a deusa Sofia e viviam imersos na filosofia mística de Platão. Gnósticos significa "conhecedores", nome que adquiriram porque, da mesma forma que os iniciados nos Mistérios Pagãos, eles acreditavam que seus ensinamentos secretos tinham o poder de conferir a gnose: o "Conhecimento de Deus" experiencial direto. Assim como o objetivo do pagão iniciado era tornar-se um deus, para os gnósticos o objetivo do cristão iniciado era tornar-se Cristo.

O que particularmente nos surpreendeu foi o fato de os gnósticos não se ocuparem do Jesus histórico. Eles viam a história de Jesus da mesma forma como os filósofos pagãos entendiam os mitos de Osíris-Dioniso – uma alegoria que continha codificados os ensinamentos místicos secretos. Para nós, essa idéia era a cristalização de uma possibilidade extraordinária. Talvez a explicação para as similaridades entre os mitos pagãos e a biografia de Jesus estivesse na nossa cara o tempo todo, mas estávamos tão prisioneiros dos modos de pensar tradicionais que não fomos capazes de enxergá-la...

O cristianismo primitivo não significava apenas seguir Jesus

LANCE S. OWENS

Lance S. Owens é clínico geral e padre ordenado. Ele mantém o site www.gnosis.org.

No primeiro século da era cristã, o termo "gnóstico" denotava um segmento heterodoxo da diversificada comunidade cristã recém-surgida. Entre os primeiros seguidores de Cristo parece ter havido grupos que se destacavam na grande família da Igreja não apenas por afirmar a crença em Cristo e na sua mensagem mas também por reivindicar um "testemunho especial", ou experiência reveladora do divino. Era essa experiência, ou gnose, que distinguia o verdadeiro seguidor de Cristo, diziam. Stephan Hoeller explica que esses cristãos sustentavam a "convicção de que o conhecimento direto, pessoal e absoluto das autênticas verdades da existência não só é acessível aos seres humanos como a sua obtenção deve constituir o supremo objetivo da vida humana".

O significado das "autênticas verdades da existência" afirmadas pelos gnósticos será brevemente analisado a seguir, mas antes talvez seja útil expor uma visão histórica geral da Igreja primitiva. Nos primeiros cento e cinqüenta anos do cristianismo – período em que encontramos as primeiras menções aos cristãos gnósticos –, ainda não se havia definido nenhum formato aceitável de pensamento cristão. Durante essa fase formativa, o gnosticismo era uma das muitas correntes que se moviam nas águas profundas da nova religião. O curso final que o cristianismo – e com ele a cultura ocidental – tomaria estava indefinido nesse momento inicial. O gnosticismo foi uma das influências seminais que moldaram esse destino.

A idéia de que o gnosticismo pertenceu, pelo menos durante um curto período, à corrente principal do cristianismo é confirmada pelo fato de um de seus mais influentes mestres, Valentino, ter sido considerado elegível para o posto de bispo de Roma na segunda metade do século II. Nascido em Alexandria por volta de 100 d.C., Valentino distinguiu-se desde jovem como um extraordinário mestre e líder na comunidade cristã altamente ilustrada e diversificada de Alexandria. Na meia-idade, ele emigrou de sua terra natal para Roma, a futura capital da Igreja, onde desempenhou um papel ativo nos assuntos eclesiásticos públicos. Uma característica básica dos gnósticos era proclamarem-se guardiões de tradições, evangelhos, rituais, legados sagrados e outros temas esotéricos para os quais muitos cristãos não estavam preparados ou pelos quais simplesmente não demonstravam interesse. Fiel a essa predileção gnóstica, Valentino aparentemente afirmava ter recebido uma sanção apostólica especial por meio de Theudas, discípulo e iniciado do apóstolo Paulo, e ser depositário de doutrinas e rituais relegados pelo que viria a ser a ortodoxia cristã. Embora fosse um membro influente da Igreja Católica Romana em meados do século II, Valentino, no fim da vida, foi obrigado a abandonar sua atuação pública e classificado de herege pela Igreja ortodoxa em ascensão.

Ainda que os detalhes históricos e teológicos desse processo sejam demasiado complexos para serem abordados aqui, pode-se dizer que a maré da história voltou-se contra o gnosticismo em meados do século II. Depois de Valentino, nenhum gnóstico jamais alcançou proeminência comparável na grande Igreja. A ênfase gnóstica na experiência pessoal, suas constantes revelações e produção de novas escrituras, assim como o contraste paradoxal entre seu ascetismo e suas atitudes libertinas, eram vistos com crescente suspeição. Em 180 d.C., Irineu, bispo de Lyon, fez publicar seus primeiros ataques contra o gnosticismo, classificando-o de heresia – tarefa que seria continuada com crescente veemência pelos Pais da Igreja durante todo o século seguinte.

O cristianismo ortodoxo foi profundamente influenciado por sua luta contra o gnosticismo nos séculos II e III. Como reflexo e sombra desse confronto com a gnose, formularam-se muitas das principais tradições da teologia cristã. No final do século IV, porém, a questão estava praticamente encerrada: com essa espada chamada heresia, a Igreja em desenvolvimento, que acrescentara a denúncia dogmática à força da correção política, amputou dolorosamente [a gnose] do corpo cristão. O gnosticismo foi amplamente erradicado como tradição cristã, seus mestres remanescentes foram proscritos e seus livros sagrados destruídos. Aos estudiosos que buscaram entender o gnosticismo nos séculos posteriores restaram somente denúncias e fragmentos preservados nas heresiologias patrísticas. Ou pelo menos assim parecia até meados do século XX.

Visões divergentes das origens míticas
Gênesis: história com moral ou mito com significado?

STEPHAN A. HOELLER

A maioria dos ocidentais supõe que nossa cultura tem somente um mito da criação: aquele que aparece nos primeiros três capítulos do Gênesis. Poucos parecem notar que existe uma alternativa: o mito da criação segundo os gnósticos. Esse mito, que talvez nos surpreenda por sua novidade, contém visões da criação e de nossas vidas que vale a pena considerar.

William Blake, poeta gnóstico do início do século XIX, escreveu: "*Both read the Bible day and night / but you read black where I read white*" [Ambos lemos a Bíblia dia e noite, mas onde você lê preto eu leio branco]. Palavras similares talvez tenham sido pronunciadas pelos primeiros gnósticos a respeito de seus adversários nas fileiras do judaísmo e do cristianismo. A visão não gnóstica, ou ortodoxa, na cristandade primitiva, considerava a maior parte da Bíblia, particularmente o Gênesis, uma história com moral. Adão e Eva eram personagens cuja trágica transgressão resultou no pecado original, do qual os seres humanos que vieram depois tiveram de aprender profundas lições morais. Uma conseqüência dessa leitura do Gênesis é o status mais do que ambivalente das mulheres, consideradas parceiras da desobediência de Eva no Paraíso. Tertuliano, um dos Pais da Igreja que desprezou os gnósticos, assim escreveu a um grupo de mulheres cristãs:

> Sois a porta do inferno... Sois aquela que persuadiu aquele que o diabo não ousava atacar... Sabeis que sois cada uma de vós uma Eva? A sentença de Deus sobre vosso sexo subsiste nesta época; a culpa, necessariamente, subsiste também. (*De cultu feminarum* 1.12)

Contudo, os cristãos gnósticos, cujo legado de literatura sagrada encontramos na esplêndida biblioteca de Nag Hammadi, interpretam o Gênesis não como uma história dotada de moral mas como um mito dotado de significado. Na sua visão, Adão e Eva não são figuras históricas, e sim representações de dois princípios intrapsíquicos inerentes a todo ser humano. Adão era a personificação dramática da psique, ou "alma": o complexo mente/emoção do qual se originam o pensamento e o sentimento. Eva era *pneuma*, ou "espírito", simbolização da consciência mais elevada, transcendental.

A Bíblia apresenta duas versões da criação da primeira mulher. Uma nos diz que Eva foi formada de uma costela de Adão (Gênesis 2:21); outra, que Deus criou o primeiro casal humano, macho e fêmea, à sua imagem e semelhança (Gênesis 1:26-7). Esta última sugere que o próprio Deus Criador possui uma natureza diádica que combina características masculinas e femininas. Em geral, os gnósticos endossam essa versão, da qual desenvolveram várias interpretações. Ela outorga igualdade à mulher, enquanto a da costela de Adão a subordina ao homem.

Para os antigos gnósticos, não era digna de crédito a imagem convencional de Eva, que a apresentava como aquela que foi desencaminhada pela serpente do mal e que, com seu poder de sedução feminino, persuadiu Adão a desobedecer a Deus. Em sua visão, Eva não era uma crédula idiota transformada em tentadora persuasiva; ao contrário, era uma mulher sábia, uma verdadeira filha de Sofia, a Sabedoria celestial. Nessa condição, foi ela quem despertou o Adão adormecido. No Apocryphon [literalmente, "livro secreto"] de João, Eva diz:

> Eu entrei na masmorra que é a prisão do corpo. E assim falei:
> – Aquele que me ouve, que desperte de seu sono profundo. – E então ele [Adão] se lamentou e verteu lágrimas... E ele falou, perguntando:
> – Quem é esta que chama o meu nome e com isso me traz esperança, eu que estou preso aos grilhões desta prisão? – E então eu falei:
> – Eu sou o pensamento do espírito impoluto... Erga-se e lembre-se... e siga a sua raiz, que sou eu... e acautele-se com o sono profundo.

Na escritura Sobre a Origem do Mundo, Eva é apresentada como filha, e em especial a mensageira, da divina Sofia. E é nessa condição que ela vai até Adão como instrutora e o desperta de seu sono de inconsciência. Na maioria dos escritos gnósticos, Eva aparece como superior a Adão. A conclusão a se tirar desses textos é obviamente diferente daquela dos Pais da Igreja, como Tertuliano: o homem tem uma dívida com a mulher por tê-lo trazido à vida e à consciência. Não se pode deixar de imaginar como se teria desenvolvido a atitude ocidental em relação à mulher caso a visão gnóstica de Eva tivesse sido amplamente aceita.

Sobre serpentes e homens

O erro de Eva, nos diz a visão ortodoxa, foi ter dado ouvidos à serpente do mal, que a convenceu de que o fruto da árvore a tornaria e a Adão sábios e imortais. Um dos textos da coleção gnóstica de Nag Hammadi, O Testemunho da Verdade, inverte essa interpretação. Longe de ser a encarnação do mal, a serpente é a criatura mais sábia do Paraíso. O texto exalta a sabedoria da serpente e lança graves acusações contra o Criador, perguntando: "Que espécie de Deus é este, afinal?" E responde dizendo que a proibição de Deus ao fruto da árvore é motivada por inveja, porque ele não quer que os humanos despertem para o conhecimento superior.

Tampouco ficam sem resposta as ameaças e a ira do Deus Criador do Antigo Testamento. O Testemunho da Verdade nos diz que ele se mostrou um "caluniador invejoso", um Deus ciumento que inflige castigos cruéis e injustos aos que lhe desagradam. O texto comenta: "Mas essas são as coisas que ele disse (e fez) aos que crêem nele e o servem." A inferência óbvia é que, com um Deus assim, ninguém precisa de inimigo nem de diabo.

Outra escritura da mesma coleção, A Hipóstase dos Arcontes, diz que não apenas Eva, mas também a serpente foi inspirada e guiada pela divina Sofia. Esta permitiu que sua sabedoria penetrasse a serpente, que assim se tornou mestra e ensinou a Adão e Eva a sua verdadeira origem. Eles compreenderam então que não eram apenas seres inferiores criados pelo Demiurgo (nesse caso, o Criador da narrativa do Gênesis), mas que seus eus espirituais se originaram além deste mundo, na plenitude da máxima Divindade.

Enquanto a versão sancionada do Gênesis registra que, depois de comerem o fruto proibido, Adão e Eva renegaram a graça paradisíaca, a versão gnóstica diz que "seus olhos se abriram" – uma metáfora da gnose. Os primeiros humanos puderam ver então pela primeira vez a aparência repulsiva das deidades que os haviam criado e recuaram horrorizados diante de suas caras de animais. Embora amaldiçoado pelo Demiurgo e seus arcontes, o primeiro casal humano havia adquirido o dom da gnose. E eles puderam transmiti-lo àqueles entre seus descendentes mais propensos a recebê-lo. Eva o concedeu à sua filha Norea, e Adão fez o mesmo com seu terceiro filho, Set...

A natureza da exegese gnóstica

O que motivou os intérpretes gnósticos do Gênesis a proclamarem versões tão inusitadas da história da criação? Pretendiam eles com isso apenas criticar duramente o Deus de Israel, como os Pais da Igreja quiseram que acreditássemos? As várias razões possíveis não são necessariamente excludentes, são em alguns casos até mesmo complementares.

Primeiro, os gnósticos, assim como alguns outros cristãos primitivos, viam o Deus do Antigo Testamento com um certo constrangimento. As camadas mais intelectualizadas do cristianismo primitivo eram formadas por pessoas dotadas de uma certa sofisticação espiritual. Os mais familiarizados com os ensinamentos de Platão, Filon, Plotino e mestres dessa mesma linha devem ter passado horas difíceis relacionando-se com um Deus que manifestava sentimentos de vingança, ira, inveja, xenofobia tribal e pretensões ditatoriais...

Segundo, como já observado, os gnósticos eram propensos a interpretar as

Antigas Escrituras simbolicamente. Teólogos modernos, como Paul Tillich, dizem que a história do pecado original era um símbolo da situação existencial do ser humano, não a narrativa de um acontecimento histórico...

Terceiro, as interpretações gnósticas do Gênesis talvez estivessem ligadas a experiências visionárias. Por meio de suas explorações e práticas com os Mistérios Divinos, os gnósticos podem ter passado a sustentar que a deidade de que fala o Gênesis não era, ao contrário do que afirma a Bíblia, o Deus único e verdadeiro e que devia haver um Deus acima desse...

Os gnósticos entendiam a narrativa da criação no Gênesis como mítica, e mitos são necessariamente sujeitos a interpretação. Os filósofos gregos costumavam ver seus mitos como alegorias, ao passo que as pessoas comuns os entendiam como uma espécie de semi-história, e os *mystae* (iniciados) nos eleusinos e em outros Mistérios os trouxeram à vida por meio de experiências visionárias. Não há nenhuma razão para se acreditar que os gnósticos enfocavam os mitos de uma maneira substancialmente diferente...

Assim como o menino é pai do homem, os mitos da criação das diversas culturas deixam suas marcas na história dos povos e das nações. Os gnósticos fizeram, aparentemente, uma valorosa tentativa de libertar a jovem cultura ocidental de sua época das sombras do mito judaico-cristão da criação. Se o mito alternativo que eles sugeriram nos parece radical, é apenas porque nos acostumamos durante tantos séculos à versão do Gênesis. Muitas das implicações da interpretação gnóstica são na verdade potencialmente úteis para a cultura do século XXI.

Erros do *CVD* em relação à omissão e comissionamento religioso

Bart D. Ehrman

1. Decididamente, a vida de Jesus não foi "registrada por milhares de seguidores em toda a região". Ele não tinha milhares de seguidores, tampouco seguidores alfabetizados.

2. Não é verdade que oitenta Evangelhos "foram estudados para compor o Novo Testamento". Isso faz parecer que houve um concurso, com inscrições pelo correio.

3. Não é absolutamente verdade que Jesus não foi considerado divino até o Concílio de Nicéia e que antes disso ele era tido como um mero "profeta mortal". A imensa maioria dos cristãos do início do século IV o reconhecia como divino.

4. Constantino não comissionou a preparação de uma "nova Bíblia" que omitisse referências aos traços humanos de Jesus. Primeiro, ele não comissionou a preparação de nenhuma nova Bíblia. Segundo, os livros que já estavam nela incluídos são cheios de referências aos traços humanos de Jesus (ele sente fome, cansaço, raiva; ele fica aborrecido; ele sangra, ele morre...).

5. Os Pergaminhos do Mar Morto não foram "encontrados na década de 1950", e sim em 1947. E os documentos de Nag Hammadi não contam nenhuma história do Graal, tampouco enfatizam os traços humanos de Jesus. É exatamente o contrário.

6. O "decoro social daquela época" de nenhuma forma proibia "um homem judeu de ser solteiro". Na verdade, a maior parte da comunidade por trás dos Pergaminhos do Mar Morto era composta por homens solteiros celibatários.

7. Os Pergaminhos do Mar Morto não estavam entre "os mais antigos registros cristãos". Eles são judaicos, não têm nada de cristãos.

8. Não se tem a menor idéia a respeito da linhagem de Maria Madalena; nada a liga à "casa de Benjamim". E, mesmo que assim fosse, isso não a tornaria descendente de Davi.

9. Maria Madalena estava grávida no momento da crucificação? Essa é boa.

10. O Documento Q não é uma fonte remanescente ocultada pelo Vaticano, tampouco é um livro supostamente escrito pelo próprio Jesus. É um documento hipotético que, segundo os estudiosos, esteve à disposição de Mateus e Lucas – especialmente uma coleção dos ensinamentos de Jesus. Pesquisadores católicos romanos pensam a esse respeito o mesmo que os estudiosos não católicos; não há nada de secreto nessa questão.

Bart D. Ehrman é professor de Religião da Universidade da Carolina do Norte e autor de *Lost Christianities: The Battle for Scripture and the Faiths We Never Knew* (Cristianismos perdidos: A batalha pelas Escrituras e as fés que nunca chegamos a conhecer).

5 Consolidação ou acobertamento?

O estabelecimento da verdadeira e única fé

Um dos maiores protagonistas dessa operação de acobertamento foi um personagem chamado Eusébio que, no início do século IV, reuniu, com base em lendas, invenções e sua própria imaginação, a única história primitiva do cristianismo que existe até hoje... Todos que tinham uma perspectiva diferente... eram rotulados de hereges e eliminados. Dessa forma, falsidades compiladas no século IV chegaram até nós como se fossem fatos comprovados...

– TIMOTHY FREKE E PETER GANDY

O moderno "teólogo-filósofo" Yogi Berra disse certa vez: "Quando chegar a uma bifurcação no caminho, siga pelo desvio." A convergência metafórica entre a teologia cristã e a luta pelo controle da Igreja assumiu a forma de uma série de encruzilhadas durante os primeiros cinco ou seis anos após a morte de Cristo. Este capítulo trata do seguinte tema: aonde esses caminhos levavam, de que forma eles colidiam um com o outro e qual foi o sentido, manifesto ou oculto, do desfecho dessa disputa.

Para conquistar a supremacia, os Pais da Igreja acreditavam que deviam transformar o cristianismo numa força para unir e consolidar o império de modo condizente com seus valores, sua política e sua infra-estrutura social e militar. Os que conduziam o Império Romano nesse esforço acreditavam que uma tarefa-chave seria destilar uma ideologia e uma cosmologia centrais com base nas várias idéias que compunham a mensagem cristã. Ao fazerem isso, optaram por glorificar certos relatos dos Evangelhos que reforçavam a sua versão da mensagem do cristianismo –

chegaram ao ponto de selecionar quais seriam incluídos na Bíblia e em que ordem – ao mesmo tempo em que rejeitavam vigorosamente como herético tudo que se desviava, tanto em termos políticos quanto textuais, das diretrizes convencionais que vigoravam então.

Nessa batalha, os gnósticos – longe dos centros instalados em Roma e Constantinopla – acabaram por assumir uma posição defensiva. Como argumentam Timothy Freke e Peter Gandy, a Igreja vinha eliminando sistematicamente influências gnósticas e outras igualmente "heréticas", mesmo aquelas que podiam estar mais próximas das crenças e práticas da revolução original desencadeada por Jesus, e favorecendo as que serviam à causa da consolidação de uma Igreja hierarquizada, padronizada e poderosa. Um dos caminhos levava até místicos que vivenciavam o êxtase em experiências no deserto; o outro conduzia a papas dominadores, catedrais imponentes, camponeses que concebiam suas vidas contra o pano de fundo do céu e do inferno, além de soldados cristãos motivados e preparados para marchar adiante.

Como observa Bart Ehrman na entrevista deste capítulo: "Uma vez que Constantino se converteu a uma forma ortodoxa de cristianismo e como o Estado detinha o poder e era cristão, então o Estado começou a exercer sua influência sobre o cristianismo. Portanto, no final do século IV, já existia efetivamente uma legislação com respeito a heresias. Assim, o império que costumava ser completamente anticristão torna-se cristão."

Este capítulo procura refletir esse debate histórico. A luta contra os supostos hereges está registrada nos trechos aqui incluídos de alguns dos mais influentes escritores dos séculos III e IV: Tertuliano, Irineu e Eusébio.

Esses indivíduos foram personagens reais, historicamente bem documentados, dos primórdios da Igreja. Eles desempenharam um papel fundamental, ainda que às vezes involuntariamente, na seleção dos Evangelhos e textos que iriam compor o Novo Testamento e o moderno cânone cristão, assim como na destruição – intelectual, ideológica e física – dos movimentos cristãos "heréticos" daquela época. Apesar de hoje seus nomes mal serem conhecidos pelas pessoas comuns que adotam a fé cristã, eles exerceram um poder extraordinário na definição final do conteúdo do cristianismo moderno. Foram os editores, por assim dizer, da Bíblia. Ao reagirem à dura repressão aos cristãos, esses líderes da Igreja desenvolveram preconceitos e devem ser entendidos no seu próprio contexto. Ao lermos neste capítulo alguns dos seus pronunciamentos originais, compreenderemos o quanto foi sombria e aterrorizante a época em que eles viveram e atuaram.

Usufruindo da vantagem de contemplarem a cena a uma distância de dezesseis séculos, alguns especialistas vêem atualmente os gnósticos "hereges" denunciados pela Igreja oficial em seus primeiros anos como representantes de uma opção espiritual mais humanista, mais significativa, mais feminista e mais "cristã" do que a daqueles que por fim triunfaram. Se já houve algum caso exemplar em que os vencedores escreveram a história, esse é um deles. Desse processo que definiu toda uma era nos chegaram, por um lado, poucas verdades dos Evangelhos e, por outro, um grande número de documentos heréticos.

A extrema tensão revelada nas discussões que a Igreja travou contra as heresias há mil e seiscentos anos seria reciclada mil anos mais tarde pela Inquisição. O livro *O martelo das feiticeiras* (*Malleus Maleficarum*),[5] escrito em 1487 para ser uma plataforma política desse tribunal eclesiástico, tem suas raízes em batalhas anteriores contra supostas heresias. Reproduzimos aqui algumas dessas palavras, ainda capazes de provocar calafrios.

O grito teológico e arrebatado de "infâmia" proferido por aqueles que, na encruzilhada, optaram pelo outro caminho – expresso basicamente pelo gnosticismo – é encontrado nas obras de Timothy Freke e Peter Gandy, entre outros estudiosos pós-modernos. Esses dois autores vêem o culto da deusa, profundamente espiritual, mítico, poético e romântico, ser reprimido por essas virulentas campanhas anti-heréticas e, com isso, apagarem-se do cristianismo as raízes do sagrado feminino. Chegam mesmo a argumentar que "não há prova nenhuma de que Jesus tenha algum dia existido". Jesus foi apenas um a mais numa longa seqüência de benévolas figuras míticas que supostamente teriam vivido em harmonia com a deusa. Segundo eles, os esforços para escolher as verdades dos Evangelhos e editar a rica história das origens cristãs com o fim de engendrar um material em escala industrial resultaram na destruição do lado feminino dessa herança, uma ruptura que cortou pela raiz o inconsciente coletivo e o passado coletivo. "Algumas das coisas que hoje consideramos a Palavra de Jesus eram palavras que originalmente estavam na boca da deusa", afirmam.

Dois eminentes estudiosos da história da religião nos oferecem uma perspectiva dessa disputa em termos de interpretação. Elaine Pagels, ao analisar a seleção dos Evangelhos incluída na Bíblia, examina como a Palavra de Deus tornou-se a palavra do homem. Bart Ehrman passa em revista "os outros cristianismos" e as conseqüências religiosas, políticas e culturais da vitória da Igreja e da derrota dos gnósticos.

Várias visões são apresentadas ao longo deste capítulo à medida que começamos a remover, uma a uma, as muitas camadas acumuladas com o tempo para nos aproximarmos – como Leigh Teabing declarou a Sophie Neveu no *CDV* – do que seria "o maior acobertamento da história da humanidade".

Os Mistérios de Jesus

TIMOTHY FREKE E PETER GANDY

De acordo com a versão tradicional da história que nos foi legada pelas autoridades da Igreja de Roma, o cristianismo se desenvolveu com base nos ensinamentos de um messias judeu, enquanto o gnosticismo teria sido uma dissidência posterior. O que aconteceria, nós conjecturamos, se o quadro fosse invertido e o gnosticismo visto como o autêntico cristianismo, como os próprios gnósticos diziam ser? Seria possível que o cristianismo ortodoxo fosse um desvio posterior do gnosticismo e este uma síntese entre o judaísmo e a religião do Mistério Pagão? Esse foi o ponto de partida da hipótese representada pela tese dos Mistérios de Jesus.

Formulado de um modo bastante ousado, o quadro que surgia diante de nós era o seguinte. Sabíamos que a maior parte das culturas mediterrâneas da Antiguidade havia adotado os antigos Mistérios, adaptando-os aos seus gostos nacionais e criando sua própria versão do mito do Deus-homem que morria e ressuscitava. Talvez alguns judeus tivessem, da mesma forma, adotado os Mistérios Pagãos e criado sua interpretação deles, o que conhecemos como gnosticismo. Pode ser que iniciados nos Mistérios Judaicos tenham adaptado o poderoso simbolismo do mito de Osíris-Dioniso a um mito que lhes era próprio, o do herói do Deus-homem Jesus, que encarnava a versão judaica do mito do morrer e renascer.

Se as coisas haviam se passado dessa forma, então a história de Jesus não era de modo algum uma biografia, mas um veículo – elaborado com esse propósito por gnósticos judeus – para transmitir numa linguagem em código seus ensinamentos espirituais. Como ocorria nos Mistérios Pagãos, a iniciação nos Mistérios Interiores haveria de revelar o significado alegórico do mito. Talvez os que não fossem iniciados nesses Mistérios tivessem, equivocadamente, considerado o mito de Jesus um fato histórico, e, desse modo, teria surgido o cristianismo baseado numa visão literal. Pode ser que os Mistérios Interiores – que os gnósticos ensinavam mas cuja existência os literalistas negavam – mostrassem que a história de Jesus não era um relato factual da primeira e única visita de Deus à Terra, mas um ensinamento, uma narrativa mítica destinada a ajudar cada um de nós a se tornar um Cristo.

Se a história de Jesus tem realmente todas as características de um mito, ela não poderia ser exatamente isso? Afinal, ninguém que tenha lido os recém-descobertos Evangelhos gnósticos considerou seus relatos fantásticos literalmente reais. Eles são prontamente encarados como mitos. É apenas o preconceito cultural e a nossa familiaridade em relação ao Novo Testamento que nos impedem de vê-lo sob essa mesma luz. Se os Evangelhos do Novo Testamento também tivessem se perdido para nós e só recentemente tivessem sido redescobertos, quem, lendo-os pela primeira vez, acreditaria que se tratava de registros históricos sobre um homem nascido de uma virgem, que havia andado sobre as águas e voltado do mundo dos mortos? Por que deveríamos considerar fábulas as histórias de Dioniso, Adônis, Átis, Mitra e de outros salvadores dos Mistérios Pagãos e, ainda assim, nos defrontarmos essencialmente com a mesma narrativa descrita num contexto judaico e acreditar que ela é a biografia de um carpinteiro de Belém?

Nós dois tínhamos sido educados como cristãos e ficamos surpresos em descobrir que, a despeito da exploração espiritual que vínhamos realizando ao longo de anos com a mente inteiramente aberta, ainda sentíamos como se houvesse algo de perigoso em simplesmente ousar formular esses pensamentos. A doutrinação feita desde cedo se cristaliza em nós. Estávamos na verdade dizendo que Jesus era um deus pagão e que o cristianismo era um produto herético do paganismo! Parecia haver nisso algo de ignominioso. Ainda assim essa teoria, de uma forma simples e elegante, explicava as semelhanças entre as histórias de Osíris, Dioniso e Jesus Cristo. Eles são parte de um mesmo mito em seu desenvolvimento.

A tese dos Mistérios de Jesus respondia a muitas questões intrigantes, contudo propunha novos enigmas. Não existem provas históricas irrefutáveis da existência do homem Jesus? E como poderia o gnosticismo ser o verdadeiro cristianismo quando São Paulo, o primeiro cristão que conhecemos, é tão veementemente antignóstico? E é realmente verossímil que um povo tão isolado e antipagão como o judeu tenha adotado os Mistérios Pagãos? E como um relato criado deliberadamente como um mito poderia passar a ser visto como fato histórico? E se o gnosticismo representa o autêntico cristianismo, por que justamente o cristianismo literalista viria a dominar o mundo como a mais influente religião de todos os tempos? Todas essas difíceis questões teriam de ser satisfatoriamente respondidas antes que pudéssemos aceitar com convicção uma teoria tão radical como a da tese dos Mistérios de Jesus.

O grande acobertamento

Nossa nova versão das origens do cristianismo só parecia improvável porque contradizia a visão consagrada. À medida que levávamos à frente a pesquisa, a imagem tradicional começava a se desembaraçar completamente. Nós nos vimos em meio a um mundo dilacerado por dissidências e lutas pelo poder e diante de documentos forjados e identidades falsas, de cartas que haviam sido editadas e às quais se acrescentaram novos trechos, de uma ampla destruição de provas históricas. À moda dos legistas nos tribunais, nos concentramos nos poucos fatos confiáveis de que dispúnhamos, como se fôssemos detetives prestes a desvendar um crime misterioso ou talvez, mais exatamente, como se estivéssemos trazendo à tona um caso remoto e ignorado de erro judiciário. Pois, mais de uma vez, ao examinarmos com uma visão crítica as poucas provas autênticas que subsistiam, descobrimos que a história do cristianismo que nos foi legada pela Igreja de Roma era uma grosseira distorção da verdade. Na realidade, aquelas provas atestavam claramente a tese dos Mistérios de Jesus. Tornava-se cada vez mais óbvio que tínhamos sido deliberadamente enganados, que os gnósticos eram de fato os cristãos originais e que seu anárquico misticismo havia sido seqüestrado por uma instituição autoritária que criara a partir dele uma religião dogmática e, então, imposto a maior operação de acobertamento da história.

Os Mistérios de Jesus

Um dos maiores protagonistas dessa operação de acobertamento foi um personagem chamado Eusébio que, no início do século IV, compilou, com base em lendas, invenções e em sua própria imaginação, a única história das origens do cristianismo que existe até hoje. Todas as narrativas subseqüentes foram obrigadas a seguir as duvidosas afirmações de Eusébio porque havia pouca informação disponível. Aqueles que apresentassem uma perspectiva diferente a respeito do cristianismo eram rotulados de heréticos e eliminados. Desse modo, falsidades reunidas no século IV chegaram até nós como se fossem fatos comprovados.

Eusébio foi empregado pelo imperador romano Constantino, que fez do cristianismo a religião oficial do império e deu ao cristianismo literalista o poder de que precisava para erradicar o paganismo e o gnosticismo. Constantino queria "um Deus, uma religião" para consolidar sua exigência de "um império, um imperador". Ele supervisionou a elaboração do Credo de Nicéia, o artigo de fé repetido nas igrejas até hoje. Os cristãos que se recusavam a acatar esse princípio eram banidos ou silenciados.

Esse imperador "cristão" retornou de Nicéia para casa e mandou estrangular sua mulher e assassinar seu filho. Ele permaneceu sem ser batizado até o leito de morte. Fez isso deliberadamente, para que pudesse continuar cometendo atrocidades e mesmo assim conseguir o perdão por seus pecados e um lugar garantido no céu ao receber o batismo no último momento. Ainda que tenha providenciado para que seu "marqueteiro" Eusébio produzisse para ele uma biografia apropriadamente adulatória, Constantino foi na realidade um personagem monstruoso, da mesma forma que muitos outros imperadores romanos que o antecederam. É realmente tão surpreendente que uma "história" das origens do cristianismo criada por um funcionário a serviço de um tirano romano acabasse se revelando um punhado de mentiras?

A história é de fato escrita pelos vencedores. A criação de uma história conveniente sempre fez parte do arsenal de manipulação política.

Jesus existiu?

Entrevista com Timothy Freke

No capítulo 2, Timothy Freke discutiu os arquétipos do sagrado feminino. No texto a seguir, uma continuação dessa entrevista, ele põe em dúvida a existência de um Jesus histórico.

Na sua opinião, existe alguma prova de que Jesus viveu?

Absolutamente nenhuma. A única prova que temos é falsa. Diria categoricamente que não há nenhuma prova da existência de um Jesus histórico, mas muitas sugerindo que os relatos dos Evangelhos são um mito. Se alguém tivesse encontrado a história de Jesus numa caverna, como aconteceu com os textos de Nag Hammadi, e dissesse: "Olhem, achei essa história sobre um homem, ele nasceu de uma virgem, anda sobre a água, transmite incríveis ensinamentos espirituais, e então morre e depois volta do mundo dos mortos", acho que todos diriam, "isso é obviamente mais um mito, temos um monte de outros como esse". É apenas a nossa familiaridade com ele que nos impede de enxergar o óbvio. Há cento e cinqüenta anos, as pessoas pensavam que Adão e Eva tinham sido personagens reais – e ainda há quem acredite nisso. Mas aqueles entre nós que têm alguma instrução sabem que eles são um mito. Um poderoso e importante mito alegórico sobre uma transformação. Não são história, e isso provavelmente também vai ser percebido em algumas décadas em relação a Jesus. No momento, estamos tão impregnados dela que não podemos vê-la como é realmente. Quando os cristãos gnósticos foram destruídos no século IV, esses Mistérios efetivamente sobreviveram nas sociedades secretas clandestinas – é aí, óbvio, que têm suas raízes muitas das sociedades secretas de que fala Dan Brown. E ele está certo a esse respeito. O ponto sobre o qual se enganou, porém, é que elas nada têm a ver com as linhagens de reis e rainhas.

Você rotula de "literalista" a ala da Igreja que sobreviveu e prosperou. Qual foi a conseqüência dessa leitura "literalista" da história de Jesus?

O legado do cristianismo literalista tem sido hediondo. Por um lado houve o holocausto em nome de Deus; por outro, o holocausto das mulheres, a caça às bruxas. Foi o que aconteceu em decorrência da rejeição do feminino, e a ironia é que a Igreja rotulou os gnósticos como aqueles que queriam "renunciar ao mundo"; mas o fato é que foi ela que amaldiçoou as mulheres e o sexo, que estabeleceu comunidades monásticas em que os homens eram mantidos à distância das mulheres e do mundo e que encorajou as pessoas que se autoflagelavam na Idade Média. Tudo isso é uma conseqüência do literalismo romano porque representa uma tentativa de sofrer do jeito que Jesus sofreu literalmente, em lugar da compreensão de que isso é uma metáfora, uma alegoria. O tratamento concedido às mulheres só mudou nos últimos séculos – e de forma profunda nas últimas décadas –, o que é uma grande ironia porque aqueles que criaram originalmente a história de Jesus faziam parte da famosa tradição pitagórica de tratar bem as pessoas. Muitas das obras dos primeiros cristãos gnósticos são atribuídas a mulheres – professores gnósticos eram freqüentemente mulheres. E essa tradição foi destruída pela horrenda revolta romana; assim, perdemos o elemento divino feminino, o que não é ruim só para as mulheres, mas também para os homens. Como homem, é muito difícil ter um relacionamento erótico com o divino se não se tem uma imagem feminina com que lidar.

Palavra de Deus ou palavras humanas?

ELAINE PAGELS

Extraído de *Além de toda crença: O Evangelho desconhecido de Tomé.*[6] Copyright © 2003 por Elaine Pagels. Utilizado sob permissão da Random House, Inc.

Um século após a morte de Jesus, alguns de seus mais leais seguidores haviam decidido excluir um amplo espectro de fontes cristãs, sem falar no que tinham "tomado emprestado" de outras tradições religiosas, apesar de, como vimos anteriormente, isso ter acontecido com freqüência. Mas por que, e em que circunstâncias, esses líderes da Igreja primitiva chegaram à conclusão de que isso era necessário para a sobrevivência do movimento? E por que aqueles que proclamavam Jesus "o único filho de Deus", como registra o Evangelho de São João, dominaram a tradição posterior, enquanto foram suprimidas outras visões cristãs, como a de Tomé, que encoraja os discípulos a se reconhecerem, assim como Jesus, como filhos de Deus?

Tradicionalmente, os teólogos cristãos têm declarado que "o Espírito Santo guia a Igreja para a verdade plena" – uma afirmação que muitas vezes leva à interpretação de que aquilo que sobreviveu é que deve ser o verdadeiro. Alguns historiadores da religião racionalizaram essa convicção ao supor que na história cristã, assim como na história da ciência, as idéias fracas e falsas não demoram a perecer, enquanto as fortes e válidas sobrevivem. O falecido Raymond Brown, um destacado estudioso do Novo Testamento e padre sulpiciano da Igreja Católica Romana, formulou essa visão em termos ousados: o que os cristãos ortodoxos rejeitaram era apenas "o lixo do século II e que continua a ser lixo". Mas esse tipo de polêmica não nos diz nada sobre como e por que os líderes da Igreja primitiva definiram os princípios básicos dos ensinamentos cristãos. Para compreendermos o que aconteceu, precisamos considerar os desafios – e perigos – específicos que os crentes enfrentavam no período crítico entre 100 e 200 d.C. e como aqueles que se tornaram os arquitetos da tradição cristã lidaram com essa situação. Tertuliano – um africano convertido que vivia na cidade portuária de Cartago no norte da África cerca de oitenta anos após as escrituras dos Evangelhos de São João e São Tomé, por volta do ano 190 (ou, como Tertuliano e seus contemporâneos devem ter dito, durante o reinado do imperador Cômodo) – admitia que o movimento cristão estava atraindo multidões de novos integrantes e que os que dele se viam excluídos se mostravam assustados:

> O clamor é que o Estado está cheio de cristãos – que eles estão nos campos, nas cidades, nas ilhas; e [os não-cristãos] lamentam, como se fosse uma calamidade, que tanto homens quanto mulheres, de todas as idades e condições, até mesmo nas classes altas, estão optando por professar a fé cristã.

Tertuliano ridicularizava os não-cristãos, que eram maioria, por suas suspeitas fantasiosas e denunciava os magistrados por nelas acreditarem:

> [Somos chamados de] monstros malignos e acusados de praticar um ritual sagrado em que matamos uma criancinha e a comemos; nele, depois de uma festa, praticamos incesto, enquanto os cães, nossos rufiões, derrubam as lamparinas garantindo a escuridão na qual satisfazemos nossa luxúria. *É disso que as pessoas constantemente nos acusam*, mas mesmo assim vocês não se dão ao trabalho de apurar a verdade... Bem, *vocês pensam que o cristão é capaz de todos os crimes – que é um inimigo dos deuses, do imperador, das leis, da boa moral, de toda a natureza.*

Ele se mostrava aflito com o fato de que, por todo o império, da sua cidade natal na África até à Itália, Espanha, Egito e Ásia Menor, e também nas províncias que se estendiam da Germânia à Gália, os cristãos haviam se tornado alvo de esporádicas explosões de violência. Os magistrados romanos costumavam ignorar esses incidentes e às vezes tomavam parte neles. Por exemplo, na cidade de Esmirna, no litoral da Ásia Menor, multidões aos gritos de "peguem os ateus!" lincharam Germânico, um convertido, e exigiram, com sucesso, que as autoridades imediatamente prendessem e matassem Policarpo, um bispo de renome.

O que os não-crentes viam dependia em grande parte de quais grupos cristãos encontravam. Plínio, governador da Bitínia, hoje em dia território turco, ao tentar evitar que grupos dessem abrigo a subversivos, ordenou a seus soldados que prendessem pessoas acusadas de serem cristãs. Para obterem informações, os soldados torturaram duas mulheres cristãs, ambas escravas, que revelaram que adeptos desse estranho culto "encontravam-se regularmente antes do amanhecer num determinado dia para entoar um hino a Cristo, como se ele fosse um deus". Apesar de circularem rumores de que os cristãos estariam ingerindo carne e sangue humanos, Plínio descobriu que na verdade estavam comendo "alimentos normais, inofensivos". Mesmo sem encontrar provas do crime, ele informou o seguinte ao imperador Trajano: "Determinei que eles fossem levados e executados, pois, seja lá o que consintam em fazer, estou convencido de que sua teimosia e inabalável obstinação não devem ficar sem punição." Mais de vinte anos depois, Rústico, o prefeito de Roma, interrogou um grupo de cinco cristãos que a seus olhos pareciam mais estudantes de Filosofia do que adeptos de uma religião. Justino Mártir, o filósofo, indiciado com seus alunos, reconheceu diante do prefeito que vinha se encontrando com crentes como ele nos seus aposentos em Roma, "em cima dos banhos de Timóteo", para discutir "filosofia cristã". No entanto, a exemplo de Plínio, Rústico também suspeitava de alguma traição. Quando Justino e seus pupilos se recusaram a praticar sacrifícios em honra dos deuses, mandou que eles fossem espancados e decapitados.

Trinta anos depois da morte de Justino, outro filósofo, chamado Celso, que detestava os cristãos, escreveu um livro intitulado *A verdadeira doutrina*, no qual desmascarava seus movimentos e acusava alguns deles de estarem possuídos pelos espíritos e de agirem como fanáticos devotos de deuses estrangeiros, como Átis e Cibele. Havia aqueles que, segundo Celso, praticavam encantamentos e feitiços, como faziam os magos. Outros ainda seguiam o que muitos romanos e gregos consideravam costumes bárbaros e orientais dos judeus. Ele relatava também que, em grandes propriedades espalhadas pelos campos, tecelões, sapateiros e lavadeiras, pessoas que "normalmente teriam receio de falar na presença de seus superiores", reuniam nas suas oficinas os crédulos – escravos, crianças e "mulheres estúpidas" – das casas grandes para ouvirem como Jesus fazia milagres e como se levantou do túmulo depois de morto. Aos olhos dos cidadãos respeitáveis, os cristãos despertavam as mesmas suspeitas de violência, promiscuidade e extremismo político que cultos envoltos em segredo continuam a suscitar até hoje, especialmente por quem teme que seus amigos ou parentes acabem sendo seduzidos por tais grupos.

Apesar das diversas formas que o cristianismo primitivo assumia – e talvez justamente por causa delas –, o movimento espalhou-se rapidamente, de modo que no final do século II grupos cristãos proliferavam por todo o império, suplantando as tentativas de detê-los. Diante dos não-cristãos, Tertuliano gabava-se: "Quanto mais somos ceifados, mais nos multiplicamos; o sangue de Cristo é uma semente!" No entanto, a retórica em tom desafiador não podia resolver o problema que ele e outros líderes cristãos enfrentavam: como fortalecer e unificar esse movimento amplamente disseminado em sua enorme diversidade, para que viesse a sobreviver aos seus inimigos?

Contemporâneo de Tertuliano, ainda que mais jovem, Irineu, muitas vezes identificado como bispo de Lyon, tinha ele mesmo sido alvo da hostilidade de que Tertuliano falava, primeiro na sua cidade natal, Esmirna (Izmir, na Turquia atual), e em seguida na agreste cidade de Lyon, no interior da Gália (a França de hoje). Irineu também foi testemunha das disputas sectárias que dividiam os grupos cristãos. Quando criança, vivera na casa de seu professor, Policarpo, o venerável bispo de Esmirna, a quem mesmo os inimigos chamavam de "o professor da Ásia Menor". Ainda que soubesse que eles estavam dispersos pelo mundo em muitos pequenos grupos, Irineu compartilhava com Policarpo a esperança de que os cristãos de todas as partes acabariam vendo a si mesmos como integrantes de uma única Igreja que eles chamavam de católica, termo que significa "universal". Para unificar essa comunidade internacional, Policarpo exortou seus membros a rejeitar todos os dissidentes. De acordo com Irineu, Policarpo gostava de contar como o seu próprio mentor, "João, o discípulo do Senhor" – a mesma pessoa que a tradição reverencia como o autor do Evangelho de João –, tinha ido certa vez aos banhos em Éfeso, mas, ao ver Cerinto, a quem considerava um herege, correu para fora do recinto sem se banhar, exclamando: "Fujamos, para que a casa de banhos não nos caia sobre a cabeça. Cerinto, o inimigo da verdade, está aí dentro." Sempre que Irineu repetia essa história, ele acrescentava outra, com o objetivo de mostrar como o próprio Policarpo tratava os hereges. Quando o influente, porém polêmico, professor Marcião encarou o bispo, desafiando-o e perguntando-lhe "Você me reconhece?", Policarpo retrucou: "Sim, eu o reconheço – primogênito de Satã!"

Irineu dizia que contava essas histórias para mostrar "o horror que os apóstolos e seus discípulos tinham até mesmo de falar com os que deturpavam a verdade". Mas seus relatos também mostram o que o perturbava: o fato de que duas gerações depois de o autor do Evangelho de João ter avalizado as pretensões dos cristãos adeptos de Pedro e confrontado os seguidores de Tomé, o movimento continuava dividido e a sofrer dissensões. O próprio Policarpo denunciava pessoas a quem acusava de "ostentar o nome [de cristãos] com más intenções" porque seus ensinamentos muitas vezes nada tinham a ver com o que ele havia aprendido com seus próprios professores. Irineu, por sua vez, estava convencido de que praticava o verdadeiro cristianismo, pois podia estabelecer um vínculo direto entre ele e a época de Jesus por meio de Policarpo, que ouvira pessoalmente os ensinamentos de Jesus transmitidos por João, "o discípulo do Senhor". Convencido de que esse discípulo tinha escrito o Evangelho de João, Irineu esteve entre os primeiros a defender essa escritura e a associar seu autor para sempre com Marcos, Mateus e Lucas. Seu contemporâneo, Taciano, um brilhante estudante sírio pupilo de Justino Mártir, adotou uma perspectiva diferente: ele tentou unificar os vários evangelhos reescrevendo-os todos sob a forma de um único documento. Irineu deixou os textos intactos, mas declarou que apenas os de Mateus, Marcos, Lucas e João – *coletivamente* e exclusivamente – constituíam o Evangelho completo, que ele chamava de "o quádruplo Evangelho". Somente esses quatro textos, acreditava ele, haviam sido redigidos por testemunhas oculares dos acontecimentos por meio dos quais Deus concedera a salvação à humanidade. O cânone formado por essas escrituras viria a se tornar uma arma poderosa na campanha desfechada por Irineu para unificar e consolidar o movimento cristão durante o período em que viveu e, desde então, tem permanecido como uma base para o saber ortodoxo...

Quando Irineu encontrou em Roma um amigo de infância dos tempos de Esmirna conhecido como Florino que, como ele próprio, havia estudado com Policarpo, ficou chocado ao saber que seu colega tinha aderido a um grupo liderado por Valentino e Ptolomeu – teólogos sofisticados que, no entanto, como novos profetas, se apoiavam constantemente em sonhos e revelações. Ainda que se intitulassem cristãos espirituais, Irineu considerava-os perigosos dissidentes. Na esperança de convencer o amigo a mudar de opinião, escreveu-lhe uma carta advertindo-o: "Essas posições, Florino, para colocar a questão de forma moderada, não são sensatas, não estão em acordo com a Igreja e envolvem seus adeptos com as coisas mais ímpias e até com heresias." Irineu ficou aflito ao constatar que um número crescente de cristãos instruídos estava caminhando na mesma direção.

Quando voltou de Roma para a Gália, ele encontrou sua própria comunidade destroçada. Cerca de trinta pessoas tinham sido torturadas e mortas em praça pública num dia determinado para que os habitantes da cidade fossem distraídos por esse espetáculo. Com o bispo Potino morto, os remanescentes do grupo agora se voltavam para Irineu em busca de uma liderança. Mesmo ciente do perigo, ele aceitou o encargo, disposto a unir os sobreviventes. Contudo, via que os integrantes do seu próprio "rebanho" estavam divididos em vários grupos, muitas vezes animados por rivalidades – todos se declarando inspirados no Espírito Santo.

Como poderia ele administrar todas essas reivindicações conflitantes e impor algum tipo de ordem? A tarefa era gigantesca e o enchia de perplexidade. Certamente Irineu acreditava que o Espírito Santo estava na origem do movimento cristão. Desde a época em que tinham começado, cem anos antes, tanto Jesus quanto seus seguidores sustentavam ter vivenciado profusões de sonhos, visões, histórias, falas e discursos enlevados do Espírito Santo, muitos deles registrados por escrito – refletindo o vigor e a diversidade do movimento. Nos Evangelhos do Novo Testamento abundam visões, sonhos e revelações, como aquela que, de acordo com Marcos, deu início à atuação pública de Jesus:

> Naqueles dias, Jesus veio de Nazaré e foi batizado por João no rio Jordão. E, no momento em que estava saindo da água, *ele viu os céus se abrindo e o espírito descendo até ele na forma de uma pomba, e uma voz lhe chegou do céu:* "Tu és o meu filho bem-amado; e tenho estado plenamente satisfeito contigo."

Lucas acrescenta à sua versão dessa história um relato do nascimento de Jesus, no qual a visão precede cada acontecimento, dos momentos em que o anjo Gabriel surgiu diante do idoso sacerdote Zacarias, e mais tarde de Maria, até a noite em que "um anjo do Senhor" apareceu aos pastores para anunciar o nascimento de Jesus, aterrorizando-os com um súbito clarão que iluminou o céu em plena noite...

Irineu diz que, a pedido de um amigo, fez um esforço para investigar os ensinamentos de Marcus, com a intenção de desmascará-lo como um intruso e uma fraude. Ao atrair discípulos, realizar iniciações e oferecer ensinamentos especiais a cristãos "espirituais", as atividades de Marcus ameaçavam o esforço de Irineu para unificar os cristãos da região numa Igreja homogênea. Irineu acusou Marcus de ser um mago, "o arauto do anticristo", um homem cujas visões forjadas e pretensões de poder espiritual mascaravam sua verdadeira identidade de apóstolo do próprio Satã. Ele ridicularizava as afirmações de Marcus de que estaria investigando "as profundezas de Deus" e debochava dele por estimular seus iniciados a alcançar suas próprias revelações:

> Enquanto dizem essas coisas sobre a criação, cada um deles gera algo novo todos os dias, de acordo com sua capacidade; pois ninguém é considerado "maduro" [ou "iniciado"] entre eles se não for capaz de engendrar algumas enormes mentiras.

Irineu expressa sua consternação pelo fato de muitos outros professores, no seio da comunidade cristã, também "introduzirem um indescritível número de escritos secretos e ilegítimos, os quais eles mesmos forjaram, para fascinar as mentes das pessoas tolas, que ignoram tudo sobre as verdadeiras escrituras". Ele cita alguns desses escritos, incluindo parte de um texto de grande influência e bem conhecido, intitulado O Livro Secreto de João (descoberto entre os chamados Evangelhos gnósticos em Nag Hammadi, em 1945), e faz referência a muitos outros, incluindo um Evangelho da Verdade (talvez aquele descoberto também em Nag Hammadi), que ele atribui ao professor de Marcus, Valentino, e até ao Evangelho de Tomé. Irineu decidiu que estancar essa enxurrada de "escritos secretos" seria um primeiro passo vital para impedir a proliferação de revelações que, segundo suspeitava, eram apenas ilusórias ou, pior, inspiradas pelo demônio.

Mesmo assim, as descobertas feitas em Nag Hammadi mostram até que ponto eram disseminadas as tentativas de se "buscar Deus" – não apenas entre os autores dos "escritos secretos" como entre os que, em número muito maior, os liam, copiavam e reverenciavam, inclusive os monges egípcios que os guardaram cuidadosamente na biblioteca de seu mosteiro, mesmo duzentos anos depois de Irineu tê-los denunciado. Mas no ano 367 d.C., Atanásio, o diligente bispo de Alexandria – um admirador de Irineu –, divulgou uma carta de Páscoa na qual pedia que os monges egípcios destruíssem todos os escritos daquele tipo, exceto os que ele listava especificamente como "aceitáveis" ou "canônicos" – uma relação que compreende exatamente o conjunto completo do Novo Testamento que conhecemos hoje. Mas alguém – talvez monges no mosteiro de São Pacômio – reuniu dezenas de livros que Atanásio queria ver queimados, retirou-os da biblioteca do mosteiro, lacrou-os num pesado pote de quase dois metros de altura e, com a intenção de escondê-los, enterrou-os na encosta de uma colina nas proximidades de Nag Hammadi. Ali, um aldeão egípcio chamado Mohamed Ali tropeçou neles 1.600 anos mais tarde.

Agora que nós mesmos temos a oportunidade de ler alguns dos escritos que Irineu detestava e que Atanásio baniu, podemos ver que muitos deles expressam a esperança de receber a revelação e encorajam "os que buscam Deus". O autor do Livro Secreto de Tiago, por exemplo, *reinterpreta* a cena de abertura dos Atos do Novo Testamento por nós mencionada, na qual Lucas conta a ascensão de Jesus...

Mas os que criticam essa tentativa de "buscar provas das profecias" sugerem que cristãos como Justino não argumentam de maneira honesta ao tomarem, por exemplo, uma tradução equivocada por um milagre. O autor do Evangelho de Mateus, aparentemente lendo a profecia de Isaías numa tradução grega, entendeu-a da seguinte forma: "Uma virgem [*parthenos* em grego] irá conceber." O próprio Justino reconhece que exegetas judeus, discutindo com adeptos de Jesus, observaram que o que o profeta havia realmente escrito no original em hebraico era simplesmente que "uma *jovem* [*almahl*] irá conceber e dar à luz um filho" – aparentemente prevendo os acontecimentos numa sucessão real.

Mesmo assim, Justino e Irineu, a exemplo do que acontece com muitos cristãos até hoje, não se deixaram convencer por esses argumentos, acreditando, ao contrário, que as antigas profecias previram o nascimento, a morte e a ressurreição de Jesus e que sua inspiração divina ficou provada por fatos reais. Os não-crentes costumam considerar essas provas inverossímeis, mas para os fiéis elas demonstram a "história da salvação" de Deus. Justino investiu sua vida nessa crença e estava seguro de que havia aberto mão da especulação filosófica por uma verdade tão empiricamente verificável como a do cientista cujos experimentos se desenrolam como o esperado.

Uma vez que Irineu considerava a distinção entre prova e profecia uma maneira de resolver o problema de como estabelecer quais profecias – e quais revelações – vinham de Deus, ele acrescentou certos escritos dos "apóstolos" àqueles dos "profetas", porque, assim como Justino, acreditava que, juntos, esses textos constituíam indispensáveis testemunhos sobre a verdade. Como outros cristãos de sua época, Justino e Irineu, quando falavam nas "escrituras", estavam se referindo basicamente à Bíblia hebraica: o que hoje chamamos de Novo Testamento ainda não havia sido compilado. A convicção dos dois de que a verdade de Deus é revelada nos acontecimentos relacionados à história da salvação oferece o elo vital entre a Bíblia hebraica e o que Justino chamava de "as memórias dos apóstolos", que conhecemos como os Evangelhos do Novo Testamento.

Até onde podemos saber, foi Irineu o principal arquiteto do cânone dos quatro Evangelhos, o conjunto que na coleção do Novo Testamento abrange os Evangelhos de Mateus, Marcos, Lucas e João. Primeiro, Irineu denuncia vários grupos cristãos que se apóiam num único evangelho, como os cristãos ebionitas, que, segundo ele, só usam Mateus, e os seguidores de Marcião, que recorrem apenas a Lucas. Igualmente equivocados, prossegue Irineu, são os que invocam muitos evangelhos. Certos cristãos, diz ele, "gabam-se de ter mais evangelhos do que realmente existem... mas na verdade não dispõem de nenhum evangelho que não esteja cheio de blasfêmias". Irineu decidiu pôr abaixo a floresta formada por escritos "apócrifos e ilegítimos" – como o Livro Secreto de Tiago e o Evangelho de Maria –, deixando de pé apenas quatro "pilares". De forma arrojada, anunciou que "o Evangelho" que contém toda a verdade pode ser sustentado apenas por esses quatro "pilares", ou seja, os Evangelhos atribuídos a Mateus, Marcos, Lucas e João. Para defender sua escolha, declarou: "Não é possível que existam nem menos nem mais do que quatro", pois "da mesma forma que há quatro regiões no universo e quatro ventos principais", a própria Igreja necessita de "quatro pilares apenas". Além disso, como o profeta Ezequiel visualizou o trono de Deus sustentado por quatro criaturas vivas, a divina Palavra de Deus está apoiada nesse "evangelho em quatro partes". (Seguindo seu raciocínio, cristãos de gerações posteriores interpretaram as faces das quatro "criaturas vivas" – o leão, o touro, a águia e o homem – como símbolos dos quatro evangelistas.) O que torna essas escrituras confiáveis, argumentou ele, é o fato de seus autores – entre os quais, dizia, estavam Mateus e João, discípulos de Jesus – realmente terem testemunhado os acontecimentos que relatam. De modo similar – acrescentou Irineu –, Marcos e Lucas, na qualidade de seguidores de Pedro e Paulo, puseram no papel o que ouviram dos próprios apóstolos.

Hoje poucos estudiosos do Novo Testamento concordariam com Irineu. Não sabemos quem realmente escreveu os quatro Evangelhos nem quem redigiu os de Tomé e de Maria. Tudo o que sabemos é que todos esses "evangelhos" são atribuídos a discípulos de Jesus. No entanto, como os próximos capítulos vão demonstrar, Irineu não apenas uniu o Evangelho de João aos Evangelhos, muitos mais conhecidos e citados, de Mateus e Lucas, como o enalteceu como o maior de todos eles. Para Irineu, o relato de João não era o *quarto* Evangelho, como os cristãos o chamam hoje, mas o *primeiro* e o *mais importante*, porque ele acreditava que só João teria compreendido quem Jesus realmente é – Deus em forma humana. O que Deus revelou naquele momento extraordinário, quando se "tornou carne", suplantava quaisquer revelações recebidas por meros seres humanos – mesmo profetas e apóstolos, para não falar do resto de nós.

Irineu não poderia, é claro, impedir que as pessoas buscassem revelações da verdade divina – nem, como vimos, tinha intenção de fazer isso. Afinal, as tradições religiosas só conseguem sobreviver ao tempo se seus adeptos as revivem e as reimaginam e, durante esse processo, transformam-nas continuamente. Mas, desde a época de Irineu até hoje, seus sucessores entre os líderes da Igreja esforçam-se, sim, para fazer com que todos os fiéis se submetam ao "quádruplo Evangelho" e ao que ele chamava de tradição apostólica. Daquele momento em diante, todas as "revelações" avalizadas por lideranças cristãs teriam de estar de acordo com os Evangelhos reunidos no que se tornaria o Novo Testamento. É claro que ao longo dos séculos esses textos deram origem a uma produção de extraordinário alcance em termos de arte, música, poesia, teologia e lendas cristãs. Contudo, mesmo os santos mais brilhantes, como Teresa d'Ávila e São João da Cruz, teriam cuidado para não transgredir – muito menos transcender – essas fronteiras. Até os nossos dias, muitos cristãos com idéias tradicionais continuam a acreditar que quaisquer coisas que ultrapassem os limites canônicos são provavelmente "mentiras e maldades" que se originam ou do mal oculto nos corações humanos ou do próprio diabo.

Ainda assim, Irineu admitia que o simples fato de banir todos os "escritos secretos" e criar um cânone de quatro evangelhos não poderia, por si só, constituir uma salvaguarda para o movimento cristão. E se alguns, ao lerem os evangelhos "certos", fizessem isso de uma maneira errada – ou de *muitas* maneiras erradas? E se os cristãos interpretassem essas mesmas escrituras para criar – ou, como o bispo poderia dizer, para desovar – novas "heresias"? Foi o que aconteceu na sua própria congregação – e... ele reagiu trabalhando para erguer o que chamava de cristianismo ortodoxo (literalmente, "pensamento reto").

A batalha pelas Escrituras e as fés que não tivemos oportunidade de conhecer

Entrevista com Bart D. Ehrman

Bart D. Ehrman dirige o Departamento de Estudos sobre Religião da Universidade da Carolina do Norte, em Chapel Hill. Uma autoridade nos temas da Igreja primitiva e da vida de Jesus, seu mais recente livro é *Lost Christianities: The Battle for Scripture and the Faiths We Never Knew* (Cristianismos perdidos: A batalha pelas Escrituras e as fés que não tivemos oportunidade de conhecer).

Uma noção vital abordada no CDV é a de que uma importante tradição alternativa à da Igreja Católica – uma visão diferente sobre o significado da vida de Jesus – ficou perdida para nós por dois mil anos. Como você interpreta essa questão?

Na verdade havia muitos aspectos diferentes nessa tradição alternativa no cristianismo, mas talvez os melhores exemplos possam ser encontrados ao examinarmos três variantes do cristianismo primitivo: os ebionitas, os marcionitas e os gnósticos. Todos eles formavam seitas cristãs, porém são muito diferentes entre si.

Os ebionitas eram os judeus-cristãos que enfatizavam tanto a importância de ser judeu quanto a de ser cristão. Os marcionitas eram hostis aos judeus e acreditavam que todas as coisas judaicas pertenciam na verdade ao deus do Antigo Testamento, que não era o verdadeiro Deus. Os gnósticos se apegavam à crença de que havia muitos deuses diferentes.

Todos esses grupos se diziam da época do próprio Jesus, o que significa que eles provavelmente surgiram logo após a morte e a ressurreição de Cristo ou, pelo menos, algumas poucas décadas depois. Os ebionitas, por exemplo, afirmavam que seus ensinamentos provinham de Tiago, o Justo, que era o irmão de Jesus; portanto, quem melhor do que ele para saber o que o próprio irmão ensinara? E, na verdade, eles podem ter tido razão – é possível que tenham difundido as crenças transmitidas por Tiago. A sua fé, no entanto, não se disseminou amplamente, talvez em parte por causa da sua crença de que os que eram gentios precisavam se tornar judeus para serem cristãos. Isso significa que os homens deveriam ser circuncidados, o que provavelmente não lhes permitiu granjear muitas conversões.

Os ebionitas enfatizavam o elemento judeu no cristianismo. E os marcionitas?

Os marcionitas eram os adeptos de Marcião, filósofo grego de meados do século II, que passou cerca de cinco anos em Roma elaborando seu sistema teológico. Ele acreditava que o apóstolo Paulo havia alcançado uma visão única do cristianismo porque ele estabelecia uma distinção entre a lei e o evangelho. Marcião levou esse ponto de vista ao extremo, sustentando que, se existe uma separação entre essas duas coisas, é porque elas devem ter sido concedidas à humanidade por dois deuses diferentes – o deus que ofereceu a lei é o deus do Novo Testamento, enquanto o deus que salvou as pessoas da lei é o deus de Jesus. De forma semelhante, o deus encolerizado do Antigo Testamento é o deus que criou este mundo, o que escolheu Israel e lhe deu a lei; o deus de Jesus, por sua vez, é aquele que ao morrer pelos pecados do povo o salva de seu deus.

Marcião teve muitos seguidores, mesmo depois de ser excomungado (talvez tenha sido o primeiro), e foi à Ásia Menor, na atual Turquia, para fundar igrejas. Na verdade, os marcionitas constituíam numa ameaça real às outras seitas – eles quase dominaram inteiramente o cristianismo.

E os gnósticos?

Muitos grupos, bastante diferentes entre si, são hoje classificados pelos estudiosos como gnósticos. Eles diferiam tanto uns dos outros que alguns especialistas, como a historiadora Elaine Pagels, se perguntam se ainda deveríamos chamá-los de gnósticos. Os gnósticos acreditavam que este mundo material onde vivemos é uma catástrofe cósmica e que, de alguma forma, algumas centelhas do elemento divino ficaram presas aqui, mas precisam escapar – o que pode acontecer quando adquirirem uma verdadeira consciência sobre a sua situação. E o sistema gnóstico lhes proporciona o conhecimento de que precisam para isso. A salvação, portanto, chega por meio do verdadeiro conhecimento necessário para a salvação.

É difícil determinar as origens intelectuais do gnosticismo. Ele parece representar uma espécie de amálgama de várias religiões diferentes, incluindo o judaísmo, o cristianismo e a filosofia grega, especialmente a filosofia platônica, e parece ter tomado emprestado elementos dessas várias religiões e filosofias, combinando-os num sistema religioso mais amplo. Sabemos que em meados do século II havia um sistema gnóstico plenamente desenvolvido, ou seja, exatamente por volta da época em que viveu Marcião. É difícil dizer se teve início em Alexandria, se começou na Palestina ou onde surgiu exatamente, mas há indícios de que existiam gnósticos na Síria e no Egito. Por fim, eles acabaram chegando a Roma.

Então o que determinou o fim dos gnósticos e dessas outras seitas? Elas simplesmente definharam até desaparecer?

Embora muitas razões históricas e culturais pudessem ter levado a esse fim, provavelmente a maioria desses grupos desapareceu porque foi atacada com sucesso em termos teológicos e porque não era nem de longe tão eficiente ao promover suas próprias campanhas de propaganda. Eles fracassaram em recrutar novos adeptos, enquanto os ortodoxos criavam uma estrutura sólida, usavam o envio de cartas e outros meios para disseminar suas opiniões, e a sua retórica convencia as pessoas.

Mas o que realmente garantiu a vitória foi o fato de o imperador romano Constantino ter se convertido ao cristianismo. É claro que ele aderiu à vertente predominante na época. "Uma vez que Constantino se converteu a uma forma ortodoxa de cristianismo e como o Estado detinha o poder e era cristão, o Estado começou a exercer sua influência sobre o cristianismo. Portanto, no final do século IV, já existia efetivamente uma legislação com respeito a heresias. Assim, o império que costumava ser completamente anticristão torna-se cristão."

As ramificações provenientes dessa guinada nos acontecimentos são, é claro, muito amplas. Mudou completamente o modo como o mundo ocidental vê a si mesmo e como as pessoas passaram a compreender as coisas. Basta pensar no conceito de culpa: se algum outro grupo tivesse vencido, tudo poderia ter sido completamente diferente.

Os debates, então, terminaram a partir do momento em que a Igreja se unificou no Concílio de Nicéia?

Os debates não terminaram, mas tomaram outra direção. Na época do Concílio de Nicéia não existiam mais grandes grupos de gnósticos nem de marcionitas e ebionitas. Eles já pertenciam à história. Mas isso não pôs fim às discussões. Elas apenas se tornaram mais sofisticadas e acaloradas. O Concílio de

Nicéia, por exemplo, abordou uma forma de cristianismo chamado arianismo, o qual, pelos padrões dos séculos II e III, era absolutamente ortodoxo. No entanto, no século IV, quando os teólogos tornaram suas crenças mais refinadas, o arianismo passou a ser considerado uma grande heresia. Os arianos acreditavam que Jesus deve ter sido subserviente ao Pai; afinal, ele ora ao Pai e faz a vontade do Pai. Logo, Jesus é uma divindade subordinada a Deus. Mas os arianos foram derrotados pelos cristãos que sustentavam que Cristo não é uma divindade subordinada, e sim que ele tem sido divino por toda a eternidade e que sempre existiu em sua relação com Deus. Cristo então não é uma entidade divina que passou a existir – ele sempre foi divino e da mesma substância que o próprio Deus Pai.

As transformações na teologia não foram tão importantes como uma outra mudança que se deu quando Constantino se tornou um cristão. Agora, ele, um líder político autoritário, podia decidir que tipo de cristianismo era ou não aceitável. De repente, tudo que dizia respeito à Igreja era também um assunto *político* e não somente religioso. Algumas pessoas acreditam que Constantino se converteu porque pensou que a Igreja cristã poderia ser capaz de unificar o império. Ao contrário do paganismo, que cultuava muitos deuses diferentes de muitas maneiras distintas, o cristianismo insistia em um único deus, de uma única maneira. Provavelmente foi por esse motivo que Constantino convocou o Concílio de Nicéia: se a Igreja iria exercer o papel de unificadora do império, ela em si precisava ser unificada. Isso significa o quando, o porquê e o como, no que diz respeito a saber por que a religião virou um assunto político.

Hereges, mulheres, magos e místicos
A luta para se tornar a única e verdadeira fé

A história mais remota do cristianismo existiu em forma oral, mais do que pela escrita, e primeiro foi transmitida de apóstolo para discípulo, de pessoa para pessoa, de um idioma para o outro. Não havia uma única igreja nem locais formalmente designados para encontros, a Palavra só se deslocava por meio de cartas ou de viajantes crentes. A hierarquia inexistia. Pequenos grupos, em lugares afastados, apresentavam graus diferentes de crenças em numerosas variantes da mensagem transmitida pelos apóstolos e discípulos de Jesus – ou em uma das centenas de variantes que misturavam paganismo, antigas crenças e os novos ensinamentos.

A falta de uma doutrina coerente à qual todos os crentes pudessem aderir talvez fosse conveniente para alguns, mas não para todos. Em pouco tempo a minoria se organizou. Formou grupos, instituiu hierarquias e transmitiu ativamente a Palavra aos "não-crentes" por intermédio dos apóstolos. No final do século I d.C., já havia os que proclamavam que eles sabiam o que estava certo e que tudo o mais era não apenas errado como perigoso e precisava ser urgentemente extinto. Os cruzados e a Inquisição tiveram seus precursores nos que se esforçaram pela primeira vez para livrar a Igreja das heresias.

Heresias, falando de modo geral, são aquelas opiniões que não estão de acordo com a versão oficial da doutrina. O que é uma crença abraçada com fervor por um homem é uma heresia aos olhos do outro. E isso ocorria com Irineu, Tertuliano e Eusébio, três dos primeiros eclesiásticos que ajudaram a definir o que era cristão e a eliminar o que não era. Daí para o abismo do livro *O martelo das feiticeiras* (*Malleus Maleficarum*),[7] um milênio mais tarde, foi um curto salto teológico. Essa obra, como diz Dan Brown, "doutrinava o mundo contra 'os perigos das mulheres de pensamento liberal' e instruía o clero sobre a forma de localizar, torturar e destruir essas mulheres".

Em busca da devoção, esses autores dos primeiros textos, assim como os do *O martelo das feiticeiras*, concordaram em termos cada vez mais enfáticos que era a mulher a representante da maior ameaça à Igreja. Algumas mulheres, como a mãe de Jesus e mais tarde Santa Perpétua, podem ter sido colocadas em pedestais; porém, acreditava-se que, em sua maioria, elas eram portadoras de características e crenças perigosas e tendiam a se aproximar do mal. Nos primeiros tempos do cristianismo, enquanto grande parte do paganismo e muito do gnosticismo tinham a ver com o equilíbrio de forças, macho e fêmea, o papel da mulher era muito diferente, mais ambíguo, como será mostrado nos trechos a seguir.

A mentalidade do "nós contra eles" talvez tenha recebido seu primeiro apoio religioso formal dos escritos de Irineu. Um teólogo e polemista, Irineu promoveu uma campanha feroz contra o "falso saber" e, em *Adversus Haeresis* (Contra as heresias), escrito no ano de 187, ajudou a produzir a primeira explanação do sistema de crença do cristianismo católico – doutrina, cânone e sucessão apostólica.

Tertuliano, um dos primeiros Pais da Igreja cujo tempo de vida coincidiu em parte com o de Irineu, deu um passo adiante na visão das Escrituras como documento sagrado ao declarar que os Evangelhos tinham origem numa inspiração divina e apresentavam *toda* a verdade, da qual a Igreja "bebe a sua fé". Ele mostrou-se ainda mais encolerizado do que Irineu em relação aos gnósticos.

Eusébio (morto em 357 [?]) sistematizou essas e outras idéias num grande compêndio conhecido como *História eclesiástica*.[8] Mais tarde, tornou-se tão famoso e respeitado que acabou sendo convocado para tomar parte no Concílio de Nicéia (325). A "confissão" por ele proposta constituiu a base do Credo de Nicéia.

Apesar dessas e de outras primeiras tentativas de unificação e eliminação, continuaram a surgir heresias, especialmente na Idade Média e no início da Renascença quando, em 1487, foi publicado *O martelo das feiticeiras* – a suma do "nós contra eles". Simplesmente juntar esses três eclesiásticos seria simplificar demais a história de uma Igreja em seu esforço para alcançar poder e influência jamais atingidos tanto por meios teológicos quanto políticos. Mas os trechos a seguir, selecionados com base em seus escritos, mostram em que medida o nível de disciplina e vigilância subiu enquanto as ameaças à verdadeira fé pareciam crescer cada vez mais. A prosa desses textos pode soar um pouco intrincada aos olhos dos leitores de hoje, mas ela representa o mais alto grau do conhecimento em sua época e mostrou-se eficiente para criar raízes "nas cabeças" de alguns dos primeiros cristãos.[9]

Irineu

A *magnum opus* de Irineu, *Adversus Haeresis*, alcançou uma circulação e uma influência tão amplas que alguns estudiosos atribuem a esse livro toda a responsabilidade – para o bem ou para o mal, dependendo do sistema de crença da pessoa – pelo fato de o gnosticismo ter deixado de ser uma séria ameaça teológica à hegemonia do cristianismo católico.

Em seu livro, ele primeiro alerta os leitores sobre os males que se escondem nos corações humanos:

> Uma vez que certos homens deixaram de lado a verdade, recorrendo a palavras mentirosas e genealogias sem valor, as quais, como disse o apóstolo, "levantam perguntas em vez de estabelecer piamente quais delas estão de acordo com a fé", e por meio das suas plausibilidades habilmente construídas atraem as mentes dos inexperientes e os mantêm prisioneiros, senti-me na obrigação de compor o seguinte tratado para denunciar e combater as suas intrigas. Esses homens falsificam as palavras dos oráculos de Deus e se revelam eles mesmos intérpretes maléficos das boas palavras da revelação. Eles também jogam por terra a fé de muitos ao afastá-los fingindo ter um saber [superior]... Por meio de palavras enganosas, eles seduzem astuciosamente os de alma simples para familiarizarem-se com seu sistema; mas os destroem de forma brutal ao iniciá-los nas suas opiniões ímpias e blasfemas. (*Adversus Haeresis*, prefácio)

Ele então se volta contra os que, por meio das suas "plausibilidades habilmente construídas", nos levam a acreditar na palavra e não nos documentos escritos, dessa forma cometendo deliberadamente uma blasfêmia.

> Quando... são refutados pelas Escrituras, eles se voltam contra elas e acusam essas mesmas Escrituras, como se elas não estivessem corretas ou não tivessem autoridade e [asseguram] que são ambíguas e que a verdade

> não pode ser delas extraída por aqueles que ignoram a tradição. Pois eles sustentam que a verdade não foi transmitida pelos documentos escritos, mas pela palavra. E esse saber cada um deles afirma ser uma ficção inventada por eles mesmos, de modo que, de acordo com suas idéias, a verdade está ora em Valentino, ora em Marcião; depois em Cerinto, em seguida em Basílides, ou que pode até ser encontrada indiferentemente em qualquer outro adversário, que não estaria capacitado a falar nada em relação à salvação. Pois nenhum desses homens, sendo todos eles guiados por uma índole perversa, privando o sistema da verdade, não tem vergonha de pregar... Assim são os oponentes com quem temos de lidar... empenhados como serpentes escorregadias em escapar de todos os argumentos. (*Adversus Haeresis*, 3:2)

Não é de surpreender que, para os cristãos, a solução estivesse na unificação sob uma única fé, um Deus e um conjunto de apóstolos:

> A Igreja, ainda que dispersa por todas as partes do mundo, até nos confins da Terra, recebeu dos apóstolos e de seus discípulos esta fé: [Ela acredita] em um Deus, um Pai Todo-Poderoso, Criador do céu, da terra e do mar e de todas as coisas que neles existem; e num só Cristo Jesus, o Filho de Deus, que encarnou para obter a nossa salvação; e no Espírito Santo, que proclamou por meio dos profetas as ordens de Deus, e os adventos, e o nascimento a partir de uma virgem, e a Paixão, e a ressurreição do meio dos mortos, e a ascensão para os céus na carne do amado Jesus Cristo, nosso Senhor, e Sua [futura] manifestação lá dos céus na glória do Pai "para juntar tudo numa única coisa"... (*Adversus Haeresis*, 1:10)

Tertuliano

Como Irineu, Tertuliano, foi um dos primeiros Pais da Igreja a atacar os gnósticos. É apontado por alguns (ver os trechos de Freke e Gandy no início deste capítulo) como um dos principais protagonistas do esforço da Igreja para esconder a existência de uma forte tradição contrária a ela. Os gnósticos eram, em muitos aspectos, os mais perturbadores, pois o gnosticismo incorporava algumas idéias claramente pré-cristãs (para não dizer pagãs), e seu próprio nome já fazia uma referência à noção de um saber secreto.

As mulheres carregavam um fardo ainda mais pesado em termos de pecado. "A sentença de Deus contra esse sexo de vocês continua a vigorar", insistia Tertuliano. "A culpa também precisa, necessariamente, perdurar. Vocês são a porta do diabo." Mas ele ainda não tinha terminado. "E deve ser frisado que ocorreu um defeito na formação da primeira mulher, uma vez que ela foi criada a partir do osso envergado de uma costela, ou seja, uma costela tirada do peito, que é torta, como que numa direção oposta à do homem. E, em razão desse defeito, ela é um animal imperfeito, ela é sempre fingida."

Tertuliano, filho de um soldado romano, nasceu na África (por volta de 150-60 d.C.). Escreveu três livros em grego e praticou a jurisprudência. Até a meia-idade foi considerado um pagão, "partilhando os preconceitos pagãos" e "desfrutando como outros de prazeres vergonhosos", segundo a *Enciclopédia católica*. Tertuliano converteu-se ao cristianismo em 197, e, novamente de acordo com essa obra, "abraçou a fé com todo o ardor de seu temperamento impetuoso". Uma década mais tarde, no entanto, ele rompeu com a Igreja Católica para tornar-se um líder e adepto entusiasmado do montanismo, segundo o qual novas revelações estariam a caminho e seriam feitas por intermédio de seu líder, Montano, e de duas profetisas. No entanto, Tertuliano continuou a lutar contra o que aos seus olhos eram heresias.

Como cristão, ele acreditava que conheceria Deus apenas por meio da prática da austeridade e de uma estrita disciplina. A força que ameaçava subverter esse impulso no homem era a mulher, a qual, escreveu ele, introduziu o pecado no mundo. "Vocês não sabem", perguntou lançando mão da retórica, "que cada uma de vocês é uma Eva?"

> A sentença de Deus contra esse sexo de vocês continua a vigorar: a culpa também precisa, necessariamente, perdurar... Vocês são as que revelam essa árvore [proibida]: são as primeiras a abandonar a lei divina: vocês são as que conseguiram persuadi-lo, a ele, de que o próprio diabo não teve coragem suficiente para atacar. Vocês destroem com tanta facilidade a imagem de Deus, o homem. Por terem merecido o castigo – isto é, a morte – até o filho de Deus teve de morrer. E vocês ainda pensam em acrescentar enfeites às suas túnicas de pele?... (Em *Sobre os trajes das mulheres*, Livro 1).

Hereges, ele acreditava, tinham sido postos na Terra para testar a fé do homem. As heresias deviam-se a duas razões. A primeira era a tentação oferecida por filósofos, como Platão, que queriam suscitar discussões intermináveis em vez de se submeter simplesmente à Palavra:

> Essas são as "doutrinas" dos homens e "dos demônios" concebidas para dar comichão nas orelhas do espírito da sabedoria deste mundo: a isso o Senhor chamou de "tolice" e "escolheu as coisas tolas do mundo" para confundir até a própria filosofia. Pois ela [a filosofia] é a matéria de que é feita a sabedoria do mundo, a intérprete da natureza e das ordens de Deus. As heresias são elas próprias instigadas pela filosofia... O mesmo

> tema é discutido interminavelmente pelos hereges e filósofos; as mesmas discussões se repetem. De onde vem o mal? Por que é permitida sua existência? Qual a origem do homem? E para onde vai?... De onde vem Deus?... [Eles têm um] conhecimento humano que pretende ser a verdade, mas que só a corrompe e é ele mesmo por sua vez dividido num sem-número de heresias, pela variedade de suas seitas que demonstram repugnância umas pelas outras.
>
> Basta com todas as tentativas de se produzir um cristianismo composto de muitos remendos estóicos, platônicos e dialéticos! Não queremos nenhuma curiosa contestação depois de possuídos por Cristo Jesus, nenhuma inquirição depois de desfrutarmos do Evangelho! De posse da nossa fé, não desejamos nenhuma crença que esteja além dela. Pois esta é a nossa fé primeira: a de que não existe nada que devamos conhecer que não seja ela. (*Normas contra os hereges*, capítulo 7)

Portanto, refreie sua curiosidade, para que não termine como os heréticos que "pervertem os ensinamentos de Cristo". E, principalmente, contenha sua curiosidade sobre o comportamento deles porque é realmente pecaminoso – especialmente o daquelas mulheres:

> Não devo omitir um relato sobre a conduta dos heréticos – quão frívolos eles são, quão mundanos, quão simplesmente humanos, sem seriedade, sem autoridade, sem disciplina, como convém à sua crença... As próprias mulheres desses hereges, como são libertinas! Pois elas são ousadas o bastante para ensinar, para debater, para realizar exorcismos, promover curas – talvez até batizem. Suas ordenações são feitas de forma descuidada, sujeitas a caprichos e mudanças. Num momento, põem noviços à frente da cerimônia; em outro, colocam pessoas ocupadas com algum emprego secular; num outro, pessoas que renegaram nossa Igreja e se ligaram a eles para satisfazer suas vaidades, uma vez que não podem se pôr ao lado da verdade. (*Normas contra os hereges*, capítulo 41)

Eusébio

Eusébio era um bispo de Cesaréia, na Palestina (onde encontrou Constantino enquanto reescrevia a Bíblia), e normalmente é referido como "o pai da história da Igreja", em virtude do seu meticuloso registro da evolução dos Evangelhos, do papel dos apóstolos e das heresias enfrentadas nos primeiros tempos. Também se acredita que foi ele que encontrou nos registros de Edessa as cartas supostamente trocadas entre seu rei Abgar e Jesus Cristo.

Na visão de Eusébio, a doutrina deveria ser inseparável da vida diária; a chave para se alcançar a fé estava, portanto, em saber quais escrituras deveriam ser adotadas.

Para fazer isso, era necessário distinguir as "escrituras divinas" aceitáveis das que não eram. Eusébio definiu os muitos evangelhos e vários livros que, segundo seu sentimento, constituíam as escrituras válidas. Essa lista, com pequenas variações, mais tarde encontrou sua forma canônica na Bíblia.

Ele também se dispôs a catalogar as heresias dos gnósticos da forma mais metódica já feita até então e, ao mesmo tempo, celebrou o aumento do poder e da magnitude da Igreja Católica:

> [Havia] outra heresia, chamada heresia dos gnósticos que não queriam mais transmitir as artes de magia de Simão em segredo, e sim abertamente. Pois eles se gabavam – como se isso fosse algo digno – de poções do amor que cuidadosamente preparavam, de certos demônios que lhes enviavam sonhos e lhes concediam proteção e de outros expedientes semelhantes; e, de modo condizente com... suas ações abomináveis, praticavam os piores tipos de maldade sob a justificativa de que apenas poderiam escapar do que chamavam de poderes cósmicos livrando-se de suas obrigações por meio de um comportamento infame... Surgia uma nova heresia depois da outra, e as antigas sempre desapareciam, ora num momento, ora em outro, ora de uma maneira ora de outra, perdiam-se em idéias de vários tipos e formas. Mas o esplendor da Igreja Católica, a única verdadeira, que continua sempre a mesma, crescia em magnitude e poder, refletindo sua devoção, simplicidade, liberdade e a modéstia e pureza de sua vida e filosofia inspiradas na direção de todas as nações, tanto gregas quanto bárbaras. (*História eclesiástica*, 3:25)

O martelo das feiticeiras

Uma grande distância separa, em termos de época e de lugar, os escritos de Eusébio daqueles reunidos no *Martelo das feiticeiras*, redigido pelos monges Heinrich Kramer e James Spenger na Alemanha de 1486. No entanto, teologicamente, sustentam os estudiosos, existe um vínculo entre eles. O argumento é de que não é preciso um grande salto para ir da intolerância, condenação e exílio forçado a uma sistemática eliminação.

As heresias estavam sempre despontando, especialmente na Idade Média e no início da Renascença; e, à medida que suas expressões foram se fortalecendo, o mesmo ocorreu com a reação. Ainda assim, mesmo que as mentes dos dias de hoje se surpreendam e até se sintam chocadas com os escritos dos Pais da Igreja em seus primeiros anos, provavelmente ficarão horrorizadas com a meticulosa catalogação dos crimes e castigos das bruxas encontrada no *Martelo das feiticeiras*.

Essa obra talvez fosse ainda mais conhecida em sua época do que o *CDV* nos nossos dias (pelo menos falando proporcionalmente) e ficou na "lista dos sucessos de vendas" por muito mais tempo. E não era nem de longe tão benevolente. Suas edições multiplicaram-se rapidamente, espalhando-se pela Inglaterra e por toda a Europa. O livro – utilizado tanto por católicos quanto por protestantes – exerceu um impacto nos julgamentos de bruxas realizados ao longo de quase duzentos anos. Na América colonial, foi usado como base nos processos contra as bruxas em Salem.

O martelo das feiticeiras é dividido em três partes. A primeira se propõe a provar que bruxarias e feitiçarias realmente existiam (e que as mulheres eram mais inclinadas à prática dessa arte de Satã do que os homens). A segunda descreve tipos de bruxaria (da destruição de lavouras até a questão de saber se demônios poderiam ser pais dos filhos de uma bruxa), enquanto a terceira oferece um detalhado "manual de instruções" para descobrir, julgar e punir.

Que as mulheres apresentavam maior tendência para a bruxaria era certo, e, segundo o livro, a razão para isso era clara: "Quanto a saber por que um número maior de praticantes de bruxaria é encontrado mais entre o frágil sexo feminino do que entre os homens, trata-se de um fato que realmente não admite contestação, posto que é provado pela experiência, sem falar nos testemunhos verbais de pessoas confiáveis."

Essa visão das mulheres como seres inerentemente imperfeitos impregna *O martelo das feiticeiras*. Mais adiante, seus autores afirmam:

> Outros têm oferecido motivos diferentes para o fato de encontrarmos mais supersticiosos entre as mulheres do que entre os homens. O primeiro é que elas são mais crédulas, e, como o principal objetivo do demônio é o de corromper a fé, ele, portanto, as ataca... O segundo motivo é que as mulheres são naturalmente mais impressionáveis e estão receptíveis à influência de um espírito desencarnado. E, quando elas usam bem essa qualidade, costumam ser muito boas; mas, quando a utilizam para o mal, tornam-se muito más... O terceiro motivo é que elas têm línguas escorregadias e são incapazes de esconder das suas companheiras as coisas que aprenderam através das artes do mal. E, como são fracas, encontram na bruxaria uma maneira fácil e secreta de se vingarem... (Parte 1, Questão 6)

Existem, é claro, mulheres boas. O livro ensina que, "quanto às boas mulheres, há muito que louvar; tanto que sobre elas lemos que levaram bem-aventurança aos homens, que salvaram nações, terras e cidades; como fica claro pelos casos de Judite, Débora e Ester". A teologia cristã, parece claro, é marcada pela dicotomia – bom/ruim, bem/mal, virgem/prostituta.

Como ocorreu muito antes com Tertuliano, *O martelo das feiticeiras* defende a idéia de que tudo começou a dar errado a partir de Eva: "Portanto uma mulher má, por sua própria natureza, costuma ser a primeira a hesitar a respeito da fé e, conseqüentemente, renuncia mais rapidamente a ela, fato que está na origem da feitiçaria."

A última parte da obra trata do modo como um caso poderia acabar num tribunal, os procedimentos pelos quais se dava o julgamento (bastavam rumores para que alguém fosse levado à presença de um juiz, e uma defesa veemente era considerada indício de culpa; ferros em brasa e outras torturas podiam ser aplicadas para se obter uma confissão) e, em dezesseis capítulos, apresenta os diferentes graus de culpa e suas respectivas punições.

Fazer uma acusação era fácil:

> A primeira questão, portanto, é saber qual o método apropriado para se abrir um processo contra as bruxas e em nome da fé. Em resposta a essa pergunta, é preciso dizer que há três métodos permitidos pela Lei Canônica. O primeiro se dá quando alguém acusa uma pessoa perante um juiz do crime de heresia ou de proteger hereges, apresentando prova disso e se dizendo disposto a aceitar a lei de talião se não conseguir provar. O segundo método se aplica quando alguém denuncia uma pessoa, mas não apresenta provas e não quer se envolver no problema, afirmando ter oferecido a informação movido por seu ardor pela fé ou por causa de uma sentença de excomunhão proferida pelo ordinário ou vigário ou em razão da punição determinada pelo juiz secular contra os que se negam a prestar informações.
>
> O terceiro método envolve uma inquisição, ou seja, quando não há nenhum acusador ou informante, mas uma crença geral de que existem feiticeiras em algum lugar ou cidade; então o juiz deve fazer seu trabalho – não instigado por nenhum grupo, mas simplesmente em virtude do seu cargo... (Parte 3, Questão 1)

O que não significa que não existissem algumas medidas-padrão. As regras diziam que uma bruxa só poderia ser executada se confessasse, "pois a justiça determina que uma feiticeira não seja condenada à morte a menos que isso se dê em conseqüência da sua própria confissão".

É claro que nem sempre elas confessavam prontamente.

> E aqui, em razão do grande transtorno provocado pelo obstinado silêncio por parte das bruxas, há vários aspectos que o juiz precisa observar... O primeiro é que ele não deve se apressar a submeter uma feiticeira a interrogatório, mas tem que estar atento a certos indícios descritos a seguir.

> E não deve ser rápido demais por esta razão: a menos que Deus, por meio de um anjo sagrado, faça com que a ajuda do demônio não chegue até a bruxa, ela se mostrará tão insensível às dores da tortura que se deixará dilacerar membro a membro antes de confessar qualquer verdade.
>
> Mas a tortura não deve ser, por isso, negligenciada, já que não são todas as que detêm esse poder. E há também o fato de que o diabo às vezes permite, por sua livre vontade, que elas confessem seus crimes sem serem exortadas a fazer isso por um anjo sagrado.
>
> E, no fim, tudo pode vir a depender das lágrimas – se o juiz deseja descobrir se ela é dotada do poder típico das feiticeiras de manter o silêncio, que ele observe atentamente se ela é capaz de derramar lágrimas na sua presença ou quando está sendo torturada. Pois fomos ensinados, tanto pelas palavras de homens de valor do passado quanto pela nossa própria experiência, que esse é um indício dos mais confiáveis; e foi descoberto que, se for uma feiticeira, mesmo quando exortada e ordenada a chorar por meio da invocação dos nomes mais sagrados, ela não será capaz de derramar lágrimas – ainda que assuma feições chorosas e lambuze os olhos e as bochechas com saliva para parecer que está chorando. Por essas razões é necessário que seja observada atentamente pelos presentes.
>
> Para chegar a uma sentença, o juiz ou sacerdote pode usar os seguintes métodos para levá-la a derramar lágrimas de verdade se for inocente ou refrear falsas lágrimas. Que ele ponha a mão sobre a cabeça da acusada e diga: eu a conjuro, em nome das lágrimas amargas derramadas na cruz pela salvação do mundo por nosso Salvador, o Senhor Jesus Cristo, e pelas lágrimas ardentes derramadas à noite sobre Suas chagas pela gloriosa Virgem Maria, Sua Mãe, e em nome de todas as lágrimas que têm sido derramadas neste mundo pelos santos e pelos eleitos por Deus, de cujos olhos Ele agora limpou todas as lágrimas, que, se você for inocente, derramará lágrimas agora, mas, se for culpada, não fará isso em hipótese alguma. Em nome do Pai, do Filho e do Espírito Santo, Amém. (Parte 3, Questão 13)

Como as bruxas eram perigosas, o livro faz uma advertência aos juízes: "não devem permitir que sejam tocados fisicamente por uma feiticeira, especialmente em contato com mãos ou braços nus". Juízes, aconselha *O martelo das feiticeiras*,

> devem sempre carregar consigo algum sal consagrado no Domingo de Ramos e algumas ervas sagradas, uma vez que estas podem ser juntadas com cera sagrada e usadas no pescoço como mostramos na segunda parte, quando discutimos os remédios contra doenças e outros males provocados pela feitiçaria. E que essas coisas possuem poderes maravi-

> lhosamente protetores nós sabemos tanto por meio do testemunho das bruxas quanto pelos costumes e práticas da Igreja, que exorciza e abençoa esses objetos exatamente com esse propósito, como é demonstrado na cerimônia de exorcismo quando é pronunciada uma exortação pedindo o fim de todos os poderes do diabo, etc.
>
> Mas que não se pense que é apenas contra o contato físico das articulações ou membros que é preciso se precaver; pois, às vezes, com a permissão de Deus, elas são capazes de, com ajuda do diabo, enfeitiçar o juiz simplesmente com o som das palavras que murmuram, especialmente quando expostas à tortura. (Parte 3, Questão 15)

Finalmente, *O martelo das feiticeiras* adverte que as bruxas acusadas devem ser tratadas com cuidado quando levadas diante do juiz.

> E, se for possível fazê-lo de forma adequada, a bruxa deve ser conduzida de costas à presença do juiz e de seus auxiliares... O cabelo deve ser raspado de todas as partes do corpo. O motivo para isso é o mesmo pelo qual se deve privá-la de todas as roupas, fato por nós já mencionado; pois, para conservar o poder de se manter em silêncio, elas têm o hábito de esconder um objeto supersticioso nas roupas ou no cabelo ou mesmo nas partes mais secretas de seus corpos, as quais não devem ser nomeadas. (Parte 2, Questão 15)

No *CDV*, Robert Langdon lembra-se do *Martelo das feiticeiras* enquanto está de pé nas Salles des États, no Louvre, contemplando a *Mona Lisa*. Ele pensa nessa obra como "o livro que se pode considerar o mais sangrento da história da humanidade". Dan Brown avalia o número de vítimas da Inquisição em cinco milhões; para outros, as mortes provocadas por esse tribunal eclesiástico em todo o mundo vão de seiscentas mil até nove milhões. Quase todas as vítimas, dizem os estudiosos, eram mulheres – jovens, velhas, parteiras, judias, poetisas e ciganas, qualquer uma que não se ajustasse às expectativas da época sobre o que deveria ser uma cristã ou um cristão devoto.

Por que os gnósticos eram considerados uma ameaça tão grande?

LANCE S. OWENS

Lance S. Owens é ao mesmo tempo um médico clínico e sacerdote. Ele mantém o site www.gnosis.org. O excerto a seguir é parte de um ensaio que escreveu para o site.

O que fazia dos gnósticos hereges tão perigosos? As complexidades do gnosticismo são muitas, de tal modo que tornam suspeita qualquer tentativa de generalização. Ainda que, ao longo dos anos, tenham sido propostos vários sistemas de definição e classificação do gnosticismo, nenhum deles obteve até hoje reconhecimento universal. No entanto, quatro elementos geralmente são aceitos como características gerais do pensamento gnóstico.

A primeira característica essencial do gnosticismo é a afirmação de que "o conhecimento direto, pessoal e absoluto das verdades autênticas da existência está ao alcance de todas as pessoas" e que a obtenção desse saber é a realização suprema da vida humana. A gnose não é uma compreensão racional, proposicional, lógica, mas um conhecimento adquirido com a experiência. Os gnósticos não estavam muito interessados em dogmas ou numa teologia racional e coerente – um fato que torna o estudo do gnosticismo particularmente difícil para pessoas metódicas, com "mentalidade de guarda-livros". Simplesmente não se pode traduzir o gnosticismo em termos de afirmações silogísticas dogmáticas. Os gnósticos valorizavam a força propulsora da revelação divina – a gnose era a experiência criativa da revelação, uma impetuosa progressão rumo à compreensão, e não um credo estático...

Em seu ensaio *The American Religion* (A religião americana), o conhecido crítico literário Harold Bloom sugere uma segunda característica do gnosticismo que poderia nos ajudar a circunscrever conceitualmente seu cerne misterioso. O gnosticismo, diz Bloom, "é um saber *de* e *por meio de* um eu incriado ou um eu dentro do eu, e [esse] saber leva à liberdade...". A mais importante entre todas as percepções reveladoras que um gnóstico poderia alcançar era o profundo despertar que viria com o conhecimento de que algo dentro dele ainda não havia sido criado. Os gnósticos chamavam esse "eu incriado" de a semente divina, a pérola, a centelha de saber: consciência, inteligência, luz. E essa semente de intelecto era da mesma substância desse eu e de Deus. Constituía a realidade autêntica do homem, a glória tanto da humanidade quanto da esfera do divino... Segundo todas as percepções racionais, o homem – isso era claro – não era Deus e, ainda assim, na sua verdade essencial, era divino. Esse enigma era um Mistério Gnóstico, e a sua resolução, o seu tesouro...

Isso nos leva ao terceiro elemento de destaque em nossa breve síntese do gnosticismo: sua reverência pelos textos e escrituras não aceitos pela visão ortodoxa. A experiência gnóstica era mitopoética: por meio de histórias e metáforas, e talvez também pela realização de rituais, o gnosticismo procurou expressar insights visionários e sutis, inexprimíveis por proposições racionais e afirmações dogmáticas. Para os gnósticos, a revelação era a natureza da gnose. Irritado pela profusão promovida por eles de "textos inspirados" e de mitos, Irineu reclama em sua clássica refutação do gnosticismo, feita no século II d.C., de que "cada um deles gera algo novo, todos os dias, de acordo com suas capacidades, pois nenhum é considerado perfeito se não desenvolve... alguma grande ficção".

A quarta característica... é a mais difícil de explicar resumidamente e também uma das mais perturbadoras para a teologia ortodoxa subseqüente. Trata-se da imagem de Deus como uma díade, ou dualidade. Ainda que afirmasse a unidade e a integridade absolutas do divino, o gnosticismo percebia, em seu encontro experimental com o que havia de transcendente no divino, qualidades e manifestações contrastantes. Em muitos dos textos gnósticos de Nag Hammadi, a imagem de Deus é concebida em termos de uma díade composta por elementos masculinos e femininos... Várias tendências gnósticas viam em Deus uma união entre duas naturezas díspares que tinha uma afinidade com o simbolismo sexual. Os gnósticos prezavam a natureza feminina, e, refletindo sobre esse dado, Elaine Pagels argumentou que as mulheres gnósticas cristãs desfrutavam de um grau muito maior de igualdade social e eclesiástica do que suas irmãs ortodoxas. O próprio Jesus, ensinavam alguns gnósticos, havia antecipado essa relação mística: Seu mais amado discípulo tinha sido uma mulher, Maria Madalena, Sua consorte...

Cristo veio para corrigir a separação... e juntar os dois componentes; e para dar vida àqueles que tinham morrido em decorrência da separação e para uni-los de novo... No fim, cabe à nossa imaginação poética considerar o que isso poderia significar. Apesar de polemistas ortodoxos acusarem freqüentemente os gnósticos de comportamento sexual heterodoxo, saber que papel essas idéias e imagens desempenharam nos assuntos humanos é uma questão que permanece historicamente em aberto.

Decifrando o *CDV*

Então o Jesus divino e a palavra infalível surgiram de uma conspiração no século IV? Caia na real

COLLIN HANSEN

O *CDV*, de Dan Brown, alcançou a tão almejada condição de sucesso de vendas, inspirando, no meio do caminho, um especial jornalístico da rede ABC, bem como debates sobre a legitimidade da história cristã e ocidental.

Enquanto o programa da ABC centrava seu foco no fascínio de Brown por um suposto casamento de Jesus e Maria Madalena, o *CDV* contém muitas outras (igualmente dúbias) afirmações sobre as origens históricas do cristianismo e seu desenvolvimento teológico. A principal afirmação sobre o cristianismo feita por esse romance é a de que "quase tudo o que nossos pais nos ensinaram sobre Jesus Cristo é mentira". Por quê? Por causa de uma única reunião entre bispos promovida no ano de 325, na cidade de Nicéia, no território da atual Turquia. Lá, argumenta Brown, líderes da Igreja que queriam consolidar sua base de poder (ele a chama, de modo anacrônico, de "o Vaticano" ou "a Igreja Católica Romana") criaram um Cristo divino e uma Escritura infalível – duas novidades que jamais teriam existido entre os cristãos.

Brown está certo ao afirmar que, no curso da história cristã, poucos acontecimentos tiveram um peso tão grande como o Concílio de Nicéia em 325. Quando Constantino, o imperador romano recém-convertido, convocou bispos de todo o mundo para esse ponto da Turquia dos dias de hoje, a Igreja havia chegado a uma encruzilhada teológica. Liderada por um teólogo de Alexandria chamado Ário, uma escola de pensamento argumentava que Jesus tinha, sem dúvida, sido um líder notável, mas não era Deus tornado carne. No *CDV*, Brown aparentemente adota Ário como seu representante para todo o cristianismo pré-niceno. Ao se referir ao concílio, Brown afirma que, "até aquele momento da história, Jesus era visto pelos seus discípulos como um mero profeta mortal... um grande e poderoso homem, mas que não passava de um homem. Um mortal".

Na verdade, os primeiros cristãos, em sua maioria esmagadora, cultuavam Jesus Cristo como seu Salvador e Senhor. Por exemplo, eles adotaram a palavra grega *kyrios*, com o significado de "divino", e, desde os primeiros dias da Igreja, aplicaram-na a Jesus.

O Concílio de Nicéia não encerrou de uma vez por todas as controvérsias em torno dos ensinamentos de Ário. A assembléia tampouco impôs à Igreja, de fora para dentro, uma doutrina sobre a divindade de Cristo. Os bispos que dela participavam simplesmente afirmaram as crenças básicas e históricas do cristianismo, erguendo uma frente unida contra futuros esforços para diluir o dom da salvação representado por Cristo.

Levando em conta o papel central desempenhado pela Bíblia no cristianismo, o problema da validade histórica das Escrituras tem enormes conseqüências. Brown afirma que Constantino recrutou e financiou uma equipe para manipular os textos existentes, com o fim de divinizar o Cristo humano. Mas, por várias razões, as especulações de Brown não se sustentam. O romancista observa corretamente que "a Bíblia não chegou por fax do céu". Realmente, a composição e a consolidação da Bíblia podem parecer um pouco humanas demais para a paz de espírito de certos cristãos. Mas Brown não leva em conta o fato de que o processo humano de canonização vinha progredindo há séculos, produzindo como resultado um cânone quase completo das Escrituras antes do Concílio de Nicéia ou mesmo antes da legalização do cristianismo em 313.

Ironicamente, o processo de reunir e consolidar as Escrituras foi deflagrado quando uma seita rival lançou o seu próprio cânone quase bíblico. Por volta do ano 140, um líder gnóstico chamado Marcião começou a divulgar uma teoria segundo a qual o Antigo e o Novo Testamento não compartilhavam o mesmo Deus. Ele argumentava que o Deus do Antigo Testamento representava a lei, a ira, enquanto o Deus do Novo Testamento, na figura de Cristo, encarnava o amor. Em conseqüência dessa visão, Marcião rejeitava o Antigo Testamento e os trechos mais abertamente judaicos do Novo Testamento, incluindo Mateus, Marcos, os Atos dos Apóstolos e Hebreus. Ele manipulou outros livros da Bíblia para pôr em segundo plano as tendências judaicas que apresentavam. Apesar de a Igreja ter declarado em 144 que as idéias de Marcião eram heréticas, seus ensinamentos deram origem a um novo culto. Sentindo-se desafiados pela ameaça representada por ele, os líderes da Igreja começaram a considerar seriamente a tarefa de fixar suas próprias posições numa lista definitiva dos livros que compunham as Escrituras, incluindo tanto o Novo quanto o Antigo Testamento.

Na época do Concílio de Nicéia, os líderes da Igreja vinham debatendo a legitimidade de alguns poucos livros entre aqueles que aceitamos hoje em dia, como Hebreus e Apocalipse, porque continuavam a persistir dúvidas quanto à autoria de ambos. Na verdade, a definição da autoria era o que mais preocupava os que trabalhavam na consolidação do cânone. Os primeiros líderes da Igreja só consideravam confiáveis as cartas e os testemunhos oculares se esses tivessem sido escritos por um apóstolo ou por um discípulo intimamente ligado a ele. Na condição de sacerdotes e de pregadores, também levavam em conta quais livros contribuíam para o fortalecimento da Igreja – um bom indício, acreditavam eles, de que tais obras haviam sido realmente inspiradas pelas Escrituras. Os resultados falam por si mesmos: os livros incluídos na Bíblia como é aceita hoje permitiram que o cristianismo prosperasse, perdurasse e florescesse em todo o mundo.

6 Sociedades secretas

As coisas secretas pertencem ao Senhor,
as coisas reveladas são para sempre nossas e de nossos filhos...

– DEUTERONÔMIO 29:29

Como um bom thriller de espionagem, a trama do *CDV* avança de um espantoso segredo para outro, de uma mensagem em código para a seguinte, de uma conspiração antiga para uma moderna, explorando ao longo do caminho alguns dos segredos mais fundamentais do passado remoto da cultura humana e até mesmo de áreas arcaicas do próprio cérebro, na qual pululam mitos primais e arquétipos junguianos e se escondem medos, compulsões e antigos traumas.

Dan Brown disse que Robert Ludlum é um de seus autores favoritos, e é possível perceber no *CDV* algo do inconfundível estilo de Ludlum: comece com segredos poderosos e irresistíveis, acrescente um sujeito comum (e uma bela mulher), tudo embalado por uma ação frenética e de enormes implicações; explore o esforço para desvendar esses segredos, o que se dá numa corrida contra o relógio para fazer frente a uma ameaça a toda a civilização; faça com que os personagens enfrentem sociedades secretas poderosas e sombrias de cuja existência ninguém desconfiava; leve suas mentes a examinar conspirações tão intrincadas que o leitor nunca chegue a formar um esquema nítido a respeito dessas maquinações; e embrulhe tudo num ritmo vertiginoso o bastante para fazê-lo esquecer-se dos personagens de papelão e dos furos existentes na sua trama.

O papel exercido pelas sociedades secretas nessas histórias – seja nos livros de Ludlum, Le Carré, J. K. Rowling, J. R. R. Tolkien ou Dan Brown – não deve ser subestimado.

Neste capítulo, vamos examinar em particular três sociedades secretas mencionadas no *CDV*: os Cavaleiros da Ordem dos Templários, o Priorado de Sião e o Opus Dei. Consideraremos ao mesmo tempo várias cerimônias e práticas secretas de gnósticos dos nossos dias – das celebrações de ritos *hieros gamos* na Nova York do século XXI às numerosas sociedades secretas surgidas a partir do massacre dos templários no século XIV.

Como demonstra o *CDV*, todo mundo adora uma boa conspiração. Todos acham fascinante desvendar um enigma bem intrincado. No caso das três sociedades secretas de maior destaque no *CDV* – os templários, o Priorado de Sião e o Opus Deis –, cada uma delas encerra um mundo fascinante. O romance sintetiza a essência dessas culturas secretas num material informativo de fácil compreensão. Mas em seguida exagera em grande parte seu poder, influência e importância histórica.

Os templários, por exemplo, talvez tenham se dedicado a algumas práticas rituais na Idade Média que poderiam ser interpretadas como ritos sexuais sagrados. É possível que Maria Madalena tenha desempenhado um papel mais destacado na cultura deles do que o cristianismo da época lhe reservava. E, quem sabe, eles tenham encontrado riquezas em Jerusalém e construído um núcleo em termos de poder e influência. Mas é extremamente duvidoso que valorizassem a noção do sagrado feminino ou que acreditassem que o Santo Graal estivesse relacionado ao ventre de Maria Madalena e à linhagem real composta pelos filhos que ela possa ter tido.

O Priorado de Sião, ainda que seja um tema interessante para especulação, talvez jamais tenha existido a não ser como um braço político menos expressivo dos templários no auge de sua influência. Quanto à era moderna, a idéia de sua sobrevivência no século XX talvez seja uma fantasia sem nenhum fundamento. Leonardo da Vinci pode muito bem ter se envolvido com seitas secretas, filosofias heréticas e práticas sexuais incomuns, e suas pinturas, quem sabe, consideradas possíveis veículos para transmitir conhecimentos secretos (ou pelo menos gracejos secretos) às futuras gerações. Mas é altamente improvável que ele tenha exercido a função de "grão-mestre" de alguma organização secreta sem ter deixado um único vestígio ou documento cuja existência pudesse ser comprovada em meio às dezenas de milhares de páginas dos cadernos que legou à posteridade. É possível dizer o mesmo sobre os outros supostos grão-mestres. Com tudo o que sabemos sobre as vidas de Victor Hugo, Jean Cocteau, Newton e Debussy, não seria de esperar que se encontrasse em alguma parte um fragmento de prova dessa teoria? E, uma vez que se trata de uma organização que supostamente teria o sagrado feminino em tão alta conta (pelo menos segundo o romance), como é que nenhuma mulher de destaque figura em sua lista?

O Opus Dei é certamente rico, poderoso e secreto. Pode ser fiel a uma filosofia religiosa e até a uma série de objetivos políticos que muitos consideram execráveis. Talvez tenha uma história interessante de envolvimentos não esclarecidos com a CIA, as finanças do Vaticano e os esquadrões da morte que atuaram em guerras civis na América Latina. Mas não está enviando monges albinos para as ruas de Paris para assassinar pessoas por causa de sua ligação com antigas seitas secretas religiosas.

Não se quer aqui descartar os receios e preocupações que certas pessoas têm em relação a esse ou àquele grupo secreto ou a alguma conspiração. O contrário é que é verdade: Dan Brown, como muitos romancistas, exagera ao extremo e solta as rédeas de sua imaginação com o propósito declarado de criar as metáforas e os estímulos intelectuais adequados para chamar atenção neste mundo saturado de informação e entretenimento em que vivemos. O enfoque que adotou se revelou um sucesso. Ele conseguiu despertar nosso interesse pelas sociedades secretas e pelo conhecimento esotérico, temas sobre os quais tínhamos ouvido falar vagamente e que conhecíamos muito pouco.

Bem-vindo ao submundo das sociedades secretas do *CDV*.

Recordações de uma missa gnóstica

JOHN CASTRO
John Castro é um escritor que vive em Nova York.

Estou de pé num saguão iluminado com luz fosforescente. Sinto frio e estou um pouco apreensivo.

Estou descalço.

Um homem vestindo jeans preto acabou de solicitar a todos nós reunidos ali que tirássemos os sapatos, numa demonstração de respeito pelo templo onde vamos entrar. Concordamos. Quando terminamos, ele nos pede que esperemos até que a cerimônia comece. Enquanto aguardo, eu escuto. Há casais, grupos de amigos, pessoas que parecem se conhecer há anos, todos se cumprimentam. Para passar o tempo, tento concentrar a atenção em algumas conversas.

Uma mulher jovem e atraente de origem hispânica, talvez com vinte e um ou vinte e dois anos, bate papo no telefone celular: "...é, é, é. Três vezes. Não, esta é a minha terceira vez. Na próxima iniciação vou passar a ser minérvea..."

Um homem magro e musculoso, com brilhantina no cabelo penteado para trás e uma pequena barbicha, atravessa o saguão e junta-se a nós. Ele espera por alguns instantes, vê uma jovem de ar sério com um medalhão com um pentagrama no pescoço e começa a falar com ela.

– Noventa e três – diz ele.

– Noventa e três – ela retruca, sorrindo. Os dois conversam quase sussurrando, as cabeças abaixadas.

"Cara, ouvi dizer que Jimmy Page aparece por aqui quando está em Nova York", comenta um entusiasta do heavy metal, com cerca de trinta anos e um longo rabo-de-cavalo. Seu amigo baixinho e parrudo concorda com a cabeça, mostrando um ar indiferente e cansado. Fico em silêncio – estou completamente sozinho aqui – e espero que me mandem entrar.

Essas são minhas lembranças de uma cerimônia a que compareci no fim de 2002. Eu estava ali como observador, e como um observador surpreendentemente nervoso, num ritual organizado pela Ordem Templo Oriental, uma organização por muitos anos liderada por Aleister Crowley. Ele mesmo, Aleister Crowley – poeta, mágico, iconoclasta, viciado em drogas e flagelo moral da Grã-Bretanha, o mago esotérico que se dizia "a Grande Besta 666".

Ao ler o *CDV*, muitas de minhas memórias sobre aquele evento afloraram. Essas recordações já têm dois anos. Sei que deixei escapar alguns detalhes e posso ter me lembrado incorretamente de outros. No entanto, como ocorre a Sophie Neveu, as impressões daquilo que eu vi permanecem intensas e vívidas.

O templo é uma sala pequena. As paredes foram pintadas de preto, o aposento é fracamente iluminado por lamparinas em forma de concha suspensas no teto e dezenas de velas acesas na base do altar do lado direito do salão. Trata-se de uma grande estrutura, uma laje de pedra com hieróglifos esculpidos, à qual se chega subindo três degraus. Uma grande moldura circunscreve o altar e dela pende uma cortina, que é mantida aberta.

Do outro lado do salão, de frente para o altar, há uma caixa comprida, da altura e largura de um homem alto, com uma pequena cortina disposta à frente. No chão, colocadas a distâncias iguais entre o altar e essa grande caixa, estão duas caixas pretas, cada uma com um bastão de incenso aceso, livros e uma tigela.

Em cada lado da nave há filas de cadeiras para a congregação. Todos nós, somos cerca de sessenta, entramos lentamente, de modo um tanto constrangido, fazendo algum barulho ao colocarmos nossos sapatos, bolsas e casacos sob as cadeiras.

Já não estou com frio. Na verdade começo a suar. Depois de nos sentarmos, percebemos que estamos amontoados, a sala está lotada, e todos nós sentimos o calor das velas e dos companheiros da congregação. Fico surpreso com a quantidade e variedade de devotos – gente de todas as idades, diferentes origens étnicas, as roupas mostrando de yuppies bem vestidos a fantasiados à moda medieval.

Um homem com uma barba rala vestindo um largo camisolão branco está em pé, de frente para o altar. Ele faz o sinal-da-cruz sobre a testa, peito e ombros; a cada toque, diz uma palavra que soa como hebraico.

Ele joga os braços para frente, junta as mãos e começa a andar em volta da sala com passos largos. Respira de modo ofegante, o rosto contraído. Com expressão concentrada, olha para além das paredes do templo. Em quatro pontos do salão, o homem pára e pronuncia uma palavra ou uma frase – não consigo dizer em que língua – e, num gestual dramático, desenha no ar a forma de um pentagrama.

Depois de inscrever um pentagrama em todos os quatro cantos, ele se põe novamente diante do altar. Então recita os nomes dos anjos: Gabriel, Miguel, Rafael e Uriel... Faz mais uma vez o sinal-da-cruz, vira-se para encarar os integrantes da congregação e abre bem os braços, respirando fundo. Ele prende o ar e depois expira lentamente, então relaxa e sorri. O som de música, produzido por um homem que toca uma cítara, espalha-se pelo ar em meio à escuridão.

O rapaz barbado com o camisolão branco entoa:

– Fazerdes o que vós quiserdes será toda a lei.

Os integrantes da congregação respondem:

– O Amor é a Lei, Amor segundo sua Vontade.

O homem recita o que me parece um elemento familiar da missa católica – uma lista de crenças que lembram o Credo de Nicéia. Nela há uma frase que me dá calafrios, embora não saiba por quê:

> "E eu acredito na Serpente e no Leão, Mistério do Mistério, no Seu nome BAPHOMET."

Uma mulher vestida de azul e branco abre caminho lentamente pela nave, os olhos postos no chão, seguida de um homem de preto e uma mulher de branco. Carrega na cintura uma espada embainhada. É uma mulher roliça e atraente. Com cerca de quarenta anos, ela tem o cabelo castanho-avermelhado. Fica de pé ao lado da caixa comprida e abre a cortina com sua espada.

Um jovem robusto vestindo uma túnica branca sai de dentro da grande caixa, segurando diante de si uma lança comprida.

A mulher borrifa sobre ele um pouco de água, que lhe foi passada por um de seus ajudantes. Apanha então um dos bastões de incenso e faz um sinal-da-cruz sobre o jovem. Os dois falam o tempo todo – o homem com a lança proclamando que não é digno de celebrar o ritual, a mulher recomendando-lhe numa voz sussurrante que seja puro de corpo e alma. Ela, com as mãos abertas ao longo do corpo dele mas sem tocá-lo, levanta-se em seguida e o envolve numa túnica vermelha, colocando-lhe uma coroa sobre cabeça. Ele inclina a lança para frente, olhando através do altar.

A mulher se ajoelha e faz suas mãos, com as palmas abertas, correrem umas dez vezes pela haste da lança. Sua expressão é tranqüila, reverente. "O Senhor está entre nós!", exclama.

Toda a congregação está agora de joelhos, com os braços para cima e de mãos dadas com os vizinhos. Uma jovem loura de cabelo longo está à minha direita; à minha esquerda há um afro-americano já careca e barbado. Todos os outros estão na mesma posição, de mãos dadas. Meus braços começam a doer. Fico imaginando se as pessoas também estão sentindo uma dor tão intensa nos braços e nas costas. Olho em volta buscando algum sinal de simpatia, mas não encontro nenhum – a maioria está olhando para o altar ou mantém os olhos fechados, com um ar de devoção. Tento, discretamente, me recostar na cadeira. Mas é em vão; meus vizinhos não vão se mover um centímetro. Tento então me concentrar no altar à frente.

Vejo o jovem com a lança no primeiro degrau que conduz ao altar. A cortina está fechada; um momento antes, a mulher com a espada estava sentada no altar, mas agora ela se escondeu.

O rapaz com a lança recita versos para a mulher, que está atrás da cortina; após um momento, ela responde da mesma forma, sem sair de onde está.

Não consigo me concentrar. Estou começando a suar, e a única coisa em que consigo pensar, além da dor nos braços e nas costas, é que o suor do meu braço está começando a escorrer pelo braço da moça.

"Há uma mulher nua no altar."

Estamos de pé novamente, olhando para ela. O homem com a lança acabou de abrir a cortina, e lá está a mulher da espada – totalmente nua, sentada no altar, de frente para nós, com as pernas caídas de lado. Tento captar o quadro inteiro da cena, mas meus olhos insistem em se desviar.

Uma vozinha que vem de dentro da minha cabeça – remanescente do meu catolicismo, feito de cerimônias de comunhão, confissões e aulas de catecismo toda quarta-feira depois da escola – está começando a se manifestar de forma cada vez mais audível e insistente: "Há uma mulher nua no altar. Que diabos ela está fazendo ali?"

O homem oferece-lhe a lança. Ela a toma, beija-a talvez umas dez vezes e, então, a aperta entre os seios. O homem cai de joelhos diante dela, joga os braços sobre o altar, ao lado das pernas da mulher. Inclinado numa pose que demonstra adoração, ele começa lentamente a beijar-lhe os joelhos e as coxas.

Quando eu era mais jovem, a idéia de fazer alguma coisa errada durante a comunhão me aterrorizava. Qual mão eu ponho onde? Que palavras devia dizer ao padre? Quase sinto a mesma coisa esta noite.

Os devotos estão passando ao longo das fileiras de cadeiras e dirigindo-se ao corredor central da nave para se aproximar do altar. Ali recebem a bênção da sacerdotisa nua. Todos caminham lentamente, com uma expressão solene e os braços cruzados sobre o peito. Eu os imito.

Quando finalmente chego ao altar, concentro-me nos olhos da mulher nua. Não quero deixá-la constrangida com meu olhar. Não importa. O problema é mais meu do que dela, e eu quase tropeço nos degraus. Os olhos dela, cheios de uma profunda serenidade, fixam-se nos meus com uma expressão completamente sincera, fazendo com que eu me sinta bem-vindo e confortado. Na verdade, não parece que ela está olhando para mim, o que de alguma forma me deixa mais à vontade. Recebo a hóstia: um pequeno e saboroso pedaço de pão. Antes de comê-lo, digo as mesmas palavras que, uma a uma, outros devotos pronunciaram:

"Não há uma parte de mim que não pertença aos deuses."

A última parte da missa de que me recordo é um poema, recitado por todos os presentes. Foi escrito por Crowley e só me lembro de alguns poucos versos:

> HOMENS: Glória a vós da Tumba Dourada!
> MULHERES: Glória a vós do Ventre que Espera!
> HOMENS: Glória a vós do solo não arado!
> MULHERES: Glória a vós da virgem prometida!

De fato, foi bastante comovente. Os que participavam da cerimônia sabiam os versos de cor; o efeito, quase que o de um coral, convidava a uma espécie de transe.

Agora, relembrando a experiência, reflito sobre sua relação com o *CDV*.

Em termos dos temas, havia alguns vínculos óbvios: a menção a Baphomet; a ligação com os templários; os ritos que evocavam cerimônias e práticas ortodoxas; claras sugestões de uma síntese de muitas tradições mais antigas – egípcias, hebraicas e gregas; alguns ecos da maçonaria e dos rosa-cruzes. Finalmente, e mais importante, na simbologia do evento havia a intenção de conceder à mulher um papel central na cerimônia e – era óbvio – abertas referências à sexualidade.

A Ordem Templo Oriental é uma sociedade secreta (apesar de ser possível localizá-la na Internet, bem como os textos completos da missa gnóstica). Como ocorre com tantas das sociedades ocultas ou esotéricas mencionadas no *CDV*, é preciso ter uma visão que parta de seu interior para realmente compreendê-las. Ainda que a aparência exterior da cerimônia possa ser relacionada a vários temas mencionados no livro, reconheço que não cheguei a conhecer o "verdadeiro" significado da missa, aquele que lhe atribuem os próprios participantes. E não o conhecerei nunca, a não ser que eu me una a eles e me torne um participante silencioso.

Tudo o que posso dizer é que a cerimônia a que assisti era uma celebração de fé e devoção autênticas por parte daquela congregação. Quando procuro me lembrar da reação que tive àquele acontecimento, fico imaginando: que reações de ceticismo, que risos nervosos ou constrangimentos teriam provocado os primeiros cristãos nos tempos da Roma antiga? E não ocorre o mesmo a cada aparecimento de um novo deus?

A grande heresia: O segredo da identidade do Cristo

Lynn Picknett e Clive Prince

Lynn Picknett e Clive Prince são escritores, pesquisadores e conferencistas que moram em Londres e se dedicam a mistérios históricos e religiosos ligados ao ocultismo e à paranormalidade. Seu livro *A grande heresia: O segredo da identidade do Cristo*,[10] ao qual pertence o excerto a seguir, é um dos títulos mais importantes da bibliografia associada ao *CDV*, além de ter servido de fonte para muitas teorias do romance a respeito de Leonardo, dos templários e do Priorado de Sião.

Os nomes de Leonardo da Vinci e de Jean Cocteau aparecem na lista de grão-mestres do que supostamente seria uma das mais antigas e influentes sociedades secretas – o Prioré de Sion, Priorado de Sião. Altamente polêmica, sua própria existência foi posta em questão, e por isso todas as suas pretensas atividades são muitas vezes ridicularizadas e suas conseqüências ignoradas. A princípio simpatizamos com esse tipo de reação, mas posteriormente nossas investigações revelaram que as coisas não eram assim tão simples.

O Priorado de Sião só atraiu a atenção do mundo de língua inglesa em 1982, com o lançamento do best-seller *O Santo Graal e a linhagem sagrada*,[11] de Baigent, Leigh e Lincoln, ainda que na sua terra natal, a França, registros sobre sua existência tivessem vindo a público gradualmente no início da década de 1960. Trata-se de uma ordem cavalheiresca e quase maçônica com certas pretensões políticas e, ao que parece, considerável poder nos bastidores dos círculos mais influentes. Dito isso, é notoriamente difícil classificar o Priorado de Sião, talvez porque exista algo de quimérico a respeito de toda essa operação...

O poder subjacente do Priorado de Sião advém, pelo menos em parte, da sugestão de que seus integrantes têm sido sempre guardiões de um grande segredo – um fato que, se tornado público, abalaria as bases tanto da Igreja quanto do Estado. Essa sociedade, às vezes chamada de Ordem de Sião, ou Ordem de Nossa Senhora de Sião, entre outros títulos secundários, situa sua fundação no ano de 1099, durante a primeira Cruzada – e, mesmo assim, isso significou apenas a formalização de um grupo que estaria de posse desse segredo explosivo havia bastante tempo. Eles afirmam ter sido os responsáveis pela criação da Ordem dos Templários – curioso grupo de soldados-monges da Idade Média, de reputação um tanto sinistra. O Priorado de Sião e os templários tornaram-se, dizem, efetivamente uma só organização, presidida pelo mesmo grão-mestre; contudo, em 1188, uma cisão fez com que seus membros tomassem caminhos diferentes. O Priorado seguiu sob a liderança de uma série de grão-mestres, incluindo alguns dos nomes mais ilustres da história, como Sir Isaac Newton, Sandro Filipepi (conhecido como Botticelli), Robert Fludd, o filósofo inglês dedicado ao ocultismo – e, é claro, Leonardo da Vinci, que supostamente o teria presidido durante os últimos nove anos de sua vida. Entre seus líderes mais recentes estariam Victor Hugo, Claude Debussy, além do artista, escritor, dramaturgo e cineasta Jean Cocteau. E, ainda que não na condição de grão-mestres, outros notáveis ao longo dos séculos, como Joana d'Arc, Nostradamus (Michel de Nostredame) e até o papa João XXIII, teriam sido atraídos por essa sociedade.

É dito também que, além dessas celebridades, a história do Priorado de Sião envolveu, geração após geração, algumas das famílias reais e mais aristocráticas da Europa. Entre elas estariam os Anjou, os Habsburgo, os Sinclair e os Montgomery.

O objetivo declarado do Priorado de Sião é proteger – no que hoje é a França – os descendentes da antiga dinastia de reis merovíngios, que reinou do século V até o assassinato de Dagoberto II no final do século VII. Mas os mais críticos afirmam que essa sociedade surgiu somente nos anos 1950 e que consiste num punhado de mitomaníacos sem nenhuma influência real – seriam apenas monarquistas delirantes, vítimas de uma mania de grandeza.

De um lado, temos então as argumentações do próprio Priorado de Sião a respeito de suas origens e sua *raison d'être* e, do outro, a visão de seus detratores...

Qualquer mistério relacionado ao Priorado de Sião envolve também os monges-guerreiros [os templários], portanto eles estão intrinsecamente ligados a essa investigação. No passado, um terço de todas as propriedades dos templários da Europa concentrava-se no Languedoc, e as suas ruínas só fazem aumentar a beleza rústica dessa região. De acordo com uma das lendas locais mais pitorescas, sempre que o dia 13 de outubro cai numa sexta-feira (a data e o dia da semana em que se deu a súbita e brutal supressão da Ordem dos Templários), estranhas luzes e figuras sombrias podem ser vistas em meio às ruínas. Infelizmente, nas sextas-feiras em que estivemos ali nada ouvimos a não ser o cuinchar assustador dos javalis; mas a história mostra até que ponto os templários se tornaram parte dessas lendas.

Esses monges-guerreiros têm vivido na memória dos habitantes do Languedoc, e essas lembranças são livres de qualquer conotação negativa. Mesmo no século XX, a famosa cantora lírica Emma Calvé, natural de Aveyron, no norte do Languedoc, registrou em sua biografia o que o povo do lugar costumava dizer a respeito de um menino particularmente bonito ou inteligente: "Ele é um autêntico filho dos Templos."

Os fatos básicos a respeito dos templários são simples. Conhecida oficialmente como A Ordem dos Pobres Cavaleiros do Templo de Salomão, ela foi formada em 1118 pelo nobre francês Hugues de Payns, que recrutou cavaleiros para escoltar peregrinos à Terra Santa. A princípio, nos primeiros nove anos, só havia nove deles. Em seguida, passou a aceitar novos membros e logo se afirmou como uma força a ser levada a sério, não apenas no Oriente Médio como também na Europa.

Depois que a ordem foi reconhecida, o próprio Hugues de Payns partiu numa viagem pelo continente europeu, pedindo que a nobreza e os reis contribuíssem com terras e dinheiro. Ele visitou a Inglaterra em 1129, quando fundou a primeira sede dos templários nesse país, no lugar onde fica hoje a estação Holborn do metrô de Londres.

Como todos os outros monges, esses cavaleiros faziam votos de pobreza, castidade e obediência. Mas, vivendo no mundo real, requisitaram permissão para usar suas espadas contra os inimigos de Cristo – a imagem dos templários tornou-se irremediavelmente ligada às Cruzadas, organizadas para expulsar os infiéis de Jerusalém e assim conservar a Terra Santa no campo do cristianismo.

Foi no ano de 1128 que o Concílio de Troyes reconheceu oficialmente a organização dos templários como uma ordem religiosa e militar. O protagonista dessa operação foi Bernardo de Claraval, o líder da Ordem dos Cistercienses, que mais tarde seria canonizado. Contudo, como escreve Bamber Gascoigne em *The Christians* (Os cristãos):

> Ele era agressivo, ele era prepotente... e era um político ardiloso que não tinha muitos escrúpulos na hora de escolher os métodos que usava para derrotar seus inimigos.

Bernardo na verdade escreveu o Regulamento dos Templários baseando-o naquele dos cistercienses; e foi um de seus protegidos, o papa Inocêncio II, que declarou, em 1139, que os cavaleiros a partir daquele momento prestariam contas apenas ao papado. Uma vez que a Ordem dos Templários e a dos cistercienses se desenvolveram de modo paralelo, é possível perceber algum grau de coordenação entre elas – por exemplo, o senhor de Hugues de Payns, o conde de Champagne, doou a São Bernardo a terra em Claraval na qual ele construiu seu "império" monástico. E, de modo significativo, André de Montbard, um dos nove cavaleiros fundadores da ordem, era tio de Bernardo. Já foi sugerido que os templários e os cistercienses estavam agindo conjuntamente graças a um plano previamente traçado para tomar as rédeas do cristianismo, mas a trama nunca obteve êxito.

É difícil exagerar o prestígio e o poder financeiro dos templários quando estavam no auge da sua influência na Europa. Quase não havia um centro importante na civilização em que eles não mantivessem algum tipo de representação – como ainda mostra a difusão de nomes de lugares como Temple Fortune, Temple Bar (em Londres) e Temple Meads (em Bristol). No entanto, à medida que seu império se espalhava, aumentava também sua arrogância, o que começou a envenenar suas relações tanto com chefes de estado seculares quanto com os líderes da Igreja.

A riqueza ostentada pelos templários resultava em parte das suas próprias regras: todos os novos membros eram obrigados a transferir suas propriedades para a ordem. A organização também acumulou uma fortuna considerável proveniente de doações vultosas de terra e dinheiro por parte de muitos reis e nobres. Seus cofres logo estavam transbordando. Para isso muito contribuiu a astúcia financeira que os templários desenvolveram ao se tornarem os primeiros banqueiros internacionais, cujo aval autorizava o crédito do qual muitos dependiam. Esse foi um método bastante seguro usado pela ordem para se afirmar como uma grande força. Num curto período, o título de "pobres cavaleiros" ganharia uma conotação de total hipocrisia, apesar de seus cargos e funções permanecerem não remunerados.

Além de sua espantosa riqueza, os templários também eram conhecidos por sua habilidade e coragem nos campos de batalha – chegando às vezes às raias da imprudência. Regras específicas de conduta os orientavam em sua condição de guerreiros: eram, por exemplo, proibidos de se render, a não ser que estivessem em desvantagem de um para três, e mesmo assim precisavam da aprovação do comandante. Eles eram os comandos especiais daquela época, uma tropa de elite com Deus – e o dinheiro – do seu lado.

A despeito dos seus melhores esforços, a Terra Santa caiu pouco a pouco nas mãos dos sarracenos, até que, em 1201, o último território cristão, a cidade de Acre, passou ao domínio do inimigo. Para os templários, não havia nada a fazer a não ser voltar para a Europa e ali planejar uma possível reconquista. No entanto, infelizmente, nessa época a motivação para uma campanha desse tipo já não existia entre os vários reis que poderiam tê-la financiado. Para a ordem, chegava ao fim a sua principal razão de existir. Sem uma função, mas ainda ricos e arrogantes, esses cavaleiros despertavam ressentimento por toda parte pelo fato de serem isentos do pagamento de impostos e por só precisarem se submeter às ordens do papa e de mais ninguém.

Então, em 1307 aconteceu o que parecia inevitável: os templários caíram em desgraça. O terrivelmente poderoso rei da França, Filipe IV, começou a orquestrar sua derrocada com a conivência do papa, que lhe era totalmente submisso. Ordens secretas transmitidas aos representantes aristocráticos do rei fizeram com que os templários fossem cercados numa sexta-feira, dia 13 de outubro de 1307, presos, torturados e queimados.

Essa pelo menos é a história contada na maior parte das obras sobre o assunto. A impressão que fica é a de que a ordem inteira teve um fim terrível nesse dia, num passado distante, e de que os templários foram realmente varridos da face da Terra para sempre. No entanto, isso está longe de ser verdade.

Para começar, o número de cavaleiros executados foi relativamente pequeno, ainda que quase todos os capturados tenham sido "submetidos a interrogatório" – um surrado eufemismo para a tortura mais brutal. Poucos foram efetivamente levados à fogueira, apesar de – um caso célebre – seu grão-mestre, Jacques de Molay, ter sido lentamente tostado até à morte na Île de la Cité, à sombra da catedral de Notre-Dame em Paris. Dos milhares de outros, só foram executados os que se recusaram a confessar ou voltaram atrás em suas confissões...

Os relatos sobre as confissões feitas pelos templários são, para dizer o mínimo, um tanto extravagantes. Segundo esses registros, eles teriam cultuado um gato ou se envolvido em orgias homossexuais como parte dos seus deveres de cavaleiros ou reverenciado um demônio chamado Baphomet e/ou uma cabeça cortada. Também foram acusados de pisar e cuspir na cruz durante um de seus ritos de iniciação...

Nada disso deveria causar surpresa – não são muitas as vítimas de tortura que conseguem trincar os dentes e repudiar as palavras que os algozes tentam colocar em suas bocas. Mas nesse caso havia realmente fogo atrás de tanta fumaça. Por um lado, há indícios de que todas as acusações levantadas contra os templários foram manipuladas pelos que tinham inveja da sua riqueza e se sentiam irritados com seu poder. Eles também ofereciam uma boa oportunidade para que o rei da França pusesse as mãos nos recursos da ordem e assim saísse das dificuldades financeiras em que se encontrava. Por outro lado, ainda que as acusações não fossem estritamente verdadeiras, há alguns sinais de que os templários estariam envolvidos em algo misterioso e talvez "sombrio", no sentido relacionado às coisas ocultas...

Muito já se especulou nos debates a respeito das acusações contra os templários e de suas confissões. Teriam eles realmente cometido os atos que confessaram ou será que os inquisidores inventaram as acusações e, depois, simplesmente os torturaram até que concordassem com tudo? (Alguns cavaleiros teriam afirmado que, segundo a ordem, Jesus seria "um falso profeta", por exemplo.) É impossível optar, de modo conclusivo, por uma das duas versões...

Certamente o Priorado de Sião garante ter sido a força por trás da criação da Ordem dos Templários: se isso é verdade, então se trata de um dos segredos mais bem guardados da história. Ainda assim, as duas ordens teriam sido absolutamente vinculadas até o cisma de 1188, quando cada uma delas tomou seu próprio caminho. A criação da Ordem dos Templários de fato parece ter resultado de algum tipo de conspiração. O bom senso sugere que seriam necessários mais do que nove cavaleiros para proteger e dar refúgio a todos os peregrinos que visitavam a Terra Santa, especialmente ao longo de nove anos. Além disso, há poucos indícios de que eles tenham feito uma tentativa séria de desempenhar essa missão...

Outro mistério relacionado às origens da instituição está no fato de que há provas de que a ordem já existia bem antes de 1118, ainda que permaneça obscuro o motivo pelo qual essa data possa ter sido falsificada. Muitos estudiosos sugeriram que o primeiro relato sobre a sua criação – escrito por Guilherme de Tiro mais de cinqüenta anos depois do acontecimento – não passaria de uma história destinada a despistar. (Apesar de Guilherme ser profundamente hostil aos templários, ele estava supostamente recontando os fatos como os havia compreendido.) No entanto, uma vez mais, o que esse registro estaria encobrindo é tema para especulações.

Hugues de Payns e seus nove companheiros eram todos provenientes ou da região de Champagne ou do Languedoc... e parece bem claro que foram à Terra Santa com uma missão específica em mente. Talvez, como já foi sugerido, eles estivessem buscando a Arca da Aliança ou outro antigo tesouro, ou documentos que os levassem a essas riquezas, ou ainda algum tipo de conhecimento secreto que lhes desse poder sobre as pessoas e seus bens...

Investigando os segredos mais sombrios da civilização ocidental

ENTREVISTA COM LYNN PICKNETT E CLIVE PRINCE

Ao longo deste livro há outras contribuições de Lynn Picknett e Clive Prince, cujo trabalho serviu de fonte para Dan Brown escrever o *CDV*. Entrevistamos os dois por e-mail para discutir algumas questões que o leitor talvez tenha interesse em esclarecer depois de ter lido o texto desses autores. A seguir, alguns trechos da conversa.

O que são os Dossiês secretos *que estão na Biblioteca Nacional de Paris e por que Dan Brown confere a eles tanto destaque no* CDV?

"Dossiês secretos" é uma expressão apropriada, formulada por Baigent, Leigh e Lincoln no livro *O Santo Graal e a linhagem sagrada*[12] para uma coleção de sete documentos de tamanhos variados – ao todo, menos de cinqüenta páginas – enviados a essa biblioteca entre 1964 e 1967.

Eles tratam de temas como o Priorado de Sião, o mistério de Rennes-le-Château, Maria Madalena e os merovíngios. O propósito desse material é estabelecer a existência do Priorado de Sião e o seu papel como guardião de segredos históricos e esotéricos, mas o título *Dossiês secretos* não dá uma idéia da sua real natureza.

Qualquer um com um cartão de leitor da Biblioteca Nacional de Paris pode ler os originais. Há também versões em fac-símile mais acessíveis, publicadas na década de 1990 pelo pesquisador francês Pierre Jarnac. Talvez não sejam mais encontradas em livrarias, mas há algum tempo eram amplamente difundidas na França.

Em A grande heresia: O segredo da identidade do Cristo, *vocês afirmam que os* Dossiês secretos *que Dan Brown usa como chave para vincular vários grandes segredos no* CDV *parecem ser um completo despropósito. Por quê?*

Afirmamos isso porque, na nossa opinião e à primeira vista, eles realmente parecem um total disparate. Nesses documentos há tantos elementos que estão em conflito com os dados históricos que se torna tentador rejeitá-los como pura fantasia. Mas não é tão simples assim. Ainda que determinadas informações sejam evidentemente falsas e outras deliberadamente enganosas, alguma coisa, de modo um tanto surpreendente, pode ser comprovada.

Além disso, os *Dossiês* são em sua maior parte decepcionantes. Eles *não* são, como diz Dan Brown, velhos e românticos pergaminhos, e sim algumas folhas datilografadas em papel barato. É difícil imaginar que segredos tão formidáveis sejam revelados em pedaços de papel tão vagabundos.

Qual o vínculo direto entre o Priorado de Sião e os templários?

O maior paradoxo em torno do Priorado de Sião é que não há nenhuma prova de sua existência antes de 1956. No entanto, supostamente, ele existiria desde a Idade Média. Nos últimos anos, contudo, essa sociedade mudou sua história, passando a afirmar que teria sido fundada no século XVIII.

A conclusão a que chegamos desde que escrevemos *A grande heresia: O segredo da identidade do Cristo* é que o Priorado de Sião que decidiu vir à luz em 1956 foi inventado nessa época, mas como uma fachada para uma rede de sociedades secretas e ordens esotéricas que, *de fato*, têm uma origem autêntica. Essa fachada tornou possível que fizessem certas coisas de um modo semipúblico sem que revelassem quem ou o que está realmente por trás delas.

Nos *Dossiês secretos*, o Priorado de Sião se diz uma organização-irmã dos templários, mas não há nenhuma prova dessa afirmação. Em todo caso, desde então, o Priorado voltou atrás nessa afirmativa (se tinha sido fundado no século XVIII obviamente não poderia existir nenhuma relação!).

Havia a Ordem de Nossa Senhora de Monte Sião, que pertencia à abadia do mesmo nome em Jerusalém e que mantinha algum vínculo com os templários. Foi dito que o Priorado de Sião seria uma continuação dessa ordem, mas, infelizmente, essa informação não é tratada de forma mais aprofundada.

Por outro lado, há um estreito vínculo entre o Priorado de Sião *moderno* e as sociedades secretas que dizem descender dos templários medievais. As origens de todos esses grupos de neotemplários remontam a uma sociedade do século XVIII chamada Estrita Observância Templária, que afirmava – com alguma razão – ser a autêntica herdeira dos segredos medievais dos templários. E a organização liderada por Pierre Plantard [tido como o grão-mestre do Priorado de Sião na época mais recente] desempenha o papel de fachada para esses outros grupos.

O que tornou os templários tão famosos? Que informação secreta eles supostamente detêm?

Historicamente, é aceito o fato de que os templários mostrariam uma rara habilidade nos campos da medicina e da diplomacia e nas artes militares – constituindo a força de elite do seu tempo. Muito desse conhecimento foi adquirido durante as suas viagens, especialmente ao Oriente Médio, e em grande parte por meio de seus inimigos, os sarracenos, que eram particularmente célebres por seu conhecimento científico. (Um dos motivos que permitiram aos sarracenos se posicionarem tão à frente dos europeus foi o fato de todos os experimentos científicos terem sido banidos pela Igreja.)

Não há dúvida de que os templários também buscavam conhecimentos espirituais e esotéricos – embora não seja possível encontrar muita informação sobre isso nos livros convencionais de história. Eles se mostravam tão reservados que nada sabemos com absoluta certeza a respeito de seus projetos secretos: tudo isso serve apenas de tema para especulações bem embasadas. Esses cavaleiros têm sido vinculados a tudo – da Arca da Aliança e do Santo Graal aos Evangelhos perdidos e ao Sudário de Turim. Ninguém tem certeza de nada.

No entanto, nossas pesquisas indicam que os templários eram uma sociedade dentro de uma sociedade: a grande massa de cavaleiros compunha-se, grosso modo, de pessoas que, pelos critérios da época, eram cristãos comuns como quaisquer outros. Mas os cavaleiros fundadores e os círculos mais estreitos a eles ligados pareciam seguir um projeto diferente – e bastante herético. Sabe-se que havia um grande segredo em torno de Baphomet, a cabeça cortada que os iniciados da ordem teriam supostamente cultuado. Seria Baphomet realmente uma cabeça – uma cabeça barbada, cortada, como diziam alguns cavaleiros? Se era assim, quem e o que ela poderia representar?

Como os maçons estão ligados a tudo isso?

A maçonaria já passou por tantos cismas, evoluções e reinvenções que não podemos mais falar em "maçons" – não existe tal coisa, uma vez que há tantas variantes. Mas nós realmente acreditamos que o vínculo entre os templários (aqueles que passaram à clandestinidade depois da supressão da ordem) e as origens da maçonaria foi provado de forma conclusiva. A rede de ordens por trás do Priorado de Sião está intimamente ligada a certas formas de maçonaria, como a do Rito Escocês Retificado.

Qual o principal objetivo ou propósito dos maçons?

Hoje em dia depende de que ordem maçônica estamos falando. Quase todas afirmam que são estritamente organizações beneficentes, filosóficas e éticas, enquanto seus críticos dizem que elas se dedicam à promoção de progressos comerciais e sociais mútuos. A meta original da franco-maçonaria era a aquisição, o estudo e a transmissão de conhecimentos, principalmente esotéricos (iluminação). Algumas ordens ainda mantêm essa orientação tradicional.

Quem é Pierre Plantard?

Pierre Plantard (também conhecido como Pierre Plantard de Saint-Clair) foi o grão-mestre do Priorado de Sião até a sua morte, em 2000. Ele era o rosto da organização. Essa sociedade aparecia na esfera pública basicamente por meio das entrevistas que Plantard concedia a Baigent, Leigh e Lincoln, autores de *O Santo Graal e a linhagem sagrada*, que, indiretamente, inspirou o livro de Dan Brown. Quem é o grão-mestre hoje em dia ou até mesmo se existe um, isso agora é tema para especulações.

É importante enfatizar que Plantard nunca disse nada sobre a descendência, a linhagem, originada por Jesus e Maria Madalena. Essa é uma hipótese de Baigent, Leigh e Lincoln. Depois do segundo livro publicado pelos três, *A herança messiânica*[13] [lançado na Grã-Bretanha em 1986], Plantard repudiou explicitamente a idéia. [Dan Brown parece não ter ficado sabendo disso!]

Levando em conta os nomes famosos que alguns citam como grão-mestres do Priorado de Sião, quais seriam as personalidades envolvidas nessa questão atualmente?

Se o Priorado de Sião é uma fachada para outras sociedades político-esotéricas, num certo sentido ele não tem integrantes propriamente seus. Vários nomes têm sido associados a essa organização, inclusive o de François Mitterrand. Mas o problema com uma sociedade secreta é: como se pode provar que alguém faz parte dela? E são eles realmente guardiões de um grande segredo histórico, como sugere Dan Brown? Ou têm algum tipo de objetivo político que não desejam revelar?

O que é a linhagem merovíngia e qual sua ligação com Jesus?

Os merovíngios foram uma dinastia de reis francos que, entre os séculos V e VIII, governaram partes do que hoje conhecemos como o norte da França, a Alemanha e a Bélgica. Seu trono foi usurpado pelos carolíngios em conluio com a Igreja.

A principal controvérsia levantada pelos *Dossiês secretos* é suscitada pela afirmação de que, ao contrário do que registra a história oficial, a linhagem merovíngia não morreu e que o Priorado de Sião tem protegido seus descendentes desde eras mais remotas até os dias de hoje. Há uma sugestão de que eles seriam os legítimos reis da França e que o objetivo dessa sociedade seria reconduzi-los ao trono. Isso é uma bobagem despropositada. Ainda que os merovíngios tivessem sobrevivido, o que é extremamente duvidoso, eles não teriam direito ao trono, pois este não existe mais na República francesa.

A teoria central do *Santo Graal e a linhagem sagrada* diz respeito à linhagem merovíngia e ao fato de ela descender de Jesus e Maria Madalena. Foi essa a idéia que praticamente inspirou o *CDV*. Nunca é demais enfatizar que essa hipótese é *exclusivamente* de Baigent, Leigh e Lincoln. Ela não é mencionada *em nenhuma parte* dos *Dossiês secretos* nem em nenhum outro documento ligado ao Priorado de Sião; além disso, foi explicitamente repudiada por Pierre Plantard.

Que fundamentos tem a tese de que o Santo Graal representa a linhagem do sangue de Jesus nascida do ventre de Maria Madalena?

Baigent, Leigh e Lincoln argumentam que o Santo Graal, o "receptáculo" que continha o sangue e a semente de Jesus, é uma referência em código ao ventre de Maria Madalena, que teria carregado seu filho. É uma hipótese intrigante, mas bastante discutível, particularmente porque a idéia do Graal como "receptáculo" nada tem a ver com sua forma original. As primeiras histórias ou não descrevem a forma do misterioso Santo Graal ou se referem a ele como uma *pedra*.

Nós não concordamos em hipótese nenhuma com a teoria de que o Graal represente o ventre de Maria Madalena. Isso foi explicitamente rejeitado pelo próprio Priorado de Sião, e esse é o principal equívoco tanto do *Santo Graal e a linhagem sagrada* quanto, de modo menos sério, do *CDV*, que afinal é uma obra de ficção.

Poderiam falar um pouco de Leonardo e de sua relação com uma sociedade secreta?

Historicamente, Leonardo é conhecido como alguém que foi um herege e que tinha interesse por idéias esotéricas. O Priorado de Sião afirma que ele foi o seu nono grão-mestre, mas se isso foi literalmente verdade é impossível dizer, ainda que seja bastante improvável. Não há nenhum documento da época que estabeleça esse vínculo; além disso, como se trata de uma sociedade secreta, não se espera que existam provas desse tipo, não é verdade?

Mas o que está claro é que Leonardo incorporou em suas obras elementos simbólicos que têm a ver com os temas abordados nos *Dossiês secretos*, mostrando pelo menos que aderira à mesma tradição expressa nesses documentos.

Para nós, como explicamos em *A grande heresia: O segredo da identidade do Cristo*, o elemento principal é a grande elevação que Leonardo faz de João Batista, a tal ponto que parece torná-lo superior a Jesus – até mesmo ao "verdadeiro Cristo". Ironicamente, o capítulo do nosso livro que intitulamos "O código secreto de Leonardo da Vinci" (parece familiar?) *não* era sobre a linhagem supostamente derivada de Jesus, mas sobre essa heresia associada à figura de João.

O Santo Graal e a linhagem sagrada

Michael Baigent, Richard Leigh e Henry Lincoln

Michael Baigent, Richard Leigh e Henry Lincoln, autores de *A herança messiânica*,[14] passaram dez anos ocupados com sua própria busca do Santo Graal, mergulhando na obscura história dos primórdios da França, para escrever *O Santo Graal e a linhagem sagrada*,[15] publicado na Grã-Bretanha, em 1982. O trecho a seguir foi extraído desse livro. Reproduzido com permissão da Dell Publishing, uma divisão da Random House.

O Santo Graal e a linhagem sagrada foi o livro que "deu origem a tudo" ao despertar, no fim do século XX, o interesse por temas como as interseções secretas e as conspirações relacionadas ao casamento de Jesus e Maria Madalena, a suposta linhagem por eles iniciada, os Evangelhos perdidos, os templários, o Priorado de Sião, Leonardo da Vinci, os *Dossiês secretos*, o mistério de Rennes-le-Château e do padre Saunière, etc. Ao ler essa obra, quase dá para ver as passagens que Dan Brown deve ter sublinhado e marcado enquanto pensava: "Ah, ah! Tenho de usar isto!"

No entanto, como frisam vários artigos reproduzidos neste livro, *O Santo Graal e a linhagem sagrada* tem sido seriamente questionado tanto pelo nível de sua pesquisa e por seus métodos quanto por suas conclusões. A maior parte dos especialistas com conhecimento nas áreas abordadas no livro consideram-no, na melhor das hipóteses, não confiável ou, pior ainda, francamente conivente com a fraude representada, segundo muitos, pelo Priorado de Sião.

O Santo Graal e a linhagem sagrada definitivamente merece a atenção do leitor. Se as informações que apresenta são verdadeiras ou não e em que medida podem conter alguma veracidade, isso caberá a cada leitor julgar. Diremos apenas que Dan Brown teve uma idéia brilhante ao tecer com esse fantástico material a trama de uma obra de ficção.

O excerto a seguir é apenas um exemplo das muitas discussões fascinantes levantadas nessa obra. Parte desse trecho pode parecer um pouco confusa e difícil de acompanhar sem as informações reproduzidas anteriormente no próprio livro. Nosso objetivo aqui, porém, é dar ao leitor uma idéia, uma amostra de um texto que foi seminal para a criação do *CDV*. Se interessar, basta encontrar um exemplar do *Santo Graal e a linhagem sagrada* e ler o livro inteiro!

É verdade que Guilherme [de Tiro] realmente nos fornece algumas informações básicas, e é sobre esses dados que se apóiam todos os relatos subseqüentes sobre os templários, todas as explicações referentes à fundação da sua ordem e todas as narrativas a respeito de suas atividades. Mas dado o caráter vago e fragmentário desses escritos, em razão da época em que foram produzidos [1175-85] e em decorrência da pobreza das fontes e documentos, esse material apresenta uma base precária sobre a qual se possa construir um quadro definitivo. As crônicas de Guilherme certamente são úteis. Mas é um erro – no qual muitos historiadores incorreram – considerar tais textos incontestáveis e absolutamente precisos. Mesmo as datas apresentadas, como frisa Sir Steven Runciman, são confusas e até claramente erradas.[16]

De acordo com Guilherme de Tiro, a Ordem dos Pobres Cavaleiros de Cristo e do Templo de Salomão foi criada em 1118. Acredita-se que seu fundador tenha sido Hugues de Payns, um nobre de Champagne e vassalo da corte dessa região. Certo dia, Hughes, sem que tivesse sido solicitado, apresentou-se com oito companheiros no palácio de Balduíno I, rei de Jerusalém, cujo irmão mais velho, Godofredo de Bouillon, havia conquistado a Terra Santa dezenove anos antes. Balduíno parece tê-los recebido de modo muito cordial, da mesma forma que o patriarca de Jerusalém – o líder religioso daquele novo reino e emissário especial do papa.

O objetivo declarado dos templários, continua Guilherme de Tiro, era, "à medida que suas forças permitissem, manter as estradas e os caminhos seguros... dedicando atenção especial aos peregrinos".[17] Esse propósito parecia ser de tal importância que o rei mandou desocupar uma ala inteira do palácio, colocando-a à disposição dos visitantes. E, a despeito do seu voto de pobreza, os cavaleiros se transferiram para essas luxuosas acomodações. Segundo a tradição, seus alojamentos foram construídos sobre os alicerces do antigo Templo de Salomão, do qual a ordem recém-criada teria tirado seu nome.

Por nove anos, conta-nos Guilherme de Tiro, os nove cavaleiros não admitiram nenhum novo integrante na ordem. Supostamente, ainda deveriam estar vivendo na pobreza – uma pobreza tal que o selos oficiais da ordem mostram dois cavaleiros montando um único cavalo. A imagem sugeriria não apenas a fraternidade como também a penúria, que impedia a adoção de montarias separadas. O selo desse tipo, em geral apontado como o mais famoso e característico dos símbolos da ordem, tem origem nos primeiros dias da instituição. No entanto, ele só foi realmente criado um século depois, quando os templários dificilmente poderiam ser considerados pobres – se é que algum dia o foram.

Segundo Guilherme de Tiro, escrevendo meio século mais tarde, os templários foram instituídos em 1118 e se mudaram para o palácio do rei – de onde saíam para proteger os peregrinos dos perigos que os ameaçavam nos caminhos e veredas da Terra Santa. Havia, no entanto, nessa época um historiador real oficial, contratado pelo rei. Seu nome era Fulk de Chartres, e ele não estava escrevendo cinqüenta anos depois da suposta fundação da ordem, mas exatamente nos anos em que esses fatos se passaram. Curiosamente, Fulk de Chartres não faz nenhuma menção a Hugues de Payns, a seus companheiros ou a qualquer coisa remotamente ligada aos templários.

Na verdade, existe um silêncio eloqüente sobre as atividades dos templários em seus primeiros dias de existência. Mesmo depois, é fato que não há registros de quaisquer atividades realizadas por eles para proteger peregrinos. E é impossível deixar de imaginar como um grupo tão reduzido poderia desempenhar a gigantesca missão que se impôs – nove homens para dar segurança aos peregrinos ao longo de todos os caminhos da Terra Santa? Só nove? E *todos* os peregrinos? Se esse era realmente seu objetivo, seria de esperar que acolhessem novos recrutas de braços abertos. No entanto, segundo Guilherme de Tiro, eles não aceitaram nenhum candidato durante nove anos.

Ainda assim, uma década depois, a fama dos templários parecia ter chegado à Europa. Autoridades eclesiásticas referiam-se a eles em termos elogiosos e exaltavam suas façanhas em prol do cristianismo. Por volta de 1128 ou um pouco mais tarde, foi divulgado um texto louvando as virtudes e qualidades da ordem, assinado por ninguém menos do que São Bernardo, abade de Claraval e na época o principal porta-voz da cristandade. O tratado de Bernardo, "Em Louvor dos Novos Cavaleiros", declara que os templários representam a essência e a apoteose dos valores cristãos.

Nove anos depois, em 1127, quase todos os cavaleiros retornaram à Europa, onde mereceram uma recepção triunfal, cujo principal organizador foi São Bernardo. Em janeiro de 1128, a Igreja realizou um concílio em Troyes, corte do duque de Champagne, o senhor de quem Hugues de Payns era vassalo. Nessa assembléia, mais uma vez coube a Bernardo o papel de principal mentor dos religiosos. Os templários foram então oficialmente reconhecidos pela Igreja e a ela incorporados como uma ordem militar religiosa. Hugues de Payns recebeu o título de grão-mestre. Ele e seus subordinados deveriam desempenhar a função de monges-guerreiros, de soldados místicos, combinando a disciplina austera do mosteiro com um zelo marcial que beirava o fanatismo – uma "milícia de Cristo", como eram chamados na época. E foi novamente São Bernardo que, num entusiasmado discurso inicial, ajudou a formular as condutas às quais os cavaleiros iriam aderir – regras inspiradas nas da ordem dos monges cistercienses, na qual ele próprio exercia uma influência dominante.

Os templários prestavam votos de pobreza, castidade e obediência. Eram obrigados a cortar o cabelo, mas proibidos de raspar a barba, distinguindo-se assim de seus contemporâneos, pois na época não usar barba era um costume adotado pela maioria dos homens. Sua alimentação e roupas, entre outros aspectos da vida diária, eram estritamente reguladas tanto pela rotina monástica quanto pela militar. Todos os integrantes da ordem eram obrigados a vestir hábitos semelhantes àqueles que os cavaleiros usavam sobre as armaduras, assim como capas. Essa vestimenta logo evoluiria para o manto branco típico pelo qual os templários se tornariam famosos. "A ninguém é dado o privilégio de usar hábitos ou mantos brancos, exceto aos Cavaleiros de Cristo."[18] Assim rezava o regulamento da ordem, que detalhava também o significado simbólico desses trajes: "A todos os cavaleiros consagrados nós damos, tanto no inverno quanto no verão, roupas brancas, de modo que os que deixam para trás uma vida associada às trevas saibam que estão agora se entregando ao criador para levar uma vida de pureza e alvura."[19]

Além de detalhes como esses, o regulamento estabelecia uma lassa hierarquia administrativa, enquanto o comportamento no campo de batalha era estritamente controlado. Se, por exemplo, fossem capturados, os templários não tinham autorização para implorar clemência ou pagar o seu resgate. Esperava-se que lutassem até a morte. Também não lhes era permitido recuar, a não ser que estivessem numa situação de inferioridade na proporção de três para um.

Em 1139, uma bula papal foi emitida por Inocêncio II – um antigo monge de Claraval e protegido de São Bernardo. Segundo essa carta, os templários não prestariam obediência a nenhum poder eclesiástico ou secular além daquele representado pelo próprio papa. Em outras palavras, eles passavam assim a desfrutar de completa independência em relação a todos os reis, príncipes e prelados, ficando livres de qualquer interferência tanto de autoridades políticas quanto religiosas. Na verdade, os templários haviam se tornado uma lei, um império autônomo internacional.

Durante as duas décadas que se seguiram ao Concílio de Troyes, a ordem se expandiu com tremenda rapidez e numa escala extraordinária. Quando Hugues de Payns visitou a Inglaterra em 1128, foi recebido com "grande pompa" pelo rei Henrique I. Em toda a Europa, os filhos mais jovens das famílias nobres apressaram-se a se alistar na ordem, e doações generosas – em dinheiro, bens e terras – chegaram de cada recanto do mundo cristão. Hugues de Payns doou suas propriedades, e os novos integrantes eram obrigados a fazer o mesmo. Ao ser admitido, cada um deles assinava um documento transferindo à instituição tudo o que possuía...

...Muitos dos contemporâneos desses cavaleiros os evitavam, convencidos de que estes estavam mancomunados com poderes suspeitos. Já em 1208, no começo da Cruzada albigense, o papa Inocêncio III havia repreendido os templários por comportamento anticristão, referindo-se explicitamente à necromancia. Havia, por outro lado, aqueles que os louvavam com um entusiasmo mais exacerbado. No fim do século XII, Wolfram von Eschenbach, o maior dos *minnesingers* ou *romanciers*, fez uma visita especial ao Outremer* para ver a ordem em ação. E quando, entre 1195 e 1220, ele compôs o romance épico *Parsifal*,[20] atribuiu aos templários um status altamente idealizado. Em seu poema, os cavaleiros que guardam o Santo Graal, o Castelo do Graal e a família do Graal são templários.

A mística que envolvia a ordem sobreviveu à sua extinção. O último evento relacionado a essa organização a merecer registro foi a execução na fogueira de seu der-

---

* Nome francês para os reinos cruzados no Oriente. (N.E.)

radeiro grão-mestre, Jacques de Molay, em março de 1314. À medida que a fumaça sufocava lentamente a vida no seu corpo, conta-se que Molay, em meio às chamas, teria proferido uma maldição. De acordo com essa versão, o condenado convocou seus algozes – o papa Clemente e o rei Filipe – a se unirem a ele dali a um ano. Um mês depois, o papa estaria morto, supostamente vítima de um súbito acesso de disenteria. Ao fim de um ano, também o rei Filipe perderia a vida, por motivos até hoje não esclarecidos. Não há, é óbvio, nenhuma necessidade de buscar explicações sobrenaturais. Os templários dominavam as técnicas de envenenamento com perfeição. E certamente circulava em torno desses poderosos um número suficiente de simpatizantes seus – cavaleiros fugitivos vivendo anonimamente ou parentes dos perseguidos – para levarem a cabo a vingança que julgavam adequada. No entanto, o aparente cumprimento da maldição lançada pelo grão-mestre estimulou a crença nos poderes ocultos atribuídos à ordem. E a maldição também não parou por aí. Segundo a lenda, ela jogaria uma mortalha sobre todo o futuro da linhagem real francesa. Assim, os supostos poderes místicos dos templários continuariam a ecoar através dos séculos.

Por volta do século XVIII, várias confrarias secretas e semi-secretas estavam louvando os templários não só como seus precursores mas também como iniciados místicos. Muitos maçons dessa época tomaram os templários como seus antecessores. Alguns "ritos" e "regulamentos" eram considerados uma herança direta da ordem, e muitos se diziam guardiões autorizados dos segredos e mistérios da instituição. Essa pretensão era, em alguns casos, completamente descabida. Mas em outros, levando em conta, por exemplo, a possível sobrevivência da ordem na Escócia, podem ter um núcleo de verdade, ainda que os detalhes fantasiosos acrescentados sejam falsos.

Em 1789, as lendas que envolviam os templários haviam atingido proporções realmente míticas e a sua realidade histórica já tinha sido ofuscada por uma aura de brumas e romantismo. Esses cavaleiros eram considerados adeptos do ocultismo, alquimistas iluminados, magos e sábios, mestres maçons e altos iniciados – autênticos super-homens dotados de um espantoso arsenal de poderes e conhecimentos secretos. Eram também vistos como heróis e mártires, precursores do espírito anticlerical então em voga. E muitos maçons franceses, ao conspirarem contra Luís XVI, acreditavam estar ajudando a realizar a maldição proferida contra a linhagem real por um Jacques de Molay moribundo. Quando a cabeça do rei caiu sob a lâmina da guilhotina, dizem que um homem desconhecido pulou sobre o cadafalso. Depois de mergulhar a mão no sangue do rei, espirrou-o sobre a multidão ao seu redor, gritando: "Jacques de Molay, estás vingado!"

Da Revolução Francesa à época atual, a aura envolvendo os templários não perdeu força. Hoje em dia pelo menos três organizações ostentam o título dos templários, afirmando que suas raízes remontam ao ano de 1314 e referindo-se a personagens cuja autenticidade nunca foi provada. Algumas lojas maçônicas adotaram o grau de Templário, assim como rituais e títulos supostamente herdados da ordem original. Quase no fim do século XIX, uma sinistra Ordem dos Novos Templários foi criada na Alemanha e na Áustria, adotando a suástica como um de seus emblemas. Personalidades como Helena Petrovna Blavatsky, fundadora da Teosofia, e Rudolf Steiner, fundador da Antroposofia, referiam-se a uma "tradição de saber" esotérica, cujas origens recuariam, por meio dos rosa-cruzes, até os cátaros e os templários, que, acreditava-se, guardariam segredos ainda mais antigos...

De todos os documentos depositados na Biblioteca Nacional de Paris que foram publicados em edições particulares o mais importante é a compilação de textos conhecida como *Dossiês secretos.* Catalogado sob o número 4.º lm1[1] 249, esse material agora pode ser consultado sob a forma de microfilmes. Até recentemente, no entanto, ele consistia num caderno fino, formado por folhas avulsas dispostas entre capas duras, apresentando textos sobre muitos assuntos que não exibiam nenhuma relação entre si – recortes de jornais, cartas, panfletos, várias árvores genealógicas e uma estranha página impressa extraída aparentemente de outro livro. Algumas dessas folhas costumavam ser periodicamente removidas. Em outros momentos, novas folhas eram inseridas no conjunto. Em determinadas páginas, correções e acréscimos eram feitos à mão numa letra minúscula. Posteriormente essas páginas foram substituídas por folhas novas, impressas, já incorporando todas as emendas anteriores.

O grosso dos *Dossiês secretos,* que consiste em árvores genealógicas, é atribuído a um certo Henri Lobineau, cujo nome aparece na página com o título. Dois itens acrescentados ao caderno informam que Henri Lobineau é um pseudônimo – talvez derivado de uma rua, a *rue* Lobineau, em frente à igreja de São Sulpício em Paris – e declaram também que as genealogias são na verdade obra de um antiquário e historiador austríaco chamado Leo Schidlof, que teria vivido na Suíça e morrido em 1966. Com base nessa informação, procuramos descobrir tudo o que poderíamos saber sobre esse homem.

Conseguimos, em 1978, localizar a filha de Schidlof, que vivia na Inglaterra. Seu pai, ela disse, fora realmente austríaco. Ele não tinha sido genealogista, historiador nem antiquário, mas um especialista em miniaturas, e também vendedor dessas peças, que chegou a escrever duas obras sobre o assunto. Em 1948, Schidlof mudou-se para Londres, onde viveu até pouco antes da sua morte, em Viena, em 1966 – o ano e o local especificados nos *Dossiês secretos.*

A Srta. Schidlof afirmou categoricamente que seu pai jamais demonstrou interesse por genealogias, pela dinastia merovíngia ou por ocorrências misteriosas no sul da França. Contudo, ela prosseguiu, parecia óbvio que certas pessoas acreditavam exatamente no contrário. Durante a década de 1960, por exemplo, Schidlof recebeu muitas cartas e telefonemas de pessoas não identificadas, tanto da Europa quanto dos Estados Unidos, que manifestavam a intenção de discutir esses assuntos, a respeito dos quais ele nada sabia. Por ocasião da sua morte, em 1966, ocorreu uma nova leva de mensagens, a maior parte delas perguntando a respeito dos papéis que teria deixado.

Qualquer que tenha sido a natureza do caso com que o pai da Srta. Schidlof possa ter inadvertidamente se envolvido, ele parecia ter tocado em algo que era do interesse do governo americano. Em 1946 – uma década antes da época em que os *Dossiês secretos* teriam sido compilados –, Schidlof requereu um visto de entrada nos Estados Unidos. Seu pedido foi recusado por suspeita de espionagem ou de algum outro tipo de atividade clandestina. A objeção acabou sendo suspensa e o visto emitido, o que lhe garantiu a autorização para entrar no país. Tudo pode não ter passado de uma trapalhada burocrática. No entanto, a Srta. Schidlof parecia acreditar que esse fato estivesse de alguma forma relacionado às preocupações com os mistérios imputadas ao seu pai.

A história contada pela filha de Schidlof nos fez pensar. A recusa do visto pelos americanos pode ter sido algo mais do que um acidente, pois entre os papéis dos *Dossiês secretos* havia referências ligando o nome de Leo Schidlof a algum tipo de espionagem. Contudo, começara a circular em Paris outro panfleto, cujo conteúdo viria a ser confirmado nos meses seguintes por outras fontes. De acordo com o novo panfleto, o arredio Henri Lobineau não era afinal Leo Schidlof, mas um aristocrata francês de uma família de prestígio, o conde Henri de Lénoncourt.

A questão da verdadeira identidade de Lobineau não era o único enigma associado aos *Dossiês secretos*. Havia também um item que se referia à "valise de couro de Leo Schidlof". Essa pasta conteria vários documentos secretos a respeito de Rennes-le-Château entre 1600 e 1800. Pouco depois da morte de Schidlof, circulou a informação de que a pasta teria passado às mãos de um mensageiro, um certo Fakhar ul Islam, que, em fevereiro de 1967, supostamente marcara um encontro na Alemanha Oriental com "um agente designado por Genebra", a quem ele deveria entregar a valise. No entanto, antes que a transação fosse realizada, Fakhar ul Islam teria sido expulso da Alemanha Oriental e retornado a Paris "para aguardar novas ordens". Em 20 de fevereiro de 1967, seu corpo foi encontrado sobre os trilhos de uma ferrovia nas proximidades de Melun, depois de ter sido atirado do trem Paris–Genebra. A pasta, acredita-se, desapareceu.

Nós nos dispusemos a averiguar o máximo possível a respeito dessa história fantástica. Uma série de artigos em jornais franceses do dia 21 de fevereiro confirma a maior parte dela.[21] Um corpo decapitado tinha sido realmente encontrado sobre os trilhos em Melun e identificado como um jovem paquistanês chamado Fakhar al-Islam. Por razões que permanecem obscuras, o homem morto fora expulso da Alemanha Oriental e estava viajando de Paris para Genebra, empenhado, ao que parece, em algum tipo de espionagem. De acordo com os jornais, o caso estava sendo investigado pela DST, a contra-espionagem francesa.

Por outro lado, os jornais não faziam nenhuma menção a Leo Schidlof, a uma valise de couro ou a qualquer coisa relacionada ao mistério de Rennes-le-Château. Nós nos vimos, portanto, diante de algumas perguntas não respondidas. Não era impossível que a morte de Fakhar ul Islam estivesse ligada a Rennes-le-Château e que a referência incluída nos *Dossiês secretos* se originasse de uma informação de caráter restrito inacessível à imprensa. Por outro lado, era possível que esse item tivesse sido incluído naquele material como uma mistificação, uma falsificação deliberada. Bastava encontrar uma morte suspeita ou não explicada e depois atribuí-la à sua própria conspiração. Mas se esse fosse realmente o caso, qual teria sido o objetivo dessa manipulação? Por que alguém tentaria criar um clima de intrigas sinistras em torno de Rennes-le-Château? O que ganharia com essa atitude? E quem lucraria com isso?

Essas questões nos deixaram perplexos, entre outros motivos, porque a morte de Fakhar ul Islam aparentemente não tinha sido um fato isolado. Menos de um mês depois, outra obra, publicada por um particular, foi depositada na Biblioteca Nacional de Paris. Intitulada *Le Serpent rouge* (A serpente vermelha) e datada, de modo bastante simbólico e significativo, de 17 de janeiro. A página com o título exibe os nomes de três autores: Pierre Feugère, Louis Saint-Maxent e Gaston de Koker.

Le Serpent rouge é uma obra singular. Contém uma genealogia merovíngia e dois mapas da França na era merovíngia, acompanhados de comentários superficiais. Inclui também uma grande planta da igreja de São Sulpício em Paris, que demarca as capelas dos vários santos contemplados ali. Mas a maior parte do texto é formada por treze pequenos poemas em prosa de notável qualidade literária – muitos deles fazem lembrar os versos de Rimbaud. Cada um dos poemas não tem mais do que um parágrafo e seu conjunto corresponde aos signos do zodíaco, mas de um zodíaco de treze signos, com o décimo terceiro, Ophiucus, ou "o que detém a serpente", inserido entre Escorpião e Sagitário.

Narrados na primeira pessoa, os treze poemas em prosa são uma espécie de peregrinação simbólica, ou alegórica, começando com Aquário e terminando em Capricórnio, que, como afirma explicitamente a obra, abrange o 17 de janeiro. Apesar de enigmático, o texto apresenta algumas referências familiares – à decoração da igreja em Rennes-le-Château, a algumas das inscrições de Saunière feitas ali, à família Blanchefort, a Poussin e ao seu quadro *Les Bergers d'Arcadie* (Os pastores da Arcádia), assim como ao lema gravado no túmulo que aparece na pintura: *et in Arcadia ego* (e na Arcádia eu). Em determinado momento há uma menção a uma serpente vermelha, "citada nos Pergaminhos", desenrolada ao longo dos séculos – uma alusão explícita, diríamos, a uma descendência e a uma linhagem. E em relação ao signo de Leão há um parágrafo enigmático que vale a pena citar na íntegra:

> Daquela de quem eu quero me libertar desprende-se e chega até mim a fragrância de um perfume que impregna o Sepulcro. No passado,

> alguns a chamavam de ÍSIS, rainha benevolente de todas as fontes. VENHAM A MIM TODOS OS QUE SOFREM E TODOS OS QUE AGONIZAM E A ELES DAREI DESCANSO. Para outros ela é MADALENA, plena do bálsamo que cura vindo do célebre vaso. O iniciado sabe seu verdadeiro nome: NOTRE-DAME DES CROSS.[22]

Esse parágrafo tem implicações extremamente interessantes. Ísis, é claro, é a deusa-mãe egípcia, padroeira dos mistérios – a "Rainha Branca", nos seus aspectos benevolentes; a "Rainha Negra", na sua faceta maléfica. Muitos autores que escrevem sobre Mitologia, Antropologia, Psicologia e Teologia rastrearam o culto da deusa-mãe dos tempos do paganismo à era cristã. E, segundo afirmam, ela teria subsistido nos tempos do cristianismo sob o disfarce de Virgem Maria – a Rainha dos Céus, como a chamava São Bernardo, título que no Antigo Testamento era atribuído à deusa-mãe Astarté, equivalente entre os fenícios a Ísis. Contudo, de acordo com o *Le Serpent rouge*, a deusa-mãe do cristianismo não parece ser representada pela Virgem, e sim por Madalena – a quem a igreja de Rennes-le-Château é dedicada e a quem Saunière consagrou sua torre...

Os grão-mestres e a corrente secreta

Nos *Dossiês secretos*, os seguintes indivíduos são listados como sucessivos grão-mestres do Priorado de Sião – ou, para usar o termo oficial, *nautonnier*, uma antiga palavra francesa que significa "navegador" ou "timoneiro":

Jean de Gisors	1188-1220
Marie de Saint-Clair	1220-1266
Guillaume de Gisors	1266-1307
Edouard de Bar	1307-1336
Jeanne de Bar	1336-1351
Jean de Saint-Clair	1351-1366
Blanche d'Evreux	1366-1398
Nicolas Flamel	1398-1418
René d'Anjou	1418-1480
Iolande de Bar	1480-1483
Sandro Filipepi (Botticelli)	1483-1510
Leonardo da Vinci	1510-1519
Connétable de Bourbon	1519-1527
Ferdinand de Gonzague	1527-1575
Louis de Nevers	1575-1595
Robert Fludd	1595-1637
J. Valentin Andrea	1637-1654
Robert Boyle	1654-1691
Isaac Newton	1691-1727

Charles Radclyffe	1727-1746
Charles de Lorraine	1746-1780
Maximilien de Lorraine	1780-1801
Charles Nodier	1801-1844
Victor Hugo	1844-1885
Claude Debussy	1885-1918
Jean Cocteau	1918-[23]

Quando vimos a lista pela primeira vez, ela imediatamente despertou nosso ceticismo. Por um lado, incluía alguns nomes que esperaríamos encontrar numa relação desse tipo – indivíduos famosos por sua associação com o "oculto" e o "esotérico". Por outro lado, relacionava, de forma improvável, personagens ilustres – pessoas que, em muitos casos, não conseguíamos imaginar presidindo uma sociedade secreta. Ao mesmo tempo, muitos desses últimos nomes são precisamente aqueles do tipo dos quais organizações do século XX têm tentado se apropriar, estabelecendo assim uma espécie de ascendência espúria. Há, por exemplo, listas publicadas pela AMORC, a moderna organização Rosacruz com sede da Califórnia, em que aparecem praticamente todas as personalidades importantes da história e cultura ocidentais, cujos valores, mesmo que só indiretamente, estão afinados com os da própria ordem. Uma coincidência muitas vezes casual de atitudes é manipulada com o objetivo de construir algo equivalente a uma filiação. Desse modo, ficamos sabendo que Dante, Shakespeare, Goethe e muitos outros foram "rosa-cruzes" – dando a entender que eram "sócios de carteirinha" e que nunca atrasavam suas mensalidades.

Nossa atitude inicial em relação a essa lista foi de ceticismo quanto ao conjunto dos nomes de forma geral. Novamente, lá estão identificadas figuras previsíveis – associadas ao "oculto" e ao "esotérico". Nicolas Flamel, por exemplo, talvez seja o mais famoso e o mais documentado dos alquimistas. Robert Fludd, filósofo do século XVII, era um expoente do pensamento hermético e de outros temas secretos. Johann Valentin Andrea, um alemão contemporâneo de Fludd, foi autor, entre outras obras, de alguns trabalhos que ajudaram a criar o mito em torno do fabuloso Christian Rosenkreuz. E também há nomes como os de Leonardo da Vinci e Sandro Filipepi, mais conhecido como Botticelli. Constam também cientistas de prestígio, como Robert Boyle e Sir Isaac Newton. Durante os dois últimos séculos, a linhagem de grão-mestres do Priorado de Sião teria supostamente incluído importantes personagens do mundo literário e cultural, como Victor Hugo, Claude Debussy e Jean Cocteau.

Ao exibir nomes como esses, a relação que consta dos *Dossiês secretos* só poderia se tornar ainda mais suspeita. Era praticamente inconcebível que algumas das pessoas citadas tivessem liderado uma sociedade secreta – muito menos uma que se dedicasse a interesses "ocultos" e "esotéricos". E, apesar do fato de Victor Hugo, Debussy e Cocteau estarem mergulhados nesses assuntos, eles nos pareciam demasiado famosos – foram objeto de muitas pesquisas e tiveram suas vidas documentadas

– para terem ocupado o cargo de "grão-mestre" de uma ordem dessa natureza. Não, a não ser que um indício a esse respeito tivesse vazado de alguma forma.

Por outro lado, as figuras célebres não são as únicas na lista. Quase todos os nomes restantes pertencem a nobres europeus, muitos deles extremamente obscuros – pouco conhecidos não apenas do leitor comum como também do historiador profissional. É o caso de Guillaume de Gisors, que em 1306 teria tornado o Priorado de Sião uma "Maçonaria Hermética". Há também o pai de Guillaume, Jean de Gisors, supostamente sagrado o primeiro grão-mestre independente. É dito que ele assumiu o cargo depois do "corte do olmo" e da separação do Templo, em 1188. Não há nenhuma dúvida de que Jean de Gisors foi um personagem real. Ele nasceu em 1133 e morreu em 1220. É mencionado em cartas régias e foi pelo menos apontado oficialmente como senhor da célebre fortaleza na Normandia, onde tradicionalmente ocorreram encontros entre reis franceses e ingleses, assim como o corte do olmo, em 1188. Jean parece ter sido um senhor extremamente rico e poderoso e, até 1193, um vassalo do rei da Inglaterra. Também teria possuído terras nesse país – em Sussex, e a propriedade de Titchfield, em Hampshire.[24] Segundo os *Dossiês secretos*, ele se encontrou com Tomás Becket em Gisors, em 1169 – ainda que não haja nenhuma informação sobre o objetivo dessa reunião. Conseguimos confirmar que Becket realmente foi a Gisors em 1169,[25] sendo provável, portanto, que tenha tido algum contato com o senhor da fortaleza; mas não conseguimos localizar nenhum registro concreto sobre um encontro dos dois.

Resumindo, Jean de Gisors, à parte alguns detalhes vagos a seu respeito, revelou-se um personagem virtualmente impossível de ser rastreado. Ele parece não ter deixado nenhum vestígio na história além da sua existência e do seu título. Não conseguimos encontrar um registro sequer do que ele pudesse ter feito ou do que tivesse motivado sua fama ou justificado sua nomeação como grão-mestre do Priorado de Sião. Se a lista fosse autêntica, o que Jean teria feito para conquistar seu lugar nela? E, se fosse uma falsificação tardia, por que alguém tão pouco conhecido deveria ser incluído nessa relação?

Para nós parecia haver apenas uma única explicação, que na verdade não elucidava grande coisa. A exemplo de outros nomes aristocráticos na lista dos grão-mestres do Sião, Jean de Gisors aparecia nas complicadas genealogias que constavam dos "documentos do Priorado". Assim como as figuras um tanto vagas desses nobres, ele aparentemente pertencia à mesma família formada por uma densa floresta de árvores genealógicas – descendentes, em última análise, da dinastia merovíngia. Parecia evidente, portanto, que o Priorado de Sião era, em um grau significativo, um empreendimento doméstico. De algum modo, a ordem estaria intimamente associada a uma linhagem. E o vínculo entre os vários nobres citados e essa linhagem justificaria a presença de seus nomes nessa relação.

A julgar por essa lista, a escolha do grão-mestre teria oscilado sistematicamente entre dois grupos de indivíduos essencialmente diferentes. De um lado, estão personagens de estatura monumental que, por meio dos conhecimentos esotéricos, das artes e da ciência, produziram um impacto na tradição, na história e na cultura ocidentais. Do outro lado, há integrantes de uma determinada rede de famílias – umas nobres, outras reais. Essa curiosa justaposição em alguma medida tornava a lista plausível. Se alguém quisesse simplesmente fabricar uma linhagem ancestral, não teria motivo para incluir tantos aristocratas pouco conhecidos ou há muito esquecidos. Não haveria sentido em, por exemplo, acrescentar um nome como o de Charles de Lorraine – marechal austríaco do século XVIII, cunhado da imperatriz Maria Teresa, que se mostrou singularmente incompetente no campo de batalha ao sofrer sucessivas derrotas em seus enfrentamentos com Frederico, o Grande, da Prússia.

Pelo menos a esse respeito, o Priorado de Sião parecia a um só tempo ousado e realista. A ordem não proclama ter funcionado sob a égide de gênios de qualidades ilimitadas, "mestres" sobre-humanos, iniciados "iluminados", santos, sábios ou imortais. Ao contrário, reconhece que seus grão-mestres foram seres humanos sujeitos a erros, um grupo de pessoas representativo da humanidade – uns poucos gênios, uns poucos notáveis, uns poucos "especimens medianos", umas poucas nulidades e até mesmo alguns tolos.

Não conseguíamos deixar de imaginar por que uma lista forjada compreenderia tal espectro de indivíduos. Se alguém se dá ao trabalho de fabricar uma relação de grão-mestres, por que não inclui unicamente nomes ilustres? Se o objetivo é estabelecer uma sucessão que abranja Leonardo, Newton e Victor Hugo, por que não mencionar também Dante, Michelangelo, Goethe e Tolstói, em vez de pessoas obscuras como Edouard de Bar e Maximilien de Lorraine? Além disso, qual seria o motivo da existência de tantas figuras menores nessa lista? Por que escolher um escritor relativamente menos importante como Charles Nodier em lugar de contemporâneos seus, como Byron e Pushkin? Por que um "excêntrico" como Cocteau, e não figuras de prestígio internacional, como André Gide e Albert Camus? E o que explicaria a omissão de indivíduos como Poussin, cuja ligação com o mistério já havia sido apontada? Essas questões ficaram em nossa mente e nos convenceram de que a lista merecia mais considerações antes de ser simplesmente descartada como fraude.

Demos início, portanto, a uma extensa e detalhada pesquisa sobre os grão-mestres – suas biografias, atividades e realizações. Ao desenvolvermos esse estudo, procuramos, o tanto quanto possível, submeter cada nome a algumas perguntas essenciais:

1) Existiu algum contato pessoal, direto ou indireto, entre o suposto grão-mestre, seu predecessor imediato e seu sucessor?

2) Havia alguma ligação, por consangüinidade ou por outro vínculo, entre cada um dos supostos grão-mestres e as famílias citadas nas

genealogias dos "documentos do Priorado" – com qualquer uma das famílias ditas descendentes dos merovíngios e, sobretudo, com a casa ducal de Lorraine?

3) Cada suposto grão-mestre estaria de alguma forma vinculado a Rennes-le-Château, Gisors, Stenay, São Sulpício ou a qualquer outro dos lugares com que tínhamos esbarrado mais de uma vez durante nossas investigações?

4) Se o Priorado de Sião se definia como uma "Maçonaria Hermética", algum grão-mestre demonstrou determinado tipo de inclinação ou interesse pelo pensamento hermético ou se envolveu com sociedades secretas?

O Opus Dei nos Estados Unidos

JAMES MARTIN, S. J.

James Martin, S. J., é editor adjunto da revista católica *America* e padre da Igreja St. Ignatius Loyola, em Manhattan. O artigo "Opus Dei in the United States" (O Opus Dei nos Estados Unidos), de sua autoria, foi publicado pela primeira vez na edição de 25 de fevereiro de 1995. Apesar de escrito há quase uma década, esse texto continua a ser um dos melhores e mais equilibrados a respeito do Opus Dei, a organização à qual pertence Silas, o monge albino assassino no *CDV*. O artigo de Martin serve como um alerta. Para mais informações, visitar o site www.americamagazine.org.

O Opus Dei é hoje o mais polêmico grupo da Igreja Católica. Para os seus integrantes, ele é nada menos do que A Obra de Deus, a inspiração do abençoado Josemaría Escrivá, que fomentava a obra de Cristo promovendo a santidade da vida no cotidiano. Para seus críticos, trata-se de uma poderosa, e mesmo perigosa, organização animada por um espírito de seita e que usa o sigilo e a manipulação para atingir seus objetivos. Ao mesmo tempo, muitos católicos reconhecem que pouco sabem a respeito desse influente grupo.

O artigo reproduzido a seguir oferece um panorama das atividades do Opus Dei nos Estados Unidos. É baseado em textos da própria organização e de seus críticos, assim como em entrevistas com integrantes – atuais e antigos – do Opus Dei, com seus padres e membros leigos, religiosos de universidades, estudiosos e jornalistas que tiveram contato com essa instituição.

Algumas informações básicas

Qualquer discussão sobre o Opus Deis deve começar com o monsenhor Josemaría Escrivá de Balaguer, religioso espanhol que fundou o grupo em 2 de outubro de 1928. Nesse dia, de acordo com os textos da instituição, quando passava por um período de retiro em Madri, "subitamente, enquanto soavam os sinos de uma igreja nas proximidades, isso ficou claro para ele: Deus o fez ver o Opus Dei". Monsenhor Escrivá, invariavelmente chamado de "o Fundador" por seus seguidores, imaginou o Opus Dei como uma maneira de estimular os leigos a buscar a santidade sem que fosse preciso mudar suas condições de vida ou ocupações. Hoje em dia, o grupo considera-se plenamente afinado com o Concílio Vaticano II e com sua renovada ênfase na vida laica.

O tipo de espiritualidade pregada pelo Opus Dei pode ser avaliado com base em muitas das obras de Escrivá, principalmente o seu livro *Caminho*,[26] de 1939. Trata-se de uma coletânea reunindo 999 máximas, que abrangem do espírito de devoção cristã tradicional ("A prece do cristão nunca é um monólogo") a ditos que poderiam ter saído da publicação *Poor Richard's Almanac*, como "Não deixe para amanhã o que pode fazer hoje".

O Opus Dei cresceu rapidamente, espalhando-se a partir da Espanha para outros países europeus, e em 1950 obteve o reconhecimento da Santa Sé como o primeiro "instituto secular". Nas duas décadas seguintes, a Obra, como seus integrantes a chamam, penetrou na América Latina e nos Estados Unidos.

Em 1982 o papa João Paulo II conferiu ao Opus Dei o status de "prelazia pessoal", um termo canônico que define a jurisdição muito mais em termos dos integrantes do Opus Dei do que de uma determinada região. Em outras palavras, ele funciona juridicamente da mesma forma que as ordens religiosas, sem consideração por fronteiras geográficas. Esse reconhecimento sem igual – é a única prelazia pessoal dentro da Igreja – demonstra que a instituição é tida em alto conceito pelo papa João Paulo II e expressa a posição que ela ocupa nos círculos do Vaticano. Contudo, também fez com que críticos se perguntassem por que um grupo manifestamente laico precisaria de um status como esse. Hoje, o Opus Dei possui setenta e sete mil membros (incluindo mil e quinhentos padres e quinze bispos) em cerca de oitenta países.

Um novo indício do prestígio de que desfruta no Vaticano – e de sua legitimidade reforçada – veio à luz em 1992, quando Escrivá foi beatificado numa cerimônia na Praça de São Pedro à qual assistiram trezentos mil simpatizantes. No entanto, por ter ocorrido poucos anos após a morte de Escrivá, em 1975, e passado à frente das de figuras como o papa João Paulo XXIII, a beatificação foi, para dizer o mínimo, polêmica. "A santidade está chegando rápido demais para o fundador do influente grupo católico?" perguntava, em janeiro de 1992, uma manchete do *The New York Times*, fazendo eco a outros artigos em tom de crítica que estavam sendo publicados nessa mesma época. Uma matéria no *Spectator* de Londres, por exemplo, divulgou supostas denúncias de antigos colaboradores sobre um comportamento – nada santificado – de Escrivá. "Ele tinha um temperamento obsceno", disse um deles, "e tendências pró-nazistas, mas eles nunca mencionam isso."

O Opus Dei nos Estados Unidos

Há cerca de três mil integrantes do Opus Dei nos Estados Unidos, onde a instituição mantém 64 centros, ou residências para membros, em dezessete cidades... Cada centro, que costuma abrigar de dez a quinze pessoas, é exclusivo para homens ou mulheres. O Opus Dei também patrocina outros programas, como retiros e atividades para casais católicos e pessoas pobres, como um programa educacional destinado a crianças do Bronx...

Em vista da sua crescente presença nesse país, fiz contato com cada um dos sete cardeais americanos e um arcebispo, pedindo que comentassem as atividades do Opus Dei para este artigo. Com isso, eu esperava obter uma média das opiniões da liderança da Igreja Católica nos Estados Unidos. Nenhum deles quis se pronunciar – nem a favor nem contra. A maioria afirmou que ou não tinha conhecimento substancial sobre o grupo ou não mantinha contato suficiente com ele, apesar de o Opus Dei atuar ativamente em quase todas as grandes arquidioceses do país.

Sigilo e privacidade

É raro ler algo sobre o Opus Dei sem esbarrar em referências ao seu suposto apego ao sigilo. (*Pope Beatifies Founder of Secretive, Conservative Group* ["Papa beatifica fundador de grupo conservador sigiloso"] anunciava uma manchete do *New York Times* em 1992.) De fato, ainda que alguns membros do Opus Dei sejam bastante conhecidos, como o assessor de imprensa do Vaticano, Joaquín Navarro-Valls, a maior parte não aparece muito. Os críticos também observam que a maioria das organizações do Opus Dei não se definem claramente como suas afiliadas.

O Opus Dei nega tudo isso. "Ele não é secreto", diz seu diretor de comunicação, Bill Schmitt, "é privado, e isso é muito diferente." Schmitt descreve a vocação para o Opus Dei como um assunto particular, um relacionamento especial com Deus. As pessoas não escondem de suas famílias, de seus vizinhos nem de seus colegas de trabalho que são membros da instituição. Até Escrivá declarou, numa entrevista em 1967, "os integrantes detestam a idéia de sigilo".

Mas os críticos, em sua maior parte, não estão preocupados com o fato de as pessoas anunciarem publicamente ou não sua filiação ao Opus Dei... Quando eles falam em organização "secreta" e sobre a idéia de sigilo, estão se referindo ao seu fracasso em obter informações sobre as atividades básicas e as práticas do Opus Dei.

Talvez eu tenha encontrado um exemplo desse tipo de dificuldade no decorrer de minha pesquisa. Logo no início, pedi a Bill Schmitt uma cópia dos regulamentos do Opus Dei. Pensei que, ao lê-los, seria capaz de compreender melhor o grupo e pôr de lado equívocos e preconceitos. Ele me deu um exemplar dos estatutos de 1982. Mas o texto estava em latim, e ainda por cima num latim "técnico", de uso restrito da Igreja. Poderia conseguir uma tradução em inglês? Não existe, ele me explicou. Por que não? Primeiro, Schmitt disse que o Opus Dei não tinha tido tempo suficiente para traduzi-los. Retruquei que isso parecia muito estranho, uma vez que eles possuíam os estatutos há doze anos e que o livro *Caminho* já estava disponível em trinta e oito idiomas.

Quando insisti, ele ofereceu uma segunda explicação... "É um documento da Igreja. Não é nossa propriedade. A Santa Sé quer que ele permaneça em latim"... Mas como os integrantes de língua inglesa conseguem estudar seus próprios estatutos? Os membros os estudavam em profundidade, Schmitt afirmou. "Por ocasião da sua formação, eles devem compreendê-lo com clareza."

No entanto, tudo isso ainda parecia bastante estranho. Então, recorri novamente ao Sr. Schmitt. Recebi a mesma resposta: "O documento pertence à Santa Sé, e a Santa Sé não deseja vê-lo traduzido. Tenho certeza de que existe um motivo para isso."

Perguntei a três especialistas em Direito Canônico que razões poderiam ser essas. Um dos advogados disse: "Propriedade da Santa Sé? Nunca ouvi falar disso." Outro deles, John Martin, da Sociedade de Jesus e professor de Direito Canônico no Regis College, em Toronto, observou que ordens religiosas e entidades laicas na verdade publicam seus estatutos nas línguas de seus países, e, que ele saiba, "não há nenhuma regra geral eclesiástica que proíba a tradução de documentos de ordens religiosas"... Portanto, parece que é o Opus Dei, e não a Santa Sé, que impede a tradução dos estatutos.

Ann Schweninger, uma ex-integrante do Opus Dei de vinte e quatro anos, vive atualmente em Ohio, onde trabalha com a Diocese de Columbus. Ela não se surpreendeu quando lhe contei sobre minha dificuldade em compreender aquela situação. "O Opus Dei segue as suas próprias regras", disse. "Se eles não querem que alguma coisa venha à luz, dificultam o acesso àquilo." Em relação à sua experiência no Opus Dei, comentou: "Nunca me mostraram os estatutos nem tive acesso a eles. Embora sejam mencionados, não são discutidos." Segundo a Srta. Schweninger, o único documento oficial disponível era o catecismo do Opus Dei, o qual até mesmo os integrantes do grupo só podem ler com permissão do diretor do centro a que estão associados. "Ele é guardado a sete chaves." Ela também se referiu ao fato de que, durante as aulas de catecismo, era incentivada a tomar notas "em código" para o caso de essas serem lidas por não-membros.

Uma instituição leiga

Encontrar o Opus Dei significa encontrar católicos enérgicos e dedicados, engajados em várias ocupações. Também significa identificar uma quantidade às vezes espantosa de padres, numerários, supernumerários, colaboradores, adscritos, diretores e administradores. O Opus Dei descreve os vários tipos de filiação como diferentes níveis de disponibilidade em relação à sua missão. Os críticos afirmam que, com sua ênfase na hierarquia, assim como no celibato e na obediência, essa organização segue apenas uma réplica da vida religiosa ao mesmo tempo em que professa uma espiritualidade leiga...

Alguns termos básicos: numerários e numerárias são membros solteiros que professam um "compromisso" de celibato e vivem normalmente em "centros". Eles entregam suas rendas e recebem uma quantia para despesas pessoais. Correspondendo a cerca de vinte por cento dos integrantes, seguem o "plano de vida", uma ordem do dia que inclui missa, leituras religiosas, prece privada e, dependendo da pessoa, suplícios de ordem física. Também freqüentam cursos de verão no Opus Dei. A cada ano, proferem um compromisso oral com a organização; depois de cinco anos, fazem "um voto de fidelidade", um compromisso para toda a vida. Há centros separados, para homens e mulheres, cada um com um diretor. Os numerários homens são incentivados a considerar a possibilidade de se ordenarem padres. Após dez anos de treinamento, aqueles que sentem ter vocação são enviados ao seminário do Opus Dei em Roma, a Universidade Romana da Santa Cruz.

A maior parte dos membros são supernumerários, pessoas casadas que contribuem financeiramente e às vezes prestam serviços em instituições ligadas ao Opus Dei, como escolas. Adscritos são indivíduos solteiros "menos disponíveis" e que permanecem em suas casas em razão de outros compromissos, como responsabilidades em relação a pais idosos. Colaboradores, no sentido estrito, não são propriamente membros, pois "ainda não têm vocações divinas". Eles contribuem por meio do trabalho, da ajuda financeira e de preces...

Segundo dois ex-numerários, mulheres numerárias são requisitadas para limpar os centros destinados aos homens e também para cozinhar para eles. Quando elas chegam para fazer a limpeza, os homens deixam os recintos para que não se estabeleçam contatos. Perguntei a Bill Schmitt se as mulheres mostravam alguma resistência em relação a esse procedimento. "Não. Em absoluto." É um trabalho remunerado da "família" do Opus Dei e é encarado como um apostolado... "Completamente falso", disse Anne Schweninger... "Eu não tinha escolha. Uma vez que se está no Opus Dei, quando se pede na verdade se está mandando."...

Lançando uma grande rede

No entanto, são os métodos usados pelo Opus Dei para atrair simpatizantes que suscitam os ataques mais vigorosos dos seus críticos... Um homem que freqüentou a Universidade de Colúmbia no início da década de 1980 e que pediu que seu nome não fosse citado descreveu o processo de seu recrutamento. "Eles fizeram com que um sujeito se tornasse meu amigo", disse ele, de modo bastante direto. Certo dia, depois da missa, ele foi abordado por outro estudante, com quem também fez amizade. Depois, recebeu um convite para ir ao Centro de Estudos de Riverside, perto do campus de Colúmbia, sem saber exatamente o que era aquele lugar. "Pensei que fosse um grupo de estudantes formando um centro de produção intelectual de algum tipo." Após o jantar, um padre fez uma breve palestra. Em seguida, esse homem foi convidado a tomar parte de um "círculo", que descreveu como uma espécie de grupo informal de orações. Pouco tempo depois, o Opus Dei sugeriu que ele escolhesse um dos padres do centro como seu diretor espiritual.

Quando já estava mais envolvido – a essa altura mantendo freqüentes contatos com o grupo –, esse homem decidiu fazer investigações por conta própria. Conversou com alguns padres e professores em Colúmbia e ficou surpreso ao descobrir que desconhecia praticamente tudo a respeito do grupo: "Não sabia de nada sobre o sigilo, os numerários, os supernumerários – absolutamente nada. E ignorava que havia pessoas fazendo voto de celibato. Fiquei um tanto deprimido por não saber muito sobre eles. Não achei que tivessem sido francos e diretos a respeito de quem eles eram. E me senti bastante indignado."

Na reunião seguinte do círculo, ele quis discutir algumas questões que o preocupavam, como a presença de mulheres e de minorias no Opus Dei. "Eles realmente não tinham nenhuma resposta e pediram que eu não voltasse mais." E o que o deixou ainda mais perturbado: "Nunca mais tive notícias daquele amigo. Ele cortou totalmente as relações comigo."

De acordo com dois ex-numerários, se esse homem tivesse continuado no círculo, o Opus Dei lhe teria proposto que decidisse ingressar na organização. Tammy DiNicola falou sobre a experiência dela. "Eles encenaram para mim uma crise de vocação", disse ela. "Na época não percebi que tudo tinha sido combinado. Mas é uma prática rotineira. A pessoa que está se dedicando a você está avaliando seu caso com o diretor, e os dois decidem qual o melhor momento para propor ao candidato a questão da vocação."

Por que se trata de uma crise? "Bem, eles dão um jeito de fazer com que aquilo represente uma crise para você!", explicou Ann Schweninger. "E é completamente orquestrado. Eles afirmam que é uma decisão que deve ser tomada naquele momento, que Deus está batendo à sua porta e que você precisa ter a força e a coragem de responder 'sim'." A Tammy DiNicola disseram que seria sua única chance de seguir sua vocação. "Basicamente, é uma questão de agora ou nunca – se você não concordar, não vai contar com a graça de Deus pelo resto da sua vida."

O Opus Dei tem uma visão diferente sobre o assunto, enfatizando o fato de que qualquer vínculo deve ser assumido por livre e espontânea vontade. "O Opus Dei não faz recrutamento", disse Bill Schmitt.

Apesar disso, até mesmo os textos de Escrivá ressaltam pelo menos a noção de recrutamento. Na revista *Cronica*, de circulação interna, ele escreveu em 1971: "Essa coação sagrada é necessária – *compelle intrare*, o Senhor nos diz." E ainda: "Vocês têm de fazer o máximo em matéria de proselitismo."

Para Ann Schweninger, o espírito dessa última declaração está mais próxima da sua experiência: "A partir do momento em que você está no Opus Dei, você está recrutando."

Na universidade

O Opus Dei é uma presença cada vez mais forte nas universidades americanas. Por tradição, seu esforço para atrair novos membros o tem conduzido às faculdades e universidades. E isso às vezes o faz entrar em conflito com outros grupos.

Donald R. McCrabb é diretor executivo da Associação dos Sacerdotes Católicos em Universidades, organização que congrega mil dos mil e oitocentos capelães católicos dos Estados Unidos. O que os integrantes de sua entidade vinham comentando a respeito do Opus Dei? "Temos consciência de que o Opus Dei está presente em um grande número de campus em todo o país. Também sei que muitos padres consideram contraproducentes as atividades desse grupo." Uma das questões que mais o preocupavam era a ênfase dada ao esforço de recrutamento, apoiada no que parecem ser vultosos recursos financeiros. "Eles não levam em consideração as responsabilidades mais amplas que um sacerdote num campus deve assumir." Outras coisas também o inquietavam. "Soube, por meio de outros padres servindo em universidades, que é designado um diretor espiritual para o candidato. Ele basicamente tem que aprovar as ações praticadas por aquela pessoa, chegando a ler sua correspondência, discutir que cursos ela vai ou não fazer, o que vai ou não ler."

O ex-estudante de Colúmbia também mencionou esse aspecto: "Eles recomendavam que eu não lesse certos livros, especialmente textos marxistas, recorrendo, em vez disso, às suas próprias versões reduzidas. Achei estranho; afinal, eram textos indicados para o curso que eu estava fazendo!"

O diretor do corpo de sacerdotes da Universidade de Stanford de 1984 a 1992, Russel J. Roide, da Sociedade de Jesus, primeiramente tentou avaliar o Opus Dei livre de quaisquer preconceitos. No entanto, estudantes começaram a procurá-lo reclamando das abordagens do grupo e de suas tentativas de recrutamento. "Eles simplesmente não deixavam os estudantes em paz. Os alunos me procuravam e pediam: 'Por favor, faça esses caras desgrudarem da gente.'" Ele sentiu que sua única opção era transmitir aos estudantes informações sobre a organização, incluindo artigos que assumiam um tom mais crítico. Isso fez com que numerários visitassem o padre Roide para dizer que ele "estava interferindo nos objetivos do Opus Dei". Em decorrência das contínuas queixas dos universitários a respeito do recrutamento, ele disse: "Decidi não permitir que se aproximassem mais do campus." Hoje o padre descreve essas pessoas como "astutas e dissimuladas".

A rede de alerta em relação ao Opus Dei

Dianne DiNicola, a mãe de Tammy DiNicola, conhece alguns aspectos do Opus Dei os quais gostaria de mudar. Em 1991, ela começou a organizar a Opus Dei Awareness Network (Rede de Alerta em Relação ao Opus Dei), que se declara um grupo de apoio dedicado a famílias cujos filhos são integrantes daquela instituição.

Há poucos anos, a Sra. DiNicola percebeu que Tammy, na época cursando uma universidade em Boston, "parecia estar passando por uma mudança de personalidade". Ela conta que a filha tornou-se "fria e reservada", demonstrando pouca vontade de passar seu tempo ao lado da família, o que não ocorria antes. "Simplesmente sentia que havia algo de errado."

Quando Tammy escreveu uma carta dizendo que não ia mais voltar para casa, a Sra. DiNicola ficou mais preocupada. Ela acabou descobrindo que Tammy havia ingressado no Opus Dei na condição de numerária e que passara a viver em um dos centros do grupo em Boston. "Nossa filha distanciou-se completamente de nós. Não dá para descrever o tormento em que nossa família mergulhou. Tentamos nos manter em contato com ela, mas era como se Tammy tivesse se transformado numa pessoa totalmente diferente."

A princípio tentando aceitar a decisão da filha, ela se encontrou com funcionários do Opus Dei e representantes de dioceses num esforço para obter mais informações. "Estava apenas tentando me tranqüilizar em relação ao Opus Dei. Eu adoro minha religião, isto é, não achava que estivesse falando da seita do reverendo Moon ou coisa assim. Isso é algo que faz parte da Igreja Católica." Mas a situação foi piorando, e a Sra. DiNicola ficou com a impressão de que a Igreja ou não estava em posição de ajudar ou não queria fazer isso.

Finalmente, a Sra. DiNicola e seu marido recorreram a um conselheiro especializado em ajudar jovens aliciados por seitas conhecidas por fanatismo ou por seu apego ao sigilo. Em seguida, pediram a Tammy que retornasse para sua formatura, em 1990. Mais tarde, eles descobriram que aquela teria sido a última vez que a veriam em casa, pois já lhe haviam dito que cortasse todos os laços com a família. Segundo a Sra. DiNicola e a própria Tammy, o conselheiro conseguiu fazer com que ela, pela primeira vez, refletisse de forma crítica sobre o Opus Dei.

Depois de uma sessão de vinte e quatro horas de conversas com o conselheiro, Tammy, hoje com vinte e seis anos, decidiu deixar o grupo... "Foi tudo bastante tumultuado", recorda-se. Segundo Tammy, pelo fato de o Opus Dei a ter feito reprimir todos os seus sentimentos, ela acabou liberando uma torrente de emoções após tomar a decisão de sair. Agora, a Sra. DiNicola dirige a Rede de Alerta em Relação ao Opus Dei, que, segundo ela, lhe dá um instrumento para poupar outros pais do sofrimento pelo qual sua família passou.

Se a Rede se mostra alarmada com o Opus Dei, pode-se dizer que a recíproca é verdadeira. "Permita-me frisar que ninguém jamais é aconselhado a deixar de falar com os pais", afirmou Bill Schmitt. "Por favor, tenha em mente que alguns pais não aceitam a fé de seus filhos ou têm 'outros planos' para eles. Não preciso lhe dizer que os métodos usados por essas pessoas são altamente discutíveis. Mas não temos dado prioridade a essa questão."

A Sra. DiNicola respondeu que ela teria ficado completamente impotente se sua filha tivesse decidido permanecer no Opus Dei: "Certamente não poderíamos detê-la fisicamente."

Em Riverside, um numerário disse que seu sangue ferve quando ele ouve falar da Rede organizada pela Sra. DiNicola: "Contamos com a aprovação da Santa Sé! Não somos uma seita. Essas pessoas [que receberam assistência de conselheiros] simplesmente sofreram uma violência. É claro que realmente oramos por elas. Mas há muitos equívocos, e alguns pais passam a agir de modo irracional."

"Foi muito difícil para mim", relembra a Sra. DiNicola. "Quero dizer, ainda estou buscando uma explicação. Como algo assim pôde acontecer dentro da Igreja Católica? Aí está uma organização que tem a aprovação do papa, aí está Escrivá sendo beatificado, enquanto nas famílias há tanta destruição sendo provocada pelo Opus Dei. É muito difícil lidar com tudo isso."

O Opus Dei responde ao *CDV*

EM NOME DA PRELAZIA DO OPUS DEI

Extraído de *The Da Vinci Code, the Catholic Church and Opus Dei: A Response to The Da Vinci Code from the Prelature of Opus Dei in the United States* (*O código Da Vinci*, a Igreja Católica e o Opus Dei: Uma resposta ao *Código Da Vinci* pela prelazia do Opus Dei nos Estados Unidos). Copyright © 2004 por Departamento de Informação do Opus Dei na Internet, www.opusdei.org. Em seu site oficial nos Estados Unidos, o Opus Dei reagiu ao que acredita ser um retrato injusto das suas idéias e atividades feito pelo *CDV*, publicando uma série de respostas, sem precedentes na sua extensão e no seu grau de detalhamento, às perguntas mais freqüentes sobre o grupo. Qualificando sua descrição no livro de "bizarra" e "distorcida", oferece esclarecimentos sobre as impressões que o romance provocou a seu respeito. A seguir, reproduzimos duas respostas e acrescentamos outros materiais fornecidos por funcionários e especialistas em religião do Opus Dei. Para a relação completa das perguntas e respostas, visitar o site www.opusdei.org.

É válida a descrição do Opus Dei no CDV *como uma seita católica?*

O *CDV* descreve erroneamente o Opus Dei como uma seita católica, o que não faz sentido porque a organização sempre foi parte integrante da Igreja Católica. O Opus Dei recebeu sua primeira aprovação oficial do bispo de Madri em 1941, e depois da Santa Sé em 1947. Então, em 1992, a Santa Sé concedeu-lhe a condição de prelazia pessoal, que é uma das estruturas organizacionais da Igreja. (As dioceses são outro exemplo desse tipo de estrutura.) Além disso, um dos princípios do Opus Dei é a fidelidade ao papa e aos ensinamentos da Igreja – com os quais todas as nossas convicções, práticas e costumes estão de acordo. O Opus Dei também mantém excelentes relações com todas as outras instituições da Igreja Católica e considera algo maravilhoso a grande variedade de expressões dessa fé. Chamar o Opus Dei de seita simplesmente não corresponde à verdade.

Cardeal Christoph Schönborn, da Ordem dos Dominicanos: "Ninguém precisa ter estudado Teologia para detectar uma contradição básica na expressão 'seitas dentro da Igreja'. Sua suposta existência vale como uma repreensão indireta ao papa e aos bispos, a quem cabe investigar se os ensinamentos e práticas de grupos eclesiásticos estão de acordo com a fé da Igreja. Do ponto de vista teológico e eclesiástico, um grupo é considerado seita quando não é reconhecido pela autoridade legítima da Igreja... É, portanto, um erro qualificar de seitas comunidades aprovadas pela Igreja (parta a acusação de instituições, de indivíduos ou de relatos da mídia)... Comunidades e movimentos que têm essa aprovação não deveriam ser chamados de seitas, uma vez que seu beneplácito eclesiástico confirma que eles pertencem à Igreja e que nela estão fundados." *L'Osservatore Romano*, 13 de agosto de 1997. [O cardeal Schönborn é arcebispo de Viena e editor de Catecismo da Igreja Católica.]

Papa João Paulo II: "É com grande esperança que a Igreja volta sua atenção e seu carinho maternal para o Opus Dei, o qual, por inspiração divina, o Servo de Deus Josemaría Escrivá de Balaguer fundou em 2 de outubro de 1928, em Madri, para que fosse sempre um instrumento apto e eficaz da missão salvadora desempenhada pela Igreja em nome da vida do mundo. Desde os seus primórdios, essa instituição tem se empenhado não apenas em iluminar com novas luzes a missão dos leigos na Igreja e na sociedade como também em pô-la em prática." *Ut Sit*, novembro de 1982.

O Opus Dei estimula a prática do suplício corporal como é descrito no CDV?

Como parte da Igreja Católica, o Opus Dei adere a todos os seus ensinamentos, inclusive aos relativos à penitência e ao sacrifício. A base dos ensinamentos da Igreja no suplício é o fato de que Jesus Cristo, por amor à humanidade, aceitou voluntariamente o sofrimento e a morte (a sua "Paixão") como o meio de redimir o mundo de seus pecados. Os cristãos são convocados a emular o grande amor demonstrado por Jesus e, entre outras coisas, a unir-se a ele no sofrimento redentor. Os cristãos são então chamados a "morrer por si mesmos". A Igreja determina certas mortificações – o jejum e a abstinência de carne – como penitências quaresmais. Algumas pessoas na história religiosa sentiram-se chamadas a praticar grandes sacrifícios – como jejuar com freqüência, usar vestimentas ásperas e desconfortáveis ou cilício ou submeter-se a extrema disciplina –, como pode ser constatado observando-se a vida de muitos daqueles que a Igreja reconhece como modelos de santidade, entre os quais São Francisco de Assis, Santa Teresa d'Ávila, Santo Inácio de Loyola, São Tomás Morus, São Francisco de Sales, São João Maria Vianney e Santa Teresa de Lisieux. Em todos os casos, a prática da mortificação como vivida no Opus Dei confere mais ênfase aos sacrifícios do dia-a-dia do que a sacrifícios maiores e em nada se parece com a descrição exagerada e distorcida apresentada no *CDV*.

***New Catholic Encyclopedia* (Nova enciclopédia católica), 2003**: "Mortificação. A repressão deliberada de impulsos naturais com o objetivo de torná-los gradualmente mais sujeitos à santificação por meio da obediência à razão iluminada pela fé. Jesus Cristo pediu esse tipo de renúncia a qualquer um que quisesse segui-Lo (Lucas 9:29). Assim, a mortificação, ou o que São Paulo chama de crucificação da carne, com seus vícios e concupiscências (Gálatas 5:24), tornou-se um traço característico de todos os que são ligados a Cristo. Todos os teólogos concordam que a mortificação é necessária para a salvação porque o homem tem uma inclinação tão natural para o mal – dada a tripla concupiscência representada pelo mundo, pela carne e pelo demônio – que, se não lhe for oferecida resistência, levará ao pecado. Aquele que deseja salvar sua alma deve, no mínimo, evitar as oportunidades do pecado mortal e fugir delas. Por si só, essa fuga implica algum tipo de mortificação."

Papa Paulo VI: "A verdadeira penitência, no entanto, jamais pode prescindir também do ascetismo físico... A necessidade de mortificação da carne está claramente revelada se levarmos em conta a fragilidade da nossa natureza, na qual, desde o pecado de Adão, carne e espírito apresentam desejos contrastantes. Esse exercício de mortificação física – bastante distante de qualquer forma de estoicismo – não implica a condenação da carne, que o Filho de Deus se dignou a assumir. Ao contrário, a mortificação visa à 'liberação' do homem." *Constituição Apostólica Paenitemini*, 17 de fevereiro de 1966.

Notas – Livro I – Parte II

1. Pagels, Elaine. *Além de toda crença: O Evangelho desconhecido de Tomé.* Rio de Janeiro: Objetiva, 2004.
2. Idem. *Os Evangelhos gnósticos.* São Paulo: Cultrix, 1979.
3. Idem. Op. cit. *Além de toda crença: O Evangelho desconhecido de Tomé.*
4. Idem. Op. cit. *Os Evangelhos gnósticos.*
5. Kramer, Heinrich; Spenger, James. *O martelo das feiticeiras* (trad. Paulo Fróes). 17 ed. Rio de Janeiro: Rosa dos Tempos, 2004.
6. Pagels, Elaine. Op. cit. *Além de toda crença: O Evangelho desconhecido de Tomé.*
7. Kramer, Heinrich; Spenger, James. Op. cit. *O martelo das feiticeiras.*
8. De Cesaréia, Eusébio. *História eclesiástica* (trad. monjas beneditinas do Mosteiro Maria Mãe de Cristo). São Paulo: Paulus, 2000.
9. Muitos desses textos estão disponíveis na Internet.
10. Picknett, Lynn; Prince, Clive. *A grande heresia: O segredo da identidade do Cristo.* São Paulo: Beca, 2000.
11. Baigent, Michael; Leigh, Richard; Lincoln, Henry. *O Santo Graal e a linhagem sagrada.* Rio de Janeiro: Nova Fronteira, 1993.
12. Idem, ibidem.
13. Baigent, Michael; Leigh, Richard; Lincoln, Henry. *A herança messiânica.* Rio de Janeiro: Nova Fronteira, 1994.
14. Idem, ibidem.
15. Baigent, Michael; Leigh, Richard; Lincoln, Henry. Op. cit. *O Santo Graal e a linhagem sagrada.*
16. Runciman, Steven, Sir. *História das Cruzadas.* Rio de Janeiro: Imago, 2003. 3 v., v. 2.
17. William of Tyre. *History of Deeds Done Beyond the Sea*, v. 1, p. 525 ff.
18. Addison. *History of the Knight Templars*, p. 19.
19. Ibidem.
20. Von Eschenbach, Wolfram. *Parsifal* (trad. A. R. Schimdt Patier). São Paulo: Antroposófica, 1995.
21. *Le Monde*, 21 de fevereiro, 1967, p. 11; *Le Monde*, 22 de fevereiro, 1967, p. 11; *Paris-Jour*, 21 de fevereiro, 1967, n.o 2315, p. 4.
22. Feugère, Saint-Maxent e Koker. *Le Serpent rouge*, p. 4.
23. Henri Lobineau, *planche* n.º 4, Ordre de Sion.
24. Loyd, *Origins of Anglo-Norman Families*, p. 45ff.; Powicke, *Loss of Normandy*, p. 340.
25. Roger de Hoveden. *Annals*, v. 1, p. 322
26. Disponível no site da Quadrante – Sociedade de Publicações Culturais: www.quadrante.com.br.

Parte III

Mantendo os segredos

7 O mistério dos códigos

Porque não há coisa oculta que não acabe por se manifestar, nem secreta que não venha a ser descoberta.

LUCAS 8:17

No filme *Teoria da conspiração*, de 1997, Mel Gibson faz o papel de Jerry Fletcher, um motorista de táxi nova-iorquino fanático por conspirações que recorta artigos do *New York Times* com supostas informações em código sobre planos secretos da NASA, da ONU – e até de Oliver Stone – para destruir a América. Desgraçadamente, acontece de Fletcher ter razão a respeito de uma de suas suposições, e, a exemplo do menino que gritava "lobo", os lobos finalmente foram ao seu encalço.

O filme ilustra o fato de até que ponto as teorias sobre conspirações em geral e códigos secretos com significados ocultos em particular impregnaram o espírito das sociedades modernas, especificamente a americana. E, é claro, essa crença amplamente difundida nas conspirações – a idéia de que "existe uma força oculta que trabalha para esconder as coisas e deixar vir apenas uma pequena parte aos olhos do público", para citar o ator Mel Gibson e não o seu personagem – tem de fato algum fundamento na realidade. (E, não, o que foi dito não é uma mensagem em código sobre o que nós pensamos sobre o controvertido filme de Mel Gibson, *A Paixão de Cristo*, é só uma alusão ao mundo da cultura popular.)

Afinal, houve realmente conspiração do governo no caso Watergate e no escândalo Irã-Contras, e a Igreja de fato escondeu provas de muitos abusos sexuais praticados por padres. A lista de conspirações verdadeiras no mundo da política e nos tribunais, que acabaram sendo reveladas e provadas graças ao esforço de jornalistas investigativos, é mesmo assustadora.

Quanto a códigos secretos, não é preciso acreditar, como ocorre com o Jerry Fletcher de Gibson ou com o esquizofrênico John Nash no filme *Uma mente brilhante*, que a revista *Life* ou o *New York Times* plantam mensagens em código nos seus artigos para reconhecer o quanto as idéias sobre códigos secretos se tornaram onipresentes e fortes no nosso dia-a-dia. Sem esses sistemas, o mundo das finanças e dos negócios pararia, o governo e as forças militares não poderiam funcionar de modo efetivo nem defender a nação contra inimigos e nenhum cidadão teria como fazer compras on-line ou sacar dinheiro de um caixa eletrônico. O sigilo em torno de mensagens codificadas é hoje tema de manchetes de primeira página, seja em alertas para que não mostremos a estranhos as senhas de nossos cartões e de acesso à Internet, seja em debates sobre a cópia de softwares que determinam a propriedade de imagens ou de músicas digitalizadas.

A cada acontecimento chocante ou tragédia envolvendo milhares de pessoas, sempre aparece alguém desafiando o senso comum e trazendo à luz algum código secreto ou apresentando uma história sobre uma suposta conspiração. O 11 de setembro é apenas mais um caso desse tipo. Por um lado, milhares de pessoas trocaram idéias pela Internet sobre sinais e códigos secretos que iriam do significado da própria data "911" (um consagrado código americano para situações de emergência) a capas de discos de rock e cenas de filmes que, em nossa sociedade ultraviolenta, já haviam mostrado imagens de edifícios explodindo. Pessoas aparentemente inteligentes argumentam que o governo Bush sabia do 11 de setembro, mas, a exemplo de Franklin Roosevelt com Pearl Harbor, "queria" que o fato acontecesse, com o objetivo mobilizar o país para a guerra. Ou que o 11 de setembro era algum tipo de conspiração judaica destinada a, destinada a... bem, ninguém capaz de articular uma idéia dessas pode inventar algo que sirva para terminar a frase. Mas os motivos para se envolver numa conspiração são até reconhecidos pelos teóricos das conspirações como irracionais e irrelevantes. Por isso, apesar de todo o debate gerado pelo *CDV*, quase ninguém se dedicou a refletir como eram irracionais e ilógicos os motivos do "Mestre" para matar Saunière e os outros *sénechaux* (guardiões) ou como fantasticamente improvável é uma trama que se baseia numa aliança nada santa entre os mais dedicados caçadores do Santo Graal e os que mais se opõem à idéia de que a "verdade" do Santo Graal venha à tona.

"Ao fim de um século exaustivo", escreveu recentemente a revista *Newsweek*, "uma conspiração tornou-se uma maneira cômoda de dar sentido a um mundo incompreensível. Para cada fato há uma explicação elaborada sob medida. As coisas não caem aos pedaços. Alguém *faz* com que elas se despedacem".

O público também quer heróis e heroínas como Langdon e Neveu (observe as duas metades iguais da unidade macho-fêmea que eles representam, esse tipo de status idêntico é na verdade um ingrediente raro nos thrillers). Em vista das informações mais loucas e conflitantes que nos chegam no dia-a-dia, todos nós gostaríamos de ser como esses super-heróis da Nova Era, capazes realmente de compreender o que está acontecendo e o que isso significa e também de agir de modo inteligente e extraordinário, tanto mental como fisicamente, para resolver os problemas e evitar desastres. Nesse exercício de elucidação de um código, esticado para atingir as proporções de um romance, Robert e Sophie seguem os passos de Teseu, Ulisses, Moisés, Jó, Jesus, Frodo e Harry Potter –, além de muitos outros personagens provenientes do mundo dos heróis que fazem sua jornada no universo dos mitos e dos arquétipos. Eles precisam desvendar o código antes que seja tarde demais!

Com isso em mente, oferecemos as seguintes discussões, levantadas pela jornalista Michelle Delio e pelo professor Brendan McKay, sobre o papel dos códigos na história, assim como no *CDV*.

Da Vinci: o pai da criptografia

MICHELLE DELIO

Este artigo foi extraído da revista *Wired*, de abril de 2003. Michelle Delio é uma jornalista que tem escrito com freqüência sobre códigos e criptografia, segurança na Internet, hackers, *spam*, privacidade e outros temas afins. Reproduzido de Wired News, www.wired.com.

A maior parte do *CDV* diz respeito à história da criptografia – os vários métodos desenvolvidos em nossa época para manter informações privadas a salvo dos olhos de intrusos. O romance começa com o professor de Harvard Robert Langdon, um especialista em simbologia, recebendo um telefonema urgente no meio da noite: o curador do Louvre, um homem idoso, havia sido assassinado dentro do museu.

Perto do corpo a polícia encontrou uma mensagem secreta. Com a ajuda de um talentoso criptógrafo, Langdon decifra a charada enigmática. Mas esse é apenas o primeiro sinal numa tortuosa trilha salpicada de pistas ocultas nas obras de Leonardo da Vinci – se Langdon não decifrar o código, um antigo segredo se perderá para sempre.

Os personagens de Dan Brown são fictícios, mas ele jura que são exatas "todas as descrições de obras de arte, construções arquitetônicas, documentos e rituais secretos que constam de seu romance". Em seu site, o autor oferece detalhes sobre o minucioso pano de fundo de seu romance histórico, mas ele sugere que o leitor termine de ler o livro antes de consultar essa página da Internet, que revela algumas das reviravoltas da trama.

A publicidade em torno do livro insinua de modo um tanto sombrio que a história traz à tona "a maior conspiração dos últimos dois mil anos". Talvez, mas qualquer um que tenha interesse em teorias conspiratórias não encontrará nada de novo nessa trama.

O aspecto em que o *CDV* se destaca, e de forma brilhante, é na sua exploração da criptografia, em particular dos métodos de codificação desenvolvidos por Leonardo da Vinci, cuja arte e manuscritos estão repletos de simbolismos misteriosos e códigos sutis.

Brown, que se especializou em escrever obras de linguagem bastante acessível sobre temas envolvendo tecnologia e privacidade, cita Da Vinci como um precursor não reconhecido da causa da privacidade e pioneiro da criptografia. As descrições que apresenta dos dispositivos criptológicos por ele criados são fascinantes.

Ao longo da história, o ato de confiar a um emissário uma mensagem particular sempre implicou uma série de problemas. Na época de Da Vinci, a grande preocupação era que o mensageiro fosse subornado, recebendo mais para passar a informação aos adversários do que para entregá-la como prometido.

Para resolver a questão, Brown escreve que Da Vinci inventou um dos instrumentos mais rudimentares para se salvaguardar uma informação: um recipiente portátil para proteger documentos.

Esse seu invento no campo da criptografia consiste num cilindro com discos em que há letras gravadas. Os discos têm de ser girados numa seqüência apropriada, de modo que formem uma senha, para que o cilindro se abra. Uma vez que a mensagem era codificada no interior do recipiente, só um indivíduo de posse da senha correta poderia abri-lo.

Era fisicamente impossível burlar esse método: se alguém tentasse forçar o cilindro, a informação no seu interior se autodestruiria.

Da Vinci conseguiu isso escrevendo a mensagem num rolo de papiro e enrolando-o numa delicada ampola cheia de vinagre. Se alguém tentasse abrir o recipiente à força, o frasco se quebraria e o vinagre dissolveria o papiro quase que instantaneamente.

Brown também conduz o leitor ao interior da Catedral dos Códigos, uma capela na Grã-Bretanha [Capela Rosslyn, na Escócia] com um teto no qual se destacam centenas de blocos de pedra, cada um deles com um símbolo gravado. Quando combinados, acredita-se que formem o maior código do mundo.

"Criptologistas modernos nunca conseguiram decifrar esse código, e uma generosa recompensa é oferecida a quem quer que elucide essa mensagem desafiadora", escreve Brown no seu site. "Nos últimos anos, testes geológicos com ultra-som revelaram a surpreendente presença de uma enorme câmara subterrânea sob a capela. Essa câmara parece não ter nem entrada nem saída. Até hoje os curadores da capela não permitiram qualquer escavação."

Brown especializou-se em escavações literárias. Todos os seus livros anteriores abordam segredos – seja para mantê-los ou para desvendá-los – e a questão de como a noção de privacidade acaba se chocando com os interesses de instituições e com a segurança nacional.

"Meu interesse por sociedades secretas foi despertado pelo fato de ter nascido na Nova Inglaterra, cercado por clubes clandestinos ligados às universidades da Ivy League, pelas lojas maçônicas dos Pais Fundadores da América e por núcleos secretos dos primórdios do governo americano", disse Brown. "A Nova Inglaterra tem uma longa tradição em matéria de clubes privados da elite, fraternidades e confrarias secretas."

Deus é um matemático?

Entrevista com Brendan McKay

Brendan McKay é um professor de Ciência da Computação na Universidade Nacional da Austrália. Ele alcançou certa notoriedade há alguns anos ao desmascarar a teoria do código da Bíblia, defendida com grande repercussão pelo escritor Michael Drosnin. De acordo com Drosnin, o texto hebraico da Bíblia conteria coincidências intencionais de palavras ou frases (aparecendo como letras com espaçamento igual) que previam um número impressionante de acontecimentos históricos, de assassinatos a terremotos. McKay demonstrou que, ao aplicar a outras obras as mesmas técnicas matemáticas empregadas no livro *O código da Bíblia*,[1] predições igualmente "espantosas" poderiam ser feitas (na verdade, ele chegou a observar que numa "análise" matemática de *Moby Dick* encontrou até uma "predição" da morte de Michael Drosnin). "Os resultados da investigação bastante aprofundada que realizamos mostram que todas as supostas provas científicas que confirmariam o código da Bíblia são uma mistificação", observou McKay na época.

Nos anos 1990, *O código da Bíblia* provocou uma sensação comparável àquela causada pelo *CDV* nos dias de hoje. Apesar de esse livro em particular não ser mencionado no *CDV*, a experiência de McKay é um exemplo a ser estudado pelos que defendem a necessidade de um pensamento cético e crítico em relação a mensagens ocultas, símbolos e códigos originados nos tempos bíblicos.

O que despertou seu interesse em analisar a teoria do código da Bíblia?

Eu me interesso pelo estudo da pseudociência como disciplina. Como também sou matemático, para mim era natural examinar essa teoria como um exemplo matemático de pseudociência, que defino como algo que aparenta ser ciência, mas que, sob um exame mais cuidadoso, revela não ter em absoluto bases científicas. O que havia de intrigante a respeito dessa teoria era o fato de algumas provas terem sido produzidas por cientistas qualificados, cujo trabalho, pelo menos na superfície, parecia muito convincente e cientificamente sólido.

E o que a sua investigação revelou?

Descobrimos que os padrões envolvendo palavras e as aparentes predições encontradas na Bíblia estão lá por pura obra do acaso e que padrões semelhantes podem ser identificados em qualquer livro.

Também é importante compreender que a Bíblia mudou muito ao longo do tempo. Especialmente no período anterior a Cristo, sofreu provavelmente alterações substanciais. E mais: a grafia do hebraico que ela apresenta hoje – empregada pelos adeptos da teoria do código da Bíblia na sua suposta descoberta de mensagens ocultas – não corresponde àquela que era adotada na época em que se situa a escritura da Bíblia. A Bíblia foi reescrita de acordo com regras de grafia atualizadas. Por essa razão, quaisquer mensagens que pudessem ter sido codificadas e incluídas no texto original já teriam se perdido. Portanto, o próprio fundamento para essa teoria não se sustenta. Do ponto de vista científico, podemos dizer que não foi encontrada nenhuma prova de que existam padrões envolvendo palavras ou mensagens ocultas na Bíblia que não aquelas formuladas pelo acaso e que já esperávamos identificar. Demonstramos de modo convincente que é possível fazer o mesmo praticamente com qualquer outro texto.

Mas é claro que algumas pessoas não querem se deixar convencer! Então o debate de fato nunca termina.

Na sua opinião, por que isso acontece?

Isso é exatamente o que ocorre com qualquer outro tipo de crença oculta ou com temas como teorias conspiratórias. Não há, na verdade, nada que se possa fazer para impedir que se acredite numa boa teoria conspiratória. As pessoas realmente gostam de crer em histórias assim, de alguma forma isso satisfaz uma necessidade delas.

E o que dizer dos conceitos de geometria sagrada, ou Divina Proporção, discutidos no CDV, que descrevem o curioso fato de que as proporções dos objetos feitos pelo homem, e até de alguns aspectos da natureza (a extensão que vai da mão ao antebraço), parecem seguir um padrão universal definido como PHI, ou 1,61804?

Penso que há uma explicação natural para isso. O universo funciona segundo um determinado conjunto de leis, e, se os físicos estão certos, essas regras são poucas e bastante simples. Isso significa dizer quase que automaticamente que alguns aspectos da natureza, incluindo seus elementos que estão presentes qualquer desenho ou diagrama, aparecerão e reaparecerão em várias formas. Então o fato de que algo como a Divina Proporção é percebido em muitos lugares distintos – na forma de uma região costeira, nas folhas que crescem das plantas, etc. – não deveria nos surpreender. Ele não indica que exista alguma mão oculta por trás de tudo isso, mas que o universo funciona de acordo com um número bem pequeno de leis.

E a seqüência de Fibonacci, que desempenha um papel tão importante no livro de Brown?

Há boas razões para que a seqüência de Fibonacci ocorra com tanta freqüência na natureza. É uma seqüência bastante simples do ponto de vista matemático. Cada número é a soma dos dois anteriores. Então, toda vez que identificamos um sistema que evolui – uma planta que está crescendo e da qual mais folhas estão saindo, e tendo em vista que cada crescimento depende dos que ocorreram anteriormente e daqueles antes destes –, vemos o surgimento dessa seqüência. E ela também satisfaz muitas outras propriedades matemáticas que poderiam corresponder ao modo como a natureza trabalha.

Então Deus é um matemático?

Vamos entender essa questão da seguinte maneira: de acordo com a ciência moderna, a totalidade da natureza funciona segundo princípios matemáticos. Assim, qualquer um que deseje apregoar razões "divinas" ou místicas para que as coisas sejam do jeito que são naturalmente vai usar um jargão matemático, pseudocientífico, para revestir essas idéias. Sim, essas pessoas transformarão Deus num matemático.

Brincando com anagramas

Decifrar anagramas é uma tarefa vital para Robert Langdon e Sophie Neveu no *CDV*. Felizmente, os dois são muito bons nisso. Mas se você leu o livro e ficou imaginando o que faria no lugar deles, pare de se preocupar! Bastaria ter usado um software desenvolvido especialmente para analisar anagramas em qualquer laptop comum enquanto percorria os corredores do Louvre. Utilizando um programa chamado Anagram Genius, produzimos centenas de anagramas alternativos para cada uma das frases a seguir. O que vamos apresentar é uma pequena amostra escolhida ao acaso.

Nossa dupla de heróis tem de decifrar o anagrama **O, draconian devil! Oh, lame saint!** [Ó, demônio draconiano! Oh, santa falsa!] (O significado, é claro, acaba se revelando: **Leonardo da Vinci! The Mona Lisa!**) Mas poderia ter sido uma de milhares de frases como estas:

An odd, snootier Machiavelian [Um estranho maquiavélico, mais arrogante].
Honored idea man vacillations [Idéia honrada vacilações do homem].

cont. Brincando com anagramas

Sainthood and lovelier maniac [Santidade e maníaco mais adorável].
Valiant homicide as an Londoner [Homicida corajoso como um londrino].
Vanities or an odd melancholia [Vaidades ou uma estranha melancolia].
Lame vile, Draconian sainthood [Desprezível falso, santidade draconiana].

Só para satisfazer a sua curiosidade, ao rearrumarmos as próprias letras de *Mona Lisa*, obteremos estes nomes em código para a pintura mais famosa da história:

A man's oil [O óleo de um homem].
Somalian [Somali].
Lion as am [Leão como sou].
Sol mania [Mania de sol].
O! Snail am [Ó! Caracol sou].
I a salmo [Eu um salmão].
O! Animals [Ó! Animais].

Depois, nossa equipe de simbologistas-criptologistas tem de decodificar a frase **"So dark the con of man"** [Tão sombria a traição dos homens]. Nosso localizador de anagramas sugere, entre muitos outros, o seguinte:

Shock mad afternoon [Choque louca tarde].
Craft damn hooknose [Maldito astucioso nariz de gancho].
Fat'n' handsome crook [Velhaco gordo e bonito].
Fame and shock or not [Fama e choque ou não].
Chats of naked moron [Papos de idiota nu].
Oh! Comfort and snake [Oh! Consolo e cobra].

E então começamos a imaginar se algumas das outras frases citadas no livro não são afinal anagramas. Por exemplo, há a muitas vezes mencionada: **"P.S. Find Robert Langdon."** [P.S. Encontre Robert Langdon]. Se isso fosse um anagrama, alguns dos resultados poderiam ser:

Forbidden, strong plan [Proibido, plano poderoso].
Finest bold, grand porn [Melhor ousadia, magnífica pornografia].
Bold, sporting fan nerd [Ousado, aficionado por esportes].

8 Leonardo e seus segredos

A sabedoria é a filha da experiência.

– Leonardo da Vinci

Leonardo da Vinci é o discípulo da experiência.

– Leonardo da Vinci

A figura de Leonardo da Vinci paira sobre o *CDV* desde o primeiro momento no Louvre até o último, também no Louvre. Ele está presente por toda parte no romance de Brown, espiando por cima do ombro da trama da mesma forma que o olhar de Mona Lisa nos contempla da capa do livro. Será que ele realmente incluiu na *Última Ceia* uma mensagem secreta em código? E, se fez isso, essa mensagem era sobre Maria Madalena e seu casamento com Jesus? Ou era algo de sentido mais geral, a respeito das mulheres e da sexualidade? Terá sido alguma sutil piada herética? Seria uma mensagem secreta de conteúdo gay ou seria algo ainda mais obscuro para nós nos dias de hoje, como alguma coisa sobre a importância de João Evangelista e Jesus Cristo?

Teria sido Leonardo um adepto secreto dos templários e possivelmente um grão-mestre do Priorado de Sião? Estaria a par de algo sobre o Santo Graal que outros sofisticados contemporâneos seus da Renascença desconheciam? Será que acreditava que o Santo Graal não significava literalmente um cálice, mas, metafórica ou realmente, o ventre de Maria Madalena? Acreditaria ele no culto do sagrado feminino? (Os aforismos citados no início deste capítulo sugerem que Leonardo atribuía à sabedoria e ao conhecimento uma personagem feminina, de forma semelhante ao que faziam os gnósticos.)

Por que ele escrevia em código? Quem foi a Mona Lisa – ou será que essa pintura, na verdade, é um auto-retrato? O que aconteceu quando, no fim de sua vida, ele foi viver na França? Por que o maior de todos os pintores produziu tão poucas telas? Qual a origem de seus lampejos geniais nos campos da física, anatomia, medicina, teoria da evolução, teoria do caos e aviação, entre outros, nos quais seu pensamento estava centenas de anos à frente dos principais pensadores e inventores de sua época em todo o mundo?

Há um grande número de mistérios em torno de Leonardo – matéria-prima para vários outros thrillers e vôos de imaginação pós-modernos que continuarão a surgir muito tempo depois de o *CDV* ter se tornado apenas uma resposta em algum teste de conhecimentos gerais.

Nos comentários a seguir, vamos ilustrar duas escolas básicas de pensamento. A corrente hegemônica, adotada pela maioria dos especialistas em Leonardo da Vinci e dos historiadores da arte, sugere que, ainda que persistam numerosos mistérios e perguntas a respeito da vida e da obra desse artista, não há nenhuma prova de que o personagem de João na *Última Ceia* seja de fato Maria Madalena, ou de que Leonardo liderasse o Priorado de Sião, ou de que ele estivesse deixando mensagens em código plantadas em seus trabalhos, para serem interpretadas em eras posteriores.

O outro ponto de vista – bem representado por Lynn Picknett e Clive Prince e extensamente documentado nos seus livros – é de fato muito mais interessante, ainda que as provas sejam frágeis. Essa perspectiva oferece respostas fascinantes, enquanto os especialistas mais tradicionais se limitam a apontar uma longa lista de perguntas. Embora esse tipo de reflexão possa revelar pouco fundamento, ele tem muito a oferecer em termos metafóricos e conceituais. Ao ler Picknett e Prince, é possível perceber as engrenagens da mente de Dan Brown funcionando enquanto ele diz para si mesmo: "Bem, se eu pegar um pouco dessa linha e um pouco daquela e juntar tudo numa trama assim..."

O código secreto de Leonardo da Vinci

LYNN PICKNETT E CLIVE PRINCE

Lynn Picknett e Clive Prince são dois escritores que vivem em Londres. Suas várias obras, cujos temas vão de Maria Madalena a Leonardo da Vinci e aos templários, tiveram um papel de destaque na pesquisa feita por Dan Brown para o *CDV*. Ainda que a maioria dos estudiosos e acadêmicos tradicionais discordem de Picknett, identificando pouca ou nenhuma base para suas interpretações, não há como negar que ela teve idéias singulares e interessantes, estabelecendo vínculos fascinantes que desafiaram o status quo dos debates acadêmicos sobre vários desses assuntos. O trecho a seguir é um perfeito exemplo disso. Reproduzido com autorização da Simon&Schuster e extraído de *A grande heresia: O segredo da identidade do Cristo*,[2] de Lynn Picknett e Clive Prince. Copyright © 1997 por Lynn Picknett e Clive Prince.

Para começar nossa história de maneira apropriada, temos de voltar à *Última Ceia* de Leonardo e observá-la com novos olhos. Este não é o momento de interpretá-la no contexto habitual, seguindo os pressupostos tradicionais estabelecidos pela História da Arte. Esta é a oportunidade de contemplá-la como alguém que estivesse vendo pela primeira vez a mais familiar das cenas, de deixar cair dos olhos os véus do preconceito e, talvez pela primeira vez, realmente olhar para essa pintura.

A figura central é, obviamente, a de Jesus, a quem, em anotações sobre sua obra, Leonardo se referiu como "o Redentor". (Mesmo assim, advertimos o leitor para evitar agora quaisquer idéias preconcebidas.) Ele olha para baixo e ligeiramente para a esquerda com uma expressão contemplativa, as palmas das mãos esticadas sobre a mesa como se oferecesse algo àquele que o observa. Como se trata da Última Ceia, na qual, como nos diz o Novo Testamento, Jesus introduz o sacramento do pão e do vinho, exortando seus seguidores a partilhá-los como a sua "carne" e o seu "sangue", seria razoável esperar que existisse diante dele um cálice ou uma taça de vinho que acompanhasse aquele gesto. Afinal, para os cristãos, essa refeição ocorreu imediatamente antes da "Paixão" de Jesus no jardim de Getsêmani, quando ele orou fervorosamente – "afasta de mim este cálice", outra alusão às imagens relacionadas ao vinho e ao sangue –, e também antes de sua morte na cruz, ocasião em que seu sangue sagrado foi derramado em prol de toda a humanidade. E mesmo assim não há nenhum vinho diante de Jesus (e existe uma quantidade irrelevante dessa bebida em toda a mesa). Seria possível que essas mãos estendidas estivessem fazendo o que, de acordo com os artistas, é essencialmente um gesto vazio?

Considerando a ausência do vinho, talvez não seja mero acaso o fato de que apenas uma pequena quantidade de todos os pães que estão sobre a mesa tenha sido efetivamente partida. Uma vez que Jesus identificava o pão com o seu próprio corpo que seria partido no sacrifício supremo, estaria sendo transmitida uma mensagem sutil a respeito da verdadeira natureza de seu sofrimento?

Isso, no entanto, é apenas a ponta do iceberg em relação aos elementos dessa pintura que rompem com a ortodoxia. No relato bíblico, é o jovem São João – conhecido como "o Amado" – que estava fisicamente tão próximo de Jesus que chegou a ser descrito como se estivesse reclinado "no seu seio". Mesmo assim, Leonardo retrata o jovem não como determina a "direção de cena" da Bíblia, recostado dessa forma, mas inclinando-se exageradamente na direção contrária à do Redentor, com a cabeça tombada de um modo quase coquete para a direita. E, em relação a esse personagem, isso certamente não é tudo, pois quem olha o quadro pela primeira vez poderia ser perdoado se tivesse algumas dúvidas a respeito desse suposto São João. Mesmo levando em conta que as predileções do próprio artista tendessem a representar a síntese da beleza masculina de modo um tanto efeminado, com toda certeza *é para uma mulher que estamos olhando*. Tudo o que diz respeito a "ele" é flagrantemente feminino. Por mais velha e embaçada que esteja a imagem desse afresco, ainda é possível distinguir as mãos pequenas e graciosas, as bonitas feições que lembram as de um elfo, o busto claramente feminino e o colar dourado. Essa mulher, pois se trata claramente de uma mulher, também está trajada de um modo que a diferencia como alguém especial. Suas roupas são quase um espelho daquelas usadas pelo Redentor: enquanto um está de túnica azul e capa vermelha, o outro veste uma túnica vermelha e uma capa azul de estilo idêntico. Ninguém mais na mesa está com vestimentas que espelhem as de Jesus dessa maneira. Mas também mais ninguém ali é uma mulher.

Uma peça-chave no conjunto da composição é a forma constituída por Jesus e essa mulher juntos: um "M" gigante sugerindo o formato de um pássaro de asas abertas, quase como se estivessem literalmente unidos pelos quadris, mas sofrido uma ruptura ou mesmo crescido até se separarem. Que seja do nosso conhecimento, nenhum estudioso se referiu a esse personagem feminino a não ser como "São João", e a forma do "M" também não foi observada por eles. Em nossas pesquisas, descobrimos que Leonardo era um grande psicólogo que se divertia presenteando seus mecenas, que lhe haviam encomendado cenas cristãs tradicionais, com imagens altamente heterodoxas, sabendo que as pessoas contemplariam com olhos benevolentes a heresia mais declarada porque em geral só vêem o que esperam ver. Se alguém encomenda a pintura de uma cena cristã convencional a um artista e este dá ao público algo que superficialmente se parece com o que foi pedido, as pessoas jamais porão em dúvida o seu simbolismo suspeito. Ainda assim, Leonardo deve ter tido a esperança de que outros que partilhavam sua interpretação pouco usual da mensagem do Novo Testamento reconhecessem sua versão ou de que alguém, em algum lugar, talvez um observador objetivo, um dia se deteria sobre a imagem dessa mulher misteriosa ligada à letra "M" e faria as perguntas óbvias. Quem era essa "M" e o que a tornava tão importante? Por que Leonardo arriscaria sua reputação – até mesmo a sua vida naqueles tempos em que eram comuns as fogueiras – para incluí-la nessa cena cristã de importância crucial?

Seja ela quem for, seu próprio destino parece incerto a julgar pela mão que passa por seu pescoço delicadamente inclinado como se o estivesse cortando, sugerindo um gesto ameaçador. Também o Redentor é ameaçado por um dedo indicador apontado na direção do seu rosto com declarada veemência. Tanto Jesus como "M" parecem totalmente indiferentes a essas intimidações, como se estivessem perdidos no mundo dos seus próprios pensamentos, cada um a seu modo sereno e comedido. Mas é como se símbolos secretos estivessem sendo usados não apenas para advertir Jesus e sua companheira a respeito dos seus destinos diferentes como também para instruir (ou talvez lembrar) aquele que observa a pintura sobre alguma informação que representaria um perigo se levada a público. Leonardo estaria utilizando essa obra para transmitir uma convicção pessoal que seria quase uma loucura compartilhar de uma maneira ostensiva com um público mais amplo? E poderia ocorrer de essa crença ter uma mensagem para um número muito maior de pessoas que não as do seu círculo mais próximo, talvez até destinada a chegar a nós, nos dias de hoje?

Vamos mais além em nosso exame dessa obra espantosa. À direita de quem observa o afresco, um homem alto e barbado curva-se bastante para falar ao último discípulo na mesa. Ao fazer isso, ele dá completamente as costas ao Redentor. E é exatamente o modelo desse discípulo (São Judas Tadeu) que é reconhecido como o próprio Leonardo. Nada que os pintores da Renascença retratassem era acidental ou estava ali meramente por ser bonito, e esse representante em particular dessa época e do seu ofício era conhecido como um virtuose do duplo sentido. (A preocupação em usar o modelo certo para os vários discípulos pode ser identificada em sua estranha sugestão de que o próprio abade do Mosteiro de Santa Maria, um tipo irritante, fosse o modelo de Judas!) Então por que Leonardo teria pintado a si mesmo desviando seu olhar de Jesus de uma maneira tão clara?

Há mais ainda. Podemos observar a mão anômala que aponta uma adaga para o estômago do discípulo que está a uma pessoa de distância de "M". Nenhum esforço de imaginação poderia nos fazer acreditar que a mão pertença a alguém sentado à mesa porque seria fisicamente impossível para os que estão próximos nesse detalhe se contorcerem para pôr a adaga em tal posição. No entanto, o que é de fato espantoso nessa mão sem corpo não é tanto o fato de ela existir, mas que tenhamos encontrado em todas as nossas leituras sobre Leonardo apenas uma ou duas referências a ela. E mesmo essas se mostram relutantes em identificar qualquer coisa estranha. A exemplo do São João que na verdade é uma mulher, nada poderia ser mais óbvio – e mais bizarro – a partir do momento em que se chama a atenção para isso; no entanto, é algo ignorado pelo olho do observador, simplesmente por ser tão extraordinário e tão afrontoso.

Já ouvimos muitas vezes a informação de que Leonardo era um cristão devoto, cujas pinturas religiosas refletiriam a profundidade da sua fé. Como observamos até agora, pelo menos uma delas inclui imagens altamente ambíguas em termos da ortodoxia cristã. E nossas pesquisas seguintes revelaram, como veremos, que nada poderia estar mais longe da verdade do que a idéia de que ele era um verdadeiro crente, isto é, um crente em qualquer forma aceita ou aceitável de cristianismo. As características curiosas e anômalas de uma das pinturas já parecem indicar que estava tentando nos transmitir uma camada diferente de sentido sob a cena bíblica habitual, um outro mundo de crença além dos contornos admitidos da imagem congelada naquele mural do século XV perto de Milão.

Seja lá o que essas inclusões heterodoxas queiram dizer, elas estavam, e nunca é demais frisar isso, totalmente em desacordo com o cristianismo ortodoxo. Esse dado em si dificilmente seria uma novidade para muitos dos materialistas e racionalistas de hoje. Afinal, para eles Leonardo foi o primeiro cientista de verdade, um homem que não tinha tempo a perder com superstições ou com qualquer forma de religião, alguém que era a própria antítese do místico e do adepto do ocultismo. E, no entanto, também eles não conseguiram ver o que está representado claramente diante dos seus olhos. Pintar a Última Ceia sem uma quantidade significativa de vinho é como pintar o momento crítico da coroação sem uma coroa: ou se está omitindo o mais importante ou se está tentando chamar atenção para outra coisa. De tal modo que isso distingue esse artista como nada mais nada menos do que um herege, uma pessoa que de fato tem crenças religiosas; contudo, estas destoam das que pertencem à ortodoxia cristã e talvez até entrem em choque com elas. Descobrimos, igualmente, que nas outras obras de Leonardo suas próprias obsessões heréticas se destacam por meio de uma imagística coerente e cuidadosamente concretizada, algo que não aconteceria se ele fosse um ateu ocupado apenas em ganhar a vida. Esses símbolos e inclusões impertinentes também significam muito mais do que uma resposta satírica de um cético à encomenda de uma obra religiosa – não são, por exemplo, o equivalente a se colocar um nariz vermelho de palhaço no rosto de São Pedro. O que estamos vendo ao contemplar a *Última Ceia* e suas outras pinturas é o código secreto de Leonardo da Vinci, que acreditamos ter uma fantástica relevância para o mundo de hoje.

[Picknett e Prince passam então a discutir suas reflexões sobre outra pintura de Leonardo, *A Madona das rochas*, também chamada de *A Virgem das rochas*. Essa obra desempenha um papel importante no *CDV*. Depois que Sophie Neveu decifra o anagrama "Tão sombria a traição dos homens" e compreende que suas letras reordenadas formam as palavras "Madona das rochas", ela encontra escondida atrás da tela a chave para a caixa depositada num banco suíço. Tal amostra de uma mensagem decodificada oferece a Robert Langdon a oportunidade de expor a Sophie algumas idéias sobre a pintura – idéias claramente extraídas dos escritos de Picknett e Prince, como o trecho a seguir.]

A aparente troca dos papéis convencionais entre Jesus e João também pode ser vista numa das duas versões da *Virgem das rochas*, de Leonardo. Os historiadores da arte nunca conseguiram explicar satisfatoriamente por que deveriam existir duas delas, mas uma atualmente está à mostra na National Gallery, em Londres, e a outra – para nós aquela que é, sem dúvida, a mais interessante – no Louvre, em Paris.

A encomenda, originalmente feita por uma organização conhecida como Fraternidade da Imaculada Conceição, foi a de uma única pintura que ocuparia o lugar central num tríptico, a ser colocado no altar da capela da entidade na Igreja de São Francisco em Milão. (As outras duas pinturas do tríptico deveriam ser feitas por outros artistas.) Datado de 25 de abril de 1483, o contrato existe até hoje e lança uma luz interessante sobre a obra que era esperada e aquela que foi efetivamente entregue. No documento, eles especificaram cuidadosamente o formato e as dimensões do trabalho que desejavam – o que, aliás, era imprescindível, pois a estrutura do tríptico já estava pronta. Estranhamente, as duas versões da obra de Leonardo satisfazem essas exigências, ainda que não saibamos por que ele pintou as duas telas. Podemos, no entanto, arriscar uma hipótese sobre essas interpretações divergentes que pouco têm a ver com a idéia de perfeccionismo e mais com a consciência de sua natureza potencialmente explosiva.

O contrato também determinava o tema da pintura. Ela deveria retratar um acontecimento não mencionado nos Evangelhos, mas há muito presente nas lendas cristãs. Era a história de como, durante a fuga para o Egito, José, Maria e o Menino Jesus haviam procurado abrigo numa caverna abandonada, onde encontraram o pequeno João Batista, o protegido do arcanjo Uriel. A importância dessa lenda consiste em ter oferecido uma solução para uma das questões mais óbvias e embaraçosas suscitadas pelo relato do batismo de Jesus nos Evangelhos. Por que um Jesus supostamente imaculado precisaria ser batizado, uma vez que esse ritual é um gesto simbólico da lavagem dos pecados e do compromisso com a bondade a partir daquele momento? Por que o Filho de Deus deveria se submeter ao que era nitidamente um gesto de autoridade da parte de João Batista?

A lenda conta como, nesse encontro notavelmente inesperado entre as duas santas crianças, Jesus conferiu ao seu primo João a autoridade para batizá-lo quando os dois fossem adultos. Por diversas razões, essa nos parece uma encomenda bastante irônica para aquela confraria fazer a Leonardo, mas também podemos suspeitar de que ele teria ficado encantado ao receber a tarefa e em interpretar o episódio, pelo menos em uma das versões, de um modo próprio e muito particular.

Ao estilo da época, os membros da confraria haviam determinado que desejavam uma pintura exuberante e floreada, ornamentada com folhas douradas, bandos de querubins e as figuras etéreas dos profetas do Antigo Testamento para preencher os espaços vazios. O que receberam no fim foi algo bastante diferente, que chegou a azedar as relações entre a entidade e o artista e culminou num processo que se arrastou na Justiça por vinte anos.

Leonardo optou por representar a cena da maneira mais realista possível, sem a intromissão de nenhum personagem não ligado ao episódio – para ele não deveriam existir gordos querubins ou profetas fantasmagóricos. Na verdade, o número das *dramatis personae* talvez tenha sido excessivamente cortado, pois, embora a pintura supostamente retrate a fuga da Sagrada Família para o Egito, José nem sequer aparece nela.

A versão do Louvre, a que foi pintada primeiro, mostra uma Virgem com uma túnica azul passando o braço, num gesto protetor, em torno de uma das crianças, enquanto a outra é mostrada ao lado de Uriel. Curiosamente, as duas crianças são idênticas; porém, mais estranho ainda é o fato de o menino com o anjo estar abençoando o outro, enquanto o filho de Maria se ajoelha, mostrando subserviência. Isso levou historiadores da arte a acreditar que, por algum motivo, Leonardo optou por deixar o pequeno João com Maria. Afinal, não há nenhum rótulo que identifique esses personagens, e parece claro que a criança com autoridade para abençoar é Jesus.

Existem, no entanto, algumas maneiras de interpretar essa obra que, além de indicarem mensagens fortemente subliminares e altamente heterodoxas, reforçam códigos usados por Leonardo em outras pinturas. Talvez a semelhança entre as duas crianças sugira que ele tenha confundido suas identidades de modo intencional por razões que lhe convinham. E, embora Maria esteja, com sua mão esquerda, envolvendo de modo protetor a criança geralmente identificada como João, a sua mão direita está esticada sobre a cabeça de "Jesus" num gesto que parecer ser de inequívoca hostilidade – algo que Serge Bramly [historiador da arte] descreve como "semelhante a garras de uma águia". Uriel está apontando para o outro lado, na direção da criança abraçada por Maria, mas também está, e de modo significativo, olhando enigmaticamente para quem observa o quadro – isto é, desviando claramente o olhar da Virgem e da criança. Ainda que seja mais fácil e mais aceitável interpretar esse gesto como uma indicação daquele que será o Messias, também há outros possíveis significados.

E se a criança com Maria, na versão do Louvre de *A Virgem das rochas*, for Jesus – o que seria plausível – e a criança com Uriel for João? Lembre-se de que, nesse caso, é João quem está abençoando Jesus, com este último se submetendo à sua autoridade. Uriel, na condição de protetor especial de João, evita até mesmo olhar para Jesus. E Maria, ao proteger seu filho, põe a mão de modo ameaçador sobre a cabeça do menino João. Vários centímetros bem abaixo da palma aberta da mão dela, a mão de Uriel faz um corte direto com o dedo indicador, como se os dois gestos compreendessem um misterioso sinal. É como se Leonardo estivesse indicando que um objeto, alguma coisa importante, porém invisível, devesse preencher o espaço entre as duas mãos. Nesse contexto, não seria nada fantasioso supor que os dedos esticados de Maria estivessem ali como se pousados sobre a coroa de uma cabeça invisível, ao passo que o indicador do anjo corta o espaço exatamente onde o pescoço deveria estar. Essa cabeça fantasma flutuaria logo acima da criança que está com Uriel... Então, essa criança *está* de fato rotulada, afinal qual das duas estava destinada a morrer decapitada? E, se é realmente João Batista, é ele que aparece fazendo o gesto de abençoar voltado para aquele que é seu superior.

No entanto, quando dirigimos a atenção para a versão bastante posterior exibida na National Gallery, descobrimos que estão faltando todos os elementos que sugerem essas deduções de conteúdo herético – mas apenas esses elementos. As duas crianças têm aparências bastante diferentes, e a que está com Maria ostenta a tradicional cruz com uma haste mais comprida associada a João Batista (ainda que seja verdade que o detalhe possa ter sido acrescentado posteriormente por outro artista). Nessa pintura, a mão direita de Maria permanece esticada sobre a outra criança, mas o gesto não expressa nenhuma ameaça. Uriel não está mais apontando para o menino nem desviando o olhar da cena. É como se Leonardo estivesse nos convidando a reparar na diferença – estimulando-nos a extrair nossas próprias conclusões sobre esses detalhes anômalos.

Esse tipo de exame da obra de Leonardo revela uma enorme variedade de insinuações provocantes e perturbadoras. Parece mesmo existir uma repetição, em que ele recorre de maneira engenhosa a diversos símbolos e sinais subliminares sobre o tema de João Batista. Mais de uma vez, esse discípulo e suas imagens são elevados acima da figura de Jesus...

Há algo de compulsivo a respeito dessa insistência, tanto pelo próprio caráter intrincado das imagens usadas quanto pelo risco que Leonardo assumiu ao apresentar ao mundo uma heresia tão inteligente e sutil. Talvez, como já sugerimos, ele tenha terminado tão poucos de seus trabalhos – não tanto pelo fato de ser um perfeccionista mas por ter a consciência do que lhe aconteceria se alguém importante conseguisse enxergar, através da fina camada de verniz ortodoxo, a "blasfêmia" situada logo abaixo da superfície. É possível que mesmo um gigante em termos físicos e intelectuais como Leonardo se preocupasse em não entrar em conflito com as autoridades – uma vez já teria sido suficiente.

Contudo, certamente não haveria sentido em correr o risco de colocar sua cabeça na forca trabalhando em mensagens tão heréticas se ele não depositasse nelas uma fé apaixonada. Como já tivemos oportunidade de ver, longe de ser o ateu materialista admirado por tantos modernos, Leonardo estava na verdade profundamente comprometido com um sistema de crenças que batia de frente com o que era na época, e ainda é, considerado o cristianismo convencional. Tratava-se do que muitos prefeririam chamar de o "oculto".

Para a maior parte das pessoas hoje essa é uma palavra que provoca associações imediatas e nada positivas. É tida como algo semelhante à magia negra ou às elucubrações de charlatães – ou as duas coisas. Na realidade, o termo "oculto" significa apenas "escondido" e é usado normalmente em astronomia, como na descrição de um corpo celeste que está "ocultando" ou eclipsando outro. No que diz respeito a Leonardo, seria possível concordar que, ainda que houvesse na sua vida elementos e crenças que sugerissem rituais sinistros e práticas de magia, também é verdade que o que ele buscava era, acima e além de todas as coisas, conhecimento. No entanto, a maioria das coisas pelas quais ele ansiava haviam sido efetivamente "ocultadas" pela sociedade e, em particular, por uma organização poderosa e onipresente. Na maior parte da Europa dessa época, a Igreja não via com bons olhos nenhum tipo de experimento científico e tomava medidas drásticas para silenciar os que tornavam públicas suas opiniões heterodoxas e pessoais.

Contudo, Florença – onde Leonardo nasceu e foi criado e em cuja corte sua carreira realmente teve início – era o centro onde começava a se desenvolver uma nova onda de conhecimento. Isso se devia apenas, por mais surpreendente que seja, ao fato de essa cidade servir de refúgio para um grande número de influentes magos e ocultistas. Os primeiros mecenas de Leonardo – a família Médici, que governava Florença – estimulavam ativamente os estudos relacionados ao ocultismo e até patrocinavam os que pesquisassem e transcrevessem determinados manuscritos perdidos.

Esse fascínio pelo misterioso não era o equivalente da Renascença ao interesse suscitado pelos horóscopos nos dias atuais. Ainda que houvesse áreas de pesquisa que hoje nos pareceriam ingênuas ou até francamente supersticiosas, também existiam muitos campos que representavam uma séria tentativa de compreender o universo e o lugar que o homem ocupa nele. O mago, no entanto, procurava ir um pouco além, tentando descobrir como controlar as forças da natureza. Analisando a questão sob essa luz, talvez não pareça tão surpreendente que, de todas as pessoas, Leonardo fosse, segundo acreditamos, um participante ativo na cultura ligada ao ocultismo na época e no lugar em que viveu. A respeitada historiadora Frances Yates chegou a sugerir que a razão da genialidade e da visão demonstradas por Leonardo estaria nas idéias sobre a magia que existiam então.

Os detalhes a respeito dessas filosofias em particular, tão disseminadas no movimento ocultista de Florença, podem ser encontrados em nosso livro anterior. Mas, em termos sucintos, o que unia todos os grupos daquele tempo era o hermetismo, que deve seu nome a Hermes Trimegisto, o grande, ainda que lendário, mago egípcio cujos livros apresentavam um sistema coerente de magia. Certamente o elemento mais importante do pensamento hermético foi a idéia de que o homem era, em algum sentido literal, um ente divino – um conceito que ameaçava de tal modo os corações e mentes do rebanho da Igreja que esta considerava a noção um anátema.

Os princípios herméticos foram com certeza demonstrados na vida e na obra de Leonardo. No entanto, à primeira vista poderia parecer que havia uma flagrante discrepância entre essas sofisticadas idéias filosóficas e cosmológicas de um lado e, de outro, as noções que, apesar de heréticas, aceitam a importância de personagens bíblicos. (Devemos enfatizar que as crenças heterodoxas de Leonardo e de seu círculo não eram meramente uma reação contra uma Igreja corrupta e crédula. Como tem demonstrado a história, de fato existia uma forte, e certamente aberta, reação à Igreja de Roma – o conjunto do movimento protestante. Mas, se Leonardo fosse vivo, nós também não o encontraríamos hoje como um adepto dessa corrente religiosa.)

No entanto, há muitos indícios mostrando que herméticos também poderiam ser heréticos. Giordano Bruno (1548-1600), o fanático pregador do hermetismo, proclamava que suas crenças vinham da religião do Egito antigo, que havia precedido o cristianismo e que o eclipsava em termos de importância.

Os alquimistas compunham parte desse florescente mundo associado ao ocultismo, que ainda era muito receoso da condenação da Igreja para ser algo mais do que um movimento clandestino. Estamos novamente diante de um grupo que é alvo de uma série de preconceitos modernos. Hoje eles são depreciados como os tolos que desperdiçavam a vida tentando – em vão – conseguir transformar metal em ouro. Na verdade, essa imagem era usada pelos alquimistas sérios como uma cortina de fumaça para os experimentos propriamente científicos com que estavam ocupados, sem falar na busca da transformação pessoal e no controle absoluto de seu destino como pessoas. Mais uma vez, não é difícil ver por que alguém com tamanha sede de conhecimento como Leonardo tomaria parte nesse movimento, talvez até mesmo numa posição de destaque. Ainda que não haja nenhum indício direto de seu envolvimento, é sabido que ele mantinha contato com ocultistas de todas as tendências, e nossa pesquisa sobre a falsificação feita por ele do Santo Sudário de Turim revelou grandes possibilidades de que a própria imagem tenha resultado de uma de suas experiências "alquímicas".

Resumindo: é altamente improvável que Leonardo não estivesse a par dos sistemas de conhecimento disponíveis na sua época; no entanto, ao mesmo tempo, levando em conta os riscos oferecidos por uma participação ostensiva neles, é igualmente improvável que se comprometesse registrando em papel qualquer prova disso. Mesmo assim, como vimos, seria difícil que os símbolos e imagens usados freqüentemente por ele em suas pinturas supostamente cristãs viessem a contar com a aprovação da Igreja, caso sua verdadeira natureza fosse plenamente compreendida pelas autoridades eclesiásticas.

Mesmo assim, um fascínio pelo hermetismo poderia, em termos superficiais, parecer quase o oposto de uma preocupação com João Batista – e o suposto significado da mulher "M". Na verdade, essa discrepância nos deixou tão perplexos que decidimos prosseguir com a investigação. É claro que se poderia argumentar que tudo o que esses dedos indicadores levantados querem dizer é que um gênio da Renascença era obcecado por João Batista. Mas seria possível que um significado mais profundo se escondesse atrás da mera crença pessoal de Leonardo? Será que a mensagem que pode ser lida em suas pinturas poderia ser em alguma medida *verdade?*

Com certeza, esse mestre há muito foi reconhecido nos círculos ocultistas como detentor de um conhecimento secreto. Quando começamos a pesquisar sua participação no caso do Sudário de Turim, ouvimos rumores entre pessoas dessa área dando a entender não apenas que ele tinha sido o responsável pela sua criação como também que era um mago de certo renome. Há até mesmo um pôster parisiense do século XIX anunciando o Salon da Rosa + Cruz – um local de encontro para ocultistas com interesses artísticos – que retrata Leonardo como o guardião do Santo Graal (o que nesse meio é entendido como outro nome para o Guardião dos Mistérios). Mais uma vez, boatos e licença poética não chegam a, por si sós, formar algo consistente; porém, tomados em conjunto com todos os indícios já listados, certamente despertaram nosso apetite para saber mais sobre o Leonardo desconhecido.

Até então tínhamos isolado o núcleo do que parecia ser sua obsessão: João Batista. Ainda que fosse natural que ele recebesse encomendas para pintar e esculpir esse santo em Florença – um lugar que era dedicado a João –, é fato que, quando atuava por conta própria, Leonardo optou por fazer o mesmo. Afinal, a última pintura na qual trabalhou antes da sua morte, em 1519, foi de João Batista – e não havia sido encomendada por ninguém, mas realizada por motivos pessoais. Talvez ele quisesse ter aquela imagem ao seu lado quando estivesse morrendo. E até quando era remunerado para pintar uma cena cristã ortodoxa, ele sempre, se conseguisse dar um jeito de fazer isso, enfatizava o papel desse discípulo na obra.

Como vimos, suas imagens de João Batista são cuidadosamente elaboradas para transmitir uma mensagem específica, mesmo se captada de modo imperfeito e subliminar. Esse discípulo certamente é descrito como um personagem importante – mas ele era o precursor, o arauto e parente de sangue de Jesus, então é bastante natural que seu papel seja reconhecido dessa forma. Ainda assim, Leonardo não está nos dizendo que João Batista era, como todos os outros, inferior a Jesus. Em seu *A Virgem das rochas*, o anjo, pode-se argumentar, está apontando para *João*, que está abençoando Jesus, e não o contrário. Na *Adoração dos magos*, as pessoas saudáveis e de aparência normal estão venerando as raízes expostas de uma alfarrobeira – conhecida como "pão-de-são-joão" –, e não a Virgem e a criança inexpressivas. E o "gesto de João", aquele dedo indicador erguido, é apresentado diante do rosto de Jesus na *Última Ceia* de uma maneira que está longe de ser carinhosa ou amistosa. No mínimo parece estar querendo dizer de um modo um tanto brutal: "Lembre-se de João." E uma obra que está entre as menos conhecidas de Leonardo, o Sudário de Turim, exibe o mesmo tipo de simbolismo: a imagem de uma cabeça aparentemente cortada sendo colocada "sobre" um corpo crucificado apresentado da maneira clássica. Tudo leva a crer que, pelo menos para Leonardo, João Batista era superior a Jesus.

Tudo isso poderia fazer com que Leonardo fosse uma voz gritando num deserto. Afinal, muitas mentes geniais pertenceram, para dizer o mínimo, a seres humanos excêntricos. Talvez essa fosse outra área da sua vida na qual ele desafiava as convenções de seu tempo, permanecendo incompreendido e solitário. Mas também estávamos conscientes, mesmo quando começamos nossa pesquisa no fim dos anos 1980, de que haviam surgido provas, ainda que altamente controvertidas, ligando Leonardo a uma poderosa e sinistra sociedade secreta. Esse grupo, que teria surgido muitos séculos antes da época do artista, envolveria alguns dos indivíduos e famílias mais influentes e de maior prestígio da história da Europa, e, segundo algumas fontes, continuaria a existir nos dias de hoje. É dito que não apenas integrantes da aristocracia seriam membros de destaque dessa organização como alguns dos mais importantes personagens da vida política e econômica procuram mantê-la viva por suas próprias razões particulares...

Um olhar ousado
Outras reflexões sobre Leonardo por Lynn Picknett

O LEONARDO GAY... MONA LISA COMO UM AUTO-RETRATO... OS FALOS E A VIRGEM

Se você considerou interessantes as idéias de Lynn Picknett sobre Leonardo, *A Última Ceia* e *A Madona das rochas* reproduzidas no trecho anterior, gostará de acompanhá-la em suas especulações mais recentes sobre temas afins, divulgadas em seu novo livro de 2003, *Mary Magdalene* (Maria Madalena), do qual apresentamos a seguir alguns excertos. De *Mary Magdalene*, por Lynn Picknett. Copyright © 2003 por Lynn Picknett. Reproduzido sob a permissão da editora Carroll & Graf, associada ao Avalon Publishing Group.

Quem era Mona Lisa? Por que seu sorriso é tão afetado? Afinal, ela está sorrindo ou demonstrando desdém? Ou a impressão se deve apenas à genialidade da pincelada sem igual de Leonardo, que cria esse efeito sutil, quase como se estivesse sob uma luz cambiante? E se for o retrato de uma senhora italiana ou francesa, por que jamais foi reivindicado por sua família?

A resposta para todas essas perguntas pode ser simples e, de modo um tanto característico quando se trata desse artista em especial, quase escandalosa. Apesar de famoso por sua arte e seus projetos de invenções surpreendentes para a época em que viveu, como o tanque de guerra e até uma máquina de costura, Leonardo da Vinci talvez devesse se destacar apenas por suas brincadeiras e fraudes...

Ele era conhecido no seu tempo como um homem espirituoso e dado a pregar peças – assustar as damas da corte com um leão mecânico e convencer um papa aterrorizado de que mantinha um dragão numa caixa! Mas às vezes havia algo de sombrio, agressivo e, de certa forma, mórbido em suas brincadeiras. Algumas delas seriam transformadas em projetos importantes, superando até, em termos de tempo, dedicação e recursos empregados, as obras de pintura que lhe eram encomendadas...

A *Mona Lisa*, ao que parece, é um auto-retrato – como São Judas Tadeu na *Última Ceia* [Picknett acredita que no caso da *Última Ceia* se trate de um auto-retrato, da mesma forma que a figura identificada como Jesus no Santo Sudário de Turim, tema a respeito do qual ela também escreveu extensamente] e outros personagens de obras suas que chegaram aos nossos dias... Essa hipótese espantosa – e, à primeira vista, sensacional e improvável – foi apresentada na década de 1980 por dois pesquisadores que trabalharam nesse tema em áreas independentes: o Dr. Digby Quested, do Hospital Maudsley de Londres, e Lilian Schwartz, dos respeitados Laboratórios Bell nos Estados Unidos... Ambos perceberam que as feições do rosto "feminino" da Mona Lisa eram exatamente as mesmas registradas no auto-retrato do artista – feito em 1514 e hoje em Turim –, já como um homem idoso, desenhado com lápis vermelho.

Se, como parece ser o caso, Leonardo fosse tanto a Mona Lisa quanto o rosto no

Sudário, então teria realizado uma dupla façanha: seria não apenas reconhecido como a imagem do Filho de Deus mas também como a "Mais Bela Mulher do Mundo" – não é de admirar que "ela" sorrisse com uma expressão tão misteriosa!

Ao longo dos anos tem sido sugerido, às vezes até seriamente, que a *Mona Lisa* era na realidade um retrato da amante desconhecida de Leonardo, o que é bem mais improvável do que a teoria do auto-retrato, pois é praticamente certo que ele era homossexual...

Se a imagem fugidia da mulher enigmática era realmente um auto-retrato, por que Leonardo o pintou e por que o manteve com ele até o dia de sua morte? Talvez a resposta seja simplesmente porque achava que havia produzido uma obra-prima e desejava guardar ele mesmo a sua melhor criação. Pode ser que gostasse da sua aparência na pele de uma mulher, imberbe e com roupas femininas. Quem sabe isso pusesse em seus lábios um sorriso igual ao da pintura. Ainda assim, há razões para imaginar que, como tudo mais que ele fez, haveria também um motivo menos óbvio, uma camada mais profunda que, borbulhante como o caldeirão de uma bruxa sob a superfície tranqüila da cortesia, o transformava no centro de um movimento composto por restos de experiência e crença, de amor e ódio, de paixão e dor.

Como Maria Madalena, Leonardo, filho ilegítimo e provavelmente gay, era um outsider, alguém que estava fora dos quadros da sociedade estabelecida. Um gênio atormentado, sem educação formal, prestigiado nas cortes dos poderosos, mas dependente do apoio de um mecenas, sempre desconfiado, a maior parte do tempo solitário – e jamais numa posição muito segura. Como uma prostituta da arte, era pago para produzir o retrato do homem famoso ou o afresco religioso (e raras vezes dentro do prazo), sempre do lado de fora e olhando para dentro dos círculos e instituições. Na condição de outsider, ele conseguiu, atravessando séculos sombrios, chegar a uma época diferente: talvez o travesti Leonardo, com seu véu de mulher e um busto estranho, quase que aplicado sobre o corpo, estivesse destinado a representar a própria Madalena. Com certeza, seria bem apropriado, pois, como veremos, ele tinha fortes sentimentos em relação à santa tão difamada e de um passado tão distante...

Antes de nos voltarmos para a questão das fontes secretas de Leonardo, deveríamos lançar um novo olhar sobre uma de suas "belas pinturas religiosas": *A Virgem das rochas...* Há algo mais a ser observado, ainda que haja boas razões para qualquer autor que queira ser levado a sério nem sequer mencioná-la.

Alguém que tivesse acabado de se familiarizar com essa discussão poderia admitir, ainda que refreando por um momento seu ceticismo, que talvez haja aqui um caso a ser estudado a respeito do papel de São João nas pinturas de Leonardo e até admirar sua sutileza e audácia ao apresentar imagens tão maliciosas ao olhar confiante das massas. Contudo, desde a publicação de *A grande heresia: O segredo da identidade do Cristo,*[3] outro exemplo da extraordinária e subliminar campanha anticristã de Leonardo tornou-se óbvia para Clive [Prince, o colaborador da Srta. Picknett] e para mim.

A revelação seguinte é tão sensacional, tão aparentemente absurda que chega a parecer um delírio freudiano ou uma fantasia infantil. E, no entanto, devemos lembrar que Leonardo era antes de tudo um artista da fraude, um brincalhão e um ilusionista – e que ele odiava a Sagrada Família... Levando em conta o contexto de suas brincadeiras, seria mais sensato esquecer tudo o que já foi escrito e ensinado a respeito das obras "sérias" de Leonardo, coisas que sugerem uma História da Arte de pouca substância ou as pinturas mais nobres que atraíram gerações em suas viagens pela arte das grandes capitais européias. Clive e eu escrevemos em *A grande heresia: O segredo da identidade do Cristo* que Leonardo foi sutil ao apresentar seu código secreto herético "para aqueles que têm olhos para ver" e não teria feito nada "equivalente a colocar um nariz de palhaço em São Pedro". Mas, como descobrimos recentemente, não poderíamos estar mais errados.

Esqueçam o silêncio cheio de reverência dos grandes museus enquanto visitantes andam na ponta dos pés diante das pinceladas de quinhentos anos de idade de Leonardo da Vinci. Pense, ao contrário, em meninos trocando bilhetes maliciosos com risinhos maldosos atrás do abrigo para bicicletas – ou nas estrelas da arte contemporânea britânica Tracey Emin ou Damien Hirst, cuja genialidade está em suas tiradas selvagens e iconoclásticas. Ainda que essa característica possa ser percebida tanto na versão da National Gallery quanto na do Louvre da *Virgem das rochas*, é nesta última que ela aparece de forma bem mais clara, o que a torna verdadeiramente a mais herética das duas pinturas. Uma pista está no título da obra: *A Virgem das rochas, ou das pedras*, tendo em vista que "pedra" é uma gíria no idioma italiano para "testículos". E, assim, essa é a razão para que, de um modo chocante, a massa de pedras sobre a Sagrada Família se torne óbvia.

Surgindo de trás da cabeça da Virgem há duas magníficas "pedras" masculinas – encimadas por um falo maciço que aponta para o próprio céu, abrangendo nada menos do que metade da pintura. O objeto ofensivo é criado a partir da massa de pedra, mas ainda assim é facilmente perceptível, e até mesmo enfeitado de modo despudorado com um pequeno jato de ervas. Talvez isso represente o equivalente às formas do "Olho Mágico", que leva algum tempo até penetrar na consciência, dependendo da resistência de cada um à idéia – mas tem pouca semelhança com o fenômeno comum que nos leva a enxergar formas de animais nas nuvens. Isso não exige uma imaginação ativa, simplesmente a capacidade de ver a pintura com novos olhos, sem preconceitos ou expectativas prévias. Aqui temos Leonardo, o herético e o amante das fraudes, na sua manifestação mais ousada – e maldosa. Sem dúvida, ele criou deliberadamente aquele grotesco membro masculino perversamente inspirado na confraria que o contratou – a Fraternidade da Imaculada Conceição. Com um pênis gigante crescendo a partir da sua cabeça, ele está claramente dizendo "para aqueles com olhos para ver" que aquela não é nenhuma Virgem.

Tentando dar um sentido aos "desbotados borrões" de Leonardo

ENTREVISTA COM DENISE BUDD

Denise Budd é Ph.D. pela Universidade de Colúmbia. Sua tese de doutorado sobre Leonardo da Vinci é centrada na reinterpretação dos documentos disponíveis sobre a primeira metade da carreira dele.

Há algum indício de sociedade secreta desse tipo?

Não há absolutamente nenhuma prova de que Leonardo da Vinci tenha sido membro do Priorado de Sião ou de qualquer outra organização secreta. Os documentos em que Dan Brown se baseou aparentemente foram descobertos na Biblioteca Nacional de Paris, em 1960, e parecem ter sido forjados no século XX.

Além de às vezes escrever de trás para frente, Leonardo usava outro tipo de código?

Há indícios de que tenha usado códigos em alguns de seus escritos. Como exemplo disso, há o chamado memorando de Ligny, no qual ele intercalou nomes de pessoas e lugares embaralhando as letras. É possível que tenha trabalhado como espião quando esteve a serviço de César Borgia como engenheiro militar. Mas a escrita de trás para frente não chega a ser um código especialmente difícil de decifrar. Isso estava relacionado ao fato de ele ser canhoto.

Leonardo é conhecido por salpicar suas obras com elementos simbólicos e, dizem alguns, idéias heréticas, como ocorre em sua obra A Madona das rochas. *A senhora concorda com isso?*

Não, não concordo. Essa obra foi uma encomenda religiosa feita pela Fraternidade da Imaculada Conceição para a Igreja de São Francisco, em Milão – não para as freiras, como diz Brown. Leonardo da Vinci recebeu essa comissão em 1483. Houve algumas complexas disputas legais relacionadas à obra e à sua cópia, incluindo os pagamentos feitos a Leonardo e a seu colaborador, Ambrogio de Predis. Uma das razões pelas quais Dan Brown, de maneira equivocada, interpreta essa pintura como herética é o fato de confundir a figura de São João com a de Jesus. A composição mostra Maria – com a mão suspensa sobre o seu filho, criando um eixo dominante – abraçando o primo de Jesus, João, que se ajoelha em sinal de reverência. João Batista é o primeiro a reconhecer a divindade de Cristo, o que ele faz ainda no ventre, portanto essa composição integra-se completamente às normas da tradição.

Ao acrescentar o elemento do arcanjo Uriel, Leonardo está na verdade combinando dois momentos distintos: essa cena extraída da infância de Cristo com aquela em que João Batista (que está vivendo como um bebê eremita ao lado desse anjo, de acordo com um texto apócrifo) visita a Sagrada Família durante sua fuga para o Egito. Leonardo nos conduz por essa composição por meio das mãos, que vinculam os personagens uns aos outros. Supõe-se que o tema tenha sido discutido com a fraternidade, o que teria desempenhado um papel importante no estabelecimento da iconografia, referindo-se provavelmente à imaculada concepção, que ainda não era objeto de uma doutrina estabelecida pela Igreja. Durante a Renascença, um artista não costumava receber carta branca quando se tratava de encomendas importantes. Normalmente havia uma orientação específica. E é natural pensar que Leonardo tenha trabalhado dentro desses parâmetros.

Pode comentar a hipotética homossexualidade de Leonardo? Que papel a sexualidade dele poderia ter desempenhado em sua pintura?

Embora dessa época sobrem poucos indícios sobre a sexualidade das pessoas, isto é o que sabemos: por duas vezes ele foi acusado, anonimamente, de sodomia em Florença, em 1476, quando estava vivendo com o pintor Verrocchio. Essa mesma acusação incluía um integrante do clã dos Médici, o que certamente poderia sugerir que havia uma motivação política. As acusações foram retiradas. Leonardo não se casou, o que aconteceu com uma lista enorme de artistas da Renascença, de Leonardo a Michelangelo, passando por Donatello, Brunelleschi, Della Robia e outros. A suposta homossexualidade de Leonardo tem origem basicamente em fontes do final do século XVI, em textos escritos depois da sua morte. Decorre também do seu apreço por assistentes jovens e nem sempre muito talentosos que, em vez de deixarem seu ateliê após o período tradicional de aprendizado, permaneceram com ele durante muitos anos. Ele era homossexual? Provavelmente. Mas não acho que isso tivesse algo a ver com sua maneira de pintar. Suas mulheres, sem considerar os retratos, estão entre as mais belas da época.

Num dos desenhos encontrados em seus cadernos, existe um estudo anatômico de um intercurso sexual. Seu comentário é que os corpos são tão pouco atraentes que, se as pessoas não tivessem belos rostos, a raça humana se extinguiria. No entanto suas obras não nos dão muitas pistas sobre sua sexualidade – nem seria de esperar que nos oferecessem isso.

O que algumas pessoas vêem na Última Ceia

1. Uma faca paira no ar aparentemente assumindo algum significado simbólico, uma vez que está dissociada do resto da imagem.

2. O personagem à direita de Jesus, geralmente identificado como João, sugere o *CDV*, é na verdade uma mulher, não um homem – a visão apresentada por Leonardo de Maria Madalena, sentada no lugar mais importante, ao lado de Jesus.

3. A mão de Pedro, cortando o ar num gesto ameaçador na direção de "Maria Madalena", poderia expressar o sentimento de rivalidade que esse discípulo tinha em relação a ela na disputa pelo controle dos movimentos de Jesus após a sua morte, bem como seus ciúmes, dada a importância conferida a Maria por Jesus.

4. O ângulo de quarenta e cinco graus no espaço entre Jesus e "Maria Madalena" sugere um "V" – interpretado no *CDV* como um símbolo arquetípico do cálice, da vagina, do ventre e da sexualidade feminina.

foto: Alinari/Art Resources NY

5. A linha que marca os contornos de Jesus e "Maria Madalena" forma um grande "M". Segundo o argumento apresentado no *CDV*, esse "M" poderia significar tanto Maria Madalena quanto matrimônio.

6. As roupas usadas por Jesus e "Maria" refletem-se como num espelho, com seus tecidos vermelhos e azuis.

7. A cor azul denota o amor espiritual, a fidelidade e a verdade. O vermelho e o azul são considerados cores reais, sugerindo possivelmente nesse caso o tema do "sangue real" e a filiação à real casa de Benjamin (da qual Maria seria descendente) e à casa de Davi (da qual Jesus seria descendente).

8. Não há nenhum cálice central ou taça de vinho na *Última Ceia*, a despeito da suposição difundida de que haveria uma. Em vez disso, cada pessoa tem um pequeno copo de vidro diante de si.

E o que dizer da tese de Dan Brown a respeito da Última Ceia?

A mão separada do corpo como ele sugere não existe. A mão com a faca – aquela que Dan Brown diz que "ameaça Maria Madalena" – é a mão de Pedro. E Pedro não está ameaçando Maria Madalena nem tentando suprimir o lado feminino da Igreja. Pedro está segurando a faca, o que é uma premonição da reação violenta que vai experimentar na ocasião da prisão de Cristo, quando ele corta a orelha de um soldado romano. Então, o que existe é um item bastante convencional em matéria de iconografia.

Dan Brown usa a ausência de um cálice como uma deixa para introduzir Maria Madalena na pintura. No entanto, se observarmos essa obra, veremos que as mãos de Cristo estão abertas sobre a mesa – a mão direita está esticada na direção de um pedaço de pão, enquanto a mão esquerda na verdade está, de forma bem clara, tentando alcançar uma taça de vinho; e essa é a mão que aponta para baixo. A instituição da Eucaristia está claramente representada no pão e no vinho. Pode não ser exatamente um cálice como na moderna prática adotada nas igrejas, mas lá está uma taça de vinho. É o que se esperaria ver na *Última Ceia*.

E a idéia de que a pintura retrata Maria Madalena em vez de João Batista?

Quanto a Madalena, é claro que não há nem o que discutir. Aquela figura é a de São João, o Evangelista. São João é o favorito de Cristo e sempre é mostrado ao seu lado. A maior diferença entre a *Última Ceia* de Leonardo e outros exemplares florentinos anteriores da mesma cena é que Leonardo coloca Judas entre os discípulos, e não do outro lado da mesa. Mas João está sempre junto a Cristo, nunca é retratado com barba e sempre é apresentado com um belo rosto. E, em alguns casos, ele é tão inocente que, enquanto Cristo está anunciando que será traído, João na verdade está dormindo. Um perfeito exemplo dessa caracterização "feminina" de João está na *Crucificação*, de Rafael, na National Gallery de Londres, pintado por volta de 1500.

Um segundo aspecto que merece ser mencionado é a péssima condição em que se encontra a *Última Ceia*, o que torna uma temeridade qualquer tentativa de examinar essa obra para discutir algo mais do que sua composição básica, a qual supostamente ainda se mantém. Ela foi considerada uma ruína apenas vinte anos depois de terminada, quando Da Vinci ainda estava vivo, e vem sendo dito repetidamente desde então que mal se consegue vê-la. No século XVI, Vasari chamou-a de "borrão desbotado". Foi restaurada em 1726 e 1770; o espaço em que ficou foi usado como alojamento pelas tropas de Napoleão em 1799 e também como estábulo; foi danificada numa enchente em 1800; uma porta foi aberta na parte inferior desse mural; em 1821 houve uma tentativa para se retirar o afresco da parede; a obra foi restaurada em 1854-55, 1907-8, 1924, 1947-48, 1951-54 e ao longo das décadas de 1980 e 1990. Em nenhum dos rostos sobrou o suficiente para determinar seriamente o que quer que seja. A face de Cristo, por exemplo, é atualmente uma pintura integralmente moderna.

"Não, eu não acredito que haja uma mulher na *Última Ceia*..."

ENTREVISTA COM DIANE APOSTOLOS-CAPPADONA

Diane Apostolos-Cappadona é professora adjunta de Arte Religiosa e História da Cultura no Centro para o Entendimento entre Muçulmanos e Cristãos e professora adjunta de Arte e Cultura na Universidade de Georgetown. Com Deirdre Good, ela tem apresentado uma série de workshops e palestras especiais sobre o tema "A verdade sobre o *CDV*".

Algumas pessoas, incluindo Dan Brown, parecem ver todo tipo de coisas na Última Ceia, *coisas que os historiadores da arte e estudiosos não conseguem enxergar. O que a senhora vê quando olha para essa pintura?*

O que Leonardo nos oferece com sua pintura da *Última Ceia* é o mesmo que nos dá em todas as suas obras – a humanização da arte. Esse é um dos seus maiores atrativos. De acordo com a minha leitura da arte cristã, essa pintura é iconograficamente importante porque Leonardo muda o foco da iconografia. Historicamente, nos primeiros baixos-relevos e esculturas nos interiores e exteriores das catedrais, nas iluminuras dos manuscritos sobre a Última Ceia, o artista sempre enfatizava ou a identificação do traidor, que para a maioria das pessoas é a circunstância mais importante, ou a instituição da Eucaristia, que, em termos litúrgicos, é o que confere importância à Última Ceia.

O que Leonardo faz é retratar o anúncio feito por Jesus – "Eu vou ser traído" – e o momento imediatamente posterior. Os discípulos estão em estado de choque. Eles olham uns para os outros, gesticulando de forma exagerada, como se dissessem: "Não sou eu, deve ser você, mas quem poderia ser, como poderia ser um de nós?" E Jesus está dizendo não apenas "sei que vou ser traído", mas também "sei quem entre vocês vai fazer isso".

No contexto mais amplo da obra de Leonardo, gestos são elementos tanto humanizadores quanto simbólicos. Nessa pintura em particular, eles expressam surpresa, incredulidade, acusação, espanto ou assombro. É isso que é importante na *Última Ceia*. Jesus está retratado numa posição diferente porque os outros estão espantados. Ele é ao mesmo tempo o que anuncia a traição e o traído.

O que a senhora pensa, especificamente, sobre a suposição feita no CDV de que o personagem de "João" é na verdade Maria Madalena?

A princípio, minha reação foi a de considerar esse ponto de vista uma interpretação bastante interessante, a de dizer que há uma mulher sentada à mesa. Ela se ajusta perfeitamente à teologia feminista ou à era pós-feminista da Teologia. No entanto, isso não a torna verdadeira.

Se olharmos para a história da *Última Ceia* na arte cristã, veremos a figura de Jesus sentada às vezes ao centro da mesa e, em outras, na ponta da mesa. A mesa pode ser redonda, quadrada, retangular, dependendo tanto dos costumes sociais e culturais de cada época como da concepção artística em termos de espaço. Simultaneamente, costumamos ver a figura de João Evangelista (também conhecido como João, o Divino, ou João, o "Amado Discípulo") sempre numa posição mais próxima à de Jesus. Há uma tradição que retrata João – segundo nosso olhar do final do século XX e início de século XXI – como uma figura suave, feminina e juvenil.

Contudo, se olharmos com atenção para a pintura de Leonardo, identificaremos outros discípulos que não têm barba ou cujas feições poderiam ser descritas como femininas. Contudo, baseando-me em minhas pesquisas na área de gênero, eu alertaria para o fato de que o gênero é na verdade um conceito cultural e socialmente condicionado. O que você e eu aceitamos hoje como masculino e feminino provavelmente não é o que seria admitido como tal em Florença ou Milão no século XV. Se examinarmos atentamente a arte cristã, em particular as descrições dos corpos, rostos e gestos masculinos e femininos, então a *Última Ceia* não parecerá uma representação tão extraordinária!

Poderia ser mais específica?

Ao observamos a história dos anjos na arte renascentista da época de Leonardo ou em outras de suas pinturas, devemos lembrar que os corpos angélicos foram criados com a intenção de parecerem masculinos. Mas tenho alunos que ficam um tanto perplexos quando projeto slides com pinturas medievais e renascentistas que retratam anjos. Perturbados, os estudantes perguntam: "Mas por que o cabelo deles é comprido? Por que eles têm cachos? O rosto parece ser o de um pré-adolescente." Devemos parar e pensar sobre os nossos preconceitos em relação a gêneros?

Não, eu não acredito que haja uma mulher na *Última Ceia* e não creio em hipótese nenhuma que seja Maria Madalena. Penso que o "V" que está ali – aquele que Dan Brown define como um símbolo da feminilidade – aparece, antes de tudo, para enfatizar a figura de Cristo e a realidade da perspectiva dentro desse afresco.

Que papel a forma artística e a perspectiva desempenham nessa discussão?

A perspectiva é extraordinariamente importante na arte da Renascença em geral e na de Leonardo em particular. Os apóstolos estão todos agrupados seguindo formações triangulares. Há, por exemplo, o triângulo formado pela figura chamada "Maria Madalena-João", o personagem de barba grisalha atrás [que é Judas] e a figura em primeiro plano [que é Pedro]. Dan Brown não faz referência a qualquer discussão sobre o caráter piramidal da composição na obra de Leonardo, os quatro grupos triangulares que são importantes para atingir um equilíbrio em termos de composição para a figura triangular central, que é Jesus. Posicionado no centro, ele está numa postura semelhante a uma pirâmide, e é essa composição piramidal que representa uma das grandes contribuições de Leonardo para a arte ocidental.

Hoje, vemos a *Última Ceia* no clima de um santuário, típica de um museu; a obra, no entanto, foi criada numa parede de um refeitório onde os monges comiam. Eles ou olhavam para cima, para essa pintura, ou para a que estava na parede oposta, retratando a crucificação. Optavam por uma coisa ou outra, dependendo da refeição e das orações que estavam fazendo. Então a pintura funcionava de maneiras diferentes, de acordo com os dias do calendário litúrgico. Dan Brown ignora totalmente esse contexto monástico original.

9 Templos de símbolos, catedrais de códigos

A linguagem secreta do simbolismo arquitetônico

Ó irmão, tivesse você conhecido nossa sala grandiosa, / Que no passado Merlin construiu para Artur! / Pois todo o monte sagrado de Camelot, / E toda a cidade rica e obscura, telhado por telhado, / Torre após torre, agulha após agulha / No arvoredo e no jardim; no quintal e no córrego ligeiro, / Eleva-se à sala grandiosa que Merlin construiu / E quatro grandes zonas de esculturas, no seu centro / Com muitos símbolos místicos à volta da sala...

– ALFRED TENNYSON

O desafio não é encontrar vínculos ocultos entre Debussy e os templários, todo mundo faz isso. O problema é descobrir vínculos ocultos, por exemplo, entre a cabala e as velas de ignição de um carro...

– UMBERTO ECO

Desde que as primeiras representações artísticas do que o homem entende como sagrado foram registradas nas paredes das cavernas, signos visuais e símbolos têm sido parte fundamental na experiência e expressão do sagrado, do divino, do ritualístico e das religiões.

No *CDV*, passamos boa parte das experiências vividas vinte e quatro horas dentro de igrejas – Saint-Sulpice, Temple Church, a Abadia de Westminster, a Capela Rosslyn... além do Museu do Louvre, considerado na opinião de Jacques Saunière uma verdadeira "igreja". Também assistimos a discussões sobre Notre-Dame, Chartres e o Templo de Salomão em Jerusalém, entre outras. Ouvimos, igualmente,

Robert Langdon, o simbologista, explicar suas teorias sobre como a arquitetura das igrejas foi concebida para refletir, em muitos aspectos, a idéia do sagrado feminino.

Egípcios, gregos e romanos, todos eles expressaram suas cosmologias religiosas na maneira como projetaram e construíram seus edifícios. Certamente os templários e os maçons manifestaram seus sistemas de crença por meio de suas obras arquitetônicas.

Neste capítulo, fazemos uma turnê virtual por alguns dos principais temas do *CDV* na maneira como estão expressos na arquitetura e nos símbolos visuais.

Paris
Nos passos do CDV

DAVID DOWNIE

David Downie é escritor, tradutor e editor freelance e mora em Paris. Este artigo foi publicado originalmente no *San Francisco Chronicle*, de 25 de janeiro de 2004. Nele, Downie conduz o leitor numa rápida turnê por alguns marcos, símbolos e sinais de Paris que adquiriram novo interesse turístico a partir da publicação do *CDV*.

Paris – O que a Place Vendôme, a *Mona Lisa*, o astrônomo francês Arago e um bispo medieval chamado Sulpício têm em comum? Simples: o *CDV*, a busca eletrizante pelo Santo Graal ao longo de mais de quatrocentas páginas criada por Dan Brown e passada em Paris.

O herói desse thriller, Robert Langdon, é um "simbologista" de Harvard sortudo o bastante para ficar hospedado a uma diária de mil dólares no Ritz, na elegante Place Vendôme, quando acontecimentos sinistros ocorrem ali ao lado, no Louvre. O diretor do museu, o grão-mestre de uma sociedade secreta encarregada de proteger o Graal, é assassinado a pouco menos de trinta metros da *Mona Lisa*, uma das peças-chaves da trama. Uma linha invisível norte–sul corta o Louvre e a igreja de Saint-Sulpice. A linha é o meridiano de Paris, definido pela primeira vez em 1718, e então recalculado com precisão por volta de 1800 por Arago. Ele antecede o meridiano de Greenwich e, desde 1994, está assinalado com cento e trinta e cinco medalhões de bronze.

Outros pontos espalhados ao longo do cenário um tanto surreal de Paris traçado pelo romance incluem o Palais-Royal, o Champs-Elysées, os Jardins des Tuileries, o Bois de Boulogne e a Gare Saint-Lazare, a estação ferroviária.

Mas são o ensangüentado Louvre, a sombria Saint-Sulpice e a caçada ao tesouro pelos medalhões de bronze de "Arago" que, no momento, estão atraindo batalhões de turistas em busca do Graal, muitos deles viajando com um surrado exemplar do *CDV* debaixo do braço.

Até 1645, uma igreja em estilo românico e seu cemitério ocupavam o local onde se erguem hoje as imponentes colunas de Saint-Sulpice, entre o Jardin de Luxembourg e o Boulevard Saint-Michel... Há muito tempo famosa por seu órgão de seis mil quinhentos e oitenta e oito tubos e pela lúgubre pintura de Eugène Delacroix, *A luta de Jacó com o anjo*, Saint-Sulpice tem mais ou menos as mesmas dimensões (cerca de cem metros de comprimento, cinqüenta e seis de largura e trinta e três de altura) da catedral de Notre-Dame. Os peregrinos do Graal a visitam aos bandos para admirar o gnômon, o instrumento astronômico semelhante a um relógio de sol que tem um papel de destaque no livro. Ele possui duplo significado, revelando tanto a localização de uma pedra-chave secreta como apresentando ao leitor o meridiano de Paris. O autor deu ao meridiano o apelido de "Linha Rosa". Aparentemente, as rosas simbolizam o Graal e, portanto, Maria Madalena.

Projetado para calcular o equinócio da primavera (e, com base nisso, o da Páscoa), a tira de metal do gnômon cruza o chão do transepto e sobe então um obelisco de pedra no eixo norte-sul. Ao meio-dia, os raios de sol que atravessam uma abertura circular na parede sul do transepto se projetam sobre a faixa, indicando a data do calendário solar. A Páscoa (uma festa com raízes pré-cristãs) é celebrada no primeiro domingo depois do equinócio, assim a tira de metal do relógio determina com precisão a data a ser festejada.

No best-seller de Brown, um monge albino assassino chamado Silas quebra os azulejos na base do obelisco enquanto procura pela pedra-chave e mata a freira destacada para protegê-la, golpeando-a com um candelabro. Numa recente visita ao local, peregrinos do Graal podiam ser vistos deitados, dando pancadinhas no chão à frente do obelisco. Outros ouviam os guias da igreja explicando como o relógio de sol funciona ou procuravam algum sinal da infeliz freira no andar de cima.

Na realidade, o meridiano de Paris passa perto dali, mas não corresponde exatamente ao eixo marcado pelo gnômon. No livro nenhuma menção é feita ao túmulo de Sulpício na cidade de Bourges, no interior da França, que de fato é atravessada pelo meridiano.

O sacristão da igreja, Paul Roumanet, descarta a afirmação de Brown de que um templo dedicado à deusa Ísis jaz sob o santuário. Numa visita pela cripta numa tarde de domingo, um bando de leitores fãs de suspense não conseguiram ver nenhum sinal de um antigo templo, embora ali ainda existam paredes e colunas de estilo românico.

No entanto, os amantes de teorias conspiratórias gostarão de saber que há uma cripta contendo cinco túmulos, mas o acesso a ela é proibido ao público. E mais: segundo o *Guide de Paris Mistérieux* (Guia da Paris misteriosa), foi no cemitério da igreja românica que, em 1619, três bruxas tentaram convocar o diabo, e por muitos anos moradores do local realizaram "danças macabras" entre os túmulos em ruínas.

Os medalhões de bronze de Arago são uma instalação, uma obra intitulada *Hommage à Arago* (Homenagem a Arago), realizada pelo artista holandês contemporâneo Jan Dibbets. Seguindo um meridiano imaginário, eles avançam para o norte, indo da Rue de Vaugirard, 28 (perto de Saint-Sulpice) até o Boulevard Saint-Germain, Rue de Seine, Quai Conti e Port des Saints-Pères. Do outro lado do rio, no Louvre, três medalhões cruzam a Ala Denon do museu (na seção de antiguidades romanas, numa escada e num corredor). Cinco outros pontuam a Cour Carrée atrás da principal pirâmide de vidro projetada por I. M. Pei a pedido do então presidente François Mitterrand.

(Atenção! Se você ainda não leu o *CDV*, pode querer parar por aqui. O trecho a seguir revela alguns dos elementos-chaves da trama.)

No epílogo do livro, o professor Langdon sente que os medalhões de Arago o atraem no sentido sul através do Palais-Royal para a Passagem Richelieu, convergindo finalmente para a pirâmide (a qual, diz Brown, tem 666 vidraças, um número que simboliza Satanás). É aqui que a "Linha Rosa" vira para o oeste e passa pela parte subterrânea do Louvre, o Carrousel, uma área onde existem um shopping e uma "pirâmide invertida" que pende do teto.

Na mente do protagonista, essa pirâmide invertida é, metaforicamente, um cálice, ou um graal, simbolizando o "sagrado feminino", venerado pela primeira vez nesse lugar nos ritos da Antiguidade dedicados ao culto da Deusa Terra. No chão sob a clarabóia, existe uma pequena pirâmide de pedra, simbolizando uma lâmina ou um falo. As extremidades das duas pirâmides apontam uma para a outra, sugerindo que, sob a superfície, uma câmara subterrânea pode conter arcas com antigos documentos e o túmulo de Maria Madalena – o Santo Graal.

Noventa por cento dos seis milhões de pessoas que anualmente visitam o Louvre fazem fila para admirar a *Mona Lisa*, o que dificulta a identificação de peregrinos do Graal em busca de manchas de sangue ou de mensagens perto da famosa pintura. Mas os muitos novos candidatos a "simbologistas" realmente chamam atenção contando as vidraças da pirâmide ou ajoelhados ao lado da clarabóia invertida.

Se não fosse pela afirmação do autor de que "todas as descrições de obras de arte, arquitetura... neste romance correspondem rigorosamente à realidade", seria um golpe baixo mencionar que o número 666 nem sequer pode ser dividido igualmente pelas quatro faces da pirâmide. Da mesma forma, pagãos jamais dançaram em torno do Carrousel, e não existe nenhuma câmara sob o falo. A mágica "Linha Rosa", capaz de descrever uma volta de noventa graus, é nada menos do que a chamada "Voie Triomphale" (Via Triunfal), um panorama aberto em 1670 por Le Nôtre, o paisagista de Luís XIV.

Contudo, talvez ainda exista material em Paris para uma seqüência do Graal. A Voie Triomphale passa perto de um antigo obelisco egípcio na Place de la Concorde, e Mitterrand pode muito bem ter pertencido a uma ou duas sociedades secretas.

Quem sabe o que descobrirão os simbologistas quando os subterrâneos do Louvre forem submetidos a uma reforma em 2007 para abrir um novo acesso às lojas do museu e à *Mona Lisa?*

A "simbologia" do *CDV*

ENTREVISTA COM DIANE APOSTOLOS-CAPPADONA

No capítulo anterior, Diane Apostolos-Cappadona discutiu as referências de Dan Brown a Leonardo. Nesta entrevista, ela volta sua atenção para o uso que o autor faz do simbolismo. Ainda que nunca tivesse ouvido falar na palavra *simbologista* (a suposta área de pesquisa de Langdon em Harvard) antes de ler o livro de Brown, ela mesma é o que mais se aproxima na vida real de um simbologista profissional.

Qual a importância dos símbolos no cristianismo e na religião de um modo geral?

Símbolos são uma forma de comunicação. Contudo, esse é um tipo de comunicação que admite vários níveis ou camadas e no qual não existe troca entre iguais, de um por um. É isso que os torna fascinantes e difíceis ou confusos. Atuando em vários níveis, eles fazem "coisas simples" como: ensinar as idéias ou a história de uma fé ou tradição, transmitir as histórias de tradições religiosas ou societárias, instruir sobre doutrinas religiosas e explicar que gestos fazer e que postura assumir durante os serviços litúrgicos. Os símbolos nos falam da comunicação entre membros de uma comunidade e sobre como cada um deles define sua identidade dentro desse meio. Há também a compreensão mais profunda de que os símbolos – e esse princípio vale para todas as religiões, não apenas para as cristãs – são uma maneira de comunicar a identidade corporificada do conhecimento e a identidade corporificada da comunidade. Simbolismo e símbolos são, portanto, partes essenciais do processo de socialização.

O significado dos símbolos costuma mudar ao longo do tempo?

Sim, os significados dos símbolos podem se alterar por causa de transformações que afetem a Teologia, doutrinas, estilos artísticos, a política e situações econômicas. Enormes mudanças ocorreram, por exemplo, durante a Reforma, movimento que produziu um complexo conjunto de mudanças econômicas, políticas e sociais, além de ter sido uma revolução religiosa. Esse é o problema com os símbolos e, ao mesmo tempo, a razão do fascínio que exercem. Nunca se trata de algo simples como, por exemplo, as indicações de que a luz vermelha significa parar e a luz verde de que se pode ir em frente.

Que símbolo cristão se alterou ao longo do tempo?

O peixe tem assumido múltiplas associações e sentidos, da Última Ceia – aparecendo em representações originais desse episódio – à ressurreição de Cristo. Nos primórdios do cristianismo, havia muitos significados para o peixe; então, mais tarde, ele basicamente desapareceu da consciência cristã... para só voltar no fim do século XX, quando o *ichthys* foi resgatado, ou redescoberto, como um símbolo. O *ichthys*, e não a cruz, foi o primeiro símbolo da identidade cristã. A cruz só se tornou um símbolo visual dessa identidade no século IV ou V. O peixe, do grego *ichthys*, está associado como um anagrama à mais antiga prece da tradição cristã. As primeiras letras de cada palavra da prece "Jesus Cristo, Filho de Deus e Salvador" em grego formam ICHTHYS, ou seja, peixe. Nas Escrituras hebraicas e cristãs havia várias associações entre a imagem do peixe e o Messias. No cristianismo primitivo há, por exemplo, um vínculo verbal na expressão "pescadores de homens" e outras ligações envolvendo água, peixes, pesca e barcos.

Quais símbolos têm sido historicamente vinculados a Maria Madalena?

O mais importante tem sido o vaso de bálsamo. Ele está associado ao fato de que ela dava a extrema-unção e – simbolicamente, senão metaforicamente – a liga a outras mulheres mencionadas nas Escrituras que aplicavam o bálsamo na extrema-unção, incluindo aquelas que ungiram os pés e a cabeça de Jesus antes da crucificação. Atribuir à mulher a função de cuidar do corpo do morto, isto é, lavá-lo, ungi-lo e vesti-lo, era uma prática comum nas culturas do Mediterrâneo. Sempre eram elas que faziam isso. Lavar os mortos e cuidar deles era um tabu para os homens. As mulheres não eram consideradas "limpas"; dessa forma, para elas, não havia nada de impróprio em lidar com os mortos. Isso poderia ser interpretado como uma leitura negativa do papel feminino. Contudo, também seria possível ver essa atividade à luz do pensamento junguiano, segundo o qual todo homem tem três mulheres na vida: a mãe, a mulher e a filha. Cada uma delas o inicia numa parte diferente da vida, e uma das derradeiras funções da filha era ungir e purificar o corpo do pai depois da morte dele. Persistem também, ao longo dos séculos, todas aquelas lendas fantásticas sobre o vaso de bálsamo de Madalena. Minha história favorita relacionada a esse objeto está no *Arabic Gospel of the Infancy of the Savior* (Evangelho árabe da infância do Salvador), capítulo cinco. Maria Madalena compra um vaso desse tipo para ungir o corpo de Jesus de Nazaré. Ela acaba adquirindo o que foi posto à venda na prateleira depois do nascimento do menino chamado Jesus e que continha, dentro do bálsamo, o cordão umbilical dessa criança. De modo que a unção do seu corpo se torna profundamente simbólica, dando-lhe uma unidade e ligando-o novamente, no fim da vida, à sua mãe.

E o pentagrama, que também aparece como um símbolo importante no CDV?

O pentagrama tem cinco lados. Seu significado simbólico está associado aos números, à numerologia e ao número cinco. No cristianismo, são cinco os ferimentos do Jesus crucificado (nas duas mãos, nos dois pés e a ferida no flanco). O cinco está vinculado basicamente ao conceito do "humano": dois braços, duas pernas e uma cabeça. Os números têm significados. Há números místicos, geralmente ímpares e, portanto, indivisíveis. Sete, por exemplo, é o número do preenchimento, da completude; há sete dias na história da criação. Três também é um número místico, e assim por diante: três, cinco e sete.

E a rosa, outro importante símbolo no CDV?

Considero problemática a descrição da rosa como símbolo no *CDV*. Não a interpreto da mesma forma que Dan Brown, especialmente com relação às suas discussões sobre os órgãos genitais. Ele sugere que a rosa sempre foi um símbolo da sexualidade feminina. Meu palpite é que ele adotou essa idéia ao ler vários dicionários de símbolos. No entanto, não acho que seja esse o significado da rosa no cristianismo ocidental. Nas culturas clássicas do Mediterrâneo, essa era a flor sagrada para Vênus/Afrodite, e essa talvez seja a origem da associação que Brown faz dela com a sexualidade feminina. Contudo, Vênus/Afrodite significava muito mais do que simplesmente sexo e sexualidade, tinha a ver com o amor romântico e com o amor em vários níveis, não apenas o do intercurso sexual. Como um sinal do amor romântico, a cor da rosa torna-se importante. O simbolismo original ligado à sua cor era muito mais simples do que hoje, quando a encontramos numa grande variedade de tons nas floriculturas. Para cristãos da era antiga ou medieval, havia apenas quatro cores dessa flor: branco, significando o amor puro ou inocente; rosa, o primeiro amor; vermelho, o verdadeiro amor; e amarelo, com o sentido de "esqueça, tudo acabou".

Contudo, o que há de importante no que diz respeito à rosa e à sua relação com Maria é o espinho. Segundo o entendimento popular – e isso é uma leitura lendária, não textual –, as rosas e os seus botões não tinham espinhos no Jardim do Éden. Portanto, sempre que se via um botão dessa flor colocado perto de Maria, e em particular numa representação dela com seu filho, isso era um sinal do paraíso, pois foi a mãe de Jesus que deu início ao processo de nossa recondução ao paraíso, o lugar onde as rosas não tinham espinhos. A rosa, então, tornou-se o símbolo e o significante, se quiser, do papel de Maria na salvação. Sua rosa era um sinal da graça; assim, a rosácea, vitral comum nas catedrais góticas, foi criada para homenagear Maria a Mãe, e não Maria Madalena. As rosas estavam associadas a uma grande variedade de santas, mas Maria Madalena não era uma delas.

E há a flor-de-lis, que desempenha um papel importante no romance de Dan Brown...

A flor-de-lis é o símbolo da França e da cidade de Florença. É um lírio – uma flor que, no cristianismo, significa a Trindade. Segundo a tradição, o rei Clóvis – cujo batismo faz dele o primeiro rei cristão da França – inaugurou o uso da flor-de-lis como um signo da purificação, tanto da sua própria espiritualidade (isto é, quando foi batizado) quanto da purificação da França. Ela se tornou o emblema da realeza francesa, inclusive de Carlos Magno, e, mais tarde, o distintivo de muitos santos franceses. Sua menção no *CDV* é importante porque essa flor está ligada à purificação da França.

Há casos como esse em que Dan Brown usa muito bem os símbolos. Elementos desse tipo fazem com que o *CDV* seja ao mesmo tempo verossímil para quem tem conhecimentos sobre símbolos e fascinante para quem os ignora totalmente. A flor-de-lis tem um vínculo visual com o lírio, que por sua vez assume vários sentidos no cristianismo, particularmente em relação às mulheres, da pureza à inocência até à realeza. A encantadora fragrância do lírio agrada aos nossos sentidos. Em todo o mundo mediterrânico, antes do cristianismo, ele era tradicionalmente sagrado para a Virgem e para a Deusa-Mãe. Havia uma tradição popular segundo a qual o lírio havia nascido das lágrimas que Eva derramou enquanto era expulsa do Jardim do Éden. Combine todos esses significados, acrescente a relevância desse emblema para a história da França, e Dan Brown tem nas mãos um poderoso símbolo. Ainda que eu suspeite de que ele o utilize apenas porque a flor-de-lis é o símbolo da França.

Isso levanta a questão da suposta conexão de Maria Madalena com a França.

Há muitas lendas e tradições que ligam Madalena à França, seja atribuindo-lhe os papéis de missionária, padroeira, salvadora e evangelizadora desse país, seja sustentando que ali ela teria passado seus últimos dias e sido enterrada. Você pode optar entre recorrer aos dominicanos ou aos beneditinos, ir a Vézelay ou a Aix-en-Provence. Há uma tradição inteira que chega até à preparação das *madeleines*, os famosos bolinhos que costumavam ser servidos apenas no dia 22 de julho – ou seja, a data da festa dedicada a Madalena no calendário romano. Esses bolinhos em forma de leque e com sabor de limão simbolizam tanto sua localização geográfica no sul da França quanto as lendas de devoção sobre sua penitência no deserto. Se ela realmente viveu trinta anos (ou cinqüenta, dependendo da lenda) em Sainte Baume, acredita-se que não tenha comido nada durante esse tempo. Teria sobrevivido do aroma dos limoeiros e do alimento sagrado que recebia todos os dias quando era elevada à comunhão. Mas eu nunca consegui compreender o motivo pelo qual alguém, no seu perfeito juízo, teria ido para o sul da França passar trinta ou cinqüenta anos sem comer nada...

A senhora acredita que o Santo Graal é uma metáfora ou um objeto real... ou os dois?

Acredito que sempre houve – e haverá para sempre – uma mitologia em torno do Santo Graal. Além disso, há uma história sobre uma interpretação de que o Santo Graal era um objeto real, um objeto físico que podia ser tocado, pelo qual os cristãos teriam demonstrado grande devoção e que, por alguma razão, desapareceu. De acordo com certas lendas e tradições populares, o Graal desaparece e depois reaparece na Inglaterra, supostamente levado para lá por José de Arimatéia. O lugar da Inglaterra onde ele reaparece é aquele que identificaríamos como Camelot. É claro, o princípio importante é que o Graal é uma metáfora para a busca espiritual. Então, para ser franca, minha resposta é que se trata das duas coisas – é tanto uma metáfora quanto um objeto real.

Foi publicada uma matéria na revista *Newsweek*, em 8/12/2003, intitulada "The Bibles's Lost Stories" (As histórias perdidas da Bíblia), com uma pequena tarja na qual se lia "Decifrando o *CDV*", que incluía imagens da Última Ceia e uma do cálice do abade Suger, atualmente na National Gallery of Art, em Washington, D. C. A parte de alabastro desse cálice era considerada por muitos o Santo Graal. O abade Suger mandou que o recobrissem de ouro cravejado de brilhantes, como o vemos hoje. Foi usado na primeira missa celebrada na Catedral de Saint-Denis, em Paris, a primeira das catedrais góticas. A construção dessa catedral ocorreu, é claro, durante o período das Cruzadas e das peregrinações à Terra Santa, quando cristãos devotos traziam de lá o maior número possível de relíquias. O cálice foi submetido a testes com carbono e se constatou que ele realmente pertence a esse período. No entanto, penso no Santo Graal mais como uma metáfora, pois a realidade do ponto de vista histórico é que, quando Jesus de Nazaré e seus seguidores fizeram sua refeição juntos, eles não tinham condições – nem financeiras nem quaisquer outras – de ter ao seu alcance objetos refinados como esse. Se isso tivesse sido possível, teriam eles usado um cálice? Ou teriam utilizado algo como um copo, um jarro ou um pequeno pote?

O San Graal é uma metáfora muito importante na pintura e literatura pré-rafaelita, com a retomada do interesse por Dante e pelos romances arturianos. Alusões ao Graal podem ser encontradas em várias produções literárias, musicais e teatrais – do *Ciclo do anel*, de Wagner, ao *Senhor dos anéis*, tanto em forma de livro quanto no cinema. É sempre a mesma história que se repete: a busca pela salvação espiritual. O objeto concreto que se procura assume formas variadas, de modo que nessas obras, assim como nas de Tolkien, ele é sempre um anel e não um cálice. Dessa maneira, trata-se de uma metáfora.

O que dizer da idéia sugerida no CDV de que o Santo Graal é na verdade Maria Madalena?

Existe uma leitura bastante junguiana de Maria Madalena – mulheres como recipientes, como aquelas que recebem e que contêm. Mas, historicamente, essa associação nasceu muito antes de Jung. Esse simbolismo pode ser encontrado nas mitologias clássicas. Há nesse aspecto uma grande variedade de metáforas. A ligação misteriosa representada pelo intercurso sexual é a que mais nos interessa. A mulher recebe o macho durante o ato sexual. Ela concebe, portanto, uma criança e a retém num recipiente sagrado, depois a expele dali. Penso que, pela linha de raciocínio junguiana, é possível argumentar que o Santo Graal é a própria Maria Madalena. No entanto, tenho minha maneira de ler os símbolos, então para mim isso não funciona. Acredito que Maria Madalena possua uma importância sacramental, mas não é esse seu aspecto mais relevante. Quem ela é? Isso é um mistério e é o que a transforma num tema fascinante para se escrever a respeito. Penso que no ano 3000 as pessoas continuarão a debater quem ela é ou quem ela foi de uma maneira tão apaixonada como fazem hoje. E não estou falando de discutir se era uma prostituta, ou uma mulher de posses, ou uma mulher pobre, ou uma mulher sexual. Refiro-me ao fato de ela talvez ser, no cristianismo, o único espelho em que são refletidos todos os aspectos da humanidade. A única coisa que Madalena não é realmente é uma mãe e uma esposa, pelo menos que se saiba.

O que significa o fato de Jesus Cristo ter aparecido primeiro para Maria Madalena após a ressurreição?

Bem, não acredito que se deva ao fato de os dois terem sido amantes ou até casados, como sugere Dan Brown. Penso, ao contrário, que nesse caso ela assumia o papel de testemunha – aquela para quem basta ver para crer. Nesse aspecto, há um paralelo com Tomé, que precisava tocar as feridas e sentir fisicamente o corpo de Jesus – ou seja, necessitava da evidência empírica – antes de acreditar que ele tivesse ressuscitado. Certas leituras da Bíblia nos mostram Jesus assumindo uma postura bastante feminista. Uma dessas maneiras de ler consiste em perceber que são as mulheres que continuam a acreditar nele, que lhe são fiéis até o último instante; elas cuidam dos rituais de sua morte, do luto e do enterro; e são elas que permanecem vindo e que não demonstram medo. Para mim, o princípio importante nessa questão é que as mulheres representam aquela parte da humanidade que nunca perde a fé, a esperança – para quem ver equivale a compreender. Acredito que isso confere uma maior autoridadc às mulheres e ao feminino. Penso que a intuição é mais importante do que a razão. As Marias Madalenas deste mundo confiam na sua intuição; os Tomés, não.

Até que ponto é exata a descrição que Dan Brown faz da igreja de Saint-Sulpice, em Paris, e de sua iconografia, cenário de uma cena vital do romance?

É um dado real o fato de o cristianismo ter erguido igrejas, basílicas e catedrais em locais que anteriormente abrigaram construções de religiões precedentes. Em Roma, Atenas e por toda a França, existem igrejas que foram edificadas em lugares onde antes existiram templos em homenagem a Mitra, Atená e outros deuses e deusas de épocas anteriores. O exemplo mais óbvio é a igreja em Roma chamada Santa Maria Sopra Minerva – Maria sobre Minerva. No entanto, esse vínculo geralmente vai além do aspecto arquitetônico, ou seja, a igreja de Maria foi construída em cima daquela de Minerva porque existe um vínculo entre essas duas figuras femininas como deusas da sabedoria.

Na minha opinião, não faz sentido propor que Saint-Sulpice tenha sido erguida sobre um templo ou santuário dedicado a Ísis, pois essa deusa tem uma ligação maior com Maria a Mãe do que com Maria Madalena. Se algumas partes do *CDV* fossem sobre a Maria a Mãe, eu poderia admitir a associação com Ísis. O culto da Madona Negra, por exemplo, está vinculado a Maria a Mãe e a Ísis. De modo que as igrejas com Madonas Negras foram edificadas, em sua maioria, em lugares onde antes havia santuários dedicados a Ísis. Então, de fato, nesse aspecto existe toda uma tradição no cristianismo.

No CDV, o herói de Dan Brown é classificado de "simbologista". Existe essa especialidade ou uma disciplina acadêmica chamada "simbologia"?

O estudo dos símbolos religiosos costuma ser identificado como iconografia ou arte religiosa, e não como simbologia. Na verdade, a primeira vez que pus os olhos na palavra "simbologia" foi durante a leitura de *Anjos e demônios*,[4] de Dan Brown. Foi o primeiro livro dele que li, na série de seus romances de suspense com Robert Langdon.

Se o termo simbologia fosse aplicado a uma disciplina acadêmica, o que eu faço estaria incluído nele. Não sou uma estudiosa puramente acadêmica, no sentido de que minhas pesquisas têm um caráter interdisciplinar ou multidisciplinar. Trabalho com artes, história da arte, história cultural, história da religião, estudos sobre gênero, não atuo então numa disciplina cem por cento pura. Contudo, não conheço ninguém que se identifique como um ou uma simbologista. Que eu saiba, também não há nenhum campo de trabalho acadêmico com o nome com simbologia. A partir de agora, pode até vir a existir por causa do sucesso do romance de Dan Brown.

A Capela Rosslyn: a catedral dos códigos e símbolos

Nas últimas páginas do *CDV*, as pistas oferecidas por Saunière conduzem Robert Langdon e Sophie Neveu à Capela Rosslyn, na Escócia. Quando os dois chegam ao lugar para procurar o Graal, descobrem que o significado daquela lenda é mais complicado do que tinham imaginado a princípio.

A Capela Rosslyn – também conhecida como a Catedral dos Códigos – é um lugar real, com uma história fascinante. Sua construção teve início em 1446 a pedido de Sir William St. Clair, ou Sinclair, um suposto descendente da linhagem merovíngia que herdou o título de grão-mestre de maçons escoceses. Ele manteve um controle pessoal da edificação da capela, trabalho interrompido pouco depois de sua morte, em 1484. Só o coro – a parte reservada aos cantores e ao clero, onde as cerimônias eram celebradas – foi concluído.

A capela está repleta de imagens religiosas que a transformaram no centro de intermináveis especulações por parte de escritores esotéricos, entusiastas do Graal e adeptos de teorias conspiratórias. Não é de admirar que Dan Brown tenha escolhido para cenário da penúltima cena do *CDV* esse local venerado por ocultistas de todo o mundo.

Rosslyn é considerada uma cópia aproximada do projeto do antigo Templo de Salomão e é ornada com um grande número de entalhes, incluindo símbolos judaicos, celtas, nórdicos, templários, maçônicos, sem falar nas imagens cristãs convencionais. Os diversos signos e símbolos de muitas culturas diferentes, formando certamente um conjunto singular para a sua época, fizeram com que merecesse o apelido de Catedral dos Códigos.

Seus curadores gostam de chamar a atenção para um código gravado nas paredes da cripta e supostamente inscrito ali pelos pedreiros. Diz a lenda que o código indica a presença de um grande segredo ou de um tesouro escondido entre as paredes da capela, mas até hoje ninguém desvendou seu significado.

Talvez a tecnologia venha a elucidar muitos dos mistérios envolvendo esse lugar. Em janeiro de 2003, o grande arauto da loja local dos cavaleiros templários escoceses – os autoproclamados sucessores dos monges guerreiros que deixaram a Escócia no século XIV fugindo da perseguição religiosa – anunciou que os cavaleiros estavam usando tecnologias "capazes de fazer leituras no subsolo a até um quilômetro e meio de profundidade". Eles esperam descobrir ali antigas câmaras que contenham o famoso tesouro da capela.

Notas – Livro I - Parte III

1. Drosnin, Michael. *O código da Bíblia.* São Paulo: Cultrix, 1997.

2. Picknett, Lynn; Prince, Clive. *A grande heresia: O segredo da identidade do Cristo.* São Paulo: Beca, 2000.

3. Idem, ibidem.

4. Brown, Dan. *Anjos e demônios.* Rio de Janeiro: Sextante, 2004.

LIVRO II

O *CDV* revelado

Parte I

Vinte e quatro horas, duas cidades e o futuro da civilização ocidental

10 Apócrifos e revelações

FATOS - O Priorado de Sião – sociedade secreta européia fundada em 1099 – existe de fato. Em 1975, a Biblioteca Nacional de Paris descobriu pergaminhos conhecidos como Os dossiês secretos, que identificavam inúmeros membros do Priorado de Sião, incluindo Sir Isaac Newton, Botticelli, Victor Hugo e Leonardo da Vinci... Todas as descrições de obras de arte, arquitetura, documentos e rituais secretos neste romance correspondem rigorosamente à realidade.

– DAN BROWN, *CDV*

As declarações na abertura deste capítulo, feitas por Dan Brown, autor do *CDV*, tiveram um enorme poder de persuasão sobre o leitor. Seu livro é um romance. Em outras palavras, é uma obra ficcional e não uma reportagem, o que significa que todos os pormenores do texto não precisam ser necessariamente factuais. Obras ficcionais são assim chamadas justamente porque surgem da imaginação de seus autores. Todos sabemos disso. Mesmo assim, a combinação do realismo detalhado e bem tecido de muitas passagens, os eventos e as questões históricas que o leitor acredita que deveria compreender mais a fundo (mas na verdade não compreende ou não conhece) e a lógica instigante das "teorias da conspiração" (ou seja, a razão pela qual desconhecemos algo está relacionada com forças poderosas que nos mantêm intencionalmente ignorantes a respeito de um assunto) – esses são os fatores que se juntam, fazendo com que todos leiam essa obra de ficção em particular muito seriamente – tão seriamente quanto se fosse... não ficcional.

O desejo do leitor de tentar separar fatos de ficção transformou a decodificação do *CDV* em uma espécie de jornada, ou num fim em si mesmo. Para valorizar ainda mais esse intento, decidimos fazer uma lista de perguntas freqüentes dos leitores a respeito do *CDV* e a entregamos ao jornalista investigativo David Shugarts, um escritor com excelente percepção de detalhes, que ficou fascinado com o livro, mas que também encontrou, em alguns pontos, detalhes da trama que não lhe pareceram corretos ou adequados. Shugarts combinou a pesquisa sobre essas perguntas com suas próprias questões e partiu, como um detetive, em busca de pistas e respostas.

É importante esclarecermos uma questão logo de início: sabemos que o *CDV* é uma obra ficcional. Respeitamos e admiramos a criatividade de Dan Brown por ter unido de forma tão interessante fatos e conceitos históricos em um livro que consegue ser, ao mesmo tempo, um thriller de ação, um policial e uma narrativa de suspense. Considerando a declaração inicial do autor de que suas afirmações são *fatos* e levando em conta todas as discussões que surgiram em torno dessa obra (assim como o tom de seriedade que algumas pessoas dão a essas discussões), acreditamos que seria divertido apresentar as falhas e erros que Shugarts encontrou na trama. Ao mesmo tempo, é interessante observar os detalhes intrigantes que ele identificou no texto e que são capazes de conduzir a uma reflexão mais aprofundada, mas que podem passar despercebidos em uma leitura mais rápida.

Para mais detalhes a respeito do que Shugarts encontrou, além dos que serão apresentados a seguir, visite nosso site em www.secretsofthecode.com.

As falhas na trama e os detalhes intrigantes do *CDV*

DAVID. A. SHUGARTS

PÁGINA 11: *Silas possui "...pele branca como a de um fantasma e cabelos também brancos e ralos. As íris eram rosadas, com pupilas vermelho-escuras". Isso é uma boa descrição de um albino?*

O albinismo é uma deficiência na pigmentação que, segundo as estatísticas norte-americanas, afeta uma em cada dezessete mil pessoas. Ainda que essa característica se apresente em muitas formas (e em variadas cores de pele), a sociedade tende a rotular as pessoas, então geralmente se diz que os albinos têm pele e cabelos brancos e íris rosadas.

De acordo com a National Organization for Albinism and Hyperpigmentation – NOAH (Associação Nacional para o Albinismo e Hiperpigmentação), "um mito comum é o de que, por definição, pessoas com albinismo possuem olhos vermelhos. Na realidade, há diferentes tipos de albinismo, e a quantidade de pigmento nos olhos varia. Embora alguns indivíduos tenham olhos avermelhados ou da cor violeta, a maioria possui olhos azuis, enquanto outros têm olhos castanhos".

Segundo a NOAH, de forma quase universal, o albinismo causa uma deficiência visual ou até mesmo cegueira. "Sendo assim, Silas talvez devesse ter sido retratado como alguém que tivesse deficiências visuais, possivelmente usando óculos com lentes espessas."

"A organização NOAH vem constantemente alertando os estúdios de Hollywood quanto à caracterização de albinos como seres cruéis, malignos ou loucos. O personagem Silas no *CDV* é um exemplo perfeito. Aliás, um dos motivos que levaram a organização a escolher o acrônimo NOAH ("Noé") é que muitos acreditam que Noé, segundo a descrição da Bíblia, tenha sido um albino."

PÁGINA 11: *Silas atira em Saunière a cinco metros de distância, no escuro. Dada a sua visão deficiente, isso seria razoável?*

Qualquer pessoa teria muita sorte se acertasse alguém no escuro, usando uma pistola. Silas provavelmente não conseguiria fazer isso sem óculos, que não são mencionados em nenhum momento. É extremamente raro encontrar um albino que possua boa visão.

PÁGINA 12: *Silas atirou uma vez e acertou Saunière no estômago. Depois mirou diretamente a cabeça de Saunière e puxou novamente o gatilho, mas "o estalido de uma arma sem munição ecoou pelo corredor". Silas então "olhou de relance para a arma, parecendo quase achar graça. Pegou mais um pente, mas depois reconsiderou, olhando com um sorriso calmo para o sofrimento de Saunière".*

Silas já havia matado três outras pessoas antes, nessa mesma tarde. Todas foram supostamente surpreendidas pelo assassino. Sua arma é uma Heckler and Koch USP40 (ver capítulo 15, página 83), com pente de treze balas. O nome real da empresa é Heckler & Koch, mas a verdadeira pergunta é: como o pente pode estar vazio? São necessários doze tiros para matar três idosos ou a arma de Silas já estava, no início da tarde, carregada pela metade?

O autor não nos dá nenhuma explicação. Quem sabe Silas tenha usado mais balas do que o normal para compensar sua deficiência visual?

PÁGINA 13: *Saunière havia levado um tiro "alguns centímetros abaixo do esterno". "Por ser veterano da Guerra da Argélia", sabia que "durante 15 minutos, ele sobreviveria, enquanto os ácidos do estômago lhe penetravam a cavidade peitoral, envenenando-o lentamente por dentro".*

As pessoas realmente morrem dessa forma em conseqüência de ferimentos à bala no estômago? Um homem dessa idade poderia sobreviver durante quinze ou vinte minutos com esse ferimento?

Consultamos a literatura médica. A taxa média de mortalidade relativa a tiros no abdome é de doze por cento. Contudo, na ausência de ruptura do sistema vascular, a taxa cai para menos de cinco por cento. Isso inclui um grande número de órgãos que poderiam ter sido perfurados. Os órgãos mais freqüentemente atingidos por tiros frontais nessa região são: intestino delgado, cólon, fígado e sistema biliar, baço, sistema vascular e estômago.

A morte da pessoa dependerá, em grande parte, de que órgão foi atingido. Se, por exemplo, uma artéria for rompida ou o baço for afetado, poderá haver uma rápida perda de sangue, resultando em estado de choque seguido de morte.

No entanto, uma perfuração do estômago por si só não causa uma morte rápida – podem se passar muitas horas até que isso aconteça. Supondo que Saunière estivesse em boa forma e não tivesse sofrido outros ferimentos, não haveria razão para que ele morresse antes da chegada da guarda de segurança e da abertura dos portões. Seguindo o mesmo raciocínio, ele provavelmente teria tempo suficiente (mais do que apenas improváveis quinze minutos) para vagar pelo Louvre deixando mensagens secretas.

PÁGINA 13: *Saunière é um "veterano da Guerra da Argélia". Aos setenta e seis anos, ele poderia ter lutado nessa guerra?*

Sim. A guerra pela independência da Argélia se estendeu de 1954 a 1962. Se o *CDV* se passa em 2001 ou 2002, Saunière teria nascido nos anos 1920, portanto teria cerca de vinte e cinco anos na época da guerra.

PÁGINA 23: *"O ar fresco e revigorante de abril penetrava pela janela aberta do Citroën" enquanto Langdon era levado de seu hotel até o Louvre. Em que dia de abril essa ação se passa e qual é o ano?*

Os indícios são contraditórios. Há uma pista no livro anterior de Dan Brown, *Anjos e demônios.*[1] A ação desse livro também se dá num período de vinte e quatro horas, supostamente no mês de abril, porém em Roma e não em Paris. Robert Langdon, cuja vida como personagem de Dan Brown começa em *Anjos e demônios*, recorda-se no *CDV* de que sua experiência anterior ocorrera há "mais de um ano" (página 24). Isso faria com que os eventos do *CDV* acontecessem por volta do final de abril, tendo em vista o tempo transcorrido. Podemos presumir igualmente que a ação se desenrola no final do mês de abril porque, em 2001, a Páscoa caiu no início de abril, e esse fato teria provocado menções a multidões, trânsito intenso e coisas no gênero.

Abril de 2001 parece ser uma boa data por outras razões. Descobrimos depois que já deveria ter se passado algum tempo desde a virada do milênio, possivelmente um ano. O motivo é que a conspiração instigada por Teabing e levada a efeito pela manipulação do Opus Dei e do Vaticano, como a leitura nos revela mais adiante, surgiu numa reunião de Aringarosa com membros do clero em Castel Gandolfo no mês de novembro do ano anterior (página 160). A razão que motivou as ações de Teabing foi o não-cumprimento da promessa do Priorado de Sião de que revelaria o segredo do Graal próximo à virada do milênio.

Os acontecimentos do dia 11 de setembro de 2001 provocaram uma onda de choque em todo o planeta e causaram impactos profundos nas questões de segurança em toda a Europa. Dan Brown teria de abordar diversos assuntos relacionados ao terrorismo, fundamentalismo religioso e tensões religiosas no Oriente Médio, além de muitas complexidades decorrentes do que houve naquela data se estivesse propositadamente tentando situar a ação do livro em abril de 2002, quando a memória dos atentados estava viva em todo o mundo. Certamente, não seria razoável observar uma atitude tão desleixada por parte dos oficiais de alfândega ao deixarem Teabing entrar na Inglaterra, por exemplo. Muitos outros aspectos da trama, como as medidas de segurança relacionadas aos cofres de bancos suíços em prédios públicos, teriam de ser alterados.

No entanto, o livro possui algumas evidências contraditórias. Langdon diz que está com "alguns euros" na carteira. O uso de euros como moeda corrente só começou em janeiro de 2002, o que nos faria pensar que a ação se dá em abril de 2002. Outra questão: o artigo do historiador da arte Maurizio Seracini, publicado na *New York Times Magazine* e mencionado na página 181 do livro, é um artigo real, publicado em 21 de abril de 2002. Langdon obviamente não podia ter lido esse texto um ano antes.

Devemos, então, considerar que a ação se passa em abril de 2002 e que o famoso simbologista simplesmente ignorou os sinais e símbolos referentes à tragédia de 11 de setembro, que ocorrera havia tão pouco tempo – e não existe sequer uma referência a ela no livro? Ou o *CDV* se passa em abril de 2001 e Langdon tem premonições relativas a notas de euros e a um artigo que seria publicado um ano depois?

PÁGINA 23: *A noite era cortada por uma "brisa perfumada pelas flores de jasmim". Há flores de jasmim nessa área, e elas florescem em abril?*

Há arbustos de jasmim perto das Tuileries, mas o jasmim floresce no verão, aproximadamente em junho, e não em abril.

PÁGINA 23: *O Citroën "deslizava rumo ao sul, passando pela Ópera e cruzando a Place Vendôme". Isso é possível?*

Não. Para deixar o hotel Ritz, na Place Vendôme, e passar pela Ópera, é preciso seguir para o norte, e não para o sul.

PÁGINA 25: *O Citroën vai para o sul na rua Castiglione em direção ao Louvre. Ele "descrevera uma curva brusca à esquerda, dirigindo-se para oeste, pelo bulevar central do parque". Isso é possível?*

Não, nesse caso o carro estaria indo na direção leste após virar à esquerda para se dirigir ao Louvre.

PÁGINA 26: *Um visitante levaria cerca de cinco semanas para "apreciar adequadamente as sessenta e cinco mil e trezentas obras de arte" do Louvre.*

Vamos fazer algumas contas rápidas. Se você ficar cerca de um minuto observando cada obra de arte e nunca dormir, ainda assim precisará de aproximadamente quarenta e cinco dias inteiros para passar por todas elas. É claro que isso dificilmente poderia ser chamado de "apreciar adequadamente" as obras de arte. Felizmente, das 65.300 peças, nem todas estão sendo exibidas simultaneamente, então não seria necessário tentar essa façanha. De todo modo, há cerca de vinte e quatro mil e quatrocentas obras em exposição, um número impressionante. Se você passar seis dias por semana, durante oito horas por dia, olhando uma obra de arte por minuto, mesmo assim necessitará de mais do que oito semanas.

PÁGINA 29: *Langdon diz que "a pedido explícito de Mitterrand", a nova pirâmide que serve como entrada para o Louvre fora construída "com exatamente 666 vidraças". Tratava-se de um "pedido esquisito que sempre fora tópico de debates acalorados" entre fãs de teorias da conspiração que "alegavam ser este, 666, o número de Satã". Quantos painéis a pirâmide possui de fato?*

Para responder a essa pergunta, entramos em contato com o escritório do arquiteto, o renomado I. M. Pei. Uma auxiliar do arquiteto respondeu que a pirâmide do Louvre contém, na verdade, seiscentos e noventa e oito pedaços de vidro, que foram contados por um dos arquitetos que trabalharam no projeto. A informação de que o presidente Mitterrand havia especificado um certo número de vidraças não é, segundo ela, baseada em fatos.

A auxiliar de I. M. disse também que o rumor sobre os seiscentos e sessenta e seis painéis foi publicado como um fato por alguns jornais franceses em meados dos anos 1980. Ela acrescentou o seguinte comentário: "Se alguém encontrasse apenas alguns desses velhos artigos e não fizesse mais nenhuma verificação e, além disso, fosse extremamente crédulo, talvez pudesse acreditar na história dos seiscentos e sessenta e seis painéis."

Também entramos em contato com Carter Wiseman, que escreveu a biografia de I. M. Pei. "I. M. Pei é um arquiteto que se interessa quase que exclusivamente por padrões geométricos e abstrações. Pensar que ele estava ocultando um conteúdo simbólico em seu trabalho revela uma incompreensão de sua estética."

PÁGINA 33: *Fache usa uma* crux gemmata. *Qual a origem desse termo?*

É uma cruz que possui treze gemas, descrita por Brown como "o ideograma cristão que representava Cristo e os doze apóstolos". Em muitos locais, cristãos ortodoxos usam um crucifixo simples de madeira, ou uma cruz com uma representação do corpo de Cristo. Crucifixos cravejados com gemas surgiram em algumas igrejas medievais e eram interpretados como símbolos da ressurreição. Contudo, uma *crux gemmata* pode ser vista como um signo de orgulho, poder e riqueza, assim como de devoção.

PÁGINA 34: *Brown diz que as câmeras de segurança do Louvre são falsas e que os grandes museus em sua maioria usam "segurança por retenção". Isso é verdade?*

Não. A idéia de grades de ferro que caem subitamente e aprisionam ladrões vem de filmes como *A pantera cor-de-rosa* e *Thomas Crown – A arte do crime*, e não se baseia na realidade. O Louvre não apenas acredita em câmeras de vigilância como também fez, recentemente, uma grande melhoria em seus sistemas de segurança por meio do conglomerado francês Thales, e as câmeras de vídeo são uma parte importante nessa inovação. De acordo com a Thales, a empresa está gerenciando "um total de mil e quinhentos sensores de proximidade, dez mil crachás de segurança, oitocentas câmeras, incluindo cento e noventa e cinco com sistemas de gravação digital, além de mais de mil e quinhentos pontos com alarmes contra intrusos".

PÁGINA 35: *Langdon nota que a grade de aço havia sido levantada cerca de sessenta centímetros, "deitou-se de barriga para baixo e se arrastou para dentro. Enquanto deslizava sob a grade, a parte de trás da gola do terno Harris prendeu-se na parte inferior da grade, fazendo a sua nuca bater contra o ferro". Isso é provável?*

Não. De acordo com a descrição de Langdon em *Anjos e demônios*, ele tem cerca de um metro e oitenta e o físico de um nadador, cuidadosamente mantido com exercícios diários na piscina da universidade. Um indivíduo em boa forma mede cerca de vinte e cinco centímetros das costas até a extremidade do abdome. Se ele tivesse deslizado de barriga para baixo, dificilmente seu terno ou sua cabeça tocariam a parte inferior da grade, sessenta centímetros acima.

PÁGINA 37: *Brown diz que o Opus Dei tem sua sede mundial em Murray Hill Place, 243, na Lexington Avenue, em Nova York. "Tendo custado a bagatela de 47 milhões de dólares, a torre de 12.300 metros quadrados é revestida de tijolos vermelhos e calcário de Indiana." Projetada por May e Pinska, possui mais de cem quartos de dormir, seis salas de jantar e capelas no segundo, oitavo e décimo andares. "O décimo sétimo andar é completamente residencial. Os homens entram no edifício pelas portas principais da Lexington Avenue." As mulheres entram por uma rua transversal e ficam "acústica e visualmente separadas" dos homens enquanto estão no prédio. É verdade?*

Bem próximo. De acordo com outra fonte, o Opus Dei possui "oitenta e quatro mil membros em todo o mundo, três mil deles nos Estados Unidos; no entanto, seu novo prédio de cinqüenta e cinco milhões de dólares e dezessete andares, localizado em Manhattan, reflete um poder maior do que se pode supor".

PÁGINA 37: *Segundo Brown, o fundador do Opus Dei, Josemaría Escrivá, publicou o livro* Caminho,[2] *em 1934, contendo novecentos e noventa e nove tópicos de meditação para que os devotos realizem a Obra de Deus em suas vidas. Diz ainda que mais de quatro milhões de exemplares desse livro já foram vendidos em quarenta e dois idiomas.*

No geral está correto. Na verdade, o título original do livro, em 1934, era *Considerações espirituais*, e foi revisado diversas vezes. De acordo com um site na Web do Opus Dei (www.josemariaescriva.info), o livro "foi traduzido para quarenta e cinco línguas e vendeu mais de quatro milhões e meio de cópias em todo o mundo". *Caminho* contém, de fato, novecentos e noventa e nove pontos.

PÁGINA 38: *Brown escreve sobre uma organização que monitora as atividades do Opus Dei e cujo nome seria ODAN – Opus Dei Awareness Network, ou "Rede de Vigilância do Opus Dei" (www.odan.org). Esse grupo existe?*

Sim. A ODAN existe e esse é o endereço de seu site.

PÁGINA 38: *Brown diz que Robert Hanssen, espião do FBI, era membro da alta hierarquia do Opus Dei.*

É verdade. O irmão de Bonnie Hanssen, mulher de Robert, é um padre filiado ao Opus Dei que reside em Roma. Seu escritório fica a poucos metros do escritório do papa. Uma das filhas de Bob e Bonnie é uma numerária do Opus Dei, ou seja, uma mulher que fez o voto de celibato, mas permanece leiga.

Bob Hanssen ficou amigo de James Bamford, autor de best-sellers de espionagem. Depois de ter tentado extrair dele informações a respeito de entrevistas que ele havia tido com líderes soviéticos, convidou-o para participar de reuniões do Opus Dei. Segundo Bamford, "ele era obcecado pelo assunto. Bob ficava falando sobre as forças do mal presentes em organizações como Planned Parenthood (uma organização norte-americana que promove o controle da natalidade empregando métodos anticoncepcionais, condenados pelo Vaticano) e sobre como o aborto era imoral".

PÁGINA 40: *Fache e Langdon entram pelo lado leste da Grande Galeria e passam por uma pintura de Caravaggio caída no chão. É nessa parte que ficam os quadros de Caravaggio?*

Não. Estão poucas centenas de metros mais à frente na Grande Galeria, próximos ao ponto onde o corpo de Saunière está caído.

PÁGINA 43: *Brown diz que "um capuz branco do Ku Klux Klan conjurava imagens de ódio e racismo nos Estados Unidos, mas aquela mesma peça de indumentária trazia um significado de fé religiosa na Espanha".*

Túnicas longas e capuzes são usados por penitentes durante a Semana Santa em toda a Espanha, mas certamente têm grande destaque em Sevilha. Milhares de penitentes, representando cinqüenta e sete fraternidades, formam uma procissão à luz de velas em honra da Virgem Maria e em memória do sofrimento de Cristo. Eles adotam os capuzes porque ninguém deve saber a identidade dos pecadores que buscam o perdão. Cada uma das fraternidades escolhe as cores das túnicas e dos capuzes que as identificam. Os membros do Ku Klux Klan geralmente usam capuzes brancos, mas não tão pontudos quanto os dos penitentes espanhóis. Aparentemente, trata-se de mera coincidência quanto ao formato e à cor.

Curiosamente, o KKK foi fundado na cidade de Polaski (Tennessee, Estados Unidos), em 1866, por seis oficiais do exército Confederado. Um deles, o primeiro "mago imperial" do KKK, era um ex-general desse exército e também um franco-maçom. Chamava-se Nathan Bedford Forrest. Mais curiosamente ainda, Forrest foi parar no livro *Forrest Gump*, de Winston Groom, depois transformado em filme. O herói do livro é, supostamente, um homônimo de Forrest, um parente distante.

PÁGINA 44: *Langdon diz que o pentagrama "representa o lado feminino de todas as coisas – um conceito religioso que os historiadores chamam de 'o sagrado feminino' ou 'a divina deusa'".*

Isso está incorreto. O pentagrama representa tanto o masculino quanto o feminino, exatamente como o símbolo yin/yang.

PÁGINA 44: *"Como tributo à magia de Vênus, os gregos empregaram seu ciclo de oito anos para organizar seus Jogos Olímpicos. Hoje em dia, poucas pessoas percebem que o intervalo de quatro anos entre as Olimpíadas modernas ainda corresponde à metade dos ciclos de Vênus. Ainda menos pessoas sabem que a estrela de cinco pontas quase havia se tornado o símbolo oficial das Olimpíadas, mas foi modificado na última hora – suas cinco pontas foram substituídas por cinco anéis que se interceptavam, para melhor refletir o espírito de inclusão e harmonia dos jogos."*

É parcialmente verdade, mas a explicação é bem mais complexa. Os gregos não usavam as Olimpíadas como tributo a Vênus – elas eram dedicadas a Zeus.

Em vez de estarem organizados em décadas, os ciclos dos calendários gregos seguiam períodos de oito anos. Cada ciclo era chamado de um *octaeteris*; posteriormente, foram divididos em períodos de quatro anos , denominados "olímpicos".

A principal razão para os ciclos de oito anos foi o fato de os gregos terem observado uma grande proximidade entre noventa e nove ciclos lunares e oito ciclos terrestres. A Lua sempre foi o principal determinante dos "meses" e outros ciclos de tempo em culturas antigas, mais do que qualquer outro corpo celeste. Os gregos também sabiam que Vênus completava cinco ciclos sinódicos nesse mesmo período de oito anos. A coincidência entre 99/8 ciclos permitia a esse povo criar cinco anos de doze meses e três anos de treze meses. Os meses adicionais eram acrescentados, no período de oito anos, aos anos três, cinco e oito. À medida que os gregos foram aperfeiçoando seu calendário, eles dividiram o *octaeteris* em duas partes, correspondentes, respectivamente, a cinqüenta e quarenta e nove ciclos lunares. Ambas tornaram-se conhecidas como olimpíadas. Não era perfeito, mas era um calendário!

Um homem grego comum não teria percebido esse fato, mas um astrônomo paciente seria capaz de anotar os cinco nós no percurso de Vênus pelo céu. Quando observado a partir da latitude da Grécia, isso resultaria no desenho de um pentagrama bastante irregular.

Os cinco anéis dos Jogos Olímpicos são um símbolo moderno. Foram inventados em 1913 por Pierre de Coubertin, presidente do Comitê Olímpico Internacional. Originalmente, a sua idéia era simbolizar os cinco primeiros jogos, mas a interpretação foi posteriormente corrigida para que os anéis representassem os cinco continentes originais.

O símbolo dos cinco anéis foi erroneamente atribuído a origens arcaicas quando Leny Riefenstahl, uma diretora de cinema de propaganda nazista, ao filmar as Olimpíadas de 1936 (às quais o próprio Hitler assistiu), fez com que uma pedra fosse cunhada com os cinco anéis e depois a filmou usando como fundo as ruínas do templo grego de Delfos.

PÁGINA 45: *Langdon diz que os "símbolos são muito flexíveis, mas o pentagrama foi alterado pela Igreja Católica Romana primitiva. Como parte da campanha do Vaticano para erradicar as religiões pagãs e converter as massas ao Cristianismo, a Igreja lançou uma campanha de desmoralização dos deuses e deusas pagãos, definindo seus símbolos divinos como símbolos do mal".*

Nesse caso, Brown decidiu ignorar, convenientemente, o fato de que o imperador cristão Constantino – citado em outra parte do livro como o principal responsável por ter apagado tradições gnósticas, pagãs e relativas à deusa – usou o pentagrama, em conjunto com o símbolo Chi-Rho (formado com as duas primeiras letras, *x* e *p*, da palavra grega para Cristo), em seu selo imperial como amuleto.

PÁGINA 55: *Brown diz que Leonardo da Vinci produziu um grande número de "estupendas obras de arte cristã" e que, "aceitando centenas de encomendas lucrativas do Vaticano, Da Vinci pintava temas cristãos não como expressão de suas próprias crenças, mas como atividade comercial – uma forma de sustentar seu estilo de vida luxuoso".*

Não é verdade. A produção de Leonardo não foi enorme. Em geral, ele tinha problemas para acabar aquilo que começava e levava um longo tempo produzindo suas obras. O número de pinturas que ele de fato terminou é extremamente pequeno se comparado à maioria dos grandes nomes da história da arte – em geral, apenas treze pinturas ainda existentes são atribuídas a Leonardo.

PÁGINA 62: *O código da secretária eletrônica de Sophie é 454. Esse número possui algum significado especial para Dan Brown ou é apenas um número aleatório?*

Não sabemos ao certo, mas coincidentemente a edição americana de capa dura termina na página 454.

PÁGINA 64: *Silas fugiu de casa quando tinha sete anos, depois que o pai matou sua mãe e ele, por sua vez, matou o pai. Foi preso aos dezoito anos e libertado por um terremoto aos trinta anos. Aringarosa passou a chamá-lo de "Silas". De acordo com Dan Brown, ele não se lembrava "do nome que os pais haviam lhe dado".*

É difícil acreditar que ele tenha realmente esquecido o próprio nome. Como ele se referiu a si mesmo durante vinte e três anos? Qual era o nome que as autoridades lhe deram quando decidiram que era perigoso demais para permanecer nas ruas de Marselha e resolveram prendê-lo?

PÁGINA 67: *Brown menciona o capítulo 16 dos Atos dos Apóstolos, dizendo que "falavam de um prisioneiro chamado Silas, que jazia nu e espancado na sua cela, entoando cânticos de louvor a Deus", quando foi libertado por um terremoto. Por coincidência, o albino foi libertado por um terremoto, então Aringarosa lhe dá o nome de Silas. A quem ele está se referindo?*

No Livro Atos dos Apóstolos, Paulo e Silas são aprisionados juntos, com base em acusações falsas. O terremoto libertou todos os prisioneiros, mas Paulo e Silas não fugiram. Em vez disso, primeiro converteram seu carcereiro à cristandade e o batizaram. Depois, recusaram-se a sair até que aqueles que os haviam incriminado fossem até eles, pedissem desculpas e os retirassem da prisão.

PÁGINA 69: *Sophie decodificou a série de números e chegou à seqüência 1-1-2-3-5-8-13-21, que ela diz ser a seqüência de Fibonacci, "uma das mais famosas progressões matemáticas das história". Está correto?*

Não. Os matemáticos incluem o zero nessa seqüência, fazendo com que de forma completa ela seja 0-1-1-2-3-5-8-13-21... É importante notar também que uma seqüência matemática, para ser escrita de modo correto, deve ser concluída com uma elipse, para indicar que a série continua infinitamente.

PÁGINA 75: *Sophie conta a Langdon sobre o "localizador GPS". Ele é descrito como "um disco metálico no formato de um botão, mais ou menos do tamanho de uma bateria de relógio". Sophie diz ainda que ele "transmite continuamente sua localização para um satélite de posicionamento global que a DCPJ pode monitorar.*

[...] A precisão é de 60 centímetros, em qualquer ponto do planeta". Esse tipo de sistema realmente existe?

Sim, mas é muito maior do que a unidade que Sophie descreve. Por exemplo, as unidades que foram criadas para ajudar a mapear a localização de animais selvagens são similares a coleiras relativamente grandes para cachorros (ou para peixes e aves). Elas reconhecem sua posição através do sistema GPS e a transmitem para satélites, mas não para satélites de GPS. Os satélites que recebem essas transmissões pertencem ao sistema Argos ou GlobalStar, já que os satélites de GPS não recebem sinais de posicionamento, apenas os transmitem. Além disso, não é possível acessar o sistema Argos continuamente em qualquer ponto do planeta, pois seus satélites ficam temporariamente fora de alcance enquanto percorrem suas órbitas.

Unidades menores podem ser construídas, desde que não seja necessário transmitir para um satélite. Essas unidades possuem transmissores de rádio com um alcance de vinte e cinco quilômetros, e, se você estiver dentro do raio de alcance, é possível monitorar a posição de um transmissor vinte e quatro horas por dia. Ainda assim, a menor dessas unidades é cerca de dez vezes maior do que o disco metálico que Sophie descreve.

Todas essas unidades requerem antenas, e há uma relação entre o tamanho da antena e a sensibilidade da recepção ou a potência da transmissão. Seria necessário, portanto, uma antena de pelo menos cinco a sete centímetros, mesmo se fosse possível fazer um transmissor do tamanho de um pequeno disco.

PÁGINA 88: *As janelas dos sanitários masculinos estão situadas "no extremo oeste da Ala Denon" do Louvre. Sophie olha para fora e vê que "a rodovia norte–sul da Place du Carrousel corria quase rente ao edifício, e apenas uma calçada estreita a separava da parede externa do Louvre. Lá embaixo, a caravana de costume, composta da fila de caminhões de entrega noturna, esperava os sinais de trânsito mudarem". Essa descrição está correta?*

Os sanitários masculinos não ficam no extremo oeste da Ala Denon, e essa parte do prédio não é aberta ao público, mas vamos supor que fosse. A Place du Carrousel não corre quase rente ao edifício nem é uma rua com grande tráfego de caminhões onde pudesse haver uma fila de caminhões de entrega.

PÁGINA 89: *Sophie diz que a embaixada norte-americana fica apenas a "um quilômetro e meio" de onde estavam. Verdade?*

Quase lá. A embaixada fica a cerca de um quilômetro e vinte e cinco metros e pode ser vista da posição descrita. Ainda assim, Sophie consegue se perder enquanto tenta dirigir até lá.

PÁGINA 92: *Fache possui um revólver Manurhin MR-93. Esse é o armamento usado por policiais franceses?*

Sim, é um revólver extremamente robusto com um estilo próprio.

PÁGINA 95: *Brown diz que "Os últimos 60 segundos haviam sido um borrão difuso", e depois descreve uma seqüência de ação começando no momento em que Sophie jogou o localizador GPS pela janela. Uma vez que esse tempo inclui a corrida de Fache através da Grande Galeria, quão rápido ele teria que correr?*

Melhor inscrevê-lo na equipe olímpica! Teria sido um dos finalistas da prova dos cinqüenta metros!

PÁGINA 95: *De acordo com Brown, "o caminhão de entrega Trailor, de caçamba dupla", saiu do Louvre e depois virou em direção ao sul na ponte do Carrousel, atravessando o Sena e depois virando à direita "para passar na Pont des Saint-Pères". Isso é possível?*

Não. Se você cruzar a ponte do Carrousel rumo ao sul, precisa virar à direita no Quai Voltaire, uma rua de mão única que segue no sentido oeste. Isso o leva na direção contrária à Pont des Saints-Pères. Além disso, essa ponte também é mão única e segue na direção norte.

PÁGINA 95: *Brown diz que o caminhão Trailor "estava a menos de três metros da lateral do prédio" — no caso, o extremo oeste da Ala Denon do Louvre. Ele se dirige para o sul, atravessando o Sena. Ao jogar o disco com o GPS dentro do caminhão, Sophie faz com que os policiais franceses pensem que Langdon pulou para o caminhão. Isso é possível?*

Não. Em primeiro lugar, os banheiros públicos da Grande Galeria do Louvre não estão localizados na extremidade do prédio. Ainda assim, supondo que coloquemos um sanitário ali, a Place du Carrousel fica a mais de quinze metros das paredes externas do prédio. Ninguém conseguiria pular e atingir a rua – nem mesmo em seu ponto mais próximo. Além disso, em Paris, por lei, eles têm que seguir pelo lado direito das ruas; portanto, o tráfego que estivesse subindo a rua estaria ainda mais longe do Louvre, acrescentando mais uns seis metros. Fache dificilmente acreditaria que Langdon tivesse pulado.

PÁGINA 102: *Segundo Brown, os baralhos de tarô possuem vinte e duas cartas e uma seqüência chamada Pentáculos, assim como três cartas denominadas A Papisa, A Imperatriz e A Estrela. Essa é uma boa descrição de um baralho de tarô?*

Sim e não. Para alguém que supostamente entende de ocultismo, Brown deixa passar alguns pontos importantes. Na verdade, existem setenta e oito cartas nos baralhos de tarô mais comuns. Vinte e duas delas constituem os Arcanos Maiores, enquanto as outras cinqüenta e seis constituem os Arcanos Menores. Os Arcanos Maiores também são chamados de Trunfos, mas, literalmente, as divisões são Arcanos Maiores e Arcanos Menores.

Os quatro naipes são Paus, Espadas, Copas e Pentáculos (ou Ouros). O naipe de Copas, que só será mencionado por Brown mais adiante no livro, é uma referência clara aos cálices.

A história completa do tarô, que pode ser recontada e aumentada por qualquer um, deve incluir pelo menos os franco-maçons, os gnósticos, a Papisa, o Santo Graal e muito mais. Contudo, esses e outros elementos não estão necessariamente interconectados da forma como o *CDV* nos mostra. A carta existente nos Arcanos Maiores, e que é hoje conhecida como a Grande Sacerdotisa, vem de uma antiga versão do baralho e da lenda de uma mulher que se tornou "papa", conhecida como papisa Joana.

De acordo com uma lenda medieval muito disseminada, uma mulher chamada Joana disfarçou-se de homem, ascendeu na hierarquia clerical e chegou a se tornar papisa. Ela acabou engravidando de um padre e não apenas foi incapaz de esconder o fato mas também pariu em plena rua, onde uma pequena multidão percebeu o engodo e a matou a pancadas. Há outra história que sugere a existência de uma papisa mais próxima à época renascentista.

Seja como for, em torno de 1450, muitos baralhos de tarocchi (tarô) foram encomendados pela grande família Visconti, incluindo um baralho que é amplamente reconhecido como um dos mais antigos ainda existentes, o baralho de Visconti-Sforza. Uma das primeiras cartas da Papisa pode ser encontrada nesse baralho.

PÁGINAS 103 E 107: *Brown usa uma sala de aula como pano de fundo para falar sobre a Divina Proporção. Ele felicita uma estudante que reconhece o número 1.618 como PHI. Isso está correto?*

Alguém deve ter dito a Dan Brown que há dois números, um escrito com letra maiúscula, o outro com minúscula, e ele achou que isso significava *Phi* e *phi*. Na verdade, os números são escritos como *Phi*, que significa "Divina Proporção", e *phi*, que é a sua recíproca.

É surpreendente, contudo, que um simbologista tão famoso quanto Robert Langdon não use os símbolos corretos para esse par de números, as letra grega Ø, maiúscula, e ø, minúscula. Com tantos outros símbolos nesse livro, não seria difícil conseguir imprimir duas letras gregas...

O que há de verdadeiro a respeito disso é que o número Phi pode ser derivado da série de Fibonacci, e que ele é muitas vezes encontrado na natureza, na matemática e na arquitetura. Além disso, também é chamado de Seção Áurea, Razão Áurea, etc.

Phi é um número irracional, ou seja, continua infinitamente após a vírgula decimal. Se você quiser uma versão mais longa, basta fazer as contas: 1,618033988 é o valor de Phi com nove casas decimais, por exemplo. Algumas pessoas já calcularam seu valor com precisão de milhares de casas decimais.

PÁGINA 104: *"– Espere só um pouquinho aí – disse uma moça na primeira fila. – Sou bióloga e jamais vi essa tal Divina Proporção na Natureza.*

– Ah, não? – disse Langdon, com um sorriso irônico. – Já estudou alguma vez a relação entre o número de fêmeas e machos em uma colméia?

– Claro. As fêmeas sempre são mais numerosas que os machos.

– Exato. E sabia que se dividir o número de fêmeas pelo número de machos, em qualquer colméia do mundo, vai sempre obter o mesmo número?

– Vou?

– Vai. PHI."

Brown sabe pouco sobre abelhas. A população de uma colméia varia durante as estações, e as estações variam ao redor do planeta, então não é possível que haja uma única época em que todas as colméias do planeta apresentem a mesma relação entre as populações de machos e fêmeas. Má notícia para os machos: no outono, quase todos os zangões (machos) são expulsos da colméia e acabam morrendo, então sua população é quase zero.

Na primavera e no verão, haverá zangões. Mas os especialistas em abelhas têm contado as populações das colméias diversas vezes e os números não se aproximam nem um pouco da Divina Proporção. Por exemplo, na média, uma colméia ativa terá uma rainha, de trezentos a mil zangões (machos) e cinqüenta mil fêmeas. Se você seguir o raciocínio de Langdon e dividir o número de fêmeas (cinqüenta mil e uma) pelo número de machos (vamos usar mil), o resultado será cinqüenta, bem distante de 1,618.

PÁGINA 108: – *Brown diz: "Os reis franceses, durante toda a Renascença, estavam tão convencidos de que os anagramas encerravam poderes mágicos que indicavam anagramatistas reais para ajudá-los a tomar melhores decisões, analisando as palavras de documentos importantes."*

Não acreditamos que tenha havido reis franceses tão empolgados assim com os anagramas "durante toda a Renascença" – de 1483 a 1610, aproximadamente. Existiu um rei, Luís XIII, no período de 1610-1643, que ficou famoso por ter designado um *anagramatista* real, Thomas Billon. Não há, contudo, evidências sugerindo que Billon tenha tido um papel importante no processo de tomada de decisões. Diz-se que sua função era "entreter a corte com divertidos anagramas dos nomes das pessoas".

Essa citação pode ser encontrada em qualquer lugar onde os fãs de anagramas façam referências à sua história. Luís XIII ascendeu ao trono aos nove anos, mas não se sabe quando Billon foi designado. O jovem rei foi inicialmente tutelado por sua mãe e posteriormente muito influenciado por conselheiros como o cardeal Richelieu.

PÁGINA 108: — *Brown diz: "Os romanos até se referiam ao estudo dos anagramas como* ars magna *— a grande arte." É verdade?*

Quer dizer que os romanos falavam inglês? *Anagrams* (no original) é o termo em inglês que pode ser alterado para formar *ars magna*. A palavra em latim para anagrama é *anagrammat* ou *anagramma*, modificada a partir dos termos originais em grego.

PÁGINA 109: — *Saunière escreveu uma vez a palavra "planetas" em inglês e disse a Sophie que "surpreendentemente, era possível encontrar noventa e duas outras palavras com as mesmas letras". É verdade?*

É peculiar que Saunière não tenha chegado a um número mais alto. Nós conseguimos pensar em cento e uma palavras e não somos assim tão inteligentes.

PÁGINA 116: — *Brown diz: "Até hoje, o instrumento de navegação fundamental ainda era a rosa-dos-ventos da bússola, sua direção norte ainda indicada por uma seta... ou, mais comumente, por uma flor-de-lis." Isso é um fato?*

Talvez você já tenha visto um filme no qual a rosa-dos-ventos possui uma grande flor-de-lis no alto, em um mapa de tesouro. É possível que você acredite que também é assim nos mapas contemporâneos, mas não é verdade. É difícil dizer qual o tipo de rosa-dos-ventos mais freqüentemente usado nos mapas e cartas atuais. Podemos, contudo, informar que as cartas-padrão de navegação aérea e marítima nos Estados Unidos não possuem uma flor-de-lis.

As cartas aéreas têm uma seta simples apontando para o norte e já estão orientadas para o norte magnético. As cartas náuticas exibem um marcador proeminente voltado para o pólo norte no anel externo e uma seta menor indicando o norte magnético no anel interno. Qual o marcador para o pólo norte? Uma estrela de cinco pontas, curiosamente. Os marinheiros reconhecem esse símbolo como Estrela Polar.

Cartas e mapas mais antigos – em particular as cartas desenhadas pelos grandes mestres cartógrafos de Portugal – freqüentemente têm uma flor-de-lis apontando para o norte. Além disso, muitas vezes exibem uma cruz – quase sempre uma cruz-de-malta – indicando o leste. Isso se deve ao fato de que consideravam o leste "a direção de Jerusalém". Dan Brown, portanto, perdeu a chance de mencionar mais um uso do símbolo dos templários.

PÁGINA 116: — *Brown diz: "Muito antes de Greenwich ter sido instituído como meridiano inicial, a longitude zero do mundo inteiro passava através de Paris e através da Igreja de Saint-Sulpice. O marcador de latão na Igreja era um memorial ao primeiro meridiano do mundo, e, embora Greenwich tivesse tirado de Paris essa honra em 1888, a Linha Rosa original era visível ainda hoje."*

Paris não foi a sede do primeiro meridiano central do mundo. Pelo menos não durante quatorze séculos, aproximadamente. A primeira tentativa conhecida de estabelecer um meridiano central foi feita no século II a.C., quando Hiparco de Rodes propôs que todas as distâncias fossem medidas a partir de um meridiano que passava pela ilha de Rodes, próxima à costa sul da Turquia. Uma tentativa talvez mais importante foi a do grego Ptolomeu, que escreveu sobre o assunto entre 127 e 141 a.C. Seu meridiano central passava pelas ilhas Canárias. Os trabalhos de Ptolomeu, uma vez revistos pelo monge beneditino alemão Nicholas Germanus, por volta de 1470, tiveram grande influência e se tornaram fonte de inspiração para Cristóvão Colombo.

À medida que muitos países foram reivindicando territórios em todo o mundo durante as viagens de exploração, diversas vezes eles tentaram estabelecer seus próprios meridianos centrais. Houve centenas de anos de confusão a respeito, mas a Inglaterra acabou se firmando como líder mundial nas técnicas de cartografia e navegação. No fim das contas, a questão era a seguinte: aquele que imprimia os melhores mapas tinha o direito de determinar por onde a linha zero passava.

A confusão chegou ao clímax quando o presidente Chester A. Arthur convocou uma reunião em Washington para que fosse estabelecido um consenso internacional sobre o meridiano central e sobre um dia de vinte e quatro horas universal. Nessa época, os navios que cruzavam os oceanos tinham como referência nada menos do que onze meridianos centrais nacionais: Greenwich, Paris, Berlim, Cádiz, Copenhague, Lisboa, Rio de Janeiro, Roma, São Petersburgo, Estocolmo e Tóquio. Ao mesmo tempo, setenta e dois por cento das rotas comerciais se baseavam em Greenwich, enquanto apenas oito por cento delas usavam Paris como referência.

As vinte e cinco nações votaram, e o resultado foi de vinte e dois contra um a favor de Greenwich. As duas abstenções foram do Brasil e, claro, da França. Esse país continuou usando o meridiano de Paris como um rival de Greenwich até 1911 para a marcação de horas e até 1914 para fins de navegação.

PÁGINA 130: — *O professor Langdon se refere ao artista como Da Vinci. Isso está correto?*

Não. Isso é irritante para qualquer um que entenda de arte. Segundo as convenções da época, seu nome completo era Leonardo di ser Piero, e ele vinha da cidade de Vinci – portanto, Leonardo di ser Piero da Vinci (ou seja, que vem de Da Vinci). No mundo da arte, as pessoas referem-se a ele como Leonardo.

PÁGINA 131: — *O professor Langdon "revela" a reunião secreta do masculino e do feminino feita por Leonardo na* Mona Lisa, *reordenando o nome para escrevê-lo como* Amon L'Isa, *uma suposta união andrógina. Leonardo teria mesmo tentado fazer esse jogo?*

Tudo isso se baseia na questão de o quadro ser ou não denominado *Mona Lisa*. Uma vez que Leonardo nunca o chamou de *Mona Lisa*, isso não tem o menor sentido. Enquanto ele estava vivo, essa pintura jamais teve um título. Possuía vários nomes, incluindo "uma cortesã com um véu de gaze".

PÁGINA 131: — *Brown diz: "A princípio Langdon não viu nada. Ao ajoelhar-se ao lado dela, entretanto, viu uma gotícula de líquido seco fosforescente." Isso é plausível?*

Dan Brown, se você vai ficar assistindo ao seriado *CSI*, é melhor prestar atenção! O sangue não se torna luminescente sob luz negra sem uma pequena ajuda química. Se você usar Luminol (o reagente preferido no *CSI*), a luz negra nem é necessária, basta escurecer o quarto. Isso ocorre porque essa substância cria uma quimioluminescência, produzindo seu próprio brilho misterioso.

Se, em vez disso, for usada a fluoresceína (a alternativa preferida para leves traços ocultos de sangue), então será necessária uma luz ultravioleta. Contudo, primeiro é preciso borrifar a área de interesse com uma solução recém-misturada de fluoresceína e, depois, com uma solução de peróxido de hidrogênio. Sophie não tinha tempo nem os materiais necessários para fazer isso.

PÁGINA 134: — *A mensagem rabiscada na frente da Mona Lisa dizia: "*So dark the con of man.*" Langdon interpreta isso como "Tão sombria a traição dos homens", que seria uma expressão perfeita de uma das filosofias centrais do Priorado de Sião, a de que homens poderosos dos primórdios da Igreja cristã traíram (*conned*) o mundo com um punhado de mentiras.*

Como acadêmico com treinamento clássico, Langdon não deveria aceitar tão prontamente o sentido de con, termo que, em inglês, está relacionado a *confidence game* ou a *confidence man*, envolvendo trapaças e engodos. Essa acepção tornou-se comum na língua inglesa em torno de 1886, portanto é relativamente recente. Na época de Shakespeare, a palavra *con* geralmente significava "conhecer", "aprender" ou ainda "memorizar". Para um acadêmico, o sentido mais provável da frase seria, então, "*So dark the knowledge of man*" (Tão sombrio o conhecimento dos homens).

PÁGINAS 138 E 139: — *Dan Brown descreve Silas lendo o Livro de Jó 38:11 na Bíblia que está no altar de Saint-Sulpice. "Encontrando o versículo 11, Silas o leu. Tinha apenas nove palavras. Confuso, tornou a lê-lo, sentindo que algo esta-*

va terrivelmente errado. O verso dizia apenas: 'Tu chegarás até este ponto e daqui não passarás.'"

O verso inteiro é um pouco maior. A Bíblia diz: "Tu chegarás até este ponto e daqui não passarás: aqui se quebrará a soberba de tuas vagas."

PÁGINA 147: *"O veículo era o menor carro que Langdon já tinha visto. 'É um SmartCar – disse ela. – Faz uns 100 quilômetros por litro."*

Lamento. O SmartCar tem estilo e é um carro econômico, mas não chega aos cem quilômetros por litro. Aliás, não está nem perto disso. Uma quilometragem típica seria algo em torno de dezenove quilômetros por litro. Durante muitos anos, o SmartCar fez enorme sucesso na Europa. Construído na Alemanha e na França, agora é propriedade da DaimlerChrysler sob a marca Mercedes Benz. Para ver alguns exemplos, visite www.smart.com.

Há uma série de versões do SmartCar com apenas dois lugares e um estilo sofisticado, originalmente projetado pela Swatch. Como esses carros têm somente dois metros e meio de comprimento, é possível colocar dois deles em uma única vaga.

PÁGINA 148: – *O destino é a embaixada dos Estados Unidos. Sophie entra na pista para o norte, rumo a Rue de Rivoli, e depois faz uma curva fechada à esquerda para entrar nessa rua, acelerando durante uns quinhentos metros até contornar um pequeno trevo. Ela sai do outro lado e entra na ampla avenida do Champs-Elysées. Agora a embaixada "ficava a apenas um quilômetro e meio dali", segundo Brown. Sophie faz uma curva fechada à direita, "dobrando rente ao luxuoso Hotel de Crillon", entrando no bairro diplomático. Subitamente estão a cem metros do bloqueio policial na Avenue Gabriel.*

Sophie está precisando de um mapa melhor. Quando estava dirigindo para oeste na Rue de Rivoli até o pequeno trevo, ela teria chegado à Place de la Concorde, uma enorme praça aberta que é um dos grandes centros de Paris. Ao norte dessa praça, há o hotel Crillon. A embaixada americana fica próxima a esse hotel, no local onde a Rue de Rivoli se torna Avenue Gabriel. Tendo encontrado o hotel, ela teria encontrado também a embaixada. (Uma das atrações dos quartos do Crillon é a vista da embaixada.)

PÁGINA 157: – *O destino é a Gare de Saint-Lazare. Sophie deixa a área da Rue Gabriel, para fugir ao bloqueio da polícia e segue de novo na direção oeste, rumo aos Champs-Elysées, entrando na rotatória do Arco do Triunfo e depois se dirigindo para o norte, provavelmente na avenida Wagram. No terceiro cruzamento, dobra bruscamente no Boulevard Malesherbes. Algum tempo depois, ela vira à esquerda e eles chegam à Gare de Saint-Lazare.*

Sophie continua precisando de um mapa melhor. Quando saiu da Rue Gabriel, se fosse para o norte, ela estaria a cerca de quinhentos metros da Gare de Saint-Lazare. Em vez disso, Sophie faz um longo desvio para oeste, depois para o norte, em seguida de volta para o sul e o leste e só então atinge o mesmo destino – o que significa um percurso cerca de dois quilômetros e meio mais longo do que precisaria ser. Talvez ela quisesse aproveitar a oportunidade para conhecer Langdon melhor.

PÁGINA 159: — *Dan Brown diz: "A* Architectural Digest *havia classificado o prédio do Opus Dei de 'farol luminoso do catolicismo, integrado de forma sublime na paisagem moderna'." Foi de fato isso que a revista publicou?*

Perguntamos à *Architectural Digest*. A resposta foi sucinta: "A *Architectural Digest* jamais escreveu sobre a sede do Opus Dei."

PÁGINA 164: — *Tentando sair de Paris, Sophie dá instruções ao motorista do táxi, e eles seguem para o norte pela Rue de Clichy. Pela janela do lado direito, Langdon vê Montmartre e a Sacré-Coeur.*

Isso é plausível.

PÁGINA 165: — *Enquanto prosseguem pela Rue de Clichy, Sophie descobre que o endereço na chave é Rue Haxo, 24. O motorista do táxi diz a ela que essa rua "ficava perto do estádio de tênis [Roland-Garros], nos subúrbios a oeste de Paris"... "O caminho mais rápido é através do Bois de Boulogne", explica o motorista.*

Esse motorista também precisa de um mapa melhor. Não é necessário atravessar o Bois de Boulogne para chegar ao estádio de tênis. Seria mais fácil pegar a Périphérique, uma via expressa que circunda a cidade e que leva diretamente a esse local.

Contudo, há uma grande discrepância nesse ponto, pois a Rue Haxo não fica nessa região de Paris. Na verdade, ela se localiza na parte leste da cidade.

PÁGINA 167: — *Fache descobre que Langdon comprou passagens de trem. "Para onde seguiram?", ele pergunta. "Lille", responde Collet, e Fache diz então: "Na certa foi para nos despistar." Por que ele está tão seguro disso?*

Talvez porque saiba que os trens para Lille não partem da Gare de Saint-Lazare, mas da Gare du Nord. Na página 152 de algumas das primeiras edições americanas do *CDV*, Langdon e Neveu compram passagens para o trem das 3h06, saindo da Gare de Saint-Lazare com destino a Lyon. Em edições posteriores, o trem sai da mesma estação no mesmo horário, mas vai para Lille. Normalmente, ninguém partiria da Gare de Saint-Lazare para nenhum desses dois destinos.

PÁGINA 169: — *Sophie pede a Langdon que lhe conte a respeito do Priorado de Sião. "A história da fraternidade estendia-se por mais de um milênio..." " 'O*

Priorado de Sião' – começou – 'foi fundado em Jerusalém em 1099 por um rei francês chamado Godofredo de Bouillon.'"

Se o Priorado foi fundado em 1099, como é que a sua história pode se estender por "mais de um milênio"?

PÁGINA 169: – *Dan Brown diz que o Bois de Boulogne é chamado pelos entendedores de Paris de "Jardim das Delícias" por causa de seus "corpos chamativos à venda, delícias terrenas para satisfazer os profundos desejos mais inconfessáveis de qualquer um – do sexo masculino, do feminino e de tudo o mais que houvesse entre os dois extremos."*

Nossos amigos franceses não o chamam de "Jardim das Delícias". Talvez tenha sido apenas uma desculpa para Brown introduzir uma referência a Hyeronimus Bosch e seu tríptico homônimo. É verdade, contudo, que à noite o parque fica cheio de pessoas que se prostituem, entre homens, mulheres e travestis.

PÁGINAS 171 E 172: – *Langdon descreve o plano, formulado pelo Papa Clemente V e o rei Filipe IV da França, para prender e executar os templários em uma ação conjunta que começaria na madrugada de sexta-feira, 13 de outubro de 1307. No livro esse fato é citado como o responsável direto pela atual crença de que as sextas-feiras 13 dão azar.*

Essa é apenas uma entre as muitas explicações a respeito da superstição em torno das sextas-feiras 13.

PÁGINA 178: – *O bispo Aringarosa pergunta a Silas: "Sabia que até Noé foi albino?" Isso é algo que um bispo diria?*

A Bíblia não diz que Noé era albino, mas o Livro de Enoque, um dos escritos apócrifos que foi omitido da Bíblia, faz a seguinte descrição do nascimento de Noé:

> De Lamech meu filho nasceu uma criança, distinta de todas as outras crianças. Não parece humano, mas, assemelhando-se à descendência dos anjos do céu, é de uma natureza diferente da nossa, e a carne do seu corpo é mais branca que a neve e vermelha como uma rosa; e o cabelo que lhe recobre a cabeça é como a lã branca e longo; e quando ele abriu seus olhos a casa inteira se encheu de luz.

Essa descrição é uma espécie de apêndice colado no fim do Livro de Enoque. É também difícil imaginar que um fiel supernumerário do Opus Dei, como Aringarosa, fosse citar textos apócrifos.

PÁGINA 180: — *Sentada ao volante do carro, Sophie segue "na direção oeste ao longo da Allé de Longchamp, deixando para trás o Jardim das Delícias".*

Ela diz a Langdon: "O motorista disse que [a Rue Haxo] fica ao lado do complexo de tênis de Roland Garros", e acrescenta, confiante: "Conheço a região."

Sophie ainda precisa de um mapa melhor. A Allé de Longchamp corre no sentido norte-sul e é mão única na direção norte. As quadras de tênis não ficam a oeste do parque, mas ao sul. De qualquer forma, como já dissemos, a Rue Haxo localiza-se na parte leste de Paris, a quilômetros de distância.

PÁGINA 181: — *O famoso quadro* Adoração dos Magos, *de Leonardo, foi esboçado pelo mestre, mas a tinta existente na tela foi aplicada por algum pintor anônimo que modificou sua composição original. Isso foi revelado por reflectografia de raios infravermelhos e raios X. O estudioso de arte Maurizio Seracini desvendou os segredos da pintura e o* New York Times *publicou um artigo a respeito.*

Totalmente correto. Seracini existe de fato – é um renomado historiador da arte. O artigo foi publicado por Melinda Henneberger em 21 de abril de 2002. Henneberger está fazendo pesquisas para um livro sobre a principal busca de Seracini, que visa encontrar um afresco perdido de Leonardo chamado *A Batalha de Anghiari.*

PÁGINA 184: — *O brasão na fachada do banco suíço faz Langdon se lembrar de que a bandeira suíça tem uma cruz de braços iguais.*

Não apenas a cruz exibe braços iguais, mas a bandeira oficial da Suíça é um quadrado perfeito (e não um retângulo, como de hábito), o que acentua ainda mais a simetria.

PÁGINA 184: — *Existe mesmo um "Banco de Custódia de Zurique"?*

O banco é chamado de Depository Bank of Zurich no original. Se for feita uma pesquisa no Google, por alguns instantes parece que o banco realmente existe. Depois se descobre que é, na verdade, parte de um site de Dan Brown / Random House. É um site divertido, com muitas piadas interessantes para os leitores do livro. Tente fazer uma pesquisa usando o nome "Robert Langdon", e você encontrará um outro site falso, mas igualmente divertido.

PÁGINA 194: — *"Do outro lado da cidade, Collet estava de pé na plataforma da Gare du Nord quando seu telefone tocou. Era Fache." O que Collet estava fazendo na Gare du Nord?*

Fache havia dito a Collet para alertar a próxima estação e fazer com que o trem fosse parado e vasculhado. Mandou Collet para supervisionar a operação. Fache aparentemente também se esqueceu de que os trens para Lille não partem da Gare Saint-Lazare, de forma que a Gare du Nord não seria a "próxima estação".

Nas primeiras edições do livro, é ainda menos plausível que Collet tenha ido à Gare du Nord, uma vez que o destino original de Sophie e Robert era Lyon, que fica ao sul de Paris.

PÁGINA 198: — *Vernet diz a Sophie que ela precisa de um número de conta de dez dígitos para usar a chave. "Dez dígitos. Sophie, relutante, calculou as possibilidades criptográficas. Dez bilhões de opções possíveis. Mesmo que ela pudesse contar com os mais poderosos computadores de processamento paralelo da DCPJ, precisaria de semanas para decifrar o código."*

Há várias coisas erradas na linha de pensamento de Sophie. Primeiro, a tarefa básica de fazer com que um computador gere os dez bilhões de números possíveis é bem fácil e qualquer computador comum de nossos dias processaria isso em alguns minutos. Não é preciso usar processamento paralelo ou supercomputadores. É verdade, contudo, que, se você insistisse em imprimir todos os números possíveis, iria esperar um bocado de tempo até a impressora terminar e teria que gastar bastante dinheiro em papel e toner.

No entanto, há algum tempo não se programam sistemas de segurança profissionais que permitam ao usuário fazer um grande número de tentativas para adivinhar uma senha. Sabendo que algumas pessoas cometem erros de digitação, há sistemas que permitem até três tentativas, mas o Banco de Custódia de Zurique é ainda mais rigoroso: Sophie só pode tentar uma vez, como é explicado na página 202.

PÁGINA 216: — *Sophie reflete sobre o críptex. "Se alguém tentasse abrir o críptex à força, a ampola se romperia e o vinagre rapidamente dissolveria o papiro. Se alguém conseguisse extrair a mensagem secreta, esta já seria uma massa de polpa sem informação alguma."*

Isso não nos parece plausível. O próprio papiro é feito de folhas dessa planta, sobrepostas e unidas com uma pasta de farinha, à qual um pouco de vinagre era acrescentado durante o processo de manufatura. As fibras são compostas basicamente de celulose, um material extremamente durável que não se dissolve instantaneamente em vinagre. Se o autor tivesse dito que a mensagem no papiro havia sido escrita com uma tinta que é solúvel em vinagre, seria uma boa explicação. Note que o críptex provavelmente continha um papiro feito ou comprado por Saunière, e não um papiro datado de quinhentos anos.

PÁGINA 216: — *O críptex possui cinco discos, cada um contendo vinte e seis letras. Sophie faz as contas: "26 à quinta potência. Mais ou menos 12 milhões de possibilidades".*

Sim. Onze milhões, oitocentos e oitenta e um mil e trezentos e setenta e seis, para ser bem preciso.

PÁGINA 232: — *Langdon começa a falar sobre o castelo de Sir Leigh Teabing, que ele diz ser próximo a Versailles. Na página 236, ele é descrito da seguinte forma: "O Château Villette, uma vasta propriedade de cerca de 750.000 metros quadrados, situava-se 25 minutos a noroeste de Paris, nos arredores de Versailles. [...] A propriedade ganhara o apelido afetuoso de Pequeno Versailles." O Château Villette é real e fica mesmo perto de Versailles?*

O verdadeiro Château Villette pode ser alugado para qualquer um disposto a pagar cinco mil dólares por noite, e seu nome tem circulado pela Web há algum tempo em listas de locais para locação. A cópia do anúncio publicitário do agente de locação situado na Califórnia diz que Villette fica "próximo de Versailles, a noroeste de Paris". A história desse castelo como contada no *CDV* corresponde à que está no site desse agente e inclui a participação de Le Nôtre (projetista de muitos dos jardins de Versailles) e de Mansart em sua construção, no século XVII. É certamente um belo castelo com um passado rico em histórias. Contudo, a não ser no jargão das empresas de locação, não diríamos que ele esteja "próximo a Versailles": o trecho de estrada que liga os dois tem cerca de trinta e um quilômetros de extensão.

PÁGINAS 239 E 240: — *Vernet telefona para o gerente noturno do banco e pede que ele ative o "transponder de emergência" do carro-forte. O gerente vai até a caixa de controle LoJack do banco e faz o que lhe foi solicitado, dizendo que ativar o transponder iria automaticamente alertar a polícia. Vernet aguarda no telefone para saber qual a localização do carro-forte. É assim que o sistema LoJack funciona?*

Não exatamente. Na França, o sistema LoJack é chamado de Traqueur. Em geral, requer um telefonema para a polícia, a fim de ativar o transmissor do veículo. Uma vez que isso tenha sido feito, é a polícia, em seus carros e helicópteros, que usa os dispositivos de rastreamento para localizar o veículo. Não é possível localizá-lo instantaneamente, a não ser que a polícia esteja pronta para entrar em ação e coordenar o trabalho de rastreamento. Isso pode levar algumas horas. Se alguém precisasse de resultados imediatos, seria necessário um sistema que transmitisse suas próprias coordenadas por GPS, como o "localizador GPS" mencionado na página 75.

O sistema Traqueur, contudo, oferece algumas vantagens. Primeiro, está disseminado por todo o território francês, que dispõe de uma boa cobertura policial, com mais de vinte e três mil viaturas e quarenta e dois helicópteros (a cobertura policial na França é bem melhor do que nos Estados Unidos, na verdade). Em segundo lugar, seu sinal discreto e codificado permite que a polícia se prepare em segredo para fazer a prisão, em vez de emitir um sinal que pode ser decodificado por qualquer um.

PÁGINA 243: — *Gárgulas! Flashback para uma lembrança de Sophie, uma visita à Notre-Dame com seu avô em um dia de tempestade. As gárgulas estão jorrando água por suas bocas. "'Elas estão gargarejando', disse-lhe o avô. 'E foi daí que veio esse nome bobo que elas têm: gárgulas.'"*

Não é bem assim. *Gargariser* é o termo francês atual para gargarejar. A raiz de gargarejar e de gárgula não é *gargariser*, mas *gargouille*, uma palavra em francês arcaico que significa "goela" ou "garganta". A etimologia completa, contudo, é mais interessante do que isso. De acordo com o mito, no século VII surgiu um dragão no rio Sena. Em vez de cuspir fogo, ele cuspia água. Seu nome era Gargouille, ou Garganta. Esse dragão continuou a inundar os vilarejos em torno de Paris até que o arcebispo de Rouen, St. Romain, o enfrentou e dominou, fazendo o sinal-da-cruz com os dois dedos indicadores. O dragão foi conduzido de volta a Paris, degolado e queimado. Sua cabeça foi colocada no alto de um prédio.

Muitos prédios, tanto os antigos quanto alguns dos novos, exibem criaturas assustadoras como parte de seus elementos arquitetônicos. Estritamente falando, apenas as criaturas que fazem parte das calhas, colocando a água da chuva para fora, são chamadas de gárgulas, em homenagem a Gargouille.

PÁGINA 243: — *Sophie diz que estudou "na Royal Halloway". É um bom lugar para se estudar criptologia?*

Sim, a Royal Halloway é parte da Universidade de Londres e oferece cursos de graduação bem cotados nas áreas de Matemática e Ciência da Computação, além de cursos de mestrado e doutorado. É também o centro do Information Security Group, um conclave de acadêmicos conhecido por seus trabalhos em criptologia.

PÁGINA 250: — *Sophie diz: "Espere aí. Está dizendo que a divindade de Jesus foi resultado de uma votação?" Teabing responde: "E um resultado meio apertado, por sinal."*

Santa charada, Batman! Vamos ver se o Supremo Tribunal resolve essa! O resultado da votação foi trezentos e dezesseis contra dois. Teabing acha isso um resultado apertado?

PÁGINA 251: — *Dan Brown diz: "Os Manuscritos do Mar Morto foram encontrados na década de 50, escondidos em uma caverna perto de Qumran, no deserto da Judéia."*

O ano exato foi 1947. Alguns beduínos estavam procurando uma cabra perdida quando encontraram a caverna com os vasos que continham os antigos pergaminhos. Inicialmente, foram achados sete pergaminhos, mas em pesquisas posteriores, feitas ao longo da década seguinte, descobriram-se milhares de fragmentos de manuscritos.

PÁGINA 251: – *"Como Constantino promoveu Jesus a divindade quase quatro séculos depois da sua morte, existem milhares de documentos contendo crônicas da vida Dele como homem mortal" – diz Teabing, referindo-se ao Concílio de Nicéia.*

Novamente, as contas estão confusas. Se Jesus morreu mais ou menos no ano 30 e o Concílio de Nicéia foi convocado em 325 d.C., quantos séculos se passaram? Parece-nos que foram três, e não quatro.

PÁGINA 263: – *Sophie lembrou-se de que "o governo francês, pressionado pelos padres, havia concordado em proibir um filme americano chamado* A última tentação de Cristo*".*

O governo francês não proibiu o filme. Dirigido por Martin Scorsese e lançado em 1988, *A última tentação de Cristo* é baseado em um romance publicado em 1955, do escritor grego Nikos Kazantzakis, também conhecido por ter escrito *Zorba, o grego*. O filme de fato mostrava o desejo que Jesus (Willem Dafoe) sentia por Maria Madalena (Barbara Hershey).

Quando o livro foi publicado, houve protestos, e sua proibição ocorreu em alguns lugares (no Vaticano, sobretudo), mas não na França. A Igreja Ortodoxa grega excomungou Kazantzakis. Na época do lançamento do filme de Scorsese, ocorreram protestos em quase todo o mundo. Em Paris, foi colocada uma bomba incendiária em um cinema; em outras partes da França, algumas salas de exibição sofreram ataques. Houve incidentes violentos em muitos países. Nos Estados Unidos, um manifestante jogou um ônibus contra a entrada de um cinema. Pelo menos dois governos proibiram o filme – o do Chile e o de Israel –, mas não a França.

Aliás, se Saunière se preocupava tanto em ser discreto, por que decidiu escrever essa carta para o jornal? E, se Sophie supostamente tem trinta e dois anos na época em que se desenrola a trama do livro – tendo nascido, portanto, em 1969 ou 1970 –, por que, aos dezoito anos (o filme é de 1988), ela fala sobre o assunto com o avô (na página 264) como se fosse uma criança, perguntando se "Jesus tinha uma namorada"?

PÁGINA 268: – *Na página 268, Aringarosa "tinha um jatinho fretado à sua espera" no aeroporto de Ciampino. Contudo, na página 290, ele se encontra a bordo de um Beechcraft Baron 58.*

O Beech Baron 58 não é um jatinho, mas um bimotor à hélice.

PÁGINA 289: – *A polícia encontra o Audi de Silas. "Tinha placas de agência de aluguel de veículos. Collet pôs a mão no capô. Ainda estava morno. Quente, mesmo." O que são placas de agência de aluguel?*

Não existem placas especiais para veículos alugados, mas há um sistema de códigos que algumas vezes fornece essa informação que ladrões, por exemplo, podem estar procurando. Cada região (departamento) da França possui um código diferente atribuído aos últimos dois dígitos de uma placa. Os impostos variam de acordo com cada departamento, então as agências de locação ficaram conhecidas pelas placas que terminam em noventa e nove, cinqüenta e um e vinte e seis, indicadores da região onde elas registram seus veículos porque os impostos são menores. No entanto, essa prática vem sendo abandonada nos últimos anos. Aqueles que conhecem o sistema, porém, conseguem identificar rapidamente veículos de outros departamentos.

PÁGINA 290:— *Aringarosa seguia "para o norte" sobre o mar Tirreno, em seu vôo de Roma-Ciampini para Paris.*

Quem voa diretamente para o norte partindo de Roma não chega ao mar. Seria preciso ir na direção noroeste ou oeste.

PÁGINAS 236 E 297: — *Na página 236, "Langdon parou o carro-forte bruscamente no início da estrada de acesso de pouco mais de um quilômetro e meio que levava à mansão". Na página 297, "um mar de luzes azuis e sirenes policiais surgiu no sopé do morro e começou a subir a estrada de acesso de 800 metros de comprimento".*

De fato, Leigh Teabing possui uma longa estrada de acesso à sua propriedade. Mas, afinal, ela tem mil e quinhentos metros ou oitocentos metros?

PÁGINA 298: — *Somos informados de que "Collet e seus agentes irromperam pela porta da frente [...]. Encontraram um buraco de bala no piso da sala de visitas, sinais de luta...". Algumas páginas depois, descobrimos que "Collet estava aliviado porque os peritos haviam localizado um buraco de bala no chão, o que pelo menos corroborava as alegações de Collet..."*

Puxa, nós achávamos que Collet informaria aos peritos que ele havia encontrado um buraco de bala, mas talvez tenha preferido deixar que eles se divertissem um pouco.

PÁGINA 299: — *Encontramos a seguinte descrição: "Collet correu até a porta, tentando enxergar na escuridão. Só conseguiu distinguir a vaga sombra de uma floresta à distância." No entanto, duas páginas depois, Rémy "estava conseguindo manobrar o veículo de forma impressionante através dos campos enluarados atrás do Château Villette".*

Talvez a Lua seja diferente nos dois extremos do terreno.

PÁGINA 311: — *"Os motores idênticos Garrett TFE-731 do Hawker 731 trovejaram."*

É possível entender de qual avião Dan Brown parece estar falando, mas quase ninguém o chamaria de Hawker 731. É um Hawker-Siddeley HS-125 com turbinas Garrett 731, e um modelo típico seria o HS-125-400-731. Originalmente construído pela De Havilland, passou depois para a British Aerospace e atualmente tem a marca Raytheon.

PÁGINA 318: — *Dan Brown descreve uma aquisição de trinta milhões e oitocentos mil dólares feita por Bill Gates: as "dezoito páginas de papel" que compõem o caderno de Leonardo conhecido como o* Códex Leicester.

As dezoito páginas na verdade são escritas na frente e no verso e podem ser dobradas em dois, criando um livreto de setenta e duas páginas. O milionário Armand Hammer havia comprado esse material e lhe dado um novo nome, *Códex Hammer*. Gates, porém, restaurou o título original, *Códex Leicester*. Hoje ele está no Museu de Arte de Seattle, embora já tenha percorrido o mundo e sido transformado em um CD interativo.

PÁGINA 352: — *"As turbinas do Hawker estavam ainda funcionando enquanto o jato finalizava sua rotação dentro do hangar, posicionando-se com o nariz virado para a saída, já em preparação para a decolagem seguinte. Quando o avião completou a volta de 180 graus e avançou para a porta do hangar..."*

Nenhum piloto de jatos tentaria fazer essa manobra. Pilotos não dirigem aviões dentro de hangares, ponto. Os vórtices das turbinas transformariam em projéteis mortíferos qualquer coisa que não estivesse aparafusada no hangar, e esse impulso provavelmente derrubaria até as paredes dali. Um piloto de Biggin Hill nos disse que isso seria uma "falta grave, passível de demissão".

PÁGINA 364: — *A Temple Church havia sido "seriamente danificada pelas bombas incendiárias da aviação alemã em 1940", de acordo com Dan Brown.*

As bombas incendiárias caíram na noite de 10 de maio de 1941.

PÁGINA 364: —*Quando Teabing e os demais chegam à Temple Church, "a chuva brilhava na pedra áspera das paredes". Um ou dois minutos depois, já dentro da igreja (página 637), "Teabing apontou para um vitral onde os raios do sol nascente refratavam-se através de um cavaleiro branco..."*

Devemos supor que tenha sido o único raio de sol em uma manhã bastante nebulosa e chuvosa. Ao longo do livro, durante toda a manhã em Londres, está chovendo, e algumas vezes chove fortemente.

PÁGINA 359: — *Teabing fala da Temple Church, dizendo que o lugar possui "dez das tumbas mais assustadores que você possa imaginar". Um pouco depois, já dentro da igreja (página 368), Langdon vê "dez cavaleiros de pedra. Cinco à esquerda. Cinco à direita. Deitadas de costas no chão, as figuras em tamanho natural, entalhadas em pedra, repousavam em posições pacíficas. [...] Todas as esculturas estavam muito desgastadas e, mesmo assim, cada uma delas se distinguia das demais por características muito específicas ...". Contudo, todos ficam surpresos ao notar que "um dos cavaleiros estava faltando".*

Não falta cavaleiro nenhum. Só há nove efígies de cavaleiros entalhadas em pedra. Isso não deveria ser uma surpresa para qualquer um que conhecesse a Temple Church.

Uma das principais razões para a aparência desgastada das esculturas é o dano causado pelos fragmentos que caíram em decorrência das bombas incendiárias lançadas pelos alemães em 10 de maio de 1941. O teto da Round Church queimou primeiro, seguido por todas as outras partes de madeira na igreja.

PÁGINA 381: — *A pistola de Rémy é uma "Medusa chassi J de pequeno calibre". Que arma é essa?*

Parece ser uma mistura de dois tipos de armas. O formato "J-frame" é normalmente associado a uma linha de revólveres fabricados pela Smith-Wesson, como, por exemplo, o Model 60, um revólver calibre 357 de cinco tiros.

A Medusa é um revólver muito especial fabricado pela Phillips & Rodgers, capaz de usar balas de diversos calibres cujo tamanho é similar, como .357, .38 ou 9 milímetros. O fabricante recomenda vinte e cinco tipos de cartuchos, mas a pistola é capaz de disparar cerca de cento e quatro tipos disponíveis em diversas partes do mundo. É um pequeno revólver de seis tiros. Por solicitação da polícia técnica, a arma é fabricada com nove raias e estrias, similares às dos rifles, o que a torna única entre os revólveres.

PÁGINA 386: — *No palheiro do celeiro do castelo de Villette, há uma estação de escuta que a polícia francesa considera "extremamente avançada [...]. Parte desse material aqui é tão sofisticada quanto nossos equipamentos da polícia. Microfones miniaturizados, células fotoelétricas de recarga, chip de memória volátil de alta capacidade. Ele até tem um desses nanodrives". A polícia descobre um sistema de recepção de rádio e chega à conclusão de que os microfones eram ativados por voz, para economizar espaço em disco rígido, gravando trechos de conversas durante o dia e transmitindo arquivos comprimidos de áudio durante a noite para evitar a detecção. "Depois da transmissão, o disco rígido se apagava e preparava-se para repetir o processo durante o dia seguinte." Collet se depara, então, com "uma prateleira sobre a qual se achavam empilhadas diversas centenas de fitas de áudio, todas rotuladas com datas e números". O que há de errado nesse trecho?*

Rápido! Encontre uma criança de dez anos e pergunte a ela se faria algum sentido armazenar arquivos de Mp3 em fitas cassete! (Para ser justo, explique antes à criança o que era "fita cassete" e como funcionava um "toca-fitas".)

Para os que não tiverem uma criança por perto: os arquivos comprimidos de áudio podem ser tocados diretamente no computador e armazenados no disco rígido do mesmo computador ou transferidos para um CD ou DVD, o que permite um armazenamento mais seguro. Consumiria um tempo absurdo e seria totalmente desnecessário fazer cópias em fitas de áudio. Aliás, o que são "nanodrives"? Estamos atentos aos desenvolvimentos em nanotecnologia e podemos imaginar vários dispositivos a serem criados no futuro, mas não temos idéia do que seja essa referência feita por Dan Brown – sabemos apenas que ele quer dar um toque futurista ao trecho.

PÁGINA 388: *Langdon e Sophie saltaram "uma roleta na estação de metrô Temple", indo da Temple Church para a biblioteca do Instituto de Pesquisas de Teologia Sistemática. Faz sentido pegar o metrô para fazer esse percurso?*

Não. Há dois problemas em relação a isso. Se Langdon quisesse encontrar o Instituto de Pesquisas de Teologia Sistemática, seria preciso que ele fosse até à sala 2E do Cresham Building, em Surrey Lane, num dia em que os membros desse instituto se reunissem. Para quem vai correndo até à estação de metrô de Temple, é melhor acelerar o passo e atravessar cerca de meio quarteirão até o Cresham Building.

A câmara octogonal descrita como a biblioteca do instituto, contudo, não será encontrada no Cresham Building. Provavelmente Dan se refere ao Round Room, que fica na biblioteca Maugham do King's College. Para chegar lá partindo de Temple Church, basta seguir na direção norte, cruzar a Strand e subir Chancery Lane. Fica a apenas um quarteirão de distância, e a estação do metrô é do outro lado.

PÁGINA 398: – *Dan Brown diz que há um "Instituto de Pesquisas de Teologia Sistemática" no King's College, em Londres. É verdade?*

Sim. Esse renomado instituto faz parte do Departamento de Teologia e Estudos Religiosos. Mas é apenas um conclave de acadêmicos que se encontram periodicamente em uma sala de palestras e muitas vezes realizam conferências sobre Teologia.

PÁGINA 398: – *Segundo Dan Brown, o Instituto possui uma sala principal de pesquisas que é uma "câmara octogonal impressionante". Sophie e Langdon chegaram no momento em que a bibliotecária fazia chá e estava se preparando para começar o expediente. Faz sentido?*

A sala descrita de fato existe e faz parte do King's College, mas fica na biblioteca Maugham, em Chancery Lane. Não pertence ao Instituto e, aos sábados, só abre às 9h30. Estimamos que Sophie e Langdon chegariam lá em torno de 8h30, no máximo – mesmo se perdendo um pouco antes...

PÁGINAS 400, 401 E 403: — *Dan Brown afirma que o Instituto vem usando, durante as duas últimas duas décadas, "um software de reconhecimento óptico de caracteres em conjunto com sistemas de tradução lingüística para digitalizar e catalogar um imenso acervo de textos — enciclopédias de religião, biografias religiosas, escrituras sagradas em dezenas de línguas, relatos históricos, cartas do Vaticano, diários de clérigos, qualquer coisa que se qualificasse como um texto sobre espiritualidade humana". É dito ainda que os dados podem ser acessados por meio de um computador de grande porte, capaz de pesquisar "algumas centenas de terabytes" de dados a uma velocidade de "500 MB por segundo". Esse sistema existe?*

Não. Entramos em contato com a faculdade do Instituto. Ficaram surpresos e acharam curioso descobrir que supostamente tinham um enorme computador com um vasto banco de dados.

Um dos professores nos respondeu: "Nossos computadores são apenas os micros dos membros da equipe" (na época, iMacs G3). Disse ainda: "Infelizmente não temos nenhum tipo de computador dedicado à tarefa de criar 'um imenso (ou mesmo um pequeno) acervo de obras teológicas'." E finalizou: "Tentei uma vez usar um software de reconhecimento óptico, mas foi um desastre tão grande que decidi digitar o texto manualmente."

PÁGINA 398: — *Sophie e Langdon aparentemente chegaram à biblioteca do instituto do King's College em torno das 8h30 de sábado, e ainda assim a encontraram aberta e contaram com a assistência da eficiente e amigável bibliotecária, Pamela Gettum. Isso nos parece improvável. A que horas esses madrugadores chegaram à Abadia de Westminster? Ela já estava aberta?*

Nossos cálculos mostram que eles provavelmente chegaram à Abadia de Westminster por volta de 8h45. Apesar de terem entrado ali sem a menor dificuldade, na prática ela só abre às 9h30. Esse é apenas um dos muitos problemas que encontramos na cronologia da narrativa do *CDV*. Outra incoerência está nas viagens de avião do bispo Aringarosa, que não estão de acordo com o restante da linha do tempo. Na hipótese mais extrema, ele poderia levar cerca de seis horas de Roma a Biggin Hill, com pontos intermediários que não fazem sentido na viagem. Além disso, se os eventos forem colocados em ordem seqüencial no livro, ele teria que chegar instantaneamente a Orme Court, 5 para que Silas pudesse ter atirado nele, quando, na prática, são necessários cerca de cinqüenta minutos para se chegar ao centro de Londres partindo de Biggin Hill.

Criamos uma cronologia detalhada do *CDV* e concluímos que, por mais improvável que pareça, pelo menos é tecnicamente plausível que toda a ação do livro se desenrole em vinte e quatro horas. Mais informações sobre o assunto estão disponíveis no site www.secretsofthecode.com.

PÁGINA 400: – *Ao pesquisar textos com as palavras-chaves da frase "a knight a Pope interred", Langdon encontra o seguinte resultado na pesquisa do computador do Instituto: "O enterro de Sir Isaac Newton, ao qual compareceram reis e nobres, foi presidido por Alexander Pope, amigo e colega, que fez um discurso comovente antes de jogar um punhado de terra na tumba" (página 413). Alexander Pope realmente compareceu ao enterro e leu um discurso?*

Não. O funeral de Newton, em 28 de março de 1727, foi impressionante pelas altas honrarias concedidas a Sir Isaac. Ele era considerado um semideus. De acordo com uma crônica dessa época, seu corpo foi trasladado da Jerusalem Chamber, na Abadia de Westminster, e a comitiva que transportou seu caixão incluía um lorde, dois duques e três condes. Sir Michael Newton conduziu o enterro, e o bispo de Rochester celebrou a missa.

Ainda que Alexander Pope talvez fosse o poeta mais eminente dessa época, ele entrou em cena mais tarde, quando um grupo de pessoas decidiu construir um monumento a Newton cerca de quatro anos após a sua morte. Como Pope tinha conquistado uma grande reputação como escritor de epitáfios brilhantes (e ganhava um bom dinheiro com isso), foi escolhido para escrever o epitáfio que seria colocado no monumento. Tornou-se um dos mais famosos de todos os tempos:

ISAACUS NEWTONUS:
Quem Immortalem
Testantur, Tempus, Natura, Caelum:
Mortalem
Hoc marmor fatetur.

"Nature, and Nature's laws, lay hid in night.
*God said, Let Newton be! And all was light."**

---

* Uma tradução aproximada seria: "A Natureza e as leis da Natureza escondidas na noite estavam. Deus disse: Faça-se Newton!, e tudo se fez luz."

Seguindo a Linha Rosa de Rosslyn até... Florença?

Considerações sobre a última ação no CDV

DAN BURSTEIN

Graças às habilidades de nosso guia de viagens, David Shugarts, chegamos a esse momento crítico. Ele nos guiou ao longo de quase quinhentas páginas, examinando os detalhes e falhas da trama do *CDV*. Passaram-se apenas oito horas, repletas de ação e detalhes, entre 0h32, quando o telefone acordou Robert Langdon de seus sonhos (sem nenhuma dúvida com o sagrado feminino) na confortável cama do Hotel Ritz de Paris, até esse momento, por volta de 8h45 do dia seguinte, quando ele e Sophie chegam à Abadia de Westminster. Nesse ponto, alguns dos maiores mistérios da trama saltam de trás das gárgulas onde estavam escondidos. A história do Mestre cai por terra. Seus motivos para ter colocado todo esse plano em movimento se mostram irracionais e implausíveis. O Priorado de Sião parece se acovardar frente ao seu legado, que ocupou grande parte do livro. E o terrível Opus Dei assemelha-se mais a uma humilde organização que provavelmente não iniciará novas conspirações ou intrigas. A grande menção feita ao lugar onde estaria, finalmente, o Graal Sagrado parece boba para muitos leitores.

Com tantas opções, o que vem a seguir é meu exemplo predileto de uma falha no enredo. Tudo nos levou a pensar que Sophie, também conhecida como "Princesa Sophie", neta do Grande Mestre e do avô Saunière, é a descendente, no século XXI, da linha real resultante da união de Jesus Cristo e Maria Madalena. A sugestão já havia sido feita brevemente no meio do livro, quando Sophie começa a ter a impressão de que pode ser descendente da linhagem de Jesus. Langdon lhe diz que, como Saunière não é um nome merovíngio e como ninguém na família dela se chama Plantard ou Saint-Clair, "é impossível" que ela de fato seja descendente de Jesus e Madalena.

No final do livro, contudo, Dan Brown mostra que estava apenas nos dando uma pista falsa. Marie Chauvel, esposa de Saunière e avó de Sophie, diz toda a verdade à neta: seus pais eram descendentes de famílias merovíngias, "descendentes diretos de Maria Madalena e Jesus Cristo". Os pais de Sophie haviam trocado seus nomes de Plantard e Saint-Clair muito antes, para se protegerem. "Seus filhos representavam a linhagem real sobrevivente mais direta, e por isso eram cuidadosamente resguardados pelo Priorado."

Poderosas forças do mal (presumivelmente a Igreja) haviam conspirado para matar Sophie e sua família e para erradicar a linhagem sagrada de uma vez por todas. Mas Sophie e seu irmão sobreviveram ao acidente de carro destinado a eliminar toda a família. Com os pais dela mortos, Saunière precisava agir rápido diante do perigo iminente. Ele separa os sobreviventes – traz Sophie para morar com ele, manda sua esposa e o neto para a Escócia (para a Capela Rosslyn), onde viveriam com identidades secretas e em completo isolamento, e depois corta a comunicação entre o par avô-neta em Paris e o par avó-neto na Escócia. Após tomar essas precauções a fim de garantir um belo futuro para os últimos descendentes da linhagem real, Saunière preocupa-se com a educação e o treinamento de Sophie, preparando-a para seu papel no futuro.

É então que Sophie testemunha uma lastimável e bizarra cena ao visitar a casa de campo do avô em um retorno imprevisto da faculdade. Ela fica tão traumatizada com o ritual do *hieros gamos* a que assistiu rapidamente que se recusa a voltar a falar com Saunière, a ler as cartas que ele lhe envia e a dar atenção a qualquer de seus esforços para explicar o que acontecera. Contudo, como é que o brilhante Saunière, um Leonardo da Vinci dos tempos modernos e grão-mestre do Priorado de Sião, não consegue fazer algo tão simples como encontrar uma forma de falar com a neta de quem tanto gosta? Cruzadas foram realizadas, guerras ocorreram, pessoas foram massacradas e fiéis torturados até a morte – tudo isso para proteger os segredos do Priorado de Sião. Mas agora Saunière não consegue transmitir esses mesmos segredos para a neta?

Além disso, se a linhagem é tão importante, se o Santo Gral gira de fato em torno do *sang real*, como é tantas vezes repetido ao longo do livro, como é possível que tanto Sophie quanto seu irmão – os dois últimos descendentes terrenos de Jesus Cristo e Maria Madalena, cuja família e cujos protetores da sociedade secreta mantiveram a salvo de todas as tentativas de se extinguir a linhagem real durante dois milênios – se encontram tão alegremente solteiros, sem compromissos, sem nem mesmo sinal de um possível namoro? Na história, é dito que Sophie tem trinta e dois anos. Seu relógio biológico com toda certeza está disparando. Ainda assim, ela não tem filhos. Isso é, para mim, uma enorme e evidente falha na trama. Então tudo termina aqui?

Não exatamente. Langdon convida Sophie a juntar-se a ele no mês seguinte em Florença, onde fará palestras. Eles poderão passar uma semana juntos em um hotel de luxo que Langdon chama de Brunelleschi. (Dan Brown provavelmente deu esse nome ao hotel como uma referência ao domo de Brunelleschi, local mais famoso de Florença, e talvez a metáfora definitiva para o seio feminino.) Sophie não quer saber de museus, tumbas, obras de arte ou relíquias. Langdon pensa: "O que mais eles poderão fazer?" Nesse ponto, ela o beija (na boca) e ele se lembra do que mais um casal poderia fazer em Florença durante uma semana. Portanto, deixamos Sophie e Langdon sonhando com Florença – a cidade de Leonardo da Vinci – e com o quarto de hotel que os aguarda.

Supondo que Langdon não seja tomado por uma grande ansiedade diante do pensamento de fazer amor com uma mulher que é descendente direta de Jesus Cristo – e não há motivos para achar que ele se sentiria pressionado, dada sua crença no sagrado feminino –, talvez ainda haja uma prole em vista. Teremos que esperar pela continuação.

Notas – Livro II – Parte I

1. Brown, Dan. *Anjos e demônios.* Rio de Janeiro: Sextante, 2004.
2. Disponível no site da Quadrante – Sociedade de Publicações Culturais: www.quadrante.com.br.

Parte II

Resenhas e comentários sobre o *CDV*

11 Comentários, críticas e observações

O CDV *é quente, os críticos ainda mais.*

– Manchete do *New York Daily News*,
4 de setembro de 2003.

O espetacular sucesso editorial do *CDV* gerou, de um lado, a felicidade de milhões de leitores, fãs e entusiastas. Por outro lado, suscitou uma ampla série de críticas.

Em geral, quando se fala das reações de críticos a livros, trata-se daquilo que críticos literários e jornalistas que escrevem resenhas publicam na mídia especializada. No caso do *CDV*, eles se mostraram bastante favoráveis.

Janet Maskin, do *New York Times*, disse que o livro é um "eletrizante romance de suspense, deliciosamente erudito", bem como um "thriller repleto de charadas e códigos a serem decifrados, estimulante e cerebral". Ela registrou também que sua reação podia ser resumida em uma só palavra: "WOW". (Seguindo o estilo Dan Brown, contudo, talvez ela tenha encontrado um trocadilho para seu comentário, observando que, se WOW for virado de cabeça para baixo, o termo resultante em inglês – MOM, "mãe" – estaria relacionado de forma crítica à essência maternal.) "Mesmo que ele não tivesse construído toda a trama em torno de uma busca pela essência perdida do sagrado feminino, as mulheres, em particular, iriam adorar o livro."

Patrick Anderson, em um artigo publicado no *Washington Post*, disse que é uma "façanha admirável" escrever um "thriller com um pano de fundo teológico, mantendo uma narrativa ao mesmo tempo fascinante e divertida".

Até mesmo grupos religiosos reagiram de forma positiva: não necessariamente a todo o conteúdo do livro, mas pelo menos à oportunidade que ele lhes proporcionou de emitir seus próprios comentários sobre os assuntos que aborda. Diversas igrejas promoveram retiros e organizaram grupos de discussão sobre o *CDV*.

Especialistas em assuntos antes considerados "esotéricos" (como a vida de Maria Madalena ou as idéias contidas nos Evangelhos gnósticos) subitamente ficaram com as agendas lotadas por causa de palestras patrocinadas pelas igrejas.

No site explorefaith.org, John Tintera escreveu: "Apesar de ser bastante simplista, ou por vezes completamente falso, acredito que o conteúdo religioso do *CDV* serve como um sinal de alerta para a Igreja cristã. Assim, ele convida todos os cristãos a observarem com novos olhos nossas origens e nossa história – no que ambas têm de negativo e positivo –, e isso definitivamente é algo que fazemos com menos freqüência do que deveríamos."

Aos poucos, entretanto, enquanto os leitores continuavam a devorar as aventuras de Robert Langdon e Sophie Neveu, outros críticos, que geralmente não escrevem sobre livros, começaram a expor suas opiniões. Surgiram manifestações de grupos religiosos que se sentiram ofendidos por aquilo que acreditam ser o desejo de Dan Brown de atacar ou difamar o catolicismo ou a cristandade. Foram escritos longos comentários em sites e em publicações religiosas, nos quais diferentes grupos responderam às idéias que consideram falsas no *CDV* – seja sobre a época em que os Pergaminhos do Mar Morto foram descobertos, seja sobre alguns dos detalhes do que aconteceu no Concílio de Nicéia. Ainda assim, os críticos religiosos estavam apenas comprovando uma tese de Dan Brown: eles se sentiram tão ameaçados pela popularidade do romance e pela possibilidade de que este viesse a sobrepujar os dogmas da Igreja – levando às pessoas uma visão alternativa da cristandade – que se sentiram na obrigação de iniciar discussões polêmicas com... um escritor de ficção popular!

A afirmação de que Dan Brown fez pesquisas extensas para escrever o romance também sofreu ataques poucos meses após a publicação do livro. Alguns viram o *CDV* como uma mera variante de obras como *O Santo Graal e a linhagem sagrada*[1] e *A grande heresia: O segredo da identidade do Cristo*,[2] títulos que são citados textualmente por Dan Brown no *CDV* e também listados em seu site como importantes fontes de pesquisa. Como é mencionado em diversos textos neste capítulo, *O Santo Graal e a linhagem sagrada* – cuja circulação tem sido grande desde sua primeira edição, lançada na Grã-Bretanha há mais de vinte anos – é geralmente considerado uma mistura ocultista de mito, lenda e completa fraude, em que aparecem intrigantes detalhes históricos.

Entrou em cena, ainda, outro escritor, chamado Lewis Perdue. Ele foi o autor de dois thrillers publicados antes do *CDV* – *The Da Vinci Legacy* (O legado de Da Vinci), de 1983, e *Daugther of God* (Filha de Deus). Existem elementos em suas tramas e personagens que Perdue assegura serem muito parecidos com os existentes no *CDV*. Entre as semelhanças: um segredo profundo e negro do início da era cristã envolvendo "uma messias" gnóstica chamada Sophia, curadores de arte assassinados, bancos suíços, Leonardo da Vinci, Maria Madalena, discussões sobre os cultos da deusa e muito mais. É possível que venhamos a acompanhar uma novela a esse respeito se desenrolando nos tribunais.

Além disso, parece que há outra batalha à vista em Hollywood, pois Ron Howard está preparando a versão filmada do *CDV* para a Sony Pictures, enquanto Mark Burnett, o criador da série de TV norte-americana *Survivor* (na qual a versão brasileira *No limite* foi baseada) adquiriu os direitos dos romances de Perdue.

No restante deste capítulo, apresentamos diversos comentários sobre o *CDV*, alguns ensaios críticos e observações de interesse para o leitor. Quem desejar participar do debate pode visitar nosso site em www.secretsofthecode.com.

O verdadeiro Código Da Vinci

LYNN PICKNETT E CLIVE PRINCE

Lynn Picknett e Clive Prince são ingleses, co-autores de *A grande heresia: O segredo da identidade do Cristo*[3] (citado textualmente no *CVD*). Eles contribuíram com o comentário a seguir para *Os segredos do Código*. Copyright © 2004 por Lynn Picknett e Clive Prince.

Devemos admitir que o *CDV* foi um presente de aniversário peculiar para nós, em 2003. Desde a sua seqüência de abertura no Louvre, ficamos presos ao livro, virando avidamente as páginas e nos deixando levar alegremente pela trama, assim como milhões de leitores,

Contudo, ao contrário desses outros fãs, tínhamos uma razão extra para estarmos curiosos: não é todo dia que vemos o título de nosso livro de 1997, *A grande heresia: O segredo da identidade do Cristo*, surgir nas páginas de um best-seller internacional como uma de suas quatro principais fontes. Portanto, não ficamos meramente felizes em sermos levados pela ação: por causa de nosso envolvimento, estampado com todas as letras no *CDV*, desde o início nos tornamos também *críticos*.

Não se pode negar que Brown soube transformar e transmitir o conceito da sociedade oculta, o Priorado de Sião, com seus supostos segredos sobre a linhagem de Jesus e Maria Madalena, em uma história sombria e turbulenta. Ele possui o mérito de ter apresentado essas idéias muito alternativas, que foram veiculadas pela primeira vez em *O Santo Graal e a linhagem sagrada*[4] (primeira edição, Grã-Bretanha, 1982), para uma audiência nova e entusiasmada que provavelmente jamais teria se dado ao trabalho de ler o original. Contudo, deve ser lembrado que o livro de Brown é *ficção* e que ele está fortemente baseado em outras obras – não apenas na nossa, mas, sobretudo, nessa que acabamos de citar, cujos autores são Michael Baigent,

Richard Leigh e Henry Lincoln. *O Santo Graal e a linhagem sagrada* fundamentou-se, por sua vez, em material fornecido por uma enigmática sociedade secreta, o Priorado de Sião, indicando que seus membros eram os guardiões de um grande mistério ligado à dinastia merovíngia de reis francos e a Maria Madalena. Segundo os autores, esse segredo é que Jesus e Maria Madalena seriam casados e teriam tido filhos, os quais cresceram na França e cujos descendentes deram origem à linhagem dos merovíngios.

Muitas pessoas acreditam que essa é a argumentação principal do Priorado de Sião. Na verdade, essa é a interpretação pessoal de Baigent, Leigh e Lincoln. A idéia foi explicitamente refutada pelo grão-mestre do Priorado de Sião, Pierre Plantard, para quem a importância dos merovíngios é que eles são, por direito, herdeiros do trono da França. Isto é, supondo que a França algum dia decida voltar a ter reis...

Não estamos nem um pouco convencidos da teoria da linhagem sagrada. Embora aceitemos que há muitas evidências de que Jesus e Maria Madalena tiveram um relacionamento físico – que pode ter resultado em filhos ou não –, seria muito ingênuo partir disso para incluí-los na história da linhagem merovíngia. Vamos supor, ainda assim, que realmente haja descendentes de Jesus perambulando pelo mundo em nossos dias: por que eles teriam algo de especial? Teologicamente, Jesus era especial por ser o único Filho de Deus. Seus filhos e os filhos de seus filhos, ao longo das gerações seguintes, possivelmente não teriam nada de divino em si.

Muitas pessoas, tomadas pela excitação e pelo lado romântico dessa história, parecem acreditar que, se houver descendentes de Jesus em nossos tempos, deve haver algo intrinsecamente especial a respeito deles. Entretanto, isso jamais foi o que Baigent, Leigh e Lincoln afirmaram. Para eles, o que importava era o fato de que esses descendentes seriam os herdeiros legais de alguns títulos e poderes, como o trono de Jerusalém. E o motivo pelo qual eles deveriam ser mantidos a salvo da Igreja era porque, por sua própria existência, provariam que Jesus nada mais era que um simples mortal.

As pessoas em sua maioria não perceberam essa questão, o que levou ao surgimento da teoria de que há algo inerentemente, talvez mesmo geneticamente, diferente no que se refere a essa linhagem sangüínea. Nós encaramos essa idéia como potencialmente perigosa, assim como é perigoso qualquer outro sistema elitista que privilegie algumas pessoas em detrimento de todas as outras com base em suas características físicas. Esse tipo de conceito pode facilmente tomar a forma da raça superior de Hitler ou da supremacia branca ou, ainda, da crença de que há pessoas portadoras dos genes da linhagem de Jesus, tornando-as automaticamente superiores ao restante de nós.

O aspecto referente à linhagem sagrada, no livro de Dan Brown, pode estar fundamentado em terreno movediço, mas concordamos que o "grande segredo herético", tão repulsivo e ameaçador para a Igreja, é realmente a sexualidade como sacramento

– o sagrado feminino. Isso era um segredo que precisava ser protegido pela Igreja e, *de fato,* envolvia Maria Madalena e Jesus. O verdadeiro papel de Madalena como uma sacerdotisa era a chave que, se revelada, teria permitido às pessoas desconstruírem os ensinamentos da Igreja, particularmente a respeito do lugar e da importância das mulheres. Pode-se até mesmo argumentar que ela tenha sido a mais importante das mulheres porque, apenas pelo ódio e pelo medo de seu verdadeiro poder, conforme comprovado nos Evangelhos gnósticos perdidos, a Igreja reprimiu numerosas gerações de mulheres e degradou a sexualidade como um todo em seu nome.

Mas o *CDV* concentra-se nas pinturas de Leonardo da Vinci, outra área na qual, em nossa opinião, Dan Brown erra feio. Ao tentar combinar nossas descobertas sobre o "código" de Leonardo com a teoria central de *O Santo Graal e a linhagem sagrada*, Brown deixou passar despercebida uma revelação muito mais impressionante e até mesmo mais chocante. O *verdadeiro* Código Da Vinci nos transporta a um mundo mais sombrio e desafiador.

Dan Brown resume nossa descoberta do estranho simbolismo existente na *Madona das rochas* (na versão que está em Paris; há uma segunda versão, menos interessante, na National Gallery de Londres). Nessa tela, em vez de encontrarmos o Menino Jesus com sua Mãe e o jovem João, o Batista com seu protetor tradicional, o arcanjo Gabriel, as crianças parecem estar com seus protetores trocados. Isso é particularmente interessante porque a cena foi retirada de uma história que a Igreja criou para evitar a contradição e o estranhamento gerados pelo fato de que, quando João batizou Jesus, ele deveria ter alguma autoridade para fazê-lo. Essa cena mostra o momento – ou pelo menos é nisso que devemos acreditar – em que o Menino Jesus investe João de sua autoridade para o restante de sua vida. De fato, o menino que está com Uriel levanta a mão, abençoando o outro menino, que se ajoelha de forma submissa. Contudo, o que aconteceria se os dois *não* estivessem com seus guardiões *trocados?* Como Dan Brown nos conta, João estaria abençoando Jesus, e Jesus estaria se ajoelhando, submisso, a João. Há outros elementos na pintura que confirmam essa interpretação. A próxima pergunta seria: como essa visão "joanita" (pró-João, o Batista) se alia à tese básica de Brown a respeito da linhagem sagrada? Ela não se alia. Isso nos salta aos olhos como algo que destoa completamente. É o que acontece quando se tenta misturar segredos não digeridos de Leonardo no contexto errado.

Após mais de uma década de pesquisas, descobrimos sucessivas evidências de que, sempre que possível, Leonardo da Vinci elevava João Batista acima de Jesus, numa indicação de que o considerava superior ao Cristo. Por exemplo, no famoso esboço de Leonardo, *A Virgem e o Menino com Santa Ana* (cerca de 1499-1500), que está na National Gallery, o grupo é formado pela Virgem Maria, Jesus, Santa Ana e o jovem João, o Batista. Mas quando Leonardo pintou a versão final, *Santa Ana, a Virgem e o Menino* (1501-07), vemos que o lugar de João foi tomado por um cordeiro, cujas orelhas Jesus puxa tão fortemente que costumávamos brincar que o título do quadro deveria ser "puxando as orelhas de um cordeiro". Na verdade, Jesus também prende, com uma de suas pernas gorduchas, o pescoço do animal, visivelmente *cortando-o*. Ora, como no Novo Testamento Jesus é chamado de "Cordeiro de Deus" por João, por que Leonardo representaria o próprio João como um cordeiro? Esse segredo pode estar na tradição existente entre os templários de honrar o Batista e retratá-lo como um cordeiro, como pode ser visto no selo de sua ordem no sul da França, por exemplo. Devemos enfatizar que isso é extremamente revelador: poucos não-templários sequer pensariam em representar João dessa forma. Devemos concluir, então, que Leonardo era de alguma forma um templário, duzentos anos após o extermínio brutal dessa organização?

Talvez fosse. Sabemos que o círculo interno dos templários mantinha uma enorme – e, segundo muitos, herege – reverência a João, o Batista, o que se encontra refletido em muitos outros trabalhos de Leonardo. A última de suas obras, pintada por vontade própria e sem que fosse comissionado, foi seu estranho e sombrio *João, o Batista*, que – juntamente com a *Mona Lisa* – adornava as paredes do quarto onde morreu na França, em 1519. Além disso, a única de suas esculturas que chegou até nós, uma obra conjunta com Giovanni Francesco Rustici (um conhecido e sinistro alquimista e necromante), é de João, o Batista. No momento ela se encontra na entrada do Batistério em Florença. O Batista está presente em várias partes da vida e obra de Leonardo, seja por acidente, seja propositadamente. Mesmo nos trabalhos comissionados que não requeriam sua inclusão, Leonardo encontrava alguma maneira de colocar uma sutil referência simbólica a ele, tal como a alfarrobeira – habitualmente associada a João – que está na *Adoração dos magos* (cerca de 1481), obra inacabada, na qual a árvore está sendo venerada por jovens saudáveis, com uma aura de luz, enquanto a Sagrada Família é ameaçada por um grupo de figuras velhas e medonhas, semelhantes a mortos-vivos. O jovem que se encontra de pé, radiante, perto das raízes da alfarrobeira de João está fazendo aquilo que passamos a chamar de "gesto de João" – o dedo indicador direito levantado em direção ao céu. A escultura de Leonardo apresenta o mesmo gesto, assim como sua última pintura, *João, o Batista* (1513-16). Claramente o gesto é usado para representar ou simbolizar o Batista, que pode estar ou não presente no trabalho. Uma das figuras na *Última Ceia* (1495-97), seu famoso afresco, também está com o dedo indicador bem na frente do rosto de Jesus, de forma quase ameaçadora. Isso pode ser, pelo menos em parte, uma referência a uma relíquia que se dizia estar em poder dos templários – supostamente o próprio dedo indicador de João Batista – e que teria sido mantida no templo de Paris. Mas o gesto na *Última Ceia* parece ter no mínimo um duplo sentido.

Leonardo, descobrimos mais tarde, não estava sozinho em seu "joanitismo". Na verdade, em vez de ser basicamente cristão, o Priorado de Sião, não importando o quanto suas crenças estivessem entrelaçadas ao romance de Madalena, também nos revela uma fascinação similar por João. Quando essa sociedade afirma que Leonardo foi um de seus membros, isso nos soa demasiado significativo para ser apenas coincidência. Quem despertou nossa atenção para esse aspecto foi o primeiro de nossos contatos com o Priorado, conhecido apenas como Giovanni (João!), em 1991. Chegamos até mesmo a rastrear essa crença nos documentos dessa organização, e o exemplo mais óbvio é o fato de que todos os seus grão-mestres sempre adotam o nome João (ou Jean ou Giovanni): Leonardo era, de acordo com a lista do Priorado, João IX. E será somente coincidência que "Sião" seja o termo galês para João? Mais intrigante ainda é o fato de que o Priorado começou a contagem dos grão-mestres por João II. Como disse Pierre Plantard, João I "estava simbolicamente reservado para Cristo". Mas por que Cristo seria chamado de João? Poderíamos especular que, para os joanitas, João, o Batista, é o verdadeiro Cristo – e que, no fim das contas, este último seria apenas "aquele que foi sagrado" ou "o escolhido".

Esse perturbador joanitismo também está presente em uma publicação de 1982 apoiada pelo Priorado, que descreve os templários como os "portadores da espada da Igreja de João", ao mesmo tempo em que declaram que a ordem desses cavaleiros e o Priorado já haviam sido, no passado, mais ou menos a mesma organização.

Graças a Leonardo e à sua perigosa visão herética – sem mencionar o Priorado de Sião, sejam eles quem realmente forem –, fomos sugados por águas muito profundas. Subitamente nos vimos diante da extraordinária revelação de que havia uma antiga tradição na qual João, o Batista era reverenciado, e Jesus era visto como um ser inferior, sendo algumas vezes até mesmo insultado.

Essa Igreja joanita, com ramificações não só na Europa herege como também em uma tribo do Oriente Médio, tem sido amplamente ignorada tanto por acadêmicos quanto por pesquisadores independentes. No entanto, ela sempre esteve presente, sob a superfície, com seus segredos expressos de diversas formas e, certamente, nos trabalhos do grande mestre da Renascença, Leonardo da Vinci. Seja qual for a reação de cada um a essa heresia sem redenção, o verdadeiro "código secreto" de Leonardo é consideravelmente mais interessante e desafiador do que a idéia de que Jesus e Maria Madalena tiveram filhos.

Por que a perna do Menino Jesus aparentemente corta o pescoço do cordeiro? *Por que* ele parece estar puxando as orelhas do cordeiro? *Por que* um dos discípulos faz o ameaçador gesto de João na frente do rosto de Cristo na *Última Ceia? Por que* os que veneram a Sagrada Família na *Adoração dos magos* têm aspecto de moribundos malignos, enquanto os que veneram a alfarrobeira estão cheios de saúde e vitalidade? Haveria alguma conexão com a interpretação ligeiramente diferente da relação de Jesus e João que alguns dos teólogos contemporâneos estão silenciosamente admitindo?

Ficção religiosa

DAVID KLINGHOFFER

David Klinghoffer publicou recentemente pela Doubleday *The Discovery of God: Abraham and the Birth of Monotheism* (A Descoberta de Deus: Abraão e o nascimento do monoteísmo). O artigo a seguir foi originalmente publicado na *National Review*, em 8 de dezembro de 2003. Reproduzido sob permissão da *National Review* – 215 Lexington Avenue, New York, NY 10016.

Quando um romance se mantém nos primeiros lugares da lista de mais vendidos do *New York Times* durante seis meses significa que algo de interessante está ocorrendo. O que torna o *CDV*, de Dan Brown, tão especial? Depende do que faz as teorias da conspiração tão interessantes.

A teoria da conspiração que está no centro do fabuloso best-seller de Dan Brown já circula, sob diferentes formas, há alguns anos, e não foi inventada por ele. Contudo, é particularmente interessante, e o autor soube tirar grande proveito dela, criando uma história com "deixas" sempre eficazes no final de quase todos os seus cento e cinco capítulos. O livro prende a atenção do leitor de forma irresistível. Isso é uma façanha da narrativa que merece ser chamada de arte, independentemente do que Harold Bloom, o famoso crítico literário, possa ter dito há pouco tempo ao debochar de Stephen King (outro escritor que possui o mesmo dom), classificando-o de "absolutamente inadequado" quando esse autor recebeu um prêmio literário pelo conjunto de sua obra. Se você não acredita que escrever nessa linha seja algo digno de respeito, tente pensar, por conta própria, em uma trama tão intrincada quanto a desse livro. Uma vez que o romance de Dan Brown é uma ficção, ele pode tirar melhor proveito da tensão inerente ao fato de abrir antigas portas que talvez nunca devessem ser abertas. Ele é perspicaz, conciso e esperto, ainda que o leitor deva estar preparado para encontrar a expressão "o sagrado feminino" muitas vezes ao longo do livro – se isso o deixar enjoado, o ideal é nem começar a leitura.

A melhor coisa a respeito do *CDV*, contudo, é que a conspiração é incrivelmente bem pensada. E o que torna uma conspiração interessante? Ela não precisa ser real – e a desse romance certamente não é, ainda que Brown comece o livro com um título, com maiúsculas, em que se lê: FATOS. Um dos requisitos para uma boa conspiração é uma teia complexa de lendas. O autor acertou em cheio nessa parte, pois fornece muitos detalhes fascinantes – históricos ou quase históricos –, como o significado do simbolismo da rosa, a seqüência de Fibonacci, um antigo código hebraico conhecido por Atbash e muito mais, com ênfase nos significados ocultos das pinturas e desenhos de Leonardo da Vinci, entrelaçando essas informações na história de forma envolvente.

Acima de tudo, uma conspiração realmente interessante deve explicar algo que, até aquele momento, o leitor nem sabia que existia ou precisava ser revelado. Alguma coisa relacionada a uma verdade, ou pelo menos a uma *pseudoverdade*, que tenha um significado profundo. Novamente, basta que o significado seja *pseudoprofundo*, pois estamos falando de ficção e diversão! O *CDV* reúne todos esses elementos.

Ainda assim, esse livro não é para todos, por uma simples razão. Nesse tipo de thriller é essencial que haja algo extremamente importante e urgente que esteja em risco, caso a conspiração seja revelada. Aquilo que está em jogo no livro é a própria tradição da cristandade. Descobrimos que o Graal Sagrado não é, como pensávamos, uma taça sagrada, mas o sangue sagrado, a linhagem de Jesus de Nazaré. Segundo essa teoria, o fundador da cristandade possui uma filha com Maria Madalena, chamada Sara. Ora, se a teoria fosse verdadeira, jogaria por terra muitos dos dogmas e crenças centrais dos cristãos.

Como um judeu praticante, com certeza não posso ser acusado de estar favorecendo os dogmas cristãos. Isso deve me dar uma boa credibilidade quando digo que a teoria do "sangue sagrado" – a teoria segundo a qual Jesus teve descendentes – é demasiado amalucada para ser levada a sério. Qualquer sugestão de que um fato de tamanhas proporções pudesse ter sido mantido em segredo durante dois mil anos é absurda. Brown reconhece que há um mérito – alguma beleza e verdade – na cristandade. Mas esse mérito, tal como é visto por ele, está muito distante da fé real dos cristãos de nossos tempos. Qualquer cristão que se sinta ofendido por uma ficção que entra em conflito direto com sua fé certamente deveria evitar a leitura desse livro.

De qualquer modo, se eu fosse um cristão, acho que me sentiria ligeiramente perturbado pelo fato de que outros cristãos, meus irmãos de crença, pudessem ver nesse romance uma ameaça à sua fé. Algumas revistas católicas publicaram negações detalhadas do *CDV*. O fato de acreditarem que tal refutação de uma obra ficcional é necessária prova que muitos católicos, e muitos leitores em geral, estão levando o livro muito mais a sério do que deveriam. Também nos faz pensar que os problemas da educação religiosa católica são tão graves quanto os católicos conservadores nos têm dito nesses últimos tempos. Se os responsáveis por essa instrução estivessem fazendo seu trabalho direito, qualquer católico que levasse a sério sua crença e já tivesse terminado a escola primária saberia que o romance de Brown é completamente falso.

O que dizer a respeito da influência do livro em relação ao público em geral? Nesse ponto, sinto-me tranqüilo ao pensar que há uma profunda religiosidade em qualquer conspiração, mesmo nas ficcionais. Reflita sobre isso na próxima vez em que você estiver na praia num dia de vento frio. Mesmo em um dia assim haverá pessoas sentadas em toalhas, vestindo agasalhos e olhando o mar. Por quê? Porque, quando observamos o oceano, temos a nítida sensação de que, por baixo da superfície, existe um enorme mundo oculto de criaturas exóticas que normalmente não podem ser vistas. A percepção de que há uma diversidade tão grande de formas de vida logo abaixo da superfície é, de modos diversos, um reflexo parcial de nosso próprio cotidiano. É isso que nos fascina em relação ao oceano. É o que mantém nossos olhos fixos no ondular do mar, mesmo que "nada" esteja acontecendo lá.

Essa mesma sensação é o que torna uma conspiração tão interessante: a revelação de uma complexidade próxima a todos nós, mas ao mesmo tempo oculta. É também aquilo que atrai muitos de nós para a espiritualidade – a percepção não racional, a intuição poderosa e impossível de provar de que há uma existência além de nossa vida mundana. O *CDV* pode até ser "tolo", mas, em seu próprio estilo, é interessante e intrigante. Se a popularidade desse livro significa que as pessoas estão pensando a respeito do invisível, isso certamente é uma boa notícia.

[No *CDV*, Sophie Neveu surpreende-se ao descobrir que um livro chamado *O Santo Graal e a linhagem sagrada* – uma entre muitas obras realmente publicadas que constam da biblioteca fictícia de Leigh Teabing – foi um "best-seller internacional", e, no entanto, ela jamais ouvira falar dele.

"Você era pequena ainda", diz Teabing. O livro "causou o maior rebuliço na década de 1980. Para o meu gosto, os autores foram um tanto entusiasmados demais na análise, mas a premissa fundamental é perfeita, e, para seu crédito, finalmente conseguiram divulgar a idéia da linhagem real de Cristo".

É um parágrafo irônico, por diversas razões. Primeiro, o próprio Teabing é um caráter composto com base em elementos da vida real dos três autores de *O Santo Graal e a linhagem sagrada*. "Leigh" vem de Richard Leigh, e o sobrenome é um anagrama de Michael "Baigent". Ao declarar abertamente que os autores foram exagerados em sua análise, Teabing (e seu criador, Dan Brown) parece assinalar que eles estão a par dos detalhes relativos às questionáveis pesquisas contidas em sua obra, assim como de todas as afirmações de engodo e fraude que têm circulado em torno do desejo contemporâneo de Pierre Plantard (e de outros cidadãos franceses) de declarar-se membro do Priorado de Sião, sem esquecer as tentativas de diversos escritores de tornar real um Priorado de Sião diretamente descendente dos templários e dos reis merovíngios.

Apesar de Teabing expressar reservas quanto aos exageros dos três autores, não há dúvida de que *O Santo Graal e a linhagem sagrada* exerceu forte influência sobre o pensamento de Dan Brown durante a construção da trama do seu romance. Para auxiliar os leitores do *CDV* a entenderem melhor os argumentos de *O Santo Graal e a linhagem sagrada*, reproduzimos um trecho do livro no capítulo 6. A seguir, Laura Miller, do *New York Times Book Review*, faz uma análise crítica dessa obra e do papel dos argumentos que ela apresenta em relação à trama do *CDV*.]

Da Vinci, o conto-do-vigário

LAURA MILLER

A enorme vendagem do *CDV* tornou algumas criaturas estranhas o centro das atenções, e nada mais estranho do que o peculiar *O Santo Graal e a linhagem sagrada*,[5] de Michael Baigent, Richard Leigh e Henry Lincoln. Esse livro, que teve grande repercussão nos anos 1980, está novamente subindo nas listas de mais vendidos, dada a sua relação com o livro de Dan Brown, que, por sua vez, inspirou uma nova leva de livros não ficcionais, como este que você está lendo agora e *Quebrando o Código Da Vinci*.[6] Todo o *CDV* é uma longa cena de perseguição na qual os personagens principais fogem de um sinistro policial francês e de um monge albino assassino, mas seu espetacular sucesso não está fundado apenas nesse suspense rudimentar. Em intervalos regulares, o livro faz súbitas pausas em sua intrincada trama para brindar o leitor com pílulas de informação a respeito de uma conspiração iniciada séculos atrás que, supostamente, preservou um enorme segredo sobre as raízes da cristandade. Esse material "documental" dá ao *CDV* o frisson da autenticidade e foi em grande parte extraído de *O Santo Graal e a linhagem sagrada*, uma das maiores obras de pseudo-história pop de todos os tempos. Mas o que está ficando cada vez mais evidente é que tanto o *CDV* quanto o *Santo Graal e a linhagem sagrada* estão fundados em um notável conto-do-vigário, em um duplo sentido.

A história que está por trás de ambos os livros, como a maioria das teorias da conspiração, é difícil de ser resumida. As duas narrativas começam com um mistério que conduz as investigações a intrigas cada vez maiores e mais terríveis. No romance de Brown, tudo começa com o assassinato do curador do Louvre. No *Santo Graal e a linhagem sagrada*, a trama gira em torno da misteriosa riqueza adquirida súbita e inexplicavelmente por um vigário num vilarejo da França. No final dos anos 1960, Henry Lincoln, um roteirista da TV britânica, interessou-se por Rennes-le-Château, uma cidade que se tornaria o equivalente francês a Roswell ou ao Lago Ness, por causa de alguns livros populares escritos por Gérard de Sède. Gérard divulgou uma história a respeito de pergaminhos supostamente encontrados em um pilar oco pelo vigário de Rennes-le-Château em torno de 1890. Esses manuscritos continham mensagens codificadas que esse pároco, de alguma forma, transformou em um bocado de dinheiro. Lincoln trabalhou em uma série de documentários do tipo "acredite... se quiser" sobre Rennes-le-Château, tendo depois chamado Baigent e Leigh para realizarem pesquisas mais aprofundadas.

Aquilo que é possível extrair da enorme quantidade de nomes, datas, mapas e árvores genealógicas existentes em *O Santo Graal e a linhagem sagrada* é um novelo de fábulas sobre uma sociedade secreta e altamente influente chamada Priorado de Sião, que teria sido fundada em Jerusalém em 1099. É dito que o propósito da intriga seria guardar documentos e outras provas de que Maria Madalena foi esposa de Jesus (que pode ou não ter morrido na cruz) e de que ela levou consigo o filho deles quando fugiu para o atual território da França, após a crucificação, tornando-se, figurativamente, o Santo Graal dentro do qual o sangue de Jesus foi preservado. Seus descendentes teriam se casado com famílias locais, dando início à dinastia merovíngia de monarcas francos. Ainda que essa dinastia tenha sido deposta do trono no século VIII, a linhagem merovíngia não estaria perdida: o Priorado teria cuidado de seus descendentes, esperando um momento adequado para revelar a verdade e devolver o trono da França a seu legítimo monarca – ou, quem sabe, restaurar o Sagrado Império Romano.

Todos os suspeitos habituais, assim como recursos comuns de histórias paranóicas se misturam dentro dessa tramóia de mil anos. Os cátaros, os templários, os rosa-cruzes, o Vaticano, os franco-maçons, os nazistas, os Pergaminhos do Mar Morto, os Protocolos dos Sábios de Sião, a ordem Golden Dawn – *todo mundo*, com exceção talvez do Abominável Homem das Neves, parece ter sido incluído nessa história. *O Santo Graal e a linhagem sagrada* é uma obra-prima de insinuações e suposições, que emprega todas as técnicas de pseudo-história para criar uma grande ressonância, justificando seu passe de mágica como uma inovadora técnica acadêmica chamada "síntese", antes considerada excessivamente "especulativa" por aqueles cujo pensamento foi indevidamente moldado pela "chamada Iluminação do século XVIII". Comparando a si mesmos com os repórteres que desvendaram o escândalo de Watergate, os autores defendem o ponto de vista de que "apenas através dessa síntese é possível perceber a continuidade subjacente, o tecido unificado e coerente que reside no centro de qualquer problema histórico". Para chegar a esse ponto, claro, é preciso antes compreender que "não é suficiente se ater unicamente aos fatos".

Livres desse compromisso, Lincoln, Baigent e Leigh inventaram um argumento que está mais para "factóide" do que para fato. Dezenas de detalhes aceitáveis são acumulados, a fim de proverem um pano de fundo que legitime absurdos estapafúrdios. Lendas peculiares (como a de que os reis merovíngios eram capazes de curar com seu toque) são apresentadas como pistas importantes ou charadas a serem resolvidas. Interpretações altamente contestadas (como, por exemplo, a de que um antigo romance da busca pelo Graal menciona que esse cálice estava sob a proteção dos templários) são apresentadas como verdades estabelecidas. Algumas fontes, como o Novo Testamento, são qualificadas de "questionáveis" e derivativas sempre que entram em choque com a teoria da conspiração, sendo depois microscopicamente examinadas até que se encontre alguma evidência que apóie esse raciocínio. Os autores vão tecendo camadas de conjecturas incoerentes umas sobre as outras até formarem uma teia suficientemente densa que dê a ilusão de solidez. Apesar de ser completamente fictícia, espúria e falsa, é uma narrativa impressionante.

Por último, a legitimidade da história do Priorado de Sião se apóia num conjunto secreto de trechos e documentos apócrifos que até mesmo os autores de *O Santo Graal e a linhagem sagrada* sugerem terem sido depositados na Biblioteca Nacional de Paris, por um homem chamado Pierre Plantard. No início da década de 1970, um dos colaboradores de Plantard admitiu que havia ajudado a forjar os documentos, inclusive as árvores genealógicas que situam Plantard como descendente dos merovíngios (e, conseqüentemente, de Jesus Cristo). Outro documento forjado era a lista dos "grão-mestres" do Priorado. Essa relação ingênua de celebridades do meio intelectual inclui Botticelli, Isaac Newton, Jean Cocteau e, claro, Leonardo da Vinci. É a mesma lista que Dan Brown exibe logo na abertura de seu livro junto com a suposta lista de fundadores do Priorado em 1099, tudo isso sob a palavra FATOS, com maiúsculas. Plantard, como se descobriu mais tarde, era um malandro inveterado, possuidor de uma ficha policial por fraudes e pelas associações que fez durante a Segunda Guerra com grupos anti-semitas e de extrema direita. O verdadeiro Priorado de Sião foi um pequeno e inofensivo grupo de amigos com interesses em comum fundado em 1956.

A fraude de Plantard foi desmascarada por uma série de livros franceses (ainda não traduzidos) e por um documentário de 1996 da BBC. Curiosamente, contudo, esse conjunto de revelações não se mostrou tão popular quanto a fantasia tresloucada do *Santo Graal e a linhagem sagrada* ou, por falar nisso, do *CDV*.

A única coisa mais poderosa que uma conspiração mundial, ao que parece, é o nosso desejo de acreditar que exista uma.

A invenção à francesa
Separando os fatos da ficção na curiosa história de Rennes-le-Château

AMY BERNSTEIN

Amy Bernstein é uma especialista em poesia francesa da Renascença. Para *Os segredos do Código*, ela pesquisou recentes publicações francesas, bem como discussões públicas, sobre o debate em torno do Priorado de Sião, a sociedade secreta que é tão central na trama do *CDV*. Afinal, estamos falando de uma organização real ou de uma fraude elaborada no século XX? Eis o que ela tem a dizer...

Como perfeitos ovos-nevados que, ao serem saboreados, se revelam quase que inteiramente feitos de ar, a história de Rennes-le-Château–Prieuré de Sion (Priorado de Sião) é uma magnífica invenção francesa de pseudo-história construída sobre uma delicada subestrutura de verdades. Muitas pessoas já analisaram o conjunto de fatos e lendas envolvidos nessa trama. Minha conclusão, após pesquisar os documentos mais confiáveis sobre o assunto, é de que, no início dos anos 1950, um pequeno grupo de homens com tendências neocavalheirescas, nacionalistas e, por vezes, anti-semitas, foi capaz de perpetrar algo que muito provavelmente é uma fraude maravilhosamente intrincada que ainda convence muitos leitores em nossos dias.

A história desse logro é melhor do que qualquer trama de best-seller. Não é de surpreender, então, que o *CDV* – que se passa, na maior parte do tempo, na França contemporânea – esteja amplamente baseado nos detalhes do caso do Priorado de Sião–Rennes-le-Château, conforme descrito no best-seller de 1982, *O Santo Gral e a linhagem sagrada.*[7] Ao apresentar Jacques Saunière, o diretor do Louvre assassinado no primeiro capítulo – personagem que possui o mesmo sobrenome da figura central do enigma de Rennes-le-Château –, Dan Brown continua a partir do ponto em que a trama original terminou. Assim, ele se junta a muitos outros na França e na Inglaterra que praticamente criaram uma indústria de derivados com base num obscuro drama provinciano que ocorreu há mais de cem anos. Essas são as linhas básicas da história original de Rennes-le-Château–Prieuré de Sion.

Em 1885, o abade Bérenger Saunière, um jovem culto pertencente a uma família local, tornou-se pároco da igreja de Santa Maria Madalena em Rennes-le-Château, uma cidade isolada no departamento de Aude no sudoeste da França, não muito longe de Le Bezu, um pico montanhoso no qual, sem dúvida, Dan Brown se inspirou para nomear outro personagem de seu romance, o capitão da Diretoria Central da Polícia Judiciária, Bezu Fache.

O ano em que o abade Saunière foi nomeado pároco foi também marcado por eleições políticas nacionais, nas quais os candidatos deviam, obrigatoriamente, tomar uma posição quanto à questão de a França voltar a ser uma monarquia de orientação católica ou permanecer uma república com separação constitucional entre a Igreja e o Estado. Durante o período eleitoral, Bérenger Saunière envolveu-se nesse debate, adquirindo a reputação de ser um ferrenho defensor do retorno à monarquia católica. Como resultado de seu posicionamento, recebeu a proteção da condessa de Chambord (viúva do herdeiro do trono da França), que teria dado ao pároco mais de três mil libras para obras de reforma em sua igreja.

No final da década de 1880, durante o trabalho de renovação da igreja, que estava em péssimo estado de conservação, Saunière teria descoberto alguns pergaminhos codificados, escondidos em um pilar oco que sustentava o altar. Conta-se que, aconselhado pelo bispo Félix-Arsène Billiard, ele levou os pergaminhos a Paris para mostrá-los a especialistas. Durante sua estada na cidade, teria entrado em contato com um círculo de ocultistas e esotéricos, entre os quais Emma Calvé (com quem supostamente teve um caso). Ao voltar de Paris, de repente – e sem nenhuma razão aparente – passou a ter acesso a grandes quantias de dinheiro, com as quais financiou diversos projetos de construção. Entre eles, a reforma de sua antiga igreja paroquial e a construção de uma grande casa (a Vila Betânia) e de uma torre (a Torre de Magdala), que usou como escritório e biblioteca para sua crescente coleção de livros. Saunière manteve um estilo de vida pródigo, apesar da pequena soma que recebia como pároco. Dizem que conduziu muitas escavações noturnas dentro e ao redor da igreja. Os rumores, nunca comprovados, eram de que ele havia encontrado tesouros ocultos em vários locais daquele terreno.

Finalmente, veio a público a informação de que o abade Saunière estava vendendo missas de indulgência por correspondência para toda a Europa, o que seria uma explicação plausível para sua riqueza. Ele foi então destituído da posição de pároco e proibido de celebrar missas. Depois, foi julgado e condenado pelas autoridades eclesiásticas de Carcassonne por fazer negócios ilícitos com missas. Morreu no dia 22 de janeiro de 1917, deixando sua casa e a torre para Marie Dénardaud, a governanta e companheira (assim como, dizem alguns, amante) que o acompanhou durante toda a sua vida. O interesse na lenda local do tesouro enterrado, porém, continuou, e um jornal chamado *La dépêche du Midi* publicou um artigo a respeito em 1956.

Entra em cena o Priorado de Sião.

Nesse mesmo ano, em outro local da França, um pequeno grupo de amigos formou um clube recreativo no dia 25 de junho de 1956, em Annemasse, Haute-Savoie, chamado Priorado de Sião. O nome teria sido inspirado em uma montanha próxima, a Col du Mont Sion. Esse clube foi desfeito no ano seguinte, mas logo ressurgiu numa segunda versão, dessa vez politizada, sob a direção de Pierre Plantard. Com base nos princípios neocavalheirescos, utópicos, nacionalistas e anti-semitas de Paul LeCour, que exerceu grande influência sobre Plantard durante as décadas de 1930 e 1940, o Priorado de Sião passou a publicar um periódico intitulado *Circuit* (Circuito), que circulou de forma intermitente durante as décadas de 1950 e 1960.

Desde os anos 1930, Plantard tinha um histórico de envolvimento com organizações antimaçônicas, anti-semitas e nacionalistas. Primeiro, tentou estabelecer uma associação chamada A União Francesa, em 1937, com o objetivo de "engajar-se na purificação e renovação da França". Esse grupo foi concebido como uma força de oposição ao governo do Front Populaire, de orientação esquerdista, cujo primeiro-ministro, Leon Blum, foi o primeiro judeu a assumir esse cargo na França. Em 1941, Plantard fez uma segunda tentativa de fundar uma nova organização, agora com o nome Renovação Nacional Francesa; porém, mais uma vez, as autoridades locais não lhe concederam permissão oficial. Nessa época, ele já estava profundamente envolvido com a Grande Ordem de Alpha Galates. De acordo com H. R. Kedward, professor de História na universidade de Sussex, Inglaterra, os Alpha Galates faziam parte de uma "organização de extrema direita com ênfase na tradição, cavalaria, catolicismo, espiritualismo e algo que poderia ser chamado de *nacionalismo oculto*...

um dos muitos movimentos 'ocidentais' que enfatizavam aquilo que interpretavam como a verdadeira e autêntica história da França, por oposição ao 'orientalismo' franco-maçom e judaico"... Todos floresceram durante o governo de Vichy (1940-41), começaram a se enfraquecer em 1942 e, em sua maioria, perderam inteiramente a importância política em seus últimos anos de existência, 1943 e 1944.

As atividades secretas de Plantard envolvendo organizações nacionalistas de direita continuaram após a guerra até à fundação do Priorado. Durante todo esse tempo, aparentemente ele não teve nenhum emprego nem fonte de renda. Passou quatro meses na prisão de Fresnes no início da década de 1950, acusado de fraude e apropriação indébita. Em 1958, durante a crise política gerada pela guerra de independência na Argélia, Plantard teria sido, conforme declarou, membro do Comitê de Segurança Pública, usando o pseudônimo de "Colonel Way".

No início da década de 1960, ele iniciou um esforço concentrado para forjar diversos documentos que pudessem corroborar sua falsa afirmação de ser um dos descendentes da linhagem real dos merovíngios e estabelecer a credibilidade e a "genealogia" do Priorado de Sião. A história de Rennes-le-Château era pouco conhecida na época, mas ela se encaixava de forma conveniente em suas próprias ficções, dadas as inclinações políticas de direita do abade Saunière e seus vínculos com um círculo de ocultistas em Paris. Na verdade, a história servia como um excelente ponto de partida para a imaginação fértil de Plantard.

Ao longo de toda a década de 1960, diversos documentos falsos foram depositados na Biblioteca Nacional de Paris, por Pierre Plantard e seus associados, usando vários pseudônimos. O primeiro conjunto desses escritos, composto em 1965 e forjado por seu cúmplice, Phillipe de Chérisey, incluía pergaminhos que teriam sido encontrados por Bérenger Saunière em Rennes-le-Château, assim como outros documentos referentes ao Priorado de Sião e à genealogia dos reis merovíngios. Diversos membros do Priorado foram listados, incluindo figuras proeminentes, como Leonardo da Vinci, Isaac Newton e Jean Cocteau. A parte seguinte da fraude consistia em disseminar e fazer circular o conto de fadas.

Um dos autores contratados para contar essa história fabulosa chamava-se Gerard de Sède. Era, pelo que consta, um devotado membro do Priorado. Ele publicou dois livros a respeito dos *Dossiês secretos* e das lendas sobre Rennes-le-Château: *L'Or de Rennes ou la vie insolite de Bérenger Saunière, curé de Rennes-le-Château*[8] (O ouro de Rennes ou a insólita vida de Bérenger Saunière, pároco de Rennes-le-Château) e, de forma ampliada, *Le Trésor maudit*[9] (O tesouro amaldiçoado). Em seu primeiro livro, Sède reproduziu os dois pergaminhos codificados encontrados por Bérenger Saunière, um dos quais tinha a assinatura "PS", vinculando-o ao Priorado de Sião. Como observou mais tarde o jornalista Jean-Luc Chaumeil, "os livros de Gérard de Sède eram, de modo geral, apenas o texto, as ferramentas básicas de Pierre Plantard".

Depois que esses livros foram publicados, contudo, Plantard e de Sède brigaram por causa dos direitos autorais de *L'Or de Rennes*. Plantard e de Chérisey começaram então a dizer às pessoas, à surdina, que os pergaminhos haviam sido falsificados. Esse boato se propagou muito lentamente. Mais ou menos na mesma época, Robert Charroux participou da filmagem de um documentário para a ORTF (Organização de Rádio e Televisão da França) e, em 1972, publicou um livro sobre Rennes-le-Château, intitulado *Le Trésor de Rennes-le-Château* (O tesouro de Rennes-le-Château), em que perpetua a ficção a respeito dos pergaminhos. Em 1973, Jean-Luc Chaumeil, o jornalista que havia se envolvido profundamente com Pierre Plantard, escreveu um artigo declarando que os dossiês eram uma fraude.

À medida que o interesse por Rennes-le-Château se aprofundava – repleto de códigos secretos simbólicos nas pinturas de Poussin e Teniers, assim como de indícios quanto à localização do Santo Graal –, historiadores e jornalistas começaram a investigar outras partes da história. Em 1974, René Descadeillas, um historiador de credibilidade, começou a desmascarar a história do tesouro de Rennes-le-Château no livro *Mythologie du trésor de Rennes, ou l'histoire véritable de l'abbé Saunière, curé de Rennes-le-Château* (A mitologia do tesouro de Rennes, ou a verdadeira história do abade Saunière, pároco de Rennes-le-Château), no qual diz que Saunière fez fortuna por meio do "tráfico" de missas de indulgência. No ano seguinte, Gérard de Sède respondeu com *Le vrai dossier de l'enigme de Rennes: Réponse à M. Descadeillas* (O verdadeiro dossiê do enigma de Rennes: Resposta a M. Descadeillas), em que afirma que o pagamento pela celebração de uma missa era tão pequeno e o tempo para rezá-la tão longo, que o abade Saunière jamais teria tido condições de juntar tanto dinheiro. Ele acrescenta: "A história fantasiosa de Descadeillas sobre traficar missas, como podemos ver, não passa de um fantástico absurdo."

Um produtor de cinema inglês, Henry Lincoln, interessou-se pela história de Rennes-le-Château e fez uma série de três documentários para a rede de TV BBC: *The Lost Treasure of Jerusalem* (O tesouro perdido de Jerusalém), de 1972; *The Priest, The Painter, and The Devil* (O padre, o pintor e o diabo), de 1974; e *The Shadow of the Templars* (A sombra dos templários), de 1979. Nenhum desses programas levava seriamente em conta a possibilidade de que os documentos do Priorado de Sião fossem uma fraude altamente elaborada, ainda que, nessa época, sua autenticidade estivesse sendo submetida a um amplo questionamento, assim como as afirmações de que se tratava de um completa impostura. Como resultado do enorme interesse gerado pelos programas da BBC, Henry Lincoln e duas outras pessoas envolvidas em sua realização (Michael Baigent e Richard Leigh) publicaram *O Santo Graal e a linhagem sagrada*, que discute não apenas os mistérios em torno de Rennes-le-Château como também a argumentação de que os reis da dinastia merovíngia da França eram descendentes diretos de Jesus e Maria Madalena. O livro transformou-se num best-seller e teve um longo período de sucesso internacional depois de sua publicação original, em 1982, na Inglaterra. Tornou-se também, é claro, um dos textos básicos usados por Dan Brown para desenvolver a trama do *CDV*. A edição inglesa foi traduzida e lançada na França com o título de *L'énigme sacrée*[10] (O enigma sagrado).

De volta à França no final da década de 1970 e nos anos 1980, os primeiros estudiosos a questionar a autenticidade dos pergaminhos publicaram seus próprios esclarecimentos a respeito. Jean-Luc Chumeil, no livro *Le Trésor du Triangle d'Or*[11] (O tesouro do triângulo de ouro), inclui a confissão de Chérisey de que suas falsificações de documentos foram copiadas de um antigo texto encontrado no *Dictionnaire d'archéologie chrétienne e de liturgie*[12] (Dicionário de Arqueologia cristão e de Liturgia). Da mesma forma, Pierre Jarnac, em sua *Histoire du Trésor de Rennes-le-Château*[13] (História do tesouro de Rennes-le-Château), reproduz a cópia de uma carta de Chérisey, enviada de Liège, na Bélgica, datada de 29 de janeiro de 1974, na qual ele confessa que, de fato, forjara os pergaminhos.

Muito tempo depois de desmascarada a fraude, Gérard de Sède finalmente publicou *Rennes-le-Château: Le dossier, les impostures, les phantasmes, les hypothèses*[14] (Rennes-le-Château: O dossiê, as imposturas, as fantasias, as hipóteses), no qual admite essencialmente que os dossiês eram forjados e que a linhagem dos merovíngios foi extinta. Em 1997, a BBC produziu outro programa de TV admitindo que a história era falsa. Mesmo assim, o mito persiste, em grande parte porque as pessoas o desejam. A lista de livros franceses sobre Rennes-le-Château e assuntos relacionados – sem falar nas crescentes publicações em inglês e no material que está sendo divulgado na Internet – continua a aumentar. Ainda em 1974, René Descadeillas resumiu tudo isso de forma interessante quando comentou em seu já citado livro:

> A lenda do tesouro de Rennes surgiu, sem outras motivações, com base em algo que aconteceu um dia, nesse vilarejo pobre, quase arruinado, com um padre cuja vocação não estava muito alinhada com seus desejos naturais.
>
> Por causa de tudo isso, temos sido presenteados sucessivamente com o tesouro da rainha Blanche da Espanha, dos cátaros, do Templo e de Dagoberto, tudo isso misturado com os arquivos secretos de sabe-se lá quantas seitas diferentes. Após reunir e embaralhar todos esses tesouros distintos, as pessoas querem, então, que acreditemos que o solo de Rennes esconde a evidência de uma conspiração destinada a regenerar o governo e a política da França! Inúmeros foram aqueles que visitaram Rennes. Alguns chegaram a levar equipamentos sofisticados consigo. Eles arrancaram telhas das paredes, analisaram rochas com sondas eletrônicas, cavaram buracos nas ruas e praças e escavaram túneis.
>
> A igreja foi completamente revirada pelo menos quatro vezes, e o cemitério, profanado. Túmulos foram abertos, e corpos, exumados.

Gastaram-se milhares de folhas de papel com o assunto. Jornais e revistas ficaram inundados de artigos; folhetos foram impressos; produziram-se dois filmes; três livros foram escritos.... Hordas de jornalistas passaram por lá, provenientes da França, Inglaterra, Alemanha, Bélgica, Suíça e de outros lugares... As pessoas retornaram na história a Benjamin, aos judeus e às Escrituras, passando por Tito e Dagoberto, pelo saque de Roma, pelos visigodos e Blanche de Castela, sem falar em Pedro, o Cruel, Nicolas Poussin e o superintendente Fouquet. Tentaram misturar à história imperadores, reis, arquiduques, príncipes, arcebispos, grão-mestres de todas as ordens imagináveis, magos, alquimistas, filósofos, historiadores, magistrados, até humildes monges e padres... Deram como reais pessoas cuja existência sempre foi incerta e fizeram nascer outras que, para começar, nunca existiram. Chamaram magos, trouxeram médiuns, conjuraram espíritos e interrogaram videntes. Criaram livros de magia, árvores genealógicas e testamentos; e descobriram filhos ilegítimos, assassinatos e mortes. Mentiram para além do absurdo e chegaram até mesmo ao ponto de, cúmulo do ridículo, invocar o nome do diabo.

Para que tudo isso, perguntamos? Para absolutamente nada.[15]

O que os franceses estão dizendo sobre o *CDV*

DAVID DOWNIE

David Downie é um jornalista norte-americano residente em Paris.

Em breve, os leitores franceses deverão se juntar aos devotos americanos do *CDV* que se ajoelham próximos à pirâmide invertida do Louvre. Uma semana após o lançamento do livro na França, em março de 2004, ele já tinha conquistado o terceiro lugar nas listas de mais vendidos, e a editora JC Lattes havia distribuído cerca de setenta mil cópias.

Os franceses que esperavam que os críticos desqualificassem o livro logo de saída ou criticassem severamente sua peculiar interpretação da topografia de Paris, bem como da cultura e do idioma franceses, provavelmente se surpreenderam com as resenhas no geral positivas e a enorme vendagem do livro.

A elitizada revista *Lire*, embora tenha ridicularizado Dan Brown por soar como um estudante apresentando um trabalho sobre simbologia pré-cristã na escola, chamou-o de "virtuoso na composição da trama", que produziu "uma diversão inteligente e não uma pura peça de marketing".

Le Point, uma influente revista semanal, declarou que a França poderia agora julgar por si mesma, após ter visto o livro se tornar um fenômeno de vendas no exterior. Anne Berthod, da revista *L'Express*, aplaudiu a "trama maquiavélica e o andamento irresistível", chamando o livro de "um romance policial erudito" que leva o leitor a desenvolver um novo olhar para *A Última Ceia*, de Da Vinci.

Mas na França poucos autores de resenhas consideram o thriller de Dan Brown uma obra literária, preferindo classificá-lo como romance policial. Delphine Peras, em um artigo no jornal *France Soir*, comentou: "Não estou dizendo que seja um livro ruim, na verdade é perfeito para as férias... algo que se compra em livrarias de aeroportos." Ela afirma também que clichês e "truques" para manter o leitor virando avidamente as páginas "arriscam arruinar o prazer de uma trama bem contada". Peras cita um livreiro de Montpellier, François Huet, dizendo que ele desprezou o *CDV* por achar que fora "escrito de forma grosseira e tosca".

Embora muitos dos leitores franceses aparentemente concordem com o julgamento de Peras, os méritos literários do livro são uma questão secundária.

O interesse público no Opus Dei, nos templários, no Priorado de Sião e no suposto casamento de Jesus e Maria Madalena tem se disseminado amplamente, gerando discussões acaloradas nas esquinas e nos "cafés filosóficos". O que parece mais fascinar os leitores franceses é a hipótese perturbadora de que o ex-presidente François Mitterrand e o autor surrealista Jean Cocteau possam ter sido membros de sociedades secretas.

A importância do Louvre para os franceses, como uma das residências de seus reis e como o principal museu de arte do mundo, não pode ser subestimada. A pirâmide de vidro de Mitterrand continua gerando controvérsias. Questionamentos a respeito da influência política do Vaticano e do Opus Dei, assim como o poder dos símbolos religiosos, também são tópicos importantes.

Uma república secular com cerca de sessenta milhões de habitantes, a França é o lar de milhões de católicos e protestantes, bem como de cerca de cinco milhões de muçulmanos. O país está imerso no debate de questões relacionadas à Igreja versus Estado, em particular daquelas que envolvem a liberdade de exibir símbolos religiosos em escolas públicas e locais de trabalho. E então surge Robert Langdon...

Um olhar filosófico sobre o *CDV*

GLENN W. ERICKSON

Glenn W. Erickson, Ph.D., é autor de dezenas de obras nas áreas de Filosofia, crítica literária, História da Arte e História da Matemática.

Devo admitir que terminei a leitura do livro de Dan Brown de uma só vez, como se estivesse comendo em um fast-food, e, presumindo que não tenha me desviado do senso comum, sinto-me obrigado a falar de forma favorável sobre o *CDV*. Uma vez que não fui capaz de interromper a leitura do livro, não iria agora criticá-lo em público.

O romance é, em primeiro lugar, politicamente correto no seguinte sentido: sua moral é a de que as religiões de todo o mundo e, em particular, as religiões ocidentais, manifestaram a tendência e a intenção de suprimir a deusa ou as deusas e, com elas, os valores de vida que tais divindades pudessem expressar ou personificar. Essa visão, que foi inicialmente um grito de guerra do movimento feminista, é hoje comum nos círculos intelectuais do Ocidente. Por mais de meio século, a opinião majoritária dos estudiosos de religião comparativa parece ter sido a de que a observação do relativo esquecimento, pelo menos nos dois últimos milênios, das divindades femininas autônomas – que parecem ter sido proeminentes nos contextos dos períodos paleolítico e neolítico – mostra-se valiosa para reconstruir nossas visões de mundo institucionalizadas. No *CDV*, a questão central a respeito dessa história é que, na formação do cânone do Novo Testamento, durante o reinado de Constantino, o Grande, o casamento de Jesus e Maria Madalena foi removido na edição do texto – ela que era, por direito, sua divina consorte, luminosa portadora do eterno feminino. E Maria Madalena também não era uma prostituta, como as torpes palavras dos patriarcas pretenderam retratá-la, mas a descendente de uma linhagem real, uma pessoa importante e poderosa por direito. Formulando – Maria Madalena está para Jesus como Betsabé está para Davi.

O ponto de partida do livro é o de que uma sociedade ultra-secreta, o Priorado de Sião, ligado à Ordem dos Cavaleiros Templários, guardou em total segredo, durante cerca de mil anos, três itens que, juntos, formam o lendário Santo Graal: primeiro, um vasto conjunto de pergaminhos, incluindo um baú de tesouros de Evangelhos apócrifos que documentam o papel de Maria Madalena; segundo, as relíquias de Madalena; e, finalmente, sua linhagem nos dias atuais, cujos membros mais proeminentes incluíam: o grão-mestre do Priorado de Sião e curador do Louvre, assassinado logo no início da narrativa; sua mulher e neto, que passaram dez anos escondidos em uma região rural da Escócia; e sua neta, Sophie Neveu, protagonista feminina do romance e uma criptógrafa que trabalha para o equivalente francês do FBI.

O que move a trama é uma série de códigos que precisam ser quebrados para preservar o segredo do Santo Graal. O *CDV* é, claramente, uma história de detetives, o que o coloca em excelente companhia – *Os irmãos Karamazov*, *Édipo* e até mesmo *Hamlet*. O leitor tem a chance de desvendar cada um dos códigos de acordo com a evolução da trama: a cena do crime no Louvre, a Mona Lisa, o cofre do banco suíço, a caixa de madeira, os dois códices, o túmulo de Newton na Abadia de Westminster, a Capela Rosslyn e novamente o Louvre. À parte a técnica usada pelo autor de contar a história num vaivém entre diferentes cenas simultâneas de ação e, portanto, de seguir os passos de diversos personagens ao mesmo tempo (técnica presente hoje em peças, filmes, programas de TV e livros), o aspecto mais fascinante do *CVD* está na engenhosidade dos códigos e nos conhecimentos usados para decifrá-los. Somos brindados com uma excelente aula sobre o simbolismo oculto das pinturas de Leonardo – acho que agora vejo claramente Maria Madalena próxima a Cristo na *Última Ceia*.

Em um nível mais profundo, Brown está colocando Maria Madalena no mesmo papel que Nietzsche, em alguns de seus últimos escritos, atribuiu a Ariadne: ginodeusa igualmente necessária para negar nossa nulidade e os esnobes nababos do niilismo. Declarando a relação: Ariadne está para Dioniso como Madalena está para Jesus. Enredadas, ambas, no novelo dos códigos, Ariadne é o oposto de Sophie, cuja meada conduz Bob "Teseu" Langdon para fora do Labirinto.

Unidades aristotélicas podem ser observadas no livro. Com exceção da cena final na Escócia, a ação transpira como em *Um conto de duas cidades*[16] (Charles Dickens) – a megalópole estendendo-se de Paris a Londres – e no decorrer de vinte e quatro horas, da morte do grão-mestre à prisão do mentor dos crimes, Sir Leigh Teabing.

Ainda assim, o aspecto ocultista do romance fracassa de forma retumbante. Seu pastiche de conhecimentos Nova Era seria "light" (mas não tenho coragem de chamá-lo assim, posto que aquilo que é light é sempre vendido em lojas de produtos naturais), mas resulta altivamente tolo. Há diversas explicações, talvez alternativas, para isso.

Primeiro, Platão: o artista copia coisas que são, por sua vez, cópias das formas; e quer sejam essas cópias geradas com perfeição ou muito pelo contrário, ainda assim são apenas cópias das cópias. Dan Brown nos apresenta uma cópia malfeita das ciências ocultas. Quase nos dá saudades do *Pêndulo de Foucault*,[17] quando nos lembramos que Umberto Eco cerziu sua trama ocultista fio a fio, almejando não relevância histórica, mas uma sublime fuga paranóica à *Fogo pálido*[18] (Nabokov). Sim, dissemos "quase", porque falta ao *Pêndulo* a propulsão da narrativa sedutora do *CDV*.

Segundo, Sam Walton: Dan Brown talvez domine, afinal, o assunto de que está tratando, mas conhece ainda melhor seu público-alvo. Para não empurrar o cavaleiro da sela no primeiro galope de aprendizagem – como Harold Bloom fez em seu livro sobre o oculto (de passagem, note-se que é também seu único livro não oculto) –, Brown sente-se, por exemplo, forçado a reduzir aquilo muitos consideram uma das maiores descobertas da história da Matemática a uma *aproximação decimal*:

1,618, que, por sua vez, é observada nas *proporções medianas* de miríades de formas orgânicas e estéticas. Phi decerto merecia um tratamento áureo!

Terceiro, Horácio: nesse caso Brown fornece a seu imaginado leitor crédito mais do que suficiente para depreciar ou desprezar o neopaganismo e nunca busca de fato produzir a *bona fides* da verossimilhança ficcional em suas glosas intermitentes sobre ciências ocultas. Está despachando astrólogos, importunando hierofantes, espezinhando jogadores de I Ching, descartando cartomantes, anulando numerologistas – resumidamente, ridicularizando todos os charlatões. Tudo com cinismo, a saber, o gênero romano, nominalmente, a sátira: "A culpa, meu caro Brutus, não é das estrelas, mas de nós mesmos que consentimos em ser inferiores!" (Shakespeare, *Júlio César*, ato I, cena II). Assim, uma vez que Walt Disney comparecia à loja maçônica local (como qualquer outro que tencionasse obter um parecer favorável da corte), a mãe de Bambi é na realidade Astarté de salto alto, Branca de Neve é Ísis em Lilliput, e Cinderela é Astoreth em seus quinze anos. Se fazem isso à luz do dia, o que dizer na noite velada? Mais do que o suficiente, nos parece, para fazer a Deusa Branca revirar em seu túmulo.

É bem verdade que o romance joga com o aspecto paranóico inerente às teorias da conspiração da tradição ocultista – alguém tem mantido tudo isso escondido e provavelmente por um motivo sério – de forma natural, dramaticamente engraçada, talvez mesmo cômica. O objetivo do Priorado de Sião é nunca revelar nada e, ainda assim, lutar por séculos para preservar o que sabe.

Finalmente, Heidegger: ainda que tanto a premissa do livro em relação à rivalidade entre o Priorado de Sião e o Opus Dei quanto o mecanismo de charadas a serem resolvidas requeiram uma ampla variedade de especulações ocultistas, nem magia pagã nem pio milagre nos servem como guias. O romance mantém o ponto de vista consistentemente realista, questões de ordem doutrinal sendo de mera importância psicológica, mesmo quando uma desilusão em massa resultante da tão antecipada revelação do Santo Graal possa muito bem indicar problemas institucionais. Sob esse ângulo, o que perfaz a questão é a Dádiva do Ser* ao Homem. Como a sábia dama provecta nos explica na resolução da trama, nossa Nova Aurora de compreensão traz novamente à luz a Deusa-Mãe na Obra de Arte e, assim, na Cultura. Portanto, a coerência da explicação ocultista, no fim das contas, não é importante, mas antes se afirma aquilo que funciona para você e o que funciona para mim. Mesmo respostas tolas servem para muitos; até mesmo para a maioria – um cumprimento a todos.

De volta ao início das esperanças perdidas e questões não respondidas. O acadêmico de Harvard, Doc Langdon, em sua solidariedade com a causa templária, parece mais *langue d'oc que langue d'oil*, mais cátaro que católico no sotaque. Tendo

---

* No sentido heideggeriano, remete ao conceito de *Dansein* e/ou *Anwsenheit.* (N. T.)

em vista sua deusa feminina e a possibilidade de que Sir Steven Runciman tenha sido uma inspiração para Sir Leigh Teabing, por que Brown se recusa a levar a lenda do Graal em sua direção tradicional dos hereges Beghards e Bogomilos?

Até onde haja um pequeno esforço do autor para sugerir paralelos entre seu trabalho e o de João, o texto oculto do romance é certamente a Revelação: ao leitor fica a tarefa de identificar São Miguel, a Mulher vestida pelo Sol,* o Falso Profeta, o anticristo e outros importantes personagens do Apocalipse no *CDV*. Talvez seguir esse programa seja mesmo obrigatório, dado o tema do livro: como identificar os atores sem um programa?

Mais ainda, uma vez que as cartas do tarô são, em última instância, a versão em imagens do Livro da Revelação, Brown parece conceder absolvição sumária a essas cartas. O tarô é, como eu tenho afirmado em diversos livros e artigos, uma série de pinturas em miniatura, encobrindo um conjunto de imagens gráficas, cada uma das quais composta de um par de polígonos regulares, polígonos estes determinados pelas proporções de uma série de triângulos pitagóricos. Essas imagens gráficas, que constituem a Linguagem Angelical, são centrais na cabala cristã, nascida de sua contrapartida neoplatônica. Ainda que Joachim de Fiore, Giotto, os artistas originais do tarô, Fernando de Rojas e Shakespeare entendessem o âmago dessa linguagem, assim como seu lugar na Teologia do Logos no Evangelho de João, Brown certamente não a entende. O comentário existente em seu livro de que o tarô serve como forma de perpetuar o simbolismo pagão é especialmente errôneo.

Finalmente, há uma possibilidade razoável de que, como muitos outros romancistas e poetas contemporâneos – entre os quais T. S. Eliot, Sylvia Plath, Mario Vargas Llosa e muitos outros –, Dan Brown tenha ocultado os Arcanos Maiores diversas vezes em seu trabalho. Não é possível desenvolver essas identificações no escopo do presente comentário. Ainda assim, se Brown tivesse explorado a fundo essa robusta veia central da tradição ocultista, e não comido cautelosamente pelas bordas, poderia ter produzido não apenas um livro de leitura extremamente interessante como também uma obra mais significativa.

* *Apocalipse*, 12:1. (N. T.)

Um choque entre Indiana Jones e Joseph Campbell

Craig McDonald entrevista Dan Brown pela Web

Craig McDonald possui um site dedicado a entrevistas com autores interessantes. Quando fazíamos as pesquisas para *Os segredos do Código*, concluímos que esta é uma das mais interessantes entrevistas com Dan Brown, autor do *CDV*. Os trechos selecionados foram reproduzidos sob a permissão de Craig McDonald.

Você deu aulas de inglês em Exeter. Que livros costumava usar?

Eu dava aulas de Literatura e de Inglês. Usávamos livros como *Ilíada*, *Odisséia*, além das obras de Shakespeare, Dostoiévski... os clássicos.

Levando em consideração o assunto tratado no CDV *e o seu potencial de ofender algumas pessoas no que diz respeito à religião, como você explica o fato de o livro estar vendendo tanto?*

Pesquisei muito para escrever esse romance e senti que as pessoas realmente estavam prontas para a trama. Era o tipo de coisa que elas estavam simplesmente prontas para ouvir. Sobre minha surpresa com o sucesso do livro, estou surpreso com o nível do sucesso, com o fato de ele estar quebrando recordes e de que vai ser novamente o número um em todas as listas do país nesta semana. Posso dizer que, na ocasião do lançamento, fiquei um pouco nervoso pensando na resposta que obteria. Mas a resposta por parte de padres e freiras, de pessoas envolvidas com a Igreja, no geral foi extremamente positiva. Claro que houve alguns leitores que acharam o livro chocante e irritante, mas diria que não chegam a um por cento.

Robert Langdon está presente em seu terceiro livro e também no quarto. Houve algumas declarações de que você pretende usá-lo como personagem de uma série. Muitos autores de livros policiais e thrillers acabam lançando uma série, depois lamentam o fato de que não podem mais seguir sua musa em outras direções. Por que você está indo em sentido contrário?

Langdon é um personagem que possui meus próprios interesses. Sou fascinado por mistérios antigos, História da Arte, códigos. Quando você passa um ano ou um ano e meio escrevendo um livro, é bom estar bem certo de que seu herói estará envolvido com algum assunto que deixe você interessado.

Você sempre teve interesse por coisas secretas?

Sim. Cresci na Costa Leste, perto de New England, que é uma espécie de centro das prestigiosas universidades da Ivy League, com suas fraternidades, clubes, sociedades secretas e tudo o mais. Segredos, creio, são interessantes para todos, e o conceito de sociedades secretas – especialmente depois de minha visita ao Vaticano – realmente tomou conta de minha imaginação.

Ah, sim, sua famosa "audiência com o papa".

Muitas pessoas já tiveram uma audiência com o papa. Basicamente significa que você está diante dele, e essa é uma forma muito rebuscada e boba de se falar sobre isso. Estive em uma sala com um grupo de pessoas, e foi basicamente o que aconteceu.

Dizem também que você teve um acesso não muito comum ao Vaticano...

É verdade. Tenho um grande amigo que possui um contato altamente influente no Vaticano. As partes do Vaticano que visitamos, como a Necrópole... atualmente creio que apenas onze pessoas por dia podem visitá-la. Essa foi provavelmente a área mais protegida em que entramos, e foi absolutamente muito especial e memorável. Já os arquivos do Vaticano... apenas três americanos tiveram acesso a eles em toda a história. Eu não fui um deles. Dois eram cardeais e o outro era um professor de estudos religiosos da Universidade da Flórida, creio. Todas as descrições são exatas, mas eu mesmo não tive autorização para visitar os arquivos secretos. Permitiram meu acesso à biblioteca do Vaticano e aos arquivos do Vaticano, mas não aos arquivos secretos.

Você acha que ainda o deixariam entrar, após o CDV *e* Anjos e demônios?

Diria que a probabilidade é muito baixa.

Em algum lugar foi dito que você tem cerca de uma dúzia de esboços de tramas para futuros livros com Robert Langdon.

É verdade, mas provavelmente nunca escreverei todas elas.

Considerando a complexidade de suas tramas, presumo que você escreva uma lista de tópicos bastante estruturada.

Sim, com certeza! A estrutura de tópicos do *CDV* continha mais de cem páginas. As histórias são muito intrincadas e direcionadas pela trama. São cheias de reviravoltas e têm muitos códigos. Um grande número de surpresas. Não dá para escrever isso diretamente, é preciso planejar com cuidado.

Você disse há pouco que leva cerca de um ano e meio para escrever um novo livro. Quanto desse tempo é dedicado à pesquisa?

Metade, mais ou menos.

Você abordou algumas entidades bastante poderosas em seus livros – a Igreja Católica, os maçons... muitas sociedades secretas, reais ou fictícias, e agências do governo. Não teme por sua própria segurança?

Na verdade, não. Trabalho muito para retratar essas organizações de forma justa e equilibrada, e acho que tenho sido bem-sucedido nisso. Claro que, em relação ao Opus Dei, como disse no livro, há pessoas para as quais esse grupo foi uma grande descoberta. Para outras, porém, foi um pesadelo, e eu falo de ambos os casos.

Você acha que teria escrito os livros de Langdon se não fosse casado com uma historiadora da arte?

Minha esposa tem enorme influência. Seus conhecimentos e sua paixão pelo assunto certamente ajudam as coisas a fluir quando encontro obstáculos. Escrever um livro é absurdamente difícil. Eu não desejaria isso nem mesmo para meu pior inimigo. Com certeza há dias em que ajuda muito – especialmente no caso do *CDV* – ter alguém por perto que entende de arte e de Leonardo da Vinci, que tem fascínio por esses assuntos e pode dizer: "Vamos dar uma volta e conversar sobre por que chegamos a esse ponto, sobre o que há de tão interessante em Da Vinci e naquilo em que ele acreditava." Creio que tive muita sorte nesse aspecto.

Voltando rapidamente aos eventos do dia 11 de setembro de 2001, li uma entrevista que você deu em 1998 e que, agora, me parece ter sido particularmente premonitória. Ao comentar projetos que estavam em andamento para monitorar os cidadãos americanos com o objetivo específico de prevenir ataques terroristas, você disse: "Há uma ameaça bem real... Os americanos odeiam admitir isso, mas temos muitos inimigos; somos um alvo perfeito para o terrorismo, e, ainda assim, em relação ao restante do planeta, as taxas de ataques terroristas bem-sucedidos em nosso território são umas das mais baixas." Aparentemente um ataque terrorista estava presente em seu radar um pouco antes de aparecer no radar dos outros. Por quê?

Acho que foi por causa do meu choque; bem, você provavelmente leu a história a respeito dos agentes do Serviço Secreto que apareceram no campus da Phillips Exeter.

Olhando para sua agenda, você estava viajando pelos Estados Unidos promovendo o livro Deception Point *logo após os atentados de 11 de setembro, não é?*

Sim.

Como você se sentiu?

Foi horrível, foi realmente difícil. Eu estava trabalhando no *CDV* naquela manhã dos atentados. Tenho um escritório onde não há telefone, nem correio eletrônico, nada que me distraia. Vou lá para ficar absolutamente isolado. Minha mulher entrou e simplesmente disse: "Está acontecendo uma coisa terrível", e naquele momento eu soube de imediato que algo tinha finalmente acontecido. Durante alguns meses depois disso, ficou muito difícil ter vontade de escrever ficção. Eu me sentia completamente inútil. Com tantas coisas acontecendo no mundo, como é possível se dar ao luxo de ficar traçando personagens fictícios em cenários fictícios – em que isso vai ajudar o país? No fim das contas, entendi que ajudava, porque, de algum modo, dá às pessoas uma forma de se libertarem da dor da realidade através da ficção. Mas é difícil até mesmo me lembrar disso.

Você já esteve envolvido com música. Já pensou em usar algum tema ou elementos do mundo da música em seus livros?

Sim. O foco de um dos meus futuros romances é um compositor famoso e suas associações com uma sociedade secreta. Sempre baseado em fatos.

Há boatos de que seu próximo livro, depois do CDV, *será centrado em Washington, D.C.*

É isso mesmo.

Dizem também que haverá algo relacionado com os franco-maçons?

Sim... Você espera que eu revele algo novo? (risos)

Bem, pensei que, se eu deixasse alguns espaços em branco você talvez pudesse preenchê-los... mas acho que não.

Não posso dizer nada além disso.

Você consegue ter uma visão geral de quem são seus leitores e de como eles reagem ao longo das noites de autógrafos e leituras do livro?

Esse é um dos aspectos mais *gratificantes* das viagens de promoção dos livros. Olhar para as livrarias e ver homens, mulheres e muitos adolescentes. A garotada respondeu extremamente bem, sobretudo ao *CDV* e a *Anjos e demônios*. É como se eles fossem um Harry Potter mais adulto, acho que é isso que muitos jovens sentem. Os livros têm alguns elementos de mistérios antigos dos quais as pessoas tanto gostam nos livros de Potter.

Essa comparação foi feita em parte do material de divulgação de seus editores.

A primeira vez em que ouvi a analogia foi quando Janet Maslin escreveu uma resenha fantástica no *New York Times*. Algumas pessoas me ligaram e disseram: "Por acaso a Janet é sua mãe? Nunca a vi elogiar um livro dessa forma." Ela invocou o sagrado nome de Harry Potter, e creio que foi a primeira pessoa a fazer isso.

Não leio obras de ficção, a não ser para ocasionalmente escrever um elogio a pedido de meu editor. Existe esse outro lado – quase todo dia recebo um livro com um bilhete dizendo: "Você poderia ler este livro e escrever algumas palavras elogiosas para colocar na quarta capa?" Não li os livros de Harry Potter, mas, na minha cabeça, qualquer coisa que estimule a garotada a ler deve ser realmente boa. Acho isso ótimo.

Algum dos seus livros vai ser transformado em filme?

Há várias pessoas interessadas. Como Langdon é um personagem que estará presente em uma série, tenho certo receio de vender os direitos para o cinema. Uma das coisas fantásticas a respeito da leitura, por oposição ao que se vê nas telas, é que, nos livros, cada um imagina Langdon de uma forma ideal, mas absolutamente pessoal. Na hora em que se lança um personagem num roteiro – não importa como se descreva Langdon ou qualquer outro personagem –, ele passa a ter a cara de Ben Affleck, de Hugh Jackman ou de algum outro ator. Então tenho hesitado. Além disso, a tendência de Hollywood é pegar uma história dessas e transformá-la em uma perseguição de automóveis pelas ruas de Paris com cenas de artes marciais. Novamente, tenho dúvidas, mas ao mesmo tempo estou conversando com algumas pessoas que seriam capazes de fazer do livro um filme inteligente, e essa seria a única maneira de eu vender os direitos – se eu puder manter um enorme controle sobre o resultado.

A etimologia latina no *CDV*

DAVID BURNSTEIN
David Burnstein é estudante de latim e também autor de peças.

As obras populares contemporâneas de ficção épica, dos livros de Harry Potter ao *CDV*, muitas vezes fazem um bom uso do idioma, incluindo referências a línguas antigas e jogos de palavras interessantes. Dan Brown interessa-se particularmente em usar palavras latinas em seu livro. Ele obviamente gosta de palavras e de jogos de palavras, assim como tem um bom entendimento do quanto o idioma original do livro, o inglês, se baseia no latim. Além disso, é um ex-professor de Exeter, uma das melhores escolas privadas dos Estados Unidos. Em terceiro lugar, uma vez que a trama em si está centrada em debates relacionados à Igreja Católica, palavras e alusões ao latim são especialmente relevantes.

O latim é considerado uma língua morta. Brown, contudo, a torna bem viva e presente em seu romance contemporâneo (juntamente com um pouco de grego e francês e de pinceladas de outros idiomas). Para entender algumas referências, basta um dicionário de latim: Opus Dei (Obra de Deus), *crux gemmata* (cruz cravejada de gemas). Há, porém, palavras e frases que deixam mais espaço para interpretações.

O assassino albino preferido pelas massas, Silas, é um católico devoto e membro do Opus Dei. Algumas vezes, as referências feitas a ele têm a ver com a cor de sua pele – assim como um personagem de Homero que é sempre chamado pelo mesmo apelido, Brown muitas vezes menciona Silas como "o monge albino". No entanto, o traço mais significativo de seu personagem é o de penitente. A palavra *penitente*, do latim *paenitit*, origina-se de *paeān*, referindo-se a "louvar os deuses". A exemplo dos membros reais do Opus Dei, Silas acredita que o caminho para louvar Deus é infligir-se dor. Curiosamente, a palavra para manto em latim é *paenula*, que deriva da mesma raiz de *penitente*. Isso parece sugerir que o manto característico que um monge veste também provém dessa raiz. A dolorosa cinta de autodisciplina que Silas usa é chamada de "cilício", que pode ter vindo do latim *cicātrīx*, que significa cicatriz. Claro que a intenção da cinta é causar dor física (deixando, portanto, uma cicatriz) para que se expiem os pecados cometidos. A conexão mais interessante, contudo, encontra-se na proximidade de "cilício" e "cálice". Cálice é outra forma de nos referirmos ao Santo Graal – um conceito central em um livro que gira em torno da definição do Santo Graal e da busca por ele. Cálice... cilício... Silas: ainda que o "Mestre" seja a mente por trás de tudo, é Silas que comete os assassinatos e faz o trabalho sujo nessa busca pelo Santo Graal.

Também é esse o personagem que mais usa palavras em latim. Quando está se flagelando, ele diz: "*Castīgo corpus meum.*" Em latim, isso significa "castigo meu corpo". É uma punição lógica e ritualística para um penitente religioso. No entanto, é curioso notar que *castīgo*, que significa "punir" ou "corrigir", é a raiz de *castitās*, que significa "castidade" ou "virgindade". Por sua vez, isso nos leva à pureza de Jesus e da Virgem Maria. Também nos conecta com uma das questões centrais do livro: Jesus e Madalena tiveram ou não uma relação sexual, e, caso tenham tido, como ela foi vista por seus contemporâneos e como deveria ser vista, em retrospecto, pelas demais gerações? Se a teoria de Brown for verdadeira, Jesus não era tão puro quanto se imagina historicamente e *castīgo corpus meum* poderia ser outra indicação disso.

O Draconian Devil! Oh Lame Saint! ("Ó, demônio draconiano! Oh, santa falsa!") – essa foi uma das pistas que Saunière deixou pouco antes de morrer para guiar Robert Langdon e Sophie Neveu em sua primeira etapa na busca do Santo Graal. Essas exclamações são um anagrama de *Leonardo da Vinci* e *The Mona Lisa*, no qual as próximas pistas estão ocultas. Uma parte interessante desse anagrama é a palavra *draconiano*, usada em referência a medidas que são muito estritas ou severas. Na verdade, Draco não era um bárbaro sem piedade. Historicamente, foi um dos primeiros legisladores de Atenas. Ele enfatizou a criação de leis e a idéia de escrevê-las, assim como a de redigir as penalidades para quem as infringisse. As leis foram a grande contribuição de Draco para a civilização greco-romana. Ainda que ele as cumprisse ao pé da letra, é interessante que esse termo tenha ficado tão associado ao mal e à falta de escrúpulos. Langdon chega a sugerir que essas palavras são um ataque violento de Saunière à Igreja, enfatizando tanto *draconiano* quando *demônio*.

Quando Langdon e Sophie pensam a respeito da misteriosa chave que eles agora possuem, acreditando que esteja ligada ao Priorado de Sião, Langdon fica intrigado com uma cruz simétrica. Como simbologista, o objeto em suas mãos lhe dá uma chance de discutir a história e etimologia da cruz cristã. Ele observa que as palavras "cruz" e "crucifixo" são ambas derivadas do latim *cruciāre*, que significa torturar. Há outra palavra com uma raiz similar, *cruor*, que significa sangue.

O CDV está repleto de anagramas, muitos dos quais surgem nas últimas mensagens que Saunière deixa para Sophie Neveu e Robert Langdon. Brown, que obviamente é um fã de anagramas, refere-se à *ars magna*, que em latim significa "a grande arte" e é considerada parte do simbolismo sagrado da cultura romana. Na verdade, é por meio de uma reorganização das letras de *ars magna* que chegamos a *anagramas*.

Ao longo dos anos, o termo "herege" teve sempre uma conotação negativa. Na verdade, essa palavra, que Dan Brown relaciona ao latim *haereticus*, quer dizer "escolha". Aqueles que escolheram não acreditar no conjunto padronizado de Evangelhos – os documentos e princípios que o imperador romano Constantino procurou promulgar no Concílio de Nicéia e nos anos que se seguiram – tornaram-se hereges, no sentido de que tinham "escolhido" seguir outro caminho. Logo seriam presos, torturados e mortos por terem tomado essa decisão; no entanto, no princípio, chamá-los de hereges talvez tenha sido o mesmo que dizer que haviam exercido a "liberdade de escolha".

Brown também inclui uma reflexão sobre o significado de "pagão". Algumas pessoas acreditam, hoje, que essa palavra sempre teve um sentido religioso, associado a um adorador do demônio que se opunha à cristandade. Brown sugere que "pagãos eram literalmente pessoas do meio rural que não haviam recebido os ensinamentos cristãos e que se apegavam às velhas religiões da natureza". A palavra vem do latim *pāgānus*, que significa "aqueles que vivem no campo". Os camponeses do império romano foram dos últimos a aderir ao cristianismo, continuando a praticar seus tradicionais ritos greco-romanos e a venerar muitos deuses e deusas. Com o tempo, *pagão*, originalmente uma palavra sem sentido negativo, assim como *herege*, adquiriu conotações relacionadas à adoração do demônio e do mal.

A mesma associação com a natureza maligna dos camponeses surge na palavra "vilão", de acordo com outra discussão etimológica no *CDV*. A palavra *villa*, em latim, significa "casa no campo". Era nessas casas que os camponeses, ou pagãos, moravam. De acordo com Brown, a Igreja temia aqueles que residiam nas vilas rurais. Portanto, a palavra para o habitante de um vilarejo, "vilão", tornou-se sinônimo de alguém malintencionado. Mas a interpretação de Dan Brown é questionada em um artigo publicado na revista do *New York Times* por William Safire, responsável pela coluna "On Language". Ele escreveu: "Os habitantes dos vilarejos não se tornaram vilões porque a Igreja tivesse medo deles. É mais provável que os senhores das terras olhassem com desprezo para as classes inferiores e vissem em seus modos rudes a marca dos degenerados." Definitivamente há uma distinção de classes aqui. Os senhores feudais que viviam no campo não eram chamados de vilões. A primeira forma da palavra *vilein*, do francês arcaico, refere-se aos servos no sistema feudal.

Brown também faz uma breve incursão na história lingüística da palavra "venérea", sugerindo que ela tem uma relação com a Deusa do Amor, Vênus. Parece lógico, mas, de acordo com o *Oxford English Dictionary – OED* (Dicionário de inglês de Oxford), isso é incorreto. O dicionário cita a palavra como proveniente do latim *venerābilis*, significando "honrado". Ainda que possa haver uma conexão entre o culto de Vênus e o termo em latim para honra, o *OED* não explicita essa ligação.

Brown levanta, ainda, um ponto interessante sobre a história da palavra "sinistro". Em latim, sinistra significava originalmente "esquerda", ou "canhoto". Nascer canhoto era considerado um azar. Como Brown nos conta, isso tem relação com uma antiga decisão da Igreja de associar o esquerdo ao feminino. No suposto esforço que ela fez para encobrir o papel do sagrado feminino nas suas origens, bem como para promover o surgimento de uma cultura mais patriarcal, a palavra para "sinistro" acabou recebendo uma carga negativa. É interessante notar que muitos especialistas acreditam que Leonardo da Vinci era canhoto. Há diversas dicas ao longo do livro que enfatizam a idéia de que Jacques Saunière também era canhoto.

A expressão *sub rosa* aparece igualmente de forma marcante no *CDV*. Sophie conta a Langdon sobre as reuniões de que seu avô costumava participar sob o signo da rosa, que Saunière (e a evolução das línguas latinas) sugere significar "em segredo". Segundo William Safire, no entanto, Dan Brown talvez não esteja correto ao escrever que a expressão sub-rosa assim como a técnica de usar o signo da rosa para denotar uma reunião secreta tenham se originado em tempos antigos. Diz ele: "A primeira citação se encontra nos *State Papers* (Documentos de Estado), de 1546, de Henrique VIII, em que se lê em inglês contemporâneo: *The said questions were asked with license, and should remain under the rose...* no more to be rehearsed ("As referidas perguntas foram feitas sob permissão, devendo permanecer sob a rosa... e não mais serem mencionadas").

Assim como outros aspectos do *CDV*, as derivações latinas nem sempre estão cem por cento corretas, mas a trama faz com que as pessoas discutam sobre idéias, Filosofia, religião, História e, até mesmo, latim, com uma intensidade maior do que o normal.

Notas – Livro II – Parte II

1. Baigent, Michael; Leigh, Richard; Lincoln, Henry. *O Santo Graal e a linhagem sagrada*. Rio de Janeiro: Nova Fronteira, 1993.
2. Picknett, Lynn; Prince, Clive. *A grande heresia: O segredo da identidade do Cristo*. São Paulo: Beca, 2000.
3. Idem, ibidem.
4. Baigent, Michael; Leigh, Richard; Lincoln, Henry. Op. cit. *O Santo Graal e a linhagem sagrada.*
5. Idem, ibidem.
6. Darrell L., Bock, Ph.D. *Quebrando o Código da Vinci*. São Paulo: Novo Século, 2004.
7. Baigent, Michael; Leigh, Richard; Lincoln, Henry. Op. cit. *O Santo Graal e a linhagem sagrada.*
8. De Sède, Gerard. *L'Or de Rennes ou la vie insolite de Bérenger Saunière, curé de Rennes-le-Château*. Paris: René Juilliard, 1967.
9. Idem. *Le Trésor maudit*. Paris: Editions J'ai Lu, 1968.
10. Paris: Editions Pygmalion, Gerard Watelet, 1983.
11. Chumeil, Jean-Luc.*Trésor du Triangle d'Or*. Nice: A. Lefeuvre, 1979, p. 80.
12. *Dictionnaire d'archéologie chrétienne et liturgie*. Ed. Fernand Cabrol. Paris, Letouzey et Ane, 1907-1953. 15 v.
13. Jarnac, Pierre Jarnac. *Histoire du Trésor de Rennes-le-Château*. Cabestany, 1985, pp. 268-269.
14. De Sède, Gérard. *Rennes-le-Château: Le dossier, les impostures, les phantasmes, les hypothèses* ("Les Enigmes de L'Univers", Robert Laffon, 1988).
15. Traduzido de *Priory of Sion Archives*, de Paul Smith, disponível em www.priory-of-sion.com/psp/id129.html.
16. Dickens, Charles. *Um conto de duas cidades*. São Paulo: Círculo do Livro, 1997.
17. Eco, Humberto. *O pêndulo de Foucault*. Rio de Janeiro: Record, 2002.
18. Nabokov, Vladimir. *Fogo pálido*. 2. ed. São Paulo: Companhia das Letras, 2004.

Parte III

Sob a pirâmide

12 A biblioteca de Sophie

Ao investigarmos os nomes dos personagens do *CDV*, encontramos diversos sentidos ocultos e interessantes que Dan Brown deixou para os leitores.

Começamos com uma pessoa que não aparece no *CDV*, a não ser como uma breve memória, na página 24. Mas ela constitui um dos pilares do templo de Robert Langdon: Vittoria Vetra, uma das duas mulheres da vida de Langdon, e a única, segundo referências explícitas nos livros, com quem ele foi além de um amor platônico. Vale a pena conhecer um pouco mais detalhadamente essa personagem e um pouco da sua aventura com Langdon na narrativa de Dan Brown em *Anjos e demônios*.*

Uma rosa por qualquer outro nome
Um guia de quem é quem no CDV

David A. Shugarts

Vittoria Vetra

Vittoria é a grafia italiana de Vitória, a deusa romana da vitória e o equivalente da deusa grega Nike. Vetra é uma praça pública em Milão, lugar onde Maifreda, a mulher proclamada papisa pelos guglielmitas, foi queimada pela Inquisição em 1300. Milão é a cidade onde se encontra atualmente *A Última Ceia*, de Leonardo da Vinci.

---

* *Anjos e demônios* é anterior ao *CDV*, mas sua publicação no Brasil, pela Editora Sextante, em 2004, ocorreu após o lançamento do *CDV*. (N. E.)

Em *Anjos e demônios*, Vittoria Vetra é a filha adotiva de Leonardo Vetra, um brilhante físico do CERN (Conselho Europeu para a Pesquisa Nuclear). Ela também é uma física e parceira do pai no laboratório privado mantido pelos dois. Em *Anjos e demônios*, cuja ação, assim como a do *CDV*, transcorre em abril, ela e Robert Langdon percorrem Roma atrás de pistas, enquanto derrotam os inimigos do Vaticano. Na trama do *CDV*, que se passa mais de um ano depois, Langdon ainda se lembra de seu cheiro e de seus beijos – memórias de uma época em que ele ainda não conhecia Sophie Neveu.

Leonardo Vetra iria completar 58 anos quando foi torturado e morto, ação que se passa no início de *Anjos e demônios*. Considerava-se um teofísico. Havia encontrado uma prova de que todas as moléculas estão interconectadas por uma única força. Ele e Vittoria tinham descoberto como criar e armazenar antimatéria. Vittoria teve que retornar de uma pesquisa biológica no mar Balear. Durante sua carreira, ela contesta uma das teorias de Einstein usando câmeras atomicamente sincronizadas para observar um cardume de atum.

É descrita como uma mulher esguia e graciosa, alta, de pele morena e com um longo cabelo preto. Suas feições são tipicamente italianas, e não é excepcionalmente bonita, embora exale uma forte sensualidade, mesmo se vista de longe. Tem olhos profundos e penetrantes. Robert Langdon também nota seu corpo esguio e seus seios pequenos. Vegetariana radical, é, dentro do CERN, a pessoa que mais entende de hata-ioga.

Aos oito anos conheceu seu pai adotivo, Leonardo Vetra, na época um jovem padre que havia sido um premiado estudante de Física na universidade. Vittoria estava no Orfanotrofio di Siena, um orfanato católico próximo a Florença, "abandonada por pais que ela nunca conhecera".

Vetra recebeu uma bolsa para estudar na Universidade de Genebra e adotou Vittoria um pouco antes de ela completar nove anos. Ela estudou na Escola Internacional de Genebra. Três anos depois, Vetra foi contratado pelo CERN, onde Vittoria permanece desde os doze anos.

O sobrenome Vetra é único. Vem de *vetraschi*, os artesãos que curtiam peles e tinham suas oficinas na Praça Vetra, em Milão. No século XIII, quando os gnósticos e outros admitiam mulheres no clero, uma mulher, conhecida como Guglielma de Bohemia, chegou a Milão, onde começou a pregar. Após sua morte, em 1281, como era relativamente comum na época, surgiu um culto em torno de suas relíquias. O seguidores mais fanáticos de Guglielma acreditavam que ela era uma reencarnação do Espírito Santo e que retornaria para depor o papa, instalando a primeira linhagem de papisas e inaugurando a Era do Espírito.

Os fanáticos acabaram escolhendo uma jovem de Milão, chamada Maifreda di Pirovano, e estabeleceram que Guglielma voltaria durante o Pentecostes, no ano de 1300. Quando a data chegou, o exército do papa Bonifácio VIII prendeu Maifreda di Pirovano e outros, que foram então queimados em uma fogueira na Piazza Vetra.

Jacques Saunière

De acordo com uma lenda (ou uma fraude completa), o abade Bérenger Saunière, um pobre pároco, estava fazendo, em 1891, obras na igreja de Rennes-le-Château, um povoado no sul da França, quando encontrou alguns pergaminhos. Ele os levou então ao abade da igreja de Saint-Sulpice em Paris, para serem decifrados.

Depois disso, o abade Saunière ficou rico, supostamente por causa de segredos valiosos contidos nos pergaminhos. Outro francês, Pierre Plantard, esteve no centro daquilo que muitos especialistas hoje acreditam ter sido uma fraude que envolveu conexões entre documentos forjados por ele e as lendas em torno de Saunière e do Priorado de Sião. Os documentos de Plantard acabaram se tornando uma fonte para Henry Lincoln, que fez um documentário sobre a história para a BBC.

Em 1981, Lincoln se juntou a dois outros autores para escrever *O Santo Graal e a linhagem sagrada*,[1] que gerou especulações de que os segredos guardados pelo Priorado de Sião seriam as relíquias de Maria Madalena, que teria sido a esposa de Cristo e a matriarca da linhagem dos reis merovíngios da França. Dan Brown baseou-se amplamente no livro *O Santo Graal e a linhagem sagrada* ao escrever o *CDV*.

O povoado do abade Saunière, Rennes-le-Château, fica no sudeste da França, terra dos merovíngios assim como dos cátaros, que viriam depois.

Robert Langdon

Nos agradecimentos de *Anjos e demônios*, Dan Brown homenageia John Langdon, que criou os impressionantes ambigramas desse livro. Ele também mostra alguns ambigramas de John Langdon em seu site.

Ambigramas são palavras-imagens que podem ser lidas da mesma forma se sofrerem uma rotação. Ainda que Dan Brown os descreva como uma simbologia "antiga" e "mística", John Langdon aparentemente acredita que a forma de arte que ele pratica foi inventada ou descoberta por ele. Outro artista, Scott Kim, começou a criar ambigramas mais ou menos na mesma época, de forma independente. Contudo, Kim cita Langdon como o primeiro a usá-los e diz também que o autor da palavra "ambigrama" é Douglas Hofstadter. John Langdon possui seu próprio site (www.johnlangdon.net), no qual estão disponíveis algumas de suas impressionantes criações.

O nome Langdon também é uma referência a Languedoc, região francesa em que se situa grande parte da história de Maria Madalena e dos templários. Finalmente, há outro Langdon, o professor de Harvard. E existem ainda mais conotações variadas sobre as quais pensar.

Bezu Fache

O monte Bezu fica próximo a Rennes-le-Château e apresenta pelo menos dois aspectos significativos. O primeiro é que se supõe que os templários tenham construído uma fortaleza nesse lugar. É também um dos cinco picos que dizem formar um pentáculo perfeito naquela área. Grand Fache é uma montanha nos Pireneus, não muito longe de Andorra (onde Aringarosa encontrou Silas) e próxima a Rennes-le-Château, a cidade onde se desenrolou a história do abade Saunière.

O nome Fache, em sua pronúncia correta – *fachê* –, também significa "zangado" em francês, uma característica que certamente descreve esse policial em particular.

Sophie Neveu

Como é explicado no *CDV*, *sofia* significa "sabedoria" em grego e possui um avatar feminino não só na mitologia grega mas também em outras mitologias. Muitos jornalistas sugeriram que "Neveu", além de soar parecido com a palavra *nouveau* – "novo", em francês –, sugere *new Eve*, "nova Eva", lembrando a figura de Eva na Bíblia e nos mitos. Um retorno de Eva, o renascimento do sagrado feminino, a deusa feminina da sabedoria – todas essas são descrições que se encaixam na figura de Sophie Neveu.

Sophie, retratada como uma consorte mística do Cristo, consta de um dos livros de Nag Hammadi que é considerado uma Escritura pelos gnósticos – A Sophia (sabedoria) de Jesus Cristo. Nesse documento, Sophia é a metade feminina de um Cristo andrógino, conhecida como "Primeira Progenitora Sophia, Mãe do Universo. Alguns a chamam de 'Amor'."

Sophie Neveu poderia ser, ela mesma, considerada um Santo Graal de acordo com as definições do *CDV*, por ser um vaso que transporta a linhagem de Cristo. Por diversas vezes, o livro parece inclinar-se bastante no sentido de sugerir que Sophie e seu irmão que está na Escócia são, de fato, descendentes da união de Jesus e Maria Madalena. Ao mesmo tempo, há trechos explícitos que contradizem isso, só para manter o equilíbrio. Como muitas outras coisas, trata-se de um mistério.

Bispo Manuel Aringarosa

Aringa rosa, em italiano, significa "arenque vermelho".* Se o mestre supremo da conspiração é Teabing, então o trabalho de Aringarosa e de seu subordinado, Silas,

* A expressão original, *red herring*, significa também "pista falsa", "despistamento". (N. T.)

é o despistamento da trama. O nome também contém a palavra "rosa". Um anagrama do nome do bispo resulta em *nausea or alarming* (náusea ou alarmante) – duas reações que alguém pode ter à sua conspiração.

Sir Leigh Teabing

Dan Brown deve muitas das idéias do *CDV* ao livro *O Santo Graal e a linhagem sagrada*, de Michael Baigent, Richard Leigh e Henry Lincoln, citado por ele na narrativa. "Leigh" vem de Richard Leigh, e "Teabing" é um anagrama de Baigent. Teabing, assim como o terceiro autor dessa obra, fez documentários para a BBC. Há muitas outras semelhanças.

André Vernet

O nome André Vernet, dado ao gerente do banco suíço, aparentemente pertence a uma pessoa real e está entre os muitos listados nos agradecimentos do *CDV*. Segundo relatado, Vernet seria um antigo membro da Phillips-Exeter Academy, na qual Dan Brown se formou em 1982 e onde posteriormente deu aulas de inglês.

Rémy Legaludec

Rémy é um nome comum na França. Legaludec é uma brincadeira com a palavra Languedoc, região do sul da França de onde muitos nomes importantes do *CDV* se originaram. Encontramos as palavras "legal" e "duce" nesse nome, que também pode ser reescrito como o anagrama a *glad clue* (uma pista feliz).

Jonas Faukman

Jonas Faukman é o editor de Robert Langdon no *CDV*. Jason Kaufman é o editor de Dan Brown na vida real. Kaufman trabalhou no Pocket Books até 2001 e publicou dois outros livros de Dan Brown, *Digital Fortress* e *Anjos e demônios*. Kaufman foi para a Doubleday (subsidiária da Random House), e sua primeira aquisição foi o *CDV*, que seria o primeiro de um contrato para dois livros no valor de quinhentos mil dólares.

Como personagem de ficção, Faukman trava um dos diálogos memoráveis do *CDV* quando, falando a Langdon sobre seu desejo de escrever um livro sobre o sagrado feminino, diz: "Você é historiador de Harvard, meu querido, não um autor de literatura de consumo procurando um tema polêmico para faturar uma grana." Suas palavras podem ser a voz da consciência real de Dan Brown, pensando até onde ele está levando algumas das idéias sérias que fazem parte do *CDV* para o caminho "cor-de-rosa" da cultura do ocultismo e da Nova Era.

Notas avulsas:

- Pamela Gettum, bibliotecária. Além da atitude "deixa que eu resolvo" sugerida pelo nome em inglês ("Gettum" soa parecido com *get them*, que, no contexto, significa algo como "eu consigo"), Pamela Gettum pode ser o equivalente, para Robert Langdon, do que a personagem de Pussy Galore é para James Bond.

- Edouard Desrochers é um dos nomes citados rapidamente no capítulo 90, em uma lista de pessoas cujas conversas foram monitoradas por Teabing. Há também um ex-membro da Phillips-Exeter Academy com esse nome.

- Colbert Sostaque, outro dos nomes nessa lista, resulta no anagrama *cobalt rose quest* (a busca da rosa cobalto). Os misteriosos pergaminhos descobertos por Bérenger Saunière em Rennes-le-Château incluíam uma linha que se referia a "maçãs azuis ao meio-dia". Decifrar essa frase sem sentido tornou-se um dos maiores desafios na lenda do Priorado/Santo Graal. Temos a impressão de que Dan Brown pode estar brincando com isso. É sabido que um dos maiores desafios para os que se dedicam à jardinagem é o desenvolvimento de uma rosa azul. Isso já foi comparado à "busca pelo Santo Graal" pelos horticultores. Há uma equipe australiana realizando pesquisas nessa área há mais de dezessete anos.

- Silas, além de ser quase um homônimo de "cilício", a cinta de autodisciplina usada pelo personagem, mata em silêncio e denomina o personagem bíblico que escapou da prisão durante um furacão.

Glossário

A Madona das rochas – Nome de uma de duas telas, ambas tecnicamente chamadas de *A Virgem das rochas*, pintadas por **Leonardo da Vinci**. *A Madona das rochas* tornou-se o nome popular para o quadro que está no Louvre; o outro, uma representação "suavizada" do original, encontra-se na National Gallery, em Londres.

Em busca da solução do anagrama *So dark the con of men* ("Tão sombria a traição dos homens"), Sophie, ao procurar atrás dessa pintura uma pista que pudesse ter sido deixada por seu avô, encontra a chave com a figura da **flor-de-lis**, assim como as iniciais P. S. Dessa forma, cumpre-se a promessa feita por ele de que um dia sua neta receberia a "chave" para muitos mistérios. Em sua fuga do Louvre sob a perseguição de um segurança, Sophie e Langdon entram no **SmartCar**, e Langdon reflete sobre esse novo "elo que se encaixa na cadeia de simbolismo daquela noite".

O que esse personagem percebeu no livro, e que acadêmicos no mundo real já destacaram, é a complexa história dessa pintura e seu novelo de possíveis significados ocultos – todos eles se entrelaçando no que Langdon chama de "detalhes perturbadores", alguns dos quais ele cita: uma situação em que João está abençoando Jesus, bem como o gesto aparentemente ameaçador que Maria faz sobre a cabeça de João.

A Última Ceia – Ao lado da ***Mona Lisa***, *A Última Ceia* é uma das obras mais famosas de **Leonardo da Vinci**. Leigh Teabing a usa para ilustrar sua explicação sobre o **Santo Graal** e as referências codificadas que são feitas a essa tela na arte, na literatura e na história do Ocidente. Teabing nota uma série de estranhas características no quadro: a figura feminina de **Maria Madalena**, em geral considerada a de São João, sentado(a) à direita de Cristo; a mão desprovida de corpo segurando um punhal e apontando ameaçadoramente para Maria; o cálice e a letra "M" desenhados pelos corpos de Maria e Jesus. Nenhum dos principais acadêmicos apoiaria os insights de Teabing – Brown parece ter extraído as teses pouco comuns desse personagem dos livros *A grande heresia: O segredo da identidade do Cristo*,[2] Lynn Picknett e Clive Prince, e *The Women With the Alabaster Jar* (A mulher do vaso de alabastro), de Margaret Starbird.

Adonai – Um dos nomes de Deus em hebraico. O nome original de Deus, formado pelas letras hebraicas **YHWH**, era tão sagrado que nunca podia ser pronunciado em voz alta. Ao longo do tempo, Adonai tornou-se um dos substitutos, e as indicações de vogais nesse nome foram acrescentadas a YHWH para lembrar as pessoas de dizerem Adonai em seu lugar. Essa combinação de consoantes e vogais criou a transliteração "Jehovah" em inglês. O Livro do Gênesis começa chamando Deus de Elohim (o que é interessante, porque é uma palavra hebraica com uma terminação que indica plural). Mais adiante no Gênesis, e também em outros livros da Tora, Adonai é introduzido. Há quem argumente que Elohim representa o conceito de Deus antes do surgimento dos homens, e Adonai seria o nome correto de Deus após a criação do mundo. Alguns estudiosos que passaram toda a vida analisando como a Bíblia foi escrita acreditam que Elohim é um nome para Deus ainda mais antigo que Adonai. Eles identificam determinados documentos das Escrituras como pertencentes ao editor *E* (de Elohim) e outros como trabalho do editor *J* (de Jeová), etc.

Adoração dos magos – A obra-prima de **Leonardo da Vinci**, *Adoração dos magos*, foi encomendada ainda no início de sua carreira, no período que ele passou em Florença. Datada de 1481, a *Adoração* é um trabalho inacabado. Partes do painel continuam no estado de esboço, como traços sobre os quais o artista mais tarde aplicaria tinta. Isso parece indicar que Leonardo teria abandonado esse quadro antes que tivesse uma chance de completá-lo. Contudo, em 2001, o especialista Maurizio Seracini usou varreduras de ultra-som que revelaram que "nenhuma das tintas que vemos na *Adoração* foram colocadas lá por Leonardo". Segundo ele, isso foi feito por um artista de nível muito inferior que deliberadamente apagou alguns elementos da composição e introduziu outros.

Dan Brown sugere, no *CDV*, que o pintor anônimo que inseriu suas pinceladas sobre o traçado de Leonardo estava intencionalmente tentando esconder algum tipo de mensagem presente no original. O artigo de Seracini, publicado no *New York Times Magazine*, em 21 de abril de 2002, é mencionado por Robert Langdon no *CDV*.

ALBINO – Silas, o obediente supernumerário do **Opus Dei** no *CDV*, é um albino. Os albinos possuem uma deficiência pigmentar (ou não possuem pigmento algum) no cabelo, nos olhos e na pele. Em geral são portadores de graves deficiências visuais, e muitos são praticamente cegos. Silas não parece ter esse problema. Na verdade, o bispo Aringarosa enfatiza que o albinismo torna esse personagem único ou até mesmo sagrado: "Não vê que essa característica o faz especial? Sabia que até Noé foi albino?" A organização norte-americana que defende os direitos dos albinos usa o acrônimo NOAH ("Noé").

ALTAR – Altar significa "alto" em latim. Tem origem em práticas religiosas que precedem o cristianismo, como local para oferendas e sacrifícios. No início do cristianismo, era usado para simbolizar a Última Ceia.

AMON – Embora Amon seja descrito no *CDV* como o "Deus egípcio da fertilidade", ele possui um currículo bem mais extenso, incluindo um período como divindade suprema. Uma vez que o Egito, no início de sua história, possuía diversas divisões políticas, havia muitas casas nobres que depois iriam disputar o trono. Quando o faziam, traziam consigo seu próprio conjunto de deuses. Nos séculos posteriores, as histórias dessas divindades foram sendo modificadas e se entrelaçaram. Amon (ou Amen ou Amun) era mencionado nos textos mais antigos imediatamente após o par de deuses Nau e Nen, equivalentes do abismo de águas do qual todas as coisas se originavam. Essa associação coloca Amen e sua consorte, Amaunet, entre os poucos deuses que se autogeraram. Segundo outra versão, Amon teria sido criado por Thoth como um dos oito deuses originais da criação. Até o período aproximado da Décima Segunda Dinastia, Amon era um deus de Tebas, mas então os príncipes locais conquistaram seus rivais e tornaram sua cidade a nova capital do alto Egito. Foi provavelmente nesse período que ele passou a ser chamado de "Rei dos Deuses".

A palavra *amon* significa "aquilo que está oculto", aludindo ao espírito, que não pode ser visto. Amon também era conhecido como guardião da justiça, protetor dos pobres, Deus dos Ventos e da Fertilidade. Era retratado como humano, tipicamente com duas grandes penas em um penteado vermelho. Também era representado como um homem com cabeça de sapo ou de serpente, como um macaco e, ainda, como um leão deitado junto a um pedestal.

ANAGRAMAS – Os anagramas desempenham um importante papel no *CDV*. Anagramas são palavras ou frases criadas pela transposição de letras de outra palavra ou frase. No livro, a mensagem que Saunière rabisca na *Mona Lisa – So dark the con of men* ("Tão sombria a traição dos homens") – é um anagrama para outra pintura de **Leonardo da Vinci**, ***A Madona das rochas***. Saunière usa diversos anagramas para conduzir a busca de Sophie, incluindo um que é feito com base em números – a seqüência de **Fibonacci** reordenada.

ANDROGINIA – Uma combinação das raízes gregas *andr* (macho) e *gyn* (fêmea), a palavra significa sexo indefinido. Na parte final do livro, enquanto sobrevoam o canal da Mancha, Langdon conversa com Sophie sobre o ritual que ela testemunhou décadas atrás, que a traumatizou e fez com que se afastasse de seu avô. "'Máscaras?', perguntou ele, tentando manter a voz calma, 'Máscaras andróginas?'" Sophie respondeu: "Usavam. Todos. Máscaras idênticas. As das mulheres eram brancas. Dos homens, pretas." A androginia é considerada por muitos estudiosos de arquétipos e mitos um conceito que sugere a unidade da natureza dividida da espécie humana e da psique, deuses e deusas.

APÓSTOLOS – A raiz da palavra apóstolo vem do grego e significa "aquele que foi enviado". Os apóstolos foram enviados para propagar a mensagem cristã. Os registros de que **Maria Madalena** foi a primeira pessoa para quem Jesus apareceu após a ressurreição (de acordo com o relato de diversos Evangelhos) e a quem, especificamente, ele pediu que fosse contar a Boa Nova aos outros confirmam seu papel de "apóstola dos apóstolos", como ficou conhecida ao longo da história. Alguns estudiosos acreditam que os doze apóstolos correspondem às doze tribos de Israel.

ÁRIO – Ário é a figura mais familiar associada a uma heresia fortemente contestada, o arianismo. A questão central dessa doutrina diz respeito à natureza de Cristo: ele era feito da mesma substância do Deus-Pai ou era inferior a Ele, um ser que fora criado e trazido à existência por sua vontade e, portanto, incapaz de compartilhar Sua divindade? Ário argumentava que Cristo não era feito da mesma substância do Pai. Após muitos anos de discussões teológicas, ele apresentou sua doutrina no **Concílio de Nicéia**. Sua heresia foi rejeitada, e a oposição ao arianismo enfatizada no **Credo de Nicéia**. Esse movimento, contudo, ressurgiu outras vezes. Trinta anos após o início do reinado de **Constantino**, dois novos concílios foram realizados para discutir a mesma questão. Ambos foram incapazes de colocar um ponto final no assunto. No *CDV*, os visigodos – uma tribo ariana medieval – são citados como os progenitores da dinastia merovíngia. **Rennes-le-Château** foi, historicamente, um reduto dos visigodos.

ATBASH, CÓDIGO – O código Atbash foi usado por Robert Langdon, Sophie Neveu e Leigh Teabing para abrir o primeiro críptex de Saunière no capítulo 72 do livro, revelando outro mistério – o segundo críptex contendo o "mapa" para o **Santo Graal**.

בפומת

[tav] [mem] [vav] [pei] [beit]

שופיא

[alef] [yud] [pei] [vav] [shin]

Atbash é um código antigo e extremamente simples que se originou com escribas hebreus que estavam transcrevendo os livros do Antigo Testamento. Nesse código, a seqüência do alfabeto é invertida, de modo que a última letra substitui a primeira, a segunda substitui a penúltima, e assim por diante. Em português, faria com que o *a* fosse equivalente ao *z* (e vice-versa), o *b* equivalente ao *x*, etc. Dessa forma, *wz ermxr* seria a codificação Atbash para "Da Vinci" (se considerarmos como parte do alfabeto as letras k, w e y). O nome Atbash originou-se das primeiras duas letras do alfabeto hebraico (*aleph*, *beth*, ou "a" e "b" em português) e seus equivalentes no código (*taw*, *shin*, ou "r" e "s" em português). Atbash, assim como outros sistemas que usam métodos similares, são conhecidos como substituições.

Langdon lembra-se do exemplo mais famoso de uso do código Atbash enquanto espera que Sophie decifre o código do críptex: a referência a sheshach em Jeremias 25:26 e 51:41. A palavra *sheshach* causou uma grande dificuldade para os estudiosos da Bíblia, mas a aplicação do código Atbash revelou seu sentido oculto: "Babel", que para muitos estudiosos equivale à Babilônia, capital do império dos babilônios e lugar onde estes mantiveram muitos judeus capturados depois de saquearem Jerusalém no ano 600 a.C.

BAPHOMET – Um ídolo que tinha a cabeça de um cordeiro. Dizem que, em algumas descrições, o símbolo do **pentagrama** aparece em sua cabeça. Embora muitas vezes seja identificado como o ídolo da Ordem dos **Cavaleiros Templários**, essa associação é resultante das confissões obtidas pela Inquisição sob tortura, sendo, portanto, no mínimo suspeita. Muitos cavaleiros templários, quando torturados por esse tribunal, confessaram (legitimamente ou não) adorar esse ídolo, cuja descrição freqüentemente era a de que possuía "a cabeça de um cordeiro e o corpo de um asno". Alguns seguidores contemporâneos do paganismo mantêm uma crença em Baphomet, acreditando que ele era a divindade das bruxas, oriundo de Pã, o Deus da Natureza.

BIBLIOTECA DO VATICANO – O bispo Aringarosa visita **Castel Gandolfo** e passa pela Biblioteca Astronômica, a biblioteca do Observatório do Vaticano. Ainda que algumas fontes relatem uma biblioteca organizada já no século IV, a Biblioteca do Vaticano, tal como é conhecida hoje, data do papado de Nicolau V, em 1447. Nicolau ampliou seu acervo, passando de algumas centenas de obras para mais de mil e quinhentas, o que a tornou a maior biblioteca da Europa naquela época. Atualmente, ela possui mais de um milhão de livros e cento e cinqüenta mil manuscritos que contêm obras como os mais antigos textos em grego do Antigo e do Novo Testamento, assim como as produções mais antigas ainda restantes de Dante, Virgílio e Homero, entre outras.

BOAZ E JAQUIM – Boaz e Jaquim são os nomes das duas colunas que sustentam o antigo **Templo de Salomão**. No *CDV*, Langdon e Sophie encontram uma cópia dessas colunas na Capela Rosslyn. Sophie acha que já as vira antes, e Langdon observa que elas são "os elementos arquitetônicos mais reproduzidos da história" e que são iguais aos dois pilares colocados em todos os templos maçônicos do planeta. Os nomes são derivados de relatos bíblicos sobre como Salomão construiu seu templo. Salomão escreveu para Hirão de Tiro, pedindo que lhe enviasse alguém capaz não somente de trabalhar com ouro, prata, bronze e ferro como também de fazer tecidos azuis, púrpura e vermelhos. Entre as contribuições desse artesão estão os dois pilares, ricamente decorados. O pilar da direita foi chamado de Jaquim ("estabelecer"; "estabilidade"), e o pilar da esquerda foi denominado Boaz ("força", ou "nele há força"). Segundo a lenda, Boaz era o nome de um dos ancestrais de Salomão. A origem de Jaquim não é tão clara. Ambos tornaram-se símbolos importantes na prática da maçonaria. Os maçons ligam suas antigas origens a uma representação simbólica do poder do divino e freqüentemente adaptam o símbolo da **flor-de-lis** a suas construções – nesse caso, com letras maiúsculas gravadas em bronze no alto das duas colunas. Outros os comparam aos grandes pilares que antigos povos acreditavam sustentar o mundo – um em Gibraltar, o outro em Ceuta. Alguns os vêem como representações de muitas antigas dualidades, como claro/escuro, feminino/masculino, positivo/ negativo, e, no plano dos elementos, fogo/água.

Bois de Boulogne – Langdon e Sophie passam pelo Bois de Boulogne a caminho da rua Haxo, 24, o endereço que o avô de Sophie deixara em uma misteriosa chave cortada a laser. Langdon tenta organizar seus pensamentos para contar a Sophie sobre o **Priorado de Sião**, mas é distraído pelos estranhos habitantes noturnos do parque – prostitutas, travestis e outros.

O Bois de Boulogne é um grande parque de Paris, com cerca de oito quilômetros quadrados e uma vegetação exuberante. Possui muitas áreas recreativas, incluindo pistas de corrida de cavalos, trilhas para correr e andar de bicicleta, além de belos jardins. Durante a noite, o parque torna-se uma movimentada zona de prostituição. O Bois de Boulogne é apenas um pedaço do que sobrou de uma floresta bem maior, a Forêt de Rouvray, cujas terras se estendiam ao norte do parque atual por dezenas de quilômetros na época da invasão da Gália no século I. O rei Childerico II, um monarca **merovíngio** do século VII, deu a posse das terras ao abade de Saint-Denis, que planejava construir mosteiros e abadias na floresta. Durante a Guerra dos Cem Anos, a floresta, que nunca fora segura, transformou-se num reduto de ladrões antes de ser ocupada pelos parisienses. Durante o reinado de Luís XI, o terreno foi reflorestado, e criaram-se duas novas estradas.

Brown menciona que alguns parisienses referem-se a essa área como "o Jardim das Delícias", uma alusão ao tríptico de Hyeronimus Bosch, obra conhecida por seu conteúdo obsceno e simbolismo misterioso. O tríptico mostra o Jardim do Éden antes da queda, em seu painel esquerdo; o Jardim das Delícias, no painel central; e uma visão do inferno, no painel direito. Ainda que cada um deles, na interpretação teológica, represente um local diferente, eles têm um elemento em comum. Nos três reinos, do imaculado à danação, há cenas de um surrealismo inquietante.

O inferno é mostrado como um reino cheio de criaturas bizarras e punições estranhamente requintadas, onde corpos humanos com cabeça de animais devoram os pecadores. Um grande corpo serve como caverna para punição dos condenados e há símbolos estranhos por toda parte. Contudo, o surrealismo estende-se tanto ao painel central – o Jardim das Delícias – quanto ao Jardim do Éden, na parte esquerda do tríptico. Esses lugares míticos parecem estar livres das imagens bizarras e torturantes do inferno, mas o surrealismo ainda permanece: mulheres e homens nus divertem-se dentro de fantásticas estruturas vivas no jardim, e mesmo a pureza do Éden encontra-se infestada de estranhos animais quiméricos.

Bosch (1450-1516), um mestre da pintura flamenga, é quase um contemporâneo exato de **Leonardo da Vinci**. Também é conhecido por seu interesse em alquimia e sociedades secretas. Muitas de suas pinturas estão mais carregadas de símbolos e mensagens codificadas e de exóticas referências à sexualidade e ao **sagrado feminino** do que qualquer coisa que possa ser encontrada nas obras de Leonardo. Assim como no caso deste último, é difícil saber se Bosch era um católico devoto, um pensador livre radical ou um herege membro de cultos. Alguns historiadores da arte e biógrafos acreditam que ele estava envolvido com a sociedade secreta dos adamitas, que pode ter incorporado o ritual do ***hieros gamos*** como parte de suas práticas.

Enquanto continuam os debates em torno do sentido da simbologia de Bosch, uma coisa é clara. Para ele, há uma profunda ambigüidade e um perigo oculto nos lugares que consideramos paradisíacos. Isso torna o Bois de Boulogne um homônimo digno desse tríptico e um local que merece figurar no *CDV*.

Botticelli, Sandro – Na abertura do livro de Dan Brown, esse pintor italiano é citado como uma das personalidades que, de acordo com os ***Dossiês secretos***, teriam pertencido ao **Priorado de Sião**. Botticelli provavelmente é mais conhecido por sua famosa pintura *O nascimento de Vênus*, que tem conexões óbvias com o **sagrado feminino**. Perseguido por fundamentalistas e inquisidores de Florença, liderados por Savonarola, finalmente cedeu a eles. Esse fato, aliado à rivalidade artística que mantinha com Leonardo, torna difícil crer que tenham sido membros da mesma sociedade ultra-secreta, ainda que seja verdade que os trabalhos de Botticelli, incluindo *O nascimento de Vênus*, introduzam um forte elemento de erotismo na pintura renascentista.

Cálice – Na arte cristã o cálice remete à Última Ceia, ao sacrifício de Jesus e à fé cristã. Langdon explica a natureza do cálice a Sophie durante a breve estada de ambos no castelo de Teabing. O cálice é o símbolo mais simples do feminino, uma representação do útero e da feminilidade. O

Santo Graal é uma variante do cálice, mais elaborada simbolicamente, associada a **Maria Madalena** em seu papel de preservadora da linhagem sagrada.

O símbolo oposto, porém complementar, algumas vezes retratado junto ao cálice, é denominado lâmina. Representada como um pênis, uma faca ou uma lança, a lâmina é o símbolo da masculinidade e da agressividade. Essas duas figuras, quando unidas, formam a estrela-de-davi, à qual Langdon se refere como a união perfeita do masculino e do feminino, bem como o mais alto princípio do divino.

Os símbolos do cálice e da lâmina nunca desapareceram; estão presentes, de várias formas, em toda a cultura ocidental.

Capela Rosslyn – Quase no final do *CDV*, o segundo críptex de Saunière leva Langdon e Sophie Neveu à Capela Rosslyn, na periferia de Edimburgo, Escócia. Muitos adeptos do ocultismo e da Nova Era acreditam, há algum tempo, que o **Santo Graal** está em Rosslyn, para onde foi levado após o massacre dos **cavaleiros templários** na França, em 1307. Grupos maçons escoceses têm sido considerados alguns dos herdeiros da tradição templária.

A construção da Capela Rosslyn – também conhecida como Catedral dos Códigos – começou em 1446 por ordem de Sir William St. Clair, ou Sinclair, grão-mestre por hereditariedade dos maçons escoceses e suposto descendente da linhagem dos **merovíngios**. Sir William supervisionou pessoalmente a construção da capela, interrompida pouco após sua morte, em 1484. Apenas o coro da igreja foi concluído. A capela é cheia de códigos, símbolos, alfabetos e imagens que sugerem uma espécie de linguagem universal. Símbolos cristãos e judeus coexistem com os idiomas grego, latim e hebraico, entre outros. Há ainda referências à história nórdica, céltica e templária. No final de sua visita à Rosslyn, Robert e Sophie aparentemente descobrem que, mesmo que o Santo Graal tenha estado ali, ele já foi levado para outro lugar.

Caravaggio – Em uma tentativa desesperada de se distanciar de Silas, Jacques Saunière puxa uma pintura de Caravaggio de uma parede do **Louvre**. Isso faz com que os alarmes do museu sejam acionados e uma grade de segurança caia entre Saunière e Silas. O plano funciona, mas não exatamente da forma como Saunière havia esperado.

Esse artista foi um dos principais pintores italianos do período barroco. Batizado com o nome Michelangelo Marisi, em 1573, em uma cidade da Lombardia chamada Caravaggio (de onde tirou sua alcunha), teve uma vida dura. Quando finalmente atingiu o sucesso e a fama, não foi capaz de controlar completamente a raiva e o temperamento violento que desenvolveu durante os anos de pobreza. Sempre envolvido numa série de confusões e brigas, terminou por assassinar um parceiro de tênis durante uma partida. Depois disso, fugiu de uma cidade para outra, muitas vezes escapando por pouco de ser preso. Durante uma de suas fugas, ele parou em Malta, onde se tornou um **cavaleiro de Malta**. Morreu em 1610 enquanto aguardava o perdão papal, que chegou somente três dias antes de sua morte.

Caravaggio usou uma luminosidade intensa para criar cenas dramáticas que transmitiam a sensação de serem um momento congelado no tempo – como um flash num espaço escuro, especialmente eficaz para comunicar momentos de conversão, epifania, choque ou violência. Não é surpresa, então, que algumas das suas mais famosas pinturas incluam cenas que são ao mesmo tempo violentas e espirituais, como *A crucificação de São Pedro*, *A conversão de São Paulo*, *A vocação de São Mateus* e *A descida da cruz*. Ele pintava figuras religiosas e míticas de forma "vulgar", como se fossem trabalhadores ou prostitutas. De fato, bem no início de sua carreira, esses eram os únicos modelos de que dispunha.

CASTEL GANDOLFO – Castel Gandolfo figura no *CDV* como o lugar onde o bispo Aringarosa se encontra duas vezes com representantes do Vaticano. É famoso por suas duas funções: residência de verão do papa e centro do programa de astronomia do Vaticano. Antes já havia sido a residência de verão do imperador romano Domiciano (de 81 a 96 d.C.). Domiciano ergueu um palácio suntuoso, com um aqueduto próprio, um teatro para a realização de concursos de poesias e peças, além de um *criptoporticus* – uma longa estrutura, similar a um túnel – construído dentro de uma das montanhas adjacentes e projetada especialmente para proteger o imperador do sol durante suas longas caminhadas.

O palácio ficou em ruínas após sua morte e foi destruído e reconstruído diversas vezes durante os quatro séculos seguintes, em decorrência de uma queda-de-braço entre várias famílias nobres e a Igreja. Em torno de 1600, o Vaticano finalmente o comprou de seu último proprietário. Urbano VIII, que foi papa de 1623 a 1644, fez grandes reformas nesse castelo, que se tornou a residência de verão oficial dos papas em 1626. A construção é conhecida por seu estilo simples e de bom gosto, assim como por seus belos jardins.

Castel Gandolfo é também sede de um dos mais antigos centros de astronomia do mundo, o Observatório do Vaticano. Conhecido como Specola Vaticana, ele foi transferido para o castelo em 1930. Quando as luzes de Roma começaram a brilhar mais do que as estrelas, o Vaticano criou um segundo centro de astronomia num lugar onde as luzes da capital jamais causarão problemas: Tucson, no Arizona. O castelo continua sendo a residência de verão do papa.

CÁTAROS – Os cátaros formavam uma seita religiosa cristã, herege, que floresceu nos séculos XII e XIII. A palavra vem do grego *katharos*, que significa "puro". Estavam presentes em todo o sul da Europa – especialmente nas áreas onde o controle da Igreja Católica era mais fraco –, mas se concentravam particularmente na **Provença**, uma região rica do Languedoc, sul da França, que sempre foi conhecida por sua independência religiosa e política.

A origem da heresia dos cátaros é obscura, mas alguns estudiosos acreditam que o dualismo que está no centro de sua crença foi introduzido por hereges vindos do Império Bizantino, nos limites orientais do mundo cristão. Os cátaros seguiam uma idéia comum aos gnósticos, a de que o mundo fora criado por um deus malévolo, um deus do mundo material, que corrompeu sua criação desde o início. Assim, todas as coisas materiais, incluindo o próprio corpo humano, eram consideradas malignas. Transcender e escapar à prisão da carne era a única salvação. Eles acreditavam que a alma, ou o espírito, estava presa entre o bem espiritual e o mal material; portanto, se o indivíduo decidisse aceitar as imposições vulgares do mundo material por meio da autonegação, reencarnaria sucessivamente, até que fizesse a escolha certa.

Os cátaros também eram protofeministas. As mulheres podiam ascender na hierarquia da mesma forma que os homens. Para eles, a alma não possuía sexo, e o corpo material era simplesmente sua prisão. Espiritualmente, não havia nenhuma superioridade inata de um sexo sobre o outro.

As crenças hereges dos cátaros ameaçavam a Igreja ortodoxa, que os caluniou valendo-se de rumores muito similares aos que foram disseminados contra os **cavaleiros templários** – acusações de serem adoradores do demônio, de queimarem bebês e comerem suas cinzas e de serem homossexuais inveterados. Quando percebeu que isso não interrompia a crescente popularidade dessa doutrina, Roma organizou uma Cruzada, a qual nomeou numa referência à pequena cidade de Albi, reduto central dos cátaros. A Cruzada Albigense, realizada de 1209 a 1229, usou o poderio militar para esmagar o crescimento dessa crença. Cidades e aldeias inteiras, consideradas locais de residência das comunidades hereges, foram saqueadas e destruídas.

CATEDRAL DOS CÓDIGOS – Nome informal dado à **Capela Rosslyn**.

CAVALEIROS DE MALTA – Únicos a rivalizar seriamente com os **cavaleiros templários**, os cavaleiros de Malta (também conhecidos como "hospitaleiros de São João de Jerusalém" e "cavaleiros de Rodes") formavam uma ordem monástica militar que se originou na Terra Santa, no século XI. Dedicados a cuidar dos doentes e feridos, estabeleceram hospitais nessa região para confortar e ajudar os peregrinos. A ordem considerava-se serva de seus pacientes: em alguns hospitais, os enfermos dormiam em lençóis de linho e comiam em utensílios de prata. Paradoxalmente, seus membros também tinham a reputação de serem guerreiros ferozes, tanto na terra quanto no mar. Eles vagaram pelo Mediterrâneo, estabelecendo bases em Chipre, Rodes e finalmente em Malta, depois que a Terra Santa foi dominada pelos muçulmanos. Partindo de suas fortalezas nas ilhas, atacavam embarcações muçulmanas, bem como suas cidades costeiras.

A apreensão de suas propriedades durante a Reforma e a Revolução Francesa suprimiu a independência financeira dessa ordem, que, enfraquecida, entregou Malta a Napoleão em 1798. Ao longo de todo o século XIX, porém, ela ressurgiu sob várias formas, retornando às suas raízes, abrigando doentes e feridos. Os cavaleiros de Malta construíram salas de cirurgia e organizaram o atendimento médico em várias guerras na Europa e mantiveram hospitais de campanha durante a Primeira Guerra Mundial. A ordem existe em nossos dias como um estado soberano, quase como o Vaticano. Sua sede, em Roma, é "extraterritorial", o que significa que pode emitir seus próprios passaportes e trocar embaixadores com outros países (há quarenta deles, atualmente). É o menor Estado independente do mundo.

CAVALEIROS TEMPLÁRIOS – Os cavaleiros templários são mencionados pela primeira vez no *CDV* enquanto Sophie e Langdon atravessam o **Bois de Boulogne**. Langdon conta brevemente a história desses cavaleiros e explica a relação entre a sua ordem e o **Priorado de Sião**. Os templários têm um papel de destaque no livro como um dos pontos de sustentação da trama: o Priorado, segundo o *CDV*, criou a Ordem dos Cavaleiros Templários como um braço militar destinado a recuperar e proteger os documentos e as relíquias do Santo Graal.

Em 1119, nove cavaleiros, que se denominaram "pobres cavaleiros de Cristo", fizeram votos de proteger os peregrinos que visitavam a Terra Santa. Tratava-se de um novo tipo de ordem: religiosos que eram ao mesmo tempo guerreiros e monges e para quem derramar sangue a serviço de Deus era uma alegria.

O rei Balduíno II concedeu- lhes alojamento na mesquita de al-Aqsa, que ficava situada, de acordo com os cruzados, no mesmo local onde antes existia o **Templo de Salomão**. Se a mesquita estava ou não nesse lugar ainda é assunto para debates em nossos dias. De qualquer forma, pelo fato de dizerem que seus alojamentos ficavam sobre o templo, eles se denominaram cavaleiros do Templo de Salomão, ou cavaleiros templários.

Como Langdon observa, a ascensão dos templários após um começo desfavorável é surpreendente. Os historiadores tradicionais não atribuem isso a segredos ou a tesouros encontrados sob a mesquita de al-Aqsa. O consenso é de que o zelo genuíno dedicado a manter a Terra Santa sob domínio cristão levou autoridades seculares e eclesiásticas a fazerem grandes doações a essa ordem. Além disso, o papa **Inocêncio II** emitiu uma bula estabelecendo que esses cavaleiros respondiam apenas ao Sumo Pontífice. Essa independência em relação a qualquer governo secular ou religioso, que incluía a isenção do pagamento de impostos, aumentou não apenas a fortuna dos templários como também seu poder.

Seu destino estava ligado ao destino da Terra Santa, que se encontrava constantemente ameaçada pelos exércitos dos reinos muçulmanos situados no Oriente. Quando, em 1291, os cristãos perderam o domínio da Terra Santa para os muçulmanos, a sorte dos templários mudou. Dezesseis anos mais tarde, na França, houve uma prisão em massa dos membros dessa ordem, acusados por **Filipe, o Belo** de heresia, blasfêmia, homossexualismo e outros crimes contra a Igreja e Deus. Ainda que as acusações fossem falsas, alguns deles confessaram ou foram torturados até confessar, e aqueles que negaram suas confissões foram queimados vivos. A ordem desapareceu efetivamente em 1314, quando o último dos grão-mestres, Jacques de Molay, foi queimado por ter negado sua confissão.

CÉSAR, CAIXA DE – Um sistema de substituição, similar ao código **Atbash**, desenvolvido por Júlio César para comunicar-se com seus generais em tempos de guerra. Usando o alfabeto inglês, a caixa de César substituiria cada letra pela terceira letra seguinte, de forma que *d* substitui *a*, *e* substitui *b*, *f* substitui *c*, e assim por diante. Dan Brown seria codificado como "Gdq Eurzq".

CHÂTEAU VILLETTE – O Château Villette, suntuosa residência de Teabing na França, é o local onde Sophie e Robert se refugiam após escaparem do banco suíço com a **pedra-chave**. O Châteaux Villette realmente existe e é um marco da arquitetura próximo a Paris. Foi projetado por François Mansart em 1668 para Jean Dyel, o conde de Aufflay e embaixador francês em Veneza. Jules Hardouin-Mansart, sobrinho de François, que também era um grande arquiteto, concluiu essa construção em 1696. O castelo de Versailles foi projetado por Hardouin-Mansart na mesma época, e a influência do projeto da famosa residência dos reis da França fica aparente em Villette. Um lugar do mais alto luxo: onze quartos e banheiros, uma capela, uma residência para hóspedes, estábulos, jardins, quadras de tênis e dois lagos. Em nossos dias, os aspirantes à nobreza podem alugar o Châteaux Villette para passar férias ou para realizar reuniões e casamentos.

CILÍCIO – O cilício é uma "pequena túnica ou cinto ou cordão, de crina, de lã áspera, às vezes com farpas de madeira, que, por penitência, se trazia vestido diretamente sobre a pele".* No *CDV*, é uma cinta com espinhos usada na coxa por Silas, membro do **Opus Dei** enviado para matar Saunière e os outros membros do **Priorado de Sião**. O uso do cilício é adotado por alguns homens e mulheres (chamados "numerários") filiados ao Opus Dei. É uma extensão de uma prática tradicional da Igreja Católica, a mortificação corporal, cuja intenção é levar à identificação com o sofrimento de Jesus por meio do sofrimento pessoal e, portanto, à resistência às tentações e à evolução espiritual. **Josemaría Escrivá** de Balaguer, fundador do Opus Dei, acreditava que apenas a dor física permitiria que o pecador se arrependesse. Em seu livro *Caminho*,[3] obra básica para seus seguidores, ele escreveu: "Louvada seja a dor. Amada seja a dor. Santificada seja a dor... Glorificada seja a dor." Registrou ainda: "Aquilo que foi perdido através da carne deve ser restituído pela carne: seja generoso em sua penitência." Exemplos mais tradicionais de penitência incluem o jejum e o celibato.

CLEF DE VÔUTE – Esse é o termo francês para um elemento arquitetônico chamado pedra-chave, usado como a pedra mais alta, central, em uma série de outras pedras (denominadas *voussoir*) que formam um arco. Por ocupar essa posição, ela recebe o peso das outras e sustenta o arco. Nos tetos em formato de abóbada das catedrais, é aquela que suporta a o peso de uma arcada e geralmente é decorada. No *CDV*, essa pedra é o lendário "mapa de pedra", criado pelo Priorado de Sião, que supostamente conduziria ao Santo Graal. Langdon pergunta a Sophie se o avô dela havia falado sobre a pedra-chave. Vendo-a confusa a respeito do termo, ele lhe dá uma rápida aula, dizendo que esse elemento significou um grande avanço na arquitetura e que está profundamente mergulhado no simbolismo das ordens maçônicas. Alguns estudiosos afirmam que o "arco real" dos maçons é uma representação gráfica do zodíaco, colocado sobre uma arcada, com uma pedra-chave que sobressai no topo.

CLEMENTE V – O papa Clemente V é mencionado no breve resumo que Langdon faz sobre a perseguição aos **cavaleiros templários** enquanto ele e Sophie atravessam de carro o **Bois de Boulogne**. Langdon conta que o papa elaborou um plano para destruir os templários, pois esses cavaleiros tinham obtido muito poder e riquezas. **Filipe, o Belo**, que Langdon chama de rei Filipe IV, agiu em conluio com o papa e, no dia combinado – sexta-feira, 13 de outubro de 1307 –, os templários foram presos em massa e submetidos a um julgamento que ficou conhecido por sua infâmia, suas fantasiosas acusações de heresia e blasfêmia, sua completa injustiça, bem como pela brutalidade das execuções.

Ainda que a história contada por Langdon esteja correta de modo geral, alguns detalhes são controversos. O rei Filipe é apontado como o principal articulador da perseguição aos templários. Na verdade, a prisão inicial desses cavaleiros ocorreu sem o conhecimento de Clemente V. O papa ficou chocado e irritado com as prisões, uma vez que os templários estavam diretamente submetidos à sua autoridade. Ele escreveu a Filipe dizendo: "Seu ato precipitado será visto por todos, e com justiça, como um ato de desrespeito a nós e à Igreja Romana." Contudo, Clemente V compreendeu por fim que as prisões eram necessárias; sobretudo, segundo consta, depois da confissão sob tortura de Jacques de Molay, o último grande mestre dos templários. Com essa justificativa, o papa reconheceu publicamente a legalidade do ato do rei.

COCTEAU, JEAN – Artista, escritor, poeta, novelista e cineasta francês. É mencionado como "Grão-

* Definição do *Dicionário Aurélio*. Rio de Janeiro: Nova Fronteira, 1999. (N. T.)

Mestre do **Priorado de Sião**", com base em um conjunto de documentos conhecidos como os ***Dossiês secretos***, que provavelmente foram forjados por **Pierre Plantard** e Philippe de Chérisey. Cocteau tinha interesses bem variados, mas não se sabe se era um neotemplário do século XX ou um praticante do ***hieros gamos***. É citado no *CDV* como o último grão-mestre do Priorado, e seu nome também consta da lista que o investigador encontra durante as buscas no **Château Villette**.

CÓDEX – A palavra "códex", que muitos associam a "código" e aos enigmas que isso evoca, na realidade se originou de uma verdadeira revolução no sistema de arquivamento criado pelo Império Romano. Códex é um livro composto por folhas individuais de papel, por oposição ao método anterior de se escrever em rolos ou pergaminhos. Dois antigos códices têm uma importância central na trama do *CDV*.

O Códex de Berlim, conhecido formalmente como *Papyrus Berolinens 8502*, contém a versão mais completa existente do Evangelho de Maria e foi adquirido no mercado de antiguidades do Egito pelo pesquisador alemão Carl Reinhardt, em 1896. Só foi publicado em 1955, quando se descobriu que dois outros textos, cópias, também haviam sido encontrados em **Nag Hammadi**. Dois outros pequenos fragmentos desse Evangelho, provenientes de edições distintas, em grego, foram descobertos posteriormente no norte do Egito.

O Códex Leicester não reflete um registro religioso, mas o gênio artístico e o aguçado interesse de **Leonardo da Vinci** pela tecnologia. Foi escrito entre 1506 e 1510 em italiano medieval e apresentado em uma criativa escrita espelhada. Esse códex é assim chamado por ter pertencido ao conde de Leicester, que o comprou em 1717. Atualmente é propriedade de Bill Gates, que o adquiriu em um leilão por mais de trinta milhões de dólares.

Enquanto tentava decifrar a escrita cursiva ilegível de Saunière, durante o vôo da França para a Inglaterra, Langdon lembra-se de ter visto o Códex Leicester no Fogg Museum de Harvard. A princípio, não foi capaz de entender o texto, cuja leitura lhe parecia impossível. No entanto, um professor com um pequeno espelho ajudou o a decifrar essa escrita, que estava no formato espelhado usado por Leonardo para disfarçar suas obras.

CONCÍLIO DE NICÉIA – Foi o primeiro concílio ecumênico da Igreja cristã, convocado em 325 d.C., pelo imperador **Constantino**, para resolver várias questões teológicas, das mais mundanas às mais teóricas. Nesse período da história, a prática e as doutrinas da Igreja não eram uniformes. Em Nicéia, foi possível solucionar a maioria dos conflitos, como as datas em que seriam celebrados feriados católicos (como a Páscoa) até a questão mais importante daquele tempo: Cristo era feito da mesma substância do Deus-Pai ou era inferior a Ele, um ser que foi criado e trazido à existência por sua vontade e, portanto, incapaz de compartilhar a Sua divindade? Essa era a crença dos arianos. Segundo a lenda, o debate ficou tão acalorado em determinado momento que São Nicolau teria agredido fisicamente **Ário** por suas heresias.

Seja como for, a unidade prevaleceu, e somente três dos bispos presentes não assinaram o **Credo de Nicéia**, uma declaração da ortodoxia da Igreja e uma rejeição ao arianismo. Stringfellow Barr, estudioso do assunto, diz em *The Mask of Jove* (A máscara de Jeová): "Constantino... instintivamente sabia que a *polis cristã*, em torno da qual ele planejava reconstruir [o Império Romano], deveria atingir uma unidade de espírito para que seus planos pudessem obter sucesso."

CONSTANTINO I – Conhecido como "o Grande" e tido como o primeiro imperador cristão do Império Romano, Constantino reinou de 306 a 337 d.C. Por ter organizado o **Concílio de Nicéia**, ele foi, em grande parte, responsável pela legitimação e pela instituição do poder da Igreja como autoridade maior daquilo que havia sobrado do Império.

Se Constantino chegou ou não a aceitar o cristianismo como sua verdadeira fé é assunto de controvérsias. Certamente foi responsável por ter colaborado para a unificação das diferentes linhas dessa crença, assegurando assim o apoio de um imperador leal à Igreja. Constantino continuou a cunhar moedas com símbolos pagãos e também era devoto do Sol Invictus, o culto do "sol invencível", derivado da Síria, mas imposto ao povo romano quase um século antes de seu reinado. Muitos estudiosos acreditam que ele mantinha uma posição ambígua, dando atenção a ambas as crenças para assegurar um maior apoio a seu reinado.

O *CDV* vai um pouco mais longe. Leigh Teabing diz a Sophie e a Langdon que Constantino "foi um pagão a vida inteira, batizado apenas na hora da morte, fraco demais para protestar". Ele só escolheu, e então impôs, o cristianismo como religião oficial de Roma porque era, nas palavras de Teabing, "um bom negociador". Teabing argumenta que a grande operação de acobertamento feita pela Igreja começou com Constantino. A principal linha de pensamento entre os teóricos é de que esse imperador teve um papel importante ao atuar como juiz em algumas questões específicas, como a humanidade de Jesus Cristo versus a sua divindade. De acordo com o *CDV*, ele teria ocultado o papel do sagrado feminino, o casamento de Jesus e **Maria Madalena**, além de ter desferido um golpe mortífero contra o movimento gnóstico e classificado os oponentes da Igreja oficial de hereges.

COPTA – A língua copta é variante direta do antigo idioma egípcio, mas é híbrida. Surgida no século III a.C., depois que os gregos conquistaram o Egito, era usada pelos egípcios convertidos ao cristianismo para traduzir a Bíblia e a liturgia. O **Evangelho de Maria**, bem como muitos dos textos que hoje conhecemos como **Evangelhos gnósticos**, estavam originalmente em grego, mas muitos deles sobreviveram apenas na tradução em copta, encontrada em **Nag Hammadi**. O copta ainda é empregado em nossos dias pelos adeptos do monofismo, uma seita cristã do Egito.

CREDO DE NICÉIA – Uma breve declaração de fé, criada durante o **Concílio de Nicéia**, resumindo as crenças ortodoxas que constituíam o âmago dos ensinamentos da Igreja. O credo rejeita explicitamente o arianismo (ver **Ário**):

> Creio em um só Senhor, Jesus Cristo, o Filho unigênito de Deus. Nascido do Pai antes de todos os séculos. Deus de Deus, luz da luz, Deus verdadeiro de Deus verdadeiro. Gerado, não criado. Consubstancial ao Pai. Por ele todas as coisas foram feitas.

O Credo de Nicéia ainda é declamado em missas cristãs.

CRUX GEMMATA – "Cruz com gemas", contendo treze delas engastadas. É um ideograma cristão representando Cristo e os doze apóstolos. A cruz comum simboliza a crucificação (e geralmente traz o corpo de Cristo sobre ela), enquanto a *crux gemmata* simboliza a ressurreição. Langdon nota que Bezu Fache usa uma cruz desse tipo como prendedor de gravata, simbolizando o orgulho do capitão por sua religião.

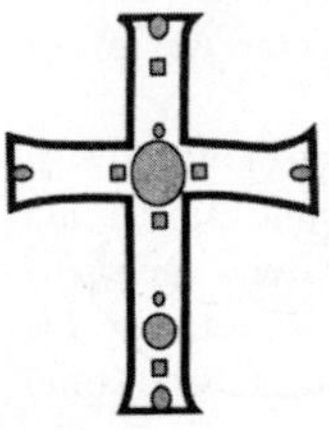

CRUZ – Segundo a historiadora da arte Diane Apostolos-Cappadone, a cruz é "um antigo símbolo universal da conjunção de opostos, no qual a barra vertical representa as forças positivas da vida e da espiritualidade, e a barra horizontal representa as forças negativas da morte e do materialismo. Há mais de quatrocentas variações desse símbolo". O *CDV* observa que a cruz existia como um importante símbolo muito antes da crucificação e também chama a atenção para as diferenças entre a cruz "quadrada" (usada pelos **cavaleiros templários**) e a tradicional cruz alongada dos cristãos.

DAGOBERTO II – O último dos reis-sacerdotes **merovíngios** é mencionado no *CDV* porque seu nome estava no quarto pergaminho descoberto por **Saunière** no conjunto que ficou conhecido como ***Dossiês secretos***. Um desses manuscritos contém uma suposta mensagem cifrada que, quando decodificada, diz: "A Dagoberto II e a Sião pertence este tesouro, e com eles morre." Essa conexão com o **Priorado de Sião** é explorada ao longo do livro, assim como a morte de Dagoberto, "apunhalado no olho enquanto dormia", segundo Sophie. O assassinato encerrou tanto a dinastia merovíngia quanto sua linhagem sangüínea, associadas mais com a heresia do que com a fidelidade ao papa. Segundo Brown, o filho de Dagoberto, Sigeberto, teria escapado e dado continuidade à linhagem, que mais tarde incluiria **Godofredo de Bouillon**, suposto fundador da Ordem dos Cavaleiros Templários e do Priorado de Sião. As conexões entre essas muitas tramas conspiratórias vão ainda mais longe. Quando Dagoberto se casou, ele se mudou com sua mulher para **Rennes-le-Château**.

De acordo com a lenda, o assassinato de Dagoberto, cometido por Pepino, o Breve, foi ordenado pelo Vaticano como uma forma de abrir caminho para a ascensão dos carolíngios, uma dinastia que estava alinhada com os interesses da Igreja. Pepino também foi mencionado como "Pippin", um tipo de **maçã** e nome de um protagonista de um livro de Steinbeck, assim como de um musical da Broadway (1972) e de um filme posterior dirigido por Bob Fosse. Para aumentar o mistério – ou a confusão –, **Walt Disney** tem um famoso personagem, o Tio

Patinhas, que é natural da Escócia, local onde fica a **Capela Rosslyn.** E, como Langdon diz, "não foi à toa que Disney recontou histórias como *Cinderela, A Bela Adormecida* e *Branca de Neve*, todas tratando da encarnação do **sagrado feminino**". Isso comprovaria os rumores que circulam há anos de que Disney foi realmente um membro do Priorado de Sião?

DCPJ: Direction Centrale Police Judiciaire (Direção Central da Polícia Judiciária) – É a organização policial francesa à qual pertencem, no livro, o capitão Bezu Fache e o tenente Jerome Collet. Langdon diz que a DCPJ é o equivalente francês do FBI americano. A DCPJ é a instituição policial francesa encarregada da coordenação das forças policiais técnicas e científicas. Nas palavras do Conselho Franco-Inglês: "[A DCPJ] é responsável pelo combate ao roubo, terrorismo, crime organizado, tráfico de seres humanos, narcotráfico, roubo e revenda de obras de arte, bem como à falsificação e distribuição de papel-moeda." Tendo em vista seu status, parece pouco provável que Bezu Fache, um alto oficial da DCPJ, estivesse dirigindo em pessoa uma investigação, sem falar na caçada humana, empunhando uma arma enquanto entra no banheiro masculino do **Louvre**.

Didache – Didache, ou a Doutrina dos Doze Apóstolos, é considerado o mais antigo documento de literatura não canônica. Datado de 70 a 110 a.C., é um guia de instruções para cristãos recém-convertidos, e, embora não tenha sido incluído entre os vinte e sete livros que compõem o Novo Testamento, foi considerado uma representação da sabedoria e dos ensinamentos dos doze apóstolos, ainda que dificilmente tenha sido pessoalmente redigido por um deles. Há muitos conselhos práticos no Didache, inclusive uma longa seção sobre monges itinerantes. Esses religiosos deveriam ser recebidos como se fossem o próprio Senhor. Poderiam ficar um dia ou dois. Se permanecessem três dias, seriam falsos profetas ou charlatões. Se, ao partir, um monge levasse qualquer coisa além de pão, também seria considerado um falso profeta.

Disney, Walt – Langdon afirma que o famoso cartunista "havia dedicado a sua vida inteira a transmitir a mensagem do Graal às futuras gerações". Também o compara a **Leonardo da Vinci** pela forma como "adorava infundir mensagens ocultas em sua arte", muitas das quais estariam relacionadas à repressão da deusa. Entre as obras listadas por Brown/Langdon estão *Cinderela, A Bela Adormecida, Branca de Neve, O Rei Leão* e *A Pequena Sereia.* Nesta última, como observa Langdon, é mostrada a réplica de uma pintura do século XVII, de Georges de la Tour, *A Madalena penitente*, na casa submarina de Ariel, como uma referência simbólica "à santidade perdida de **Ísis**, Eva, Pisces, a deusa-peixe, e, repetidamente, **Maria Madalena.**" (George de la Tour, conhecido por ter retratado Maria Madalena grávida, aparece de forma proeminente nas misteriosas lendas que cercam **Rennes-le-Château.**) Com o provável objetivo de homenagear Disney, Langdon – o acadêmico de Harvard com o terno de tweed da Harris – exibe no pulso não um Rolex, mas um relógio de Mickey Mouse. Um livro lançado recentemente, intitulado *The Gospel in Disney* (O Evangelho na obra de Disney), propõe-se a analisar as maiores lições do cristianismo por meio das tramas dos desenhos animados de Disney. Um dos pontos que essa análise levanta é a necessária distinção entre a pessoa de Walt Disney e sua empresa. Quando *O Rei Leão* e *A Pequena Sereia* foram lançados, Disney estava morto havia muitos anos. Devemos supor que seus sucessores continuem a seguir conscientemente suas crenças religiosas assim como sua forma de trabalhar? Seria essa uma das questões que levaram ao afastamento de Michael Eisner, membro da diretoria da empresa? Será mera coincidência que os devaneios de Langdon sobre Disney sejam interrompidos pela dura realidade do som das muletas de Teabing ecoando em um longo corredor?

Divina Proporção – Também conhecida como a Seção Áurea e Razão Áurea, essa expressão se refere à proporção geométrica que é produzida ao se dividir qualquer linha de forma que a relação entre a parte menor e a parte maior seja a mesma que existe entre a parte maior e a linha inteira (ver ***Phi***). Embora os matemáticos ainda discutam quais são as origens da aplicação da Seção Áurea rigorosamente como elemento geométrico, algumas evidências sugerem que ela começou a ser usada no século IV a.C. Existem fontes da Antiguidade

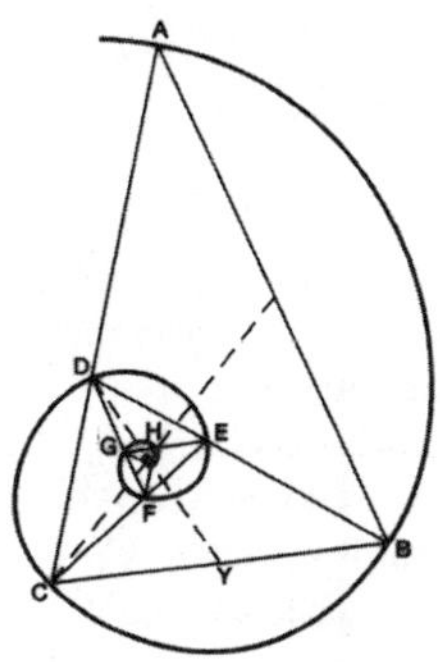

que creditam sua descoberta à sociedade secreta de matemáticos – os pitagóricos –, que empregava o **pentagrama** como seu símbolo.

Objetos com áreas contendo o conceito da Seção Áurea/Phi estão presentes tanto na arte quanto na natureza. Seja isso uma verdade literal ou não, o fato é que as associações místicas com a geometria e a Seção Áurea não desapareceram, elas continuam existindo como aspectos codificados em sociedades e irmandades secretas de nossos dias.

DOCUMENTO Q – O *Documento Q*, segundo a explicação que Teabing dá a Sophie e Langdon, em sua biblioteca, ao longo de seu esclarecimento sobre a história secreta do cristianismo e do acobertamento por ela praticado, é "um manuscrito que até mesmo o Vaticano admite crer que exista. Supostamente, trata-se de um livro contendo os ensinamentos de Jesus, talvez escrito por ele mesmo". Continuando, ele pergunta a Sophie: "Por que Jesus não manteria um diário de seu ministério?"

O fato de que Jesus possa ter feito isso tem sido objeto da atenção de estudiosos desde que um inglês, Herbert Marsh, teceu a hipótese da existência de uma fonte "Q", em 1801, baseado na crença de que alguém tenha escrito uma versão em aramaico dos ensinamentos de Jesus. Ele a chamou de *beth*, uma letra hebraica que também significa "casa". Diversos acadêmicos alemães retomaram a tese no século XIX, gerando grandes controvérsias: uma vez que os Evangelhos de Mateus e Lucas apresentam algumas diferenças, poderia haver outra fonte para os ensinamentos de Jesus que não os Evangelhos sinópticos (os três primeiros do Novo Testamento)? Em caso afirmativo, qual seria a fonte "correta"? Enquanto persistia uma certa dúvida sobre a autenticidade do conjunto dos ensinamentos, o acadêmico alemão Johannes Weiss elaborou uma versão mais neutra: o "Q", nomeado de acordo com a palavra alemã *quelle*, que significa "fonte". O assunto parou por aí, e os estudiosos foram acrescentando diversas camadas de reconstruções até a década de 1960, quando as traduções dos documentos de **Nag Hammadi** revelaram o **Evangelho de Tomé** (ver **Evangelhos gnósticos**), traduzido por James Robinson e Thomas Lambdin.

É possível dizer que o Evangelho de Tomé de fato se mostra como a fonte direta dos ensinamentos de Jesus? A resposta está em parte na determinação da data de origem desses Evangelhos, assunto ainda não resolvido. Se eles datarem de meados do século I, a ligação é provável. Se, como acreditam os estudiosos mais conservadores, tiverem sido escritos após o século I, então há uma chance maior de que o Evangelho de Tomé seja composto por memórias acumuladas e, assim, não seja um relato direto.

O professor Robinson, "pai" desse debate, responde à pergunta da seguinte forma: "A referência ao Q e se o próprio Jesus o escreveu? É claro que Jesus não o escreveu. Esse é outro daqueles pontos em que Dan Brown colore as evidências para torná-las mais impressionantes do que já são." A discussão vai continuar, com a esperança de que sejam encontrados mais textos do início da era cristã que esclareçam essa e outras controvérsias.

DOSSIÊS SECRETOS – As descrições dos *Dossiês secretos*, contidas tanto no *CDV* quanto em *O Santo Graal e a linhagem sagrada*[4] (o livro de Michael Baigent, Richard Leigh e Henry Lincoln do qual Dan Brown tirou boa parte da inspiração para sua trama), fazem com que o leitor acredite que eles formam um grande e variado conjunto de documentos contendo de árvores genealógicas a mapas complexos, passando por obras de poesia alegórica. Supostamente, esses dossiês dizem respeito à dinastia merovíngia, ao **Priorado de Sião** e aos **cavaleiros templários**. Ainda que alguns documentos tenham sido depositados na Biblioteca Nacional da França entre os anos 1950 e 1960, aqueles que os pesquisaram ficaram desapontados ao descobrir que são páginas datilografadas, produzidas no século XX, cheias de detalhes estranhos e referências ocultas. Muitos especialistas acreditam que tanto os *Dossiês secretos* quanto o próprio Priorado de Sião não passam de uma complexa fraude elaborada por **Pierre Plantard**, que dizia ser o grão-mestre do Priorado de Sião em meados do século XX.

ÉFESO – Cidade de grande importância na época do Novo Testamento, Éfeso situava-se numa região que hoje é parte da Turquia. Era a segunda maior cidade do Império Romano e portal para a Ásia. Abrigava o impressionante templo de Ártemis – deusa grega da fertilidade, também conhecida como Diana, muitas vezes representada com mais de dois seios ou com outras marcas de exagero de sua feminilidade. O templo, que possuía cento e vinte e sete pilares de dezoito metros de altura, era uma das Sete Maravilhas do mundo antigo. Alguns estudiosos acreditam que a Virgem Maria foi a Éfeso no final de sua vida, acompanhada por São Pedro (37 a 45 d.C.), e ainda hoje é possível encontrar no local a sua "casa". Há também lendas de que Maria teria ido a Éfeso após a crucificação.

ESCRIVÁ, JOSEMARÍA – Chamado por Silas de "Mestre de todos os Mestres", Josemaría Escrivá de Balaguer (1902-1975) foi um padre espanhol que, no dia 28 de outubro de 1928, fundou o Opus Dei, uma organização reconhecida como "prelazia pessoal" da Igreja Católica e dedicada a levar a realidade de Jesus Cristo até mesmo para os momentos mais mundanos do cotidiano. Alguns a têm criticado por ser tão autoritária que se torna quase um culto. O Opus Dei, contudo, rejeita o rótulo de "culto". Além da fidelidade ao papa e de uma forte devoção à Virgem Maria, Escrivá pregava enfaticamente a dedicação a Deus do trabalho de cada dia, assim como um grande sacrifício pessoal para realizar essa tarefa, incluindo a autoflagelação. Alguns relatos dizem que ele praticava aquilo que pregava, e assim adotava até mesmo a mortificação do corpo. A relação exata entre o Opus Dei e o Vaticano não é muito clara. Ao que parece, essa organização ajudou o Vaticano na década de 1980 durante os escândalos financeiros que ameaçaram levar a Igreja à falência. Essa prelazia, em particular, é tida em alta conta pelo papa João Paulo II. Após a morte de Escrivá, sua canonização foi rapidamente promulgada.

EVANGELHOS GNÓSTICOS – Os Evangelhos gnósticos são a designação popular dos documentos encontrados em **Nag Hammadi**, no Egito, em 1947. Os textos mais conhecidos são relacionados a seguir.

O **Evangelho de Maria Madalena** é citado por Sir Leigh Teabing como um dos pontos a favor de sua argumentação para persuadir Sophie de que o Graal é mais do que uma taça sagrada. Segundo ele, esse Evangelho prova que Jesus fundou sua Igreja por intermédio de Maria, e não de Pedro.

As conclusões que ele tira do Evangelho de Maria – supondo que seja essa sua fonte primária – são um pouco confusas. Ao contrário do que Teabing diz, Jesus nunca deu a **Maria Madalena** instruções específicas sobre como conduzir sua Igreja após sua partida ou, pelo menos, não o fez nesse Evangelho. A visão mais tradicional dessa Escritura é de que, ainda que Maria tenha tido um "relacionamento especial" com Jesus e que outros apóstolos tenham sentido ciúme dessa relação em alguns momentos, não há nenhum indício de que Jesus a tenha escolhido para liderar sua Igreja.

O **Evangelho de Filipe** também é mencionado durante a fala de Teabing sobre o **Santo Graal**. Teabing usa essa Escritura para argumentar que Jesus e Maria Madalena foram casados, baseando-se na tradução que cita Maria como "a companheira" de Jesus e na frase "costumava beijá-la com freqüência na b... [lacuna no texto]", que provaria que eles tinham uma grande intimidade. Conforme mencionado em capítulos anteriores deste livro, há muitos estudiosos e comentaristas que concordam com essa interpretação, embora outros interpretem o beijo mais como uma metáfora do que como um gesto romântico.

O **Evangelho de Tomé** contém muitos paralelos com os Evangelhos ortodoxos do Novo Testamento, inclusive ditos e provérbios extremamente parecidos com os que constam dos outros textos. No entanto, há nesse Evangelho mudanças bastante enigmáticas em relação aos textos canônicos que nos são familiares. Tomé diz, por exemplo: "Se duas pessoas fizerem as pazes nesta casa, dirão para a montanha: 'Saia da frente', e a montanha se moverá." Outro exemplo misterioso é: "Simão Pedro lhes disse: 'Que Maria saia de nosso meio, pois as mulheres não são dignas da vida.' Jesus [então] disse: "Eu mesmo a guiarei para torná-la homem, de modo que também ela possa se tornar um espírito vivo semelhante a vós homens. Pois toda mulher que se tornar homem entrará no reino do céu." O Evangelho de Tomé atribui, igualmente, grande importância ao autoconhecimento e ao crescimento pessoal, em passagens que lembram, de certa forma, os aforismos budistas.

O **Evangelho Sofia de Jesus Cristo** é um texto profundamente místico que fala sobre a criação de deuses, de anjos e do universo, com ênfase na existência de uma verdade infinita e mística. Alguns estudiosos acreditam que ele faz referências a uma conversa entre Jesus Cristo e seus discípulos após sua ressurreição, enquanto outros contestam essa idéia. Os debates estão centrados na data de criação desse Evangelho. Se ele tiver sido escrito em algum momento do século I, pode refletir as verdadeiras palavras de Jesus; contudo, se isso se deu em um momento posterior, a colagem de ditados e provérbios pode simplesmente ter sido feita por filósofos e gnósticos após a época de Jesus.

Elaine Pagels, cujo livro *Os Evangelhos gnósticos*[5] serviu como primeiro contato com esse tema nos Estados Unidos, há mais de vinte anos, diz que já não mais se refere a esse conjunto de documentos como "Evangelhos gnósticos", dadas as conotações negativas associadas ao **gnosticismo** atualmente. Pagels, assim como outros estudiosos do assunto, incluindo James Robinson e Bart Ehrman, salienta que os textos de Nag Hammadi registram fatos específicos e documentáveis sobre o início da história cristã, além de fornecerem uma idéia da diversidade de pensamentos religiosos e filosóficos que floresceram nos primeiros séculos depois de Cristo. A supressão dessas "Escrituras apócrifas" representou o triunfo daquilo que hoje conhecemos como a doutrina central da Igreja sobre uma grande variedade de outras formas de pensamento.

FIBONACCI, SEQÜÊNCIA DE – A seqüência de Fibonacci foi usada por Saunière na mensagem codificada que ele rabiscou pouco antes de morrer. A seqüência, escrita de forma desordenada, chamou a atenção de sua neta, Sophie, para que entrasse em contato com Robert Langdon.

A seqüência de Fibonacci começa com 0 e 1, e os números seguintes são gerados pela soma dos dois números anteriores. O resultado é 0, 1, 1, 2, 3, 5, 8, 13, 21, 34... Langdon, lembrando-se de uma palestra que dera para seus estudantes de Harvard, explica que a proporção ***Phi*** é derivada da série de Fibonacci: a divisão de qualquer número pelo número imediatamente anterior produz uma razão que se aproxima gradualmente de 1,618. A seqüência e a proporção *Phi* são encontradas, de forma aparentemente espontânea, tanto na natureza quanto em artefatos ou desenhos criados pelo homem. Esses não são, contudo, os únicos números encontrados na natureza. Os números de Lucas, por exemplo, são gerados com a aplicação do mesmo método da seqüência de Fibonacci, exceto pelo detalhe de que os primeiros algarismos são 1 e 3. Portanto, temos 1, 3, 4, 7, 11, 18, 29, 47, 76, 123.

Há uma questão sobre a universalidade de *Phi*. Como H. S. M. Coxeter escreveu em *Introduction to Geometry* (Introdução à Geometria), "devemos admitir abertamente que não podemos encontrar a seqüência de Fibonacci no padrão de crescimento de algumas plantas, e sim a seqüência de Lucas ou até mesmo outras muito mais anômalas: 3, 1, 4, 5, 9... ou 5, 2, 7, 9, 16.... Precisamos, portanto, encarar o fato de que a seqüência de Fibonacci não é uma lei universal, mas uma fascinante tendência recorrente".

FILIPE, O BELO (OU FILIPE IV) – Filipe IV, rei da França (apelidado de "o Belo" por suas belas feições), é mencionado durante o pequeno resumo feito por Langdon sobre a perseguição aos **cavaleiros templários** enquanto ele e Sophie atravessam o **Bois de Boulogne**. Segundo Langdon, o papa **Clemente V** planejou destruir esses cavaleiros, pois eles tinham conquistado poder e riquezas em excesso. Filipe, o Belo (que Langdon chama de rei Filipe IV) agiu em conluio com o papa e, no dia combinado – sexta-feira, 13 de outubro de 1307 –, os templários foram presos em massa e submetidos a um julgamento que ficou conhecido por sua infâmia, suas fantasiosas acusações de heresia e blasfêmia, sua completa injustiça e pela brutalidade das execuções.

As explicações de Langdon parecem estar parcialmente erradas. Foi Filipe, o Belo, e não Clemente V, o principal articulador da prisão dos templários. Filipe iniciou a perseguição e, segundo muitos historiadores, as prisões feitas na sexta-feira 13 nem mesmo eram de conhecimento do papa. Clemente recriminou fortemente Filipe, mas não tinha força política; além disso, segundo alguns, dependia demais do rei para se opor de fato às prisões.

FLAMEL, NICOLAS – O *CDV* aponta Flamel como líder do **Priorado de Sião** de 1398 a 1418. Flamel foi um conhecido alquimista cujo nome voltou a circular recentemente. Os livros da coleção *Harry Potter* fazem referências a ele, uma empresa de biotecnologia usa seu nome e um número cada vez maior de turistas visita o bar parisiense que um dia foi sua residência.

FLOR-DE-LIS (*FLEUR-DE-LYS, FLEUR-DE-LIS*) – No campo da política, a flor-de-lis tanto é um símbolo da França (da monarquia francesa, especialmente) quanto da cidade de Florença. No simbolismo cristão, significa a Trindade. Os especialistas discutem se ela representa um lírio ou uma íris – que possuem ambos conotações simbólicas especiais. Há muitas referências à flor-de-lis no *CDV*, em vários contextos. Segundo Dan Brown (que nesse caso força um pouco), a tradução desse nome é "flor de Lisa", uma referência que ele diz apontar para a ***Mona Lisa***. Como símbolo, essa flor também está presente na chave que Saunière dá a Sophie, dizendo: "É a chave de uma caixa... onde guardo muitos segredos."

A tradução literal é "flor de lírio", mas o *lys* é, na realidade, uma flor de íris. Tradicionalmente, na heráldica francesa, a flor-de-lis é amarela, e o amarelo é uma cor comum para a flor de íris, enquanto o lírio é tradicionalmente branco. Como símbolo usado amplamente na heráldica, a flor-de-lis é figurada com três formas similares a pétalas, unidas por uma barra horizontal. Algumas vezes, a parte inferior está cortada ou é representada apenas por um triângulo.

Essa flor se tornou fortemente associada aos reis franceses a partir de 1200, aproximadamente. Também pode ser vista como um importante símbolo da Trindade entre os cristãos. Há uma lenda segundo a qual, em 507, um dos primeiros reis da França, Clóvis, usou uma íris em seu capacete durante uma batalha em que foi vitorioso. (Outra versão dessa história diz que, quando foi batizado, esse rei ofereceu uma íris como símbolo de purificação tanto para si mesmo quanto para o país como um todo.)

O símbolo em si é identificado em diversas culturas antigas e modernas e em muitas formas de expressão: cilindros da Mesopotâmia, baixos-relevos egípcios, cerâmicas de Micenas, moedas gaulesas, emblemas japoneses, etc. Portanto, essa figura estilizada, provavelmente uma flor, foi usada como ornamento ou emblema por quase todas as civilizações do planeta.

GNOSE – *Gnosis* é um termo grego que significa "conhecimento" e "sabedoria". A gnose é compreendida como um conhecimento de inspiração divina, intuitivo e pessoal, por oposição ao conhecimento intelectual de uma área ou disciplina específica. A gnose, no sentido de experiência, costuma ser o objetivo final de uma disciplina espiritual que busca a união com um deus, com o infinito ou com o absoluto – em outras palavras, com a realidade para além da percepção ou da doutrina religiosa. É quase sempre descrita como uma revelação ou exploração de caráter pessoal.

Alguns grupos hoje identificados como "gnósticos" talvez tenham acreditado que uma das formas de atingir a gnose era por meio do ritual de ***hieros gamos***, a celebração do casamento divino. Segundo a explicação que Langdon dá a Sophie durante o vôo para a Inglaterra, "a união física com a mulher era o único meio segundo o qual o homem podia se tornar espiritualmente completo e chegar a atingir a gnose – o conhecimento do divino".

Elaine Pagels, acadêmica de Princeton, diz em *As origens de Satanás*:[6] "O segredo da gnose é que, quando uma pessoa atinge o autoconhecimento em seu nível mais profundo, ela passa a compreender Deus como a fonte do próprio ser." A experiência da gnose e outras comunicações místicas com o divino são entendidas como uma ameaça pelas instituições religiosas, que desejam manter seu status de interlocutoras exclusivas com o divino.

GNOSTICISMO – Esse termo é usado para descrever diferentes seitas e grupos religiosos, sobretudo cristãos, mas também judaicos e egípcios, que têm a **gnose** como centro de suas crenças e práticas. O gnosticismo, como força religiosa, é provavelmente anterior ao cristianismo. James Robinson, especialista nos textos de **Nag Hammadi**, diz: "Os gnósticos eram mais ecumênicos e sincréticos em relação a outras tradições religiosas do que os cristãos ortodoxos, contanto que pudessem encontrar nessas crenças uma postura semelhante à deles."

O gnosticismo esteve especialmente em evidência no início da era cristã, quando foi um grande rival da influência do cristianismo apostólico. Três aspectos fundamentais tornavam qualquer corrente gnóstica de devoção altamente problemática para a aliança que surgia em torno do catolicismo ortodoxo: a comunhão pessoal com o divino, uma estrutura hierárquica pouco estruturada e a transmissão secreta de um conhecimento superior e oculto, que não pode ser revelado. O resultado dessa contraposição foi o surgimento de denúncias e acusações de heresia tão eficazes que o gnosticismo se tornou um movimento marginalizado por volta do século V d.C.

Alguns dos principais preceitos do gnosticismo são: o conhecimento direto, pessoal e absoluto do divino e da verdade em si (gnose) como algo necessário para o desenvolvimento espiritual; a crença na união com um "eu superior" ou a descoberta desse eu, que é identificado com o divino ou equivale a ele; e, por último, o conceito de que o mundo foi criado por uma divindade menor, um demiurgo, responsável pelo mal que é inerente a este mundo, e que a única saída para o que há de nocivo na existência material é a contemplação, o autoconhecimento e a gnose do plano espiritual não corrompido. Esse sistema de crenças continua vivo em nossos dias; existe, por exemplo, uma sociedade gnóstica.

GODOFREDO DE BOUILLON – Rei francês, líder da primeira Cruzada e fundador do **Priorado de Sião**. De acordo com as supostas genealogias compiladas como parte dos *Dossiês secretos*, Godofredo era descendente dos reis **merovíngios**. Segundo a explicação dada por Langdon a Sophie enquanto passavam pelo **Bois de Boulogne** de táxi: "O rei Godofredo supostamente detinha um poderoso segredo – um segredo guardado por sua família desde os tempos de Cristo." Para proteger esse segredo ele criou uma fraternidade secreta, o Priorado de Sião, que possuía também um braço militar, conhecido como a Ordem dos **Cavaleiros Templários**. Após uma explicação de todos os detalhes dessa história, Langdon revela que Godofredo enviou os cavaleiros templários em uma missão para que encontrassem, debaixo das ruínas do antigo **Templo de Salomão** em Jerusalém, evidências que apoiassem seu "poderoso segredo". Langdon prossegue dizendo que eles descobriram fortes evidências no templo. A implicação é que o segredo é a informação sobre o **Sangreal**, mais conhecido como **Santo Graal**, e que os templários acharam o Graal – na verdade, documentos, registros, relíquias de **Maria Madalena**, etc. – e depois levaram tudo isso de volta para a França.

GREGÓRIO IX – Nascido em 1145 e batizado com o nome de Conde Ugolino de Segni, Gregório IX presidiu, durante seu período como pontífice, um conflito turbulento entre a Igreja e o sagrado imperador romano (secular) Frederico II de Hohenstaufen. Gregório IX ficou muito conhecido por sua forte oposição a todas as heresias e participou dos últimos anos da Cruzada Albigense, que eliminou praticamente todos os cátaros da região francesa conhecida como **Languedoc**.

HANSSEN, ROBERT – Ex-agente do FBI, tornou-se depois um espião russo. Durante cerca de 22 anos, durante o período da Guerra Fria, Hanssen vendeu informações essenciais de inteligência para os russos. Membro do **Opus Dei**, passou a ser um problema não só para os Estados Unidos como também para essa organização. Envolveu-se em algumas práticas sexuais estranhas, reveladas durante seu julgamento, incluindo fotografar a si mesmo fazendo sexo com sua mulher para mostrar aos amigos. Em maio de 2002, Hanssen foi condenado à prisão perpétua sem possibilidade de liberdade condicional, ouvindo, conforme citado por Brown no capítulo 5, a seguinte declaração do juiz: "Isso não pode ser considerado um passatempo de católico fervoroso."

HIEROS GAMOS – O *hieros gamos* é mencionado no *CDV* como um antigo rito sexual acerca do qual Sophie tem lembranças traumáticas por ter visto seu avô praticá-lo. Em uma gruta no subsolo, embaixo de sua casa de campo, Saunière e uma mulher estavam fazendo sexo enquanto outros membros do **Priorado de Sião**, com máscaras e túnicas, entoavam cânticos à união sagrada. Sophie, que na época era bem jovem, observa tudo sem ser vista, depois sai correndo de casa e corta toda a comunicação com o avô.

Saunière provavelmente estava envolvido no ritual do *hieros gamos* – algumas vezes chamado de "teogamia" ou "hierogamia" –, cujo sentido aproximado seria "casamento sagrado" ou "casamento divino". Nas palavras do acadêmico David H. Garrison, é "o casamento sagrado, a união da deusa e do deus que fornece o paradigma para todas as uniões humanas". Esse casamento sagrado foi reproduzido, com níveis variados de realismo, ao longo do início da história religiosa da humanidade. Restos dessa prática ainda persistem em nossos tempos, como foi mostrado no filme *De olhos bem fechados*. Algumas crenças do Oriente apresentam ritos similares, como os rituais de sexo tântrico.

HISSOPO – "Aspergi-me com um ramo de hissopo e ficarei puro" – o albino Silas cita os Salmos ao rezar, enquanto limpa o sangue de suas costas, resultado da autoflagelação. João 19:29, ao descrever os últimos momentos de Jesus na cruz, diz: "Estava ali um vaso cheio de vinagre. Fixando, então, uma esponja embebida em vinagre num ramo de hissopo, levaram-na à sua boca." O hissopo é tecnicamente um vegetal. Usado na culinária, apresenta também propriedades medicinais. Essa erva bíblica é utilizada, ainda, na preparação do licor Chartreuse.

HOMEM VITRUVIANO – É um desenho famoso de Leonardo da Vinci que mostra um homem de frente e de lado, dentro de um quadrado inserido em um círculo. A primeira pista para os mistérios contidos no *CDV* é essa posição, assumida por Saunière ao morrer, aludindo à famosa imagem criada por Leonardo. O *Homem vitruviano* é assim chamado em referência a Vitrúvio (Marcus Vitruvius Pollio), escritor, arquiteto e engenheiro romano do século I a.C. Ele era encarregado dos aquedutos de Roma e elaborou um tratado completo de arquitetura em dez livros, denominado *De Architectura*, talvez o primeiro já escrito sobre o assunto. O estudo feito por Vitrúvio sobre as proporções humanas constava de seu terceiro livro, e ele deixou este guia para uso dos artistas e arquitetos:

> As medidas do corpo humano são como se segue: 4 dedos equivalem a um palmo; 4 palmos equivalem a 1 pé; 6 palmos gerando um cúbito; e 4 cúbitos equivalem à altura de um homem. E 4 cúbitos equivalem a um passo, e 24 palmos fazem um homem. A largura dos braços abertos de um homem é igual à sua altura. Da raiz de seu cabelo à base de seu queixo, há 1/10 de sua altura. Da base de seu queixo ao topo da cabeça, há 1/8 de sua altura. Do topo de seu peitoral à raiz do cabelo, haverá 1/7 de sua altura. Dos mamilos até o topo da cabeça, haverá 1/4 de um homem. A maior largura dos ombros contém 1/4 do homem. Do ombro à ponta da mão, há 1/5 do homem. A mão toda equivale a 1/10 do homem. A distância da base do queixo ao nariz e da raiz do cabelo às sobrancelhas é a mesma e, como a orelha, 1/3 da face.

A contribuição de Leonardo foi ter resolvido esse antigo algoritmo, conhecido como "enquadrando o círculo", um problema geométrico no qual um compasso e uma régua são usados para tentar construir um círculo e um quadrado de mesma área. Teoricamente, um corpo humano com proporções perfeitas se encaixaria na figura. Embora as primeiras tentativas de Vitrúvio tenham sido imperfeitas, o desenho de Leonardo é perfeito e genial, tanto do ponto de vista matemático quanto artístico.

HUGO, VICTOR – Mencionado no *CDV* como um entre os muitos autores e artistas famosos cujas principais obras transmitiam secretamente o conhecimento banido do **Santo Graal**, do **sagrado feminino** e do casamento de Jesus e **Maria Madalena**. Langdon cita *O Corcunda de Notre-Dame*, de Victor Hugo (assim como *A flauta mágica*, de **Mozart**), como uma obra repleta de "simbolismo maçônico e segredos do Graal". De acordo com o livro, Victor Hugo também teria sido membro do **Priorado de Sião**.

ÍCONE – A palavra vem do grego *eikon*, que significa imagem, uma representação visual simbólica de algo que existe no mundo real. Um ícone religioso é uma representação artística de qualquer coisa relacionada ao sagrado ou ao divino e muitas vezes possui um simbolismo profundo. Os cristãos respeitam os ícones mas não os veneram, uma vez que essa prática foi proibida pelo Segundo **Concílio de Nicéia**.

IGREJA DE SAINT-SULPICE – Uma dos mais emocionantes episódios do início do *CDV* está centrado na Igreja de Saint-Sulpice, originalmente a igreja paroquial do abade de Saint-Germain des Prés. Silas, convencido de que tinha encontrado o local onde estaria enterrada a **pedra-chave** do **Priorado de Sião**, vasculha o lugar, mas descobre que fora enganado.

Alguns estudiosos acreditam que sempre houve uma igreja no lugar de Saint-Sulpice. As obras da construção atual tiveram início em 1646, e a pedra fundamental foi colocada ali por Anne da Áustria, mulher de Luís XIII, que figura como personagem central do livro *Os três mosqueteiros*. A igreja foi concluída ao longo de setenta anos. Entre os pontos de interesse desse local está a linha do meridiano, a Linha **Rosa**, que Silas seguiu para encontrar a pedra-chave. Além disso, há oito estátuas dos apóstolos, dispostas em torno do coro, e a Capela de Nossa Senhora, um belo espaço dedicado a Nossa Senhora de Loreto.

Há entre Saint-Sulpice e o Priorado de Sião diversas conexões históricas. **Bérenger Saunière** aparentemente visitou o abade Bieil, diretor do seminário em Saint-Sulpice, levando consigo os documentos que ele teria encontrado na igreja em **Rennes-le-Château**. Francis Ducaud-Bourget, que também teria sido um grão-mestre do Priorado (depois de **Jean Cocteau**), foi membro desse mesmo seminário. No final do século XIX, essa instituição funcionou como um ponto central do movimento modernista católico, uma escola de pensamento voltada para a atualização da educação religiosa católica de acordo com os métodos críticos da modernidade.

INOCÊNCIO II – Papa de 1130 a 1143, Inocêncio II concedeu aos **cavaleiros templários**, segundo Dan Brown, carta-branca para que fizessem suas próprias leis, livres de qualquer interferência política ou religiosa. Alguns defendem a teoria de que esses cavaleiros foram subornados, por iniciativa da Igreja, para que mantivessem em segredo documentos que teriam sido encontrados sob as ruínas do **Templo de Salomão** e que poderiam causar problemas para a instituição. Outros acreditam que foram os templários que tomaram a iniciativa e chantagearam Inocêncio II.

IRINEU – Importante teólogo e polemista cujos argumentos contra as seitas gnósticas, durante a segunda metade do século II, ajudaram a estabelecer as doutrinas básicas do cristianismo católico: crença, cânone das Escrituras e sucessão apostólica dos bispos. Irineu, assim como outros historiadores da Igreja, como Eusébio e **Tertuliano**, são acusados, no *CDV*, de terem feito parte de uma conspiração para reescrever a história do cristianismo e, assim, criar o "grande acobertamento".

ÍSIS – É uma das mais antigas e mais importantes divindades femininas no panteão egípcio. No *CDV*, sua importância é enfatizada como a força de criação do **sagrado feminino**. Ísis era considerada a Deusa da Família, da Fertilidade Feminina, da Medicina e da Magia. Concebida pelo Deus da Terra e a Deusa dos Céus, ela e seu irmão gêmeo, Osíris, eram casados e reinavam sobre o cosmo egípcio.

Langdon observa a grande coleção de estátuas de Ísis no Louvre (de fato há muitas estátuas dela nesse museu), deixando implícito que isso se devia à crença de Saunière no sagrado feminino. Ísis também desempenha um papel importante na discussão de Langdon sobre a ***Mona Lisa***. O nome dessa pintura de **Leonardo da Vinci** seria um anagrama do antigo nome pictográfico de Ísis – L'ISA, combinado com o nome de seu par masculino, o deus Amon. AMON + L'ISA = MONA LISA. Há quem afirme que Leonardo originalmente pintou a *Mona Lisa* usando um pingente de lápis-lazúli com a figura de Ísis, que ele teria posteriormente eliminado pintando por cima. Seja ou não verdade, realmente existem ecos persistentes de Ísis em muitas das imagens famosas do sagrado feminino.

A história de Ísis e Osíris é mencionada pela primeira vez nos Textos das Pirâmides, hieróglifos religiosos datados de 2600 a.C. Seu culto continuou mesmo durante o período do Império Romano, e alguns acadêmicos especulam que a história romântica que há no cerne desse mito oferece um contraste necessário em relação ao tom severo e distante da religião oficial do império. A veneração de Ísis também era geograficamente ampla: as estátuas da "Madona Negra" reverenciadas em algumas catedrais francesas provavelmente são representações dessa deusa. Além disso, antigos templos consagrados a Ísis foram descobertos nas margens do Danúbio e do Tâmisa. Dizem que havia um templo dedicado a Ísis onde hoje se encontra a Abadia de Saint-Germain des Prés, em Paris. Essa igreja foi construída pelo rei **merovíngio** Childeberto, com a finalidade de guardar relíquias sagradas.

Os ecos do mito de Ísis estão espalhados por toda a mitologia e simbologia da era cristã. Ela é, possivelmente, o arquétipo para a Grande Sacerdotisa do **tarô**. A representação bastante comum da Virgem com o Menino é bastante similar a numerosas imagens de Ísis amamentando Hórus em seu colo. Maria também assumiu muitos dos títulos de Ísis, como Trono da Sabedoria e Rainha do Céu. Finalmente, o episódio da morte e ressurreição de Osíris é muitas vezes citado como precursor da ressurreição de Cristo, ainda que possua um toque feminino. Ísis – o sagrado feminino original – é a força que faz com que o deus ressuscite e também é ela que continua sua linhagem.

Ísis ainda é venerada por muitos místicos da Nova Era. Seu culto tem, portanto, cerca de cinco mil anos e permanece vivo.

LEONARDO DA VINCI – Pintor, escultor, arquiteto, engenheiro, escritor, naturalista, matemático, geólogo, anatomista, Leonardo tinha uma enorme quantidade de interesses e profissões. Ainda assim, sua fama vem, sobretudo, de suas pinturas, que não são muitas – apenas treze costumam ser consideradas de sua autoria.

Há poucos detalhes sobre sua vida, especialmente de sua infância. Nascido em 1452, era filho ilegítimo de uma camponesa e de Ser Piero, um artesão ou proprietário de terras em Florença. Estudou, como aprendiz, com o pintor florentino Andrea del Verrochio. No ateliê desse artista, pode ter trabalhado com outro aprendiz que se tornaria famoso, Sandro **Botticelli**, autor do *Nascimento de Vênus*. Assim como Leonardo, Botticelli teria sido ligado ao **Priorado de Sião**, e suas pinturas estão cheias de simbolismos.

Leonardo ultrapassou seus contemporâneos em quase tudo o que fez. Durante as quatro décadas seguintes, ele ofereceu seus serviços a diversos senhores de Milão e Florença, ao rei da França e à Igreja. Morreu provavelmente de um ataque cardíaco em 1519, época em que estava morando e trabalhando na França.

Alguns dos pontos levantados por Dan Brown a respeito de Leonardo foram questionados por estudiosos da vida e obra desse artista. Os principais acadêmicos têm dúvidas quanto ao uso de mensagens codificadas em seus trabalhos, de sua associação com sociedades secretas e mesmo de seu homossexualismo. Ninguém, contudo, duvida da maestria de suas pinturas.

LOUVRE – Esse museu está no início e no fim do *CDV*. O assassinato de Saunière ocorreu na Grande Galeria do Louvre – o curador moribundo deixa pistas em algumas das obras mais famosas do museu. Por último, após uma eletrizante viagem envolvendo grandes conspirações, pistas obscuras e fugas apressadas, Robert Langdon, exausto, tem uma epifania sobre a verdadeira natureza do maior dos segredos do Louvre.

A história desse museu é bastante complexa, e muitos monarcas e governos deixaram ali suas marcas. Em seus quase oitocentos anos de existência, passou por longos períodos de negligência e de glória. Foi erguido em 1190 como uma fortaleza para Filipe Augusto. Esse rei ordenou que fosse construído um muro ao redor de Paris para protegê-la de ataques; e, às margens do Sena, edificou um castelo resguardado por uma fortaleza que se eleva sobre o rio – o Louvre. Sua torre tornou-se o tesouro real e também foi usada como prisão. Ao longo de sua história, o museu já serviu – conforme descrito por Catherine Chaine e Jean-Pierre Verdet em *Le Grand Louvre* (O grande Louvre) – como:

> prisão, arsenal, palácio, ministério... [o Louvre] já abrigou um pequeno zoológico, uma gráfica, o serviço postal, a loteria nacional, workshops e academias; foi o lar de reis, artistas, guardas, cortesãs, cientistas e até de mesmo cavalos [...] Suas salas, que já não se surpreendem com nada, presenciaram a vida com seus movimentos, festividades, julgamentos, conspirações e crimes.

Um dos grandes triunfos do presidente **François Mitterrand** foi o de ter sido capaz de consolidar a posição desse gigantesco, desgastado e labiríntico prédio como a casa do tesouro nacional. Quando Mitterrand começou a pensar nas mudanças a serem feitas no complexo, o Louvre estava em mau estado, considerando o fato de que era uma das mais importantes instituições culturais da França. A administração era relaxada e as verbas escassas. Com mais de duzentas e cinqüenta mil obras, as galerias encontravam-se dispostas de tal forma que mesmo os visitantes mais familiarizados com o museu ficavam confusos. As próprias obras de arte estavam em risco. A poeira se acumulava sobre as pinturas, e não havia limpeza. Algumas peças permaneciam jogadas nos depósitos e nunca eram exibidas. As vidraças estavam tão sujas que não mais filtravam a luz pura – em certa medida, isso ocorria porque os cronogramas de limpeza das partes externa e interna das janelas eram elaborados por ministérios diferentes.

Mitterrand mudou tudo isso, reorganizando a administração e criando fundos para grandes obras de renovação – era um dos "Grandes Projetos" de sua administração, focada em revitalizar diversos monumentos culturais e cívicos da França. Com a retirada do Ministério das Finanças da ala norte do museu, abriu-se espaço para as galerias. O arquiteto I. M. Pei foi contratado não apenas para construir uma nova entrada única (ver **A pirâmide**,) como também para melhorar muitas das galerias já existentes, alterando sua localização e expandindo a área disponível para a exibição das peças. Após a reforma, as obras de arte passaram a ser expostas de uma forma compreensível e ordenada, tornando a visita ao museu uma experiência agradável.

MAÇÃ – Quando se corta uma maçã, ela geralmente revela cinco carpelos, formando o **pentagrama**, um símbolo muito fértil. No capítulo 82 do *CDV*, um trecho do poema que conduz Sophie e Robert para o túmulo de Newton diz: "*In London lies a knight a Pope interred / His labor's fruit a Holy wrath incurred.*" (Cavaleiro em Londres um Papa enterrou. // Qu'ira santa o fruto de sua obra gerou.) Foi a queda de uma maçã que supostamente fez com que Newton descobrisse a gravidade.

A maçã é uma fruta altamente simbólica, cuja árvore pertence ao mesmo gênero que a **rosa**, outra planta que possui um amplo simbolismo na tradição cristã. A maçã é, naturalmente, um símbolo da tentação e do mal. No Jardim do Éden, Adão e Eva comeram o fruto proibido da árvore do conhecimento do bem e do mal. Segundo a lenda, esse fruto seria uma maçã, ainda que as Escrituras nada digam a respeito. Essa fruta surge em muitos outros paraísos religiosos, incluindo os jardins das Hespérides dos gregos e os bosques sagrados dos celtas. Hera, esposa de Zeus, o Deus grego, recebeu uma maçã como presente de noivado.

Pommes bleues (maçãs azuis) exercem um interessante papel num controvertido episódio da Igreja Católica e que é fonte de diversos elementos usados no *CDV:* um dos pergaminhos codificados que teriam sido achados em **Rennes-le-Château** termina com uma referência a *pommes bleues*.

Quase no fim do *CDV*, Teabing finalmente entende a solução da última charada de Saunière: o poema que revela a palavra que abre o segundo críptex. O orbe que deveria estar no túmulo do famoso físico não é uma estrela nem um planeta, mas uma maçã. "Transtornado, Teabing voltou a olhar para a pedra-chave e então entendeu. Os discos não estavam mais alinhados aleatoriamente. Soletravam uma palavra de cinco letras: F-R-U-T-O." Em estado de choque, Teabing, derrotado, lembra-se da última linha do poema de Saunière e compreende por que foi levado ao túmulo de Newton: "O fruto de sua obra! A carne Rósea com ventre semeado!"

MAGDALA – É uma pequena cidade na região da Galiléia que os estudiosos apontam como o mais provável lugar de origem de **Maria Madalena** – também conhecida como Maria de Magdala. Há controvérsias sobre a localização dessa cidade, mas muitos a identificam com um vilarejo mencionado no Talmude como Magdala Nunayya, ou Magdala dos Peixes, provavelmente chamada assim por estar próxima ao Mar da Galiléia. Em hebraico, Magdala significa "torre" ou "fortaleza". Jesus pode ter se retirado para Magdala após a multiplicação do pão e dos peixes.

MALLEUS MALEFICARUM – Ver ***O martelo das feiticeiras***.[7]

MARCIÃO – Herege do século II, era filho do bispo de Sinope. Professava uma heresia segundo a qual o deus do Antigo Testamento era, na realidade, um demiurgo que havia criado o mundo material e transferido para ele a própria malignidade. Jesus, de acordo com a heresia de Marcião, era filho de outro deus, um deus superior ao que havia gerado o mundo em sete dias. Esse deus superior enviou Jesus, a fim de libertar a humanidade do mal existente no mundo material. Portanto, Jesus não poderia ter sido um homem – ele seria completamente imaterial e não teria possuído um corpo físico.

Para resolver as contradições entre suas crenças e as que estão presentes nos Evangelhos canônicos, Marcião editou substancialmente o Novo Testamento, criando uma versão reduzida do Evangelho de Lucas que suprimia todas as referências ao nascimento de Jesus. Também incluiu em seu cânone dez epístolas de São Paulo por considerá-lo o único intérprete fidedigno da palavra de Cristo. Marcião pregava o vegetarianismo e, segundo alguns, a abstinência sexual. O marcionismo persistiu até o século V, com modificações significativas que acabaram deixando-no mais próximo do **gnosticismo** tradicional do que o seu próprio fundador pretendia.

MARIA MADALENA – Seguidora de Cristo considerada por estudiosos da atualidade sua "companheira". Os possíveis significados para essa palavra são um tópico recorrente que está no centro do *CDV*. A tradição ortodoxa cristã retratou Maria Madalena como uma pecadora, muitas vezes como uma prostituta. Novas interpretações, surgidas sobretudo com a descoberta dos **Evangelhos gnósticos** de **Nag Hammadi**, a apontam como companheira íntima e influenciadora de Jesus, com o qual talvez até tenha sido casada (ver capítulo 1).

MEROVÍNGIOS – Os merovíngios, segundo Leigh Teabing no *CDV*, eram a família real dos francos, com membros da qual os filhos de Jesus e **Maria Madalena** se casaram, perpetuando assim a sua linhagem sagrada. Essa linhagem supostamente vai até **Godofredo de Bouillon**, fundador do **Priorado de Sião**.

Os merovíngios traçavam as origens de sua linhagem até Meroveu, um personagem semilendário que nasceu de dois pais: um rei chamado Clódio e um monstro marinho que seduziu sua mãe enquanto ela nadava no mar. Por causa de seus ancestrais, Meroveu e seus descendentes teriam poderes sobrenaturais e uma extraordinária longevidade. Outras lendas remetem suas origens a Noé e a outros patriarcas judaicos ou à antiga Tróia. Há também histórias que não receberam muita atenção: eles seriam descendentes de alienígenas, filhos dos *nephilim*, ou anjos decaídos. Uma homenagem aos monarcas ruivos trouxe os merovíngios de volta à cultura popular de nossos tempos: um personagem na cultuada série de filmes *Matrix* é chamado de "Merovíngio".

Historicamente, o rei Clóvis consolidou o domínio dos merovíngios sobre os francos nas últimas décadas do século V. Durante uma batalha com outra tribo, ele jurou converter-se ao catolicismo se vencesse o combate. Como conquistou a vitória, a França passou a ser mais um terreno para expansão da Igreja Católica. A partir desse ponto, a linha merovíngia tornou-se cada vez mais difusa, governando um conjunto de pequenos territórios em luta. O conflito entre esses grupos culminou no assassinato de **Dagoberto II**, o último rei merovíngio de fato. Poucas gerações depois, a coroa real passou à linhagem dos carolíngios, cujo representante mais famoso foi Carlos Magno. Como não poderia deixar de ser, os infames ***Dossiês secretos*** contêm supostas afirmações de que o filho de Dagoberto teria sobrevivido e dado continuidade à linhagem merovíngia até os tempos atuais, e seu legítimo sucessor seria... **Pierre Plantard.**

MIRIAM – Outro nome para **Maria Madalena.**

MITRA – Teabing o menciona como um "deus pré-cristão", cuja mitologia em muito se parece com as lendas da Igreja sobre Cristo. Mitra era uma divindade popular na Roma antiga cujo culto floresceu particularmente entre os séculos II e IV da era cristã. Era uma derivação de outro deus do Oriente Médio, mais antigo, chamado Mithra, que fora venerado na Pérsia e na Índia. Originalmente, Mithra era uma divindade menor que servia ao deus zoroastrista Ahura-Mazda.

Mitra era identificado com a luz do sol, e muitas vezes seus cultos se confundiam com os do Sol Invictus, o "sol invencível", outro deus romano bastante popular. A devoção a Mitra era especialmente forte entre as tropas e guarnições romanas, cujas estadas prolongadas fora de seu território de origem as expunha a novas idéias e divindades. Mitra era um dos deuses "importados" de maior sucesso.

As origens de muitas tradições relacionadas a Cristo e às práticas religiosas cristãs podem estar relacionadas ao culto desse deus. A celebração do solstício de inverno, a natividade do Sol, em 25 de dezembro (no hemisfério norte), era um elemento central do culto de Mitra. Muitas sociedades o tinham como o filho de uma virgem, enquanto algumas tradições o consideravam integrante de uma santa trindade. O batismo ritual e a lenda da Última Ceia também permeiam seu culto. Alguns estudiosos acreditam que a nascente fé cristã apropriou-se de muitas práticas e crenças relacionadas a Mitra para tomar-lhes o lugar.

MITTERRAND, FRANÇOIS – Enquanto se encaminha relutantemente para o Louvre em companhia do tenente Collet, Langdon reflete sobre o ex-presidente da França, François Mitterrand. Ele se lembra de que a afinidade de Mitterrand com a cultura egípcia lhe valeu o apelido de "a Esfinge". Um pouco depois, já dentro da pirâmide do museu, Langdon pensa se conta ou não a Fache que Mitterrand ordenou que fossem usados seiscentos e sessenta e seis painéis de vidro na estrutura, uma informação que não é baseada em fatos, uma vez que a pirâmide tem seiscentos e noventa e oito vidraças (ver capítulos 9 e 11).

Nascido em 1916, Mitterrand destacou-se como uma figura poderosa na política francesa no final do século XX. Como soldado da Infantaria na Segunda Guerra, foi ferido e capturado pelos alemães. Conseguiu fugir e retornou à França, onde se juntou à Resistência. Após a libertação, foi nomeado ministro – o mais jovem do novo governo da República Francesa. Aos poucos, deixou para trás suas tendências conservadoras e, em 1981, tornou-se o primeiro presidente socialista de seu país.

Um dos chamados "Grandes Projetos" de Mitterrand – uma série de obras de revitalização destinadas a restaurar e atualizar os monumentos cívicos e culturais da França – foi a finalização do Grande **Louvre.**

O apelido de Mitterrand, "a Esfinge", não parece vir de seu amor pela arte egípcia, mas de seu caráter enigmático e evasivo na política. Outros de seus apelidos eram "a Raposa" e "o Florentino", pela forma habilidosa – alguns diriam "maquiavélica" – que ele tinha de manipular seus oponentes. O onipresente **Pierre Plantard** plantou algumas histórias de que também Mitterrand era membro do **Priorado de Sião.**

MONA LISA – A *Mona Lisa*, talvez a tela que **Leonardo da Vinci** mais apreciasse (ele a carregou consigo durante anos), é considerada por muitos a pintura mais famosa do mundo. No *CDV*, Saunière deixa um anagrama no vidro de segurança que a protege. Enquanto Sophie e Langdon se aproximam para ler a mensagem, ele se recorda de uma palestra que dera a um grupo de detentos sobre o mistério e a popularidade desse quadro.

Para um grande número dos mais renomados estudiosos da área, essa obra é um retrato de uma jovem mulher de Florença, chamada Lisa Gherardini Del Giocondo, esposa de um mercador florentino. Foi do nome Giocondo (que também tem o sentido de "feliz") que a pintura recebeu seu nome *La Gioconda*. Quase no final da vida de Leonardo, a *Mona Lisa* foi vendida ou dada ao rei Francisco I, da França, patrono de Leonardo, e permaneceu como posse da família real francesa, que a colocou no Louvre.

Langdon parece querer reduzir a maestria artística da pintura ao dizer que sua fama é conseqüência do segredo que ela esconde por trás de seu sorriso. Muitos historiadores da arte especularam sobre a natureza desse sorriso e do segredo que ele oculta. Alguns acreditam que isso está relacionado à identidade da pessoa retratada, enquanto outros acham que a pintura pode ser um auto-retrato disfarçado, possibilidade mencionada por Langdon em sua palestra. Há também especulações de que a Mona Lisa era uma princesa da família dos Médici, ou uma duquesa espanhola, ou alguma outra mulher que tenha tido relevância histórica. Os acadêmicos em geral não concordam com a afirmação de Langdon de que "Mona Lisa" seria um anagrama dos nomes do Deus da Fertilidade egípcio, **Amon**, e da deusa **Ísis**. Pode ser que o segredo da *Mona Lisa* esteja puramente em seu mistério. Talvez essa pintura deva sua popularidade duradoura ao fato de que possui um segredo, mas que ninguém jamais o desvendará, e que continuar sem saber do que se trata será sempre muito mais intrigante.

A tela foi roubada em 1911 como parte de um golpe envolvendo a falsificação de pinturas realizada por um notável falsário argentino chamado Eduardo de Valfierno. Uma vez que a tela tivesse desaparecido, um talentoso restaurador de arte chamado Yves Chaudron produziria tantas cópias quanto fosse possível. Valfierno as venderia então para colecionadores de arte e depois devolveria o original ao Louvre. Paris ficou transtornada quando foi dada a notícia do sumiço da *Gioconda*. Vários suspeitos foram detidos, incluindo muitos dos funcionários do museu, e até mesmo Pablo Picasso, que se tornou suspeito por ter comprado duas esculturas que haviam sido roubadas do Louvre por um amigo dele.

O esquema funcionou durante algum tempo, e algumas cópias foram vendidas. Contudo, um dos homens que Valfierno contratara para ajudá-lo no roubo tentou vender a pintura original para um marchand francês que acabou por entregá-lo às autoridades. A *Mona Lisa* foi encontrada no fundo falso de um baú de madeira no apartamento desse homem, próximo ao Louvre. Valfierno, que não havia revelado sua identidade a seus capangas, embolsou o dinheiro da vendas ilegais e viveu o resto da vida rico e feliz, dando à Mona Lisa, talvez, outro motivo para sorrir.

MONTANO – Convertido ao cristianismo no século II, em torno do ano de 156, Montano começou a dizer a seus seguidores que era um profeta e o único possuidor das revelações divinas. Profetizou o retorno de Cristo e impôs uma forma muito severa de ascetismo e disciplina por meio de penitências. Montano conquistou muitos seguidores, e, à medida que sua popularidade crescia, a oposição a ele se tornava cada vez mais intensa. Algumas pessoas consideravam o montanismo originário de um demônio e tentaram exorcizá-lo. Em certo momento, Montano e seus adeptos separaram-se da Igreja.

MOZART, WOLFGANG AMADEUS – Compositor do século XVIII, Mozart (1756-1791) era um entusiástico franco-maçom, e elementos da maçonaria são encontrados em muitos de seus trabalhos, um dos quais é explicitamente intitulado *Música fúnebre maçônica*. Tido como um dos grão-mestres do **Priorado de Sião**, é famoso também por sua ópera *A flauta mágica*. Enquanto ouvem a música, muitas pessoas provavelmente não atentam para o fato de que as palavras transmitem temas da simbologia cristã representando a luta entre a escuridão e a luz, o bem e o mal, incorporando ainda elementos herméticos e egípcios.

NAG HAMMADI – Nag Hammadi é o nome da cidade onde, em 1947, alguns dos textos mais importantes relativos ao início da era cristã foram encontrados (ver **Evangelhos gnósticos** e os capítulos 1 a 5). Esses documentos estavam unidos como páginas (por oposição aos primeiros trabalhos escritos em pergaminhos, como os **Pergaminhos do Mar Morto**) e possuíam capas de couro, constituindo o primeiro uso conhecido desse material em livros. Embora esses códices tenham contribuído muito para aumentar nossa compreensão desse período, alguns especialistas estimam que, de todos os textos relativos às tradições do início da era cristã, apenas quinze por cento tenham sido recuperados. Muitas outras interpretações sobre a história de **Maria Madalena** podem estar ocultas, esperando para serem descobertas, e, quem sabe, gerar outro best-seller.

NEWTON, SIR ISAAC (1642-1727) Seus muitos

títulos – matemático, físico, filósofo, naturalista, teólogo, cientista político, entre outros – fariam dele uma figura de destaque nos meios intelectuais de qualquer época. Mas a revolução que ele provocou na Física e na Matemática estabelece sua presença como um dos maiores pensadores da história.

As realizações de Newton são muitas vezes compreendidas como um triunfo dos valores racionais e científicos do Iluminismo sobre a concepção medieval "supersticiosa" ainda predominante em relação à Física. Apesar dessa visão racionalista, ele se aprofundou bastante nos conhecimentos esotéricos e ocultistas. Antes de suas revolucionárias descobertas na Física em meados da década de 1660, Newton estava em sintonia com as idéias de seu tempo – foi um alquimista que passou anos tentando desvendar os segredos divinos do mundo natural através da química experimental, uma prática que, naquela época, não se diferenciava muito da magia. Não é surpreendente, então, que tenha desenvolvido seus trabalhos em segredo.

No *CDV*, Newton foi incluído como um dos grão-mestres do **Priorado de Sião**, provavelmente com base nos controvertidos ***Dossiês secretos***. Embora essa afirmativa não possa ser confirmada, ele estava reconhecidamente associado a membros importantes da maçonaria, e suas crenças apresentam muitas semelhanças com a doutrina maçônica.

Ainda que tenha sido, tecnicamente, um herege que negou o divino, recebeu privilégios especiais do rei Carlos II que lhe permitiram continuar os estudos sem ter nenhum envolvimento direto com a Igreja Anglicana, tentou desvendar aquilo que considerava os segredos ocultos da Bíblia e também reconstruir a planta do **Templo de Salomão**, que entendia como um símbolo "criptogramático" do próprio universo. Curiosamente, um acadêmico encontrou aquilo que, na sua interpretação, representa vários símbolos cristãos e hereges ocultos nos diagramas da maior obra de Newton sobre as ciências físicas – os *Principia Mathematica*.

O MARTELO DAS FEITICEIRAS – Langdon lembra-se desse livro enquanto está de pé nas Salles des Etats, no Louvre, contemplando a ***Mona Lisa***. Publicado em 1486, gerou sofrimentos inomináveis por fornecer aos inquisidores um guia para a identificação de bruxas (ver capítulo 5). As pessoas identificadas como bruxas eram perseguidas e geralmente entregues às autoridades civis para serem queimadas vivas na fogueira.

O'KEEFE, GEORGIA – Quando Teabing está explicando a Sophie e Langdon que a **rosa** tem sido "o símbolo por excelência da sexualidade feminina", ele sugere que o melhor exemplo para entender como a "imagem da flor se abrindo evoca a genitália feminina" é observar algumas das pinturas de Georgia O'Keefe, muitas vezes associadas a esse tema. A própria pintora, contudo, há muito negou que houvesse qualquer simbolismo em seu trabalho, dizendo que as ligações feitas entre suas pinturas e imagens sexuais ou eróticas estavam apenas no olhar do observador.

OLIMPÍADAS – As Olimpíadas foram iniciadas em 776 a.C. como um festival religioso honrando a principal divindade grega, Zeus. Originalmente disputados em Olímpia, próximo ao santuário desse deus, os jogos tinham origens claramente pagãs. A versão original das Olimpíadas destinava-se a ser um evento unificador entre as *polis* (cidades-estado) da Grécia, que muitas vezes lutavam entre si. Ainda que no começo as Olimpíadas se constituíssem de apenas um evento, eram precedidas por um longo festival religioso que incluía sacrifícios a várias divindades. Esse padrão se manteve durante doze séculos, até o ano de 393 d.C., quando o imperador romano Teodósio decretou o fim dessas competições.

Os Jogos Olímpicos da era moderna foram reiniciados em 1896, por iniciativa de um francês, o Barão Pierre de Coubertin. Foi também ele que, em 1913, desenhou os cinco anéis entrelaçados que continuam sendo o símbolo desse evento. Coubertin afirmava que os anéis representavam os cinco continentes participantes das competições e que as cores eram representativas das bandeiras de todo o mundo. Há quem veja nesse simbolismo uma homenagem sutil à era cristã politeísta.

OPUS DEI – Para tornar sua trama mais interessante, Dan Brown reuniu o que parecem ser os dois extremos dos diferentes rumos seguidos pela crença religiosa desde o surgimento de Jesus. De um lado, representada pelo avô de Sophie e pelos mistérios que os protagonistas tentam desvendar, há a corrente "radical" da tradição gnóstica que acredita no casamento de Jesus e **Maria Madalena** e reconhece o longo legado pagão da humanidade. Do outro lado, há a ortodoxia católica, representada pelo que muitos consideram ser sua facção mais conservadora, o Opus Dei. Ambos os lados buscam evidências do **Santo Graal**, embora suas motivações sejam opostas.

A finalidade do Opus Dei, de acordo com sua definição, "é contribuir para a missão evangelizadora da Igreja, promovendo, entre fiéis cristãos de todas as classes sociais, uma vida plenamente coerente com a fé nas circunstâncias correntes da existência humana e, especialmente, por meio da santificação do trabalho". Fundada em 1928 por **Josemaría Escrivá** de Balaguer, o Opus Dei foi concebido segundo o conceito de que a santidade pode ser atingida por católicos leigos. Isso envolve a santificação e o aperfeiçoamento da vida comum, diária, dos leigos, na qual cada ação é dedicada, em sacrifício e com alegria, a Deus. Os membros do Opus Dei devem ater-se rigorosamente às regras e aos ensinamentos do catolicismo.

Essa organização encontrou um poderoso aliado no Papa João Paulo II, que a transformou em uma prelazia pessoal da Igreja Católica: seis membros se encontram sob a autoridade de um prelado, que, por sua vez, está sob a autoridade da Congregação dos Bispos, inteiramente independente de sua localização geográfica ou dioceses. Além disso, o papa canonizou Escrivá em 2002. Essa atenção dirigida ao Opus Dei não estava unicamente relacionada às raízes conservadoras que João Paulo e São Josemaría compartilhavam; ela se devia também à crescente popularidade e ao poder do grupo. Estima-se que o Opus Dei possui de oitenta a noventa mil membros em todo o mundo. Nos Estados Unidos, as estimativas quanto ao número de afiliados variam de três mil a cinqüenta mil.

Essa organização está cercada por controvérsias, em sua maioria em relação à prática da autoflagelação e àquilo que muitos críticos consideram um controle exagerado sobre seus membros, como em um culto. Há dois tipos de afiliados do Opus Dei: os supernumerários e os numerários. Os primeiros constituem cerca de setenta por cento do total. Concentram-se na santificação de seu trabalho e nas tarefas familiares. Os numerários muitas vezes vivem nos centros do Opus Dei, isolados do sexo oposto. Fazem votos de celibato e doam seus salários ao grupo. Muitas vezes praticam a mortificação corporal, uma forma de autopunição ritual que tem o objetivo de purificar o fiel dos pecados cometidos e dos impulsos que o levaram a cometê-los. A autoflagelação é feita com o uso do **cilício** ou com a observância de castigos.

O Opus Dei tem lutado contra o que considera extrapolações sem fundamento sobre seu sistema de crenças e, nesse sentido, mantém links na Web apontando para artigos com críticas à interpretação que Dan Brown faz da Bíblia em geral e dessa organização especificamente.

OPUS DEI AWARENESS NETWORK – **ODAN** (REDE DE ALERTA EM RELAÇÃO AO OPUS DEI) – Esse grupo de oposição ao **Opus Dei** tenta, como é explicado no *CDV*, alertar o público em geral quanto às "assustadoras" atividades do Opus Dei. Também possui seu próprio site.

PAGANISMO – Em sua acepção mais ampla, o paganismo é um conjunto de crenças religiosas que reconhece um etos politeísta (com mais de um deus). Já existia antes do cristianismo, e acredita-se que tenha se misturado a ele, ao menos no início da tradição cristã. É fato que grande parte da história cristã tem sido uma luta para sobrepujar a força do paganismo. No *CDV*, Sophie tem lembranças traumáticas por ter assistido à participação de seu avô em uma prática secreta de uma cerimônia pagã. Sem entender o que estava acontecendo – uma reprodução do rito ***hieros gamos*** –, ela fica chocada ao vê-lo fazendo sexo em meio a outras pessoas. Como Langdon explica posteriormente, a relação sexual era considerada o ato por meio do qual homens e mulheres realizavam a experiência do divino. A união física com a mulher era a única maneira que o homem tinha de tornar-se espiritualmente completo e atingir a **gnose**. Desde os tempos dos cultos de Ísis, os ritos sexuais têm sido considerados a única ponte unindo a Terra ao paraíso para os homens.

PAPISA – Em uma conversa com Sophie sobre as cartas de **tarô**, Langdon explica que esse jogo medieval estava "repleto de simbolismo herético oculto", incluindo uma referência a uma carta chamada A Papisa. No tarô, ela geralmente remete a conhecimentos ocultos ou esotéricos e costuma ser representada como uma mulher sentada, usando hábitos monásticos, uma coroa tríplice e segurando um livro aberto no colo.

A principal fonte para o pouco que sabemos sobre a papisa é um frei dominicano, Martin Polonus, que dizia que um determinado papa do século XIII, chamado João, na verdade era a "papisa Joana", cuja real identidade feminina só foi descoberta quando ela deu à luz no meio de uma procissão papal que se dirigia de São Pedro a Latrão. Segundo Polonus, os historiadores da Igreja posteriormente suprimiram seu nome, "em parte por causa de seu sexo e também pela deslealdade do episódio". De acordo com outros relatos, ela foi apedrejada até a morte pelo povo que estava presente quando o engodo foi revelado. Em algumas histórias, essa mulher era descrita como uma inglesa educada na Alemanha que se vestia de homem para tornar-se um monge. Em outras narrativas, era proveniente de Atenas, onde tinha demonstrado amplos conhecimentos de idiomas e Teologia. Nunca foram encontrados registros históricos que confirmassem totalmente essas lendas, e a história da papisa Joana aparentemente foi descartada em meados do século XVII por um historiador protestante. Essa lenda também pode ter se originado como uma sátira contra o papado, centrada no medo da Igreja em relação a imposturas, à autoridade feminina e à possibilidade de um papa sexualmente ativo. De qualquer forma, a papisa Joana continua como carta no tarô. Um estudo completo sobre o assunto foi escrito por Rosemary e Darroll Pardoe.

PEDRA-CHAVE – Langdon descreve a pedra-chave como "um dos segredos mais bem guardados da maçonaria, nos seus primórdios", tanto no sentido literal quanto figurativo. Literalmente, é uma pedra que fica na parte mais alta e central de um arco, unindo as outras pedras e sustentando seu peso (ver ***clef de vôute***). Simbolicamente, é aquilo que abre os segredos do **Priorado de Sião**.

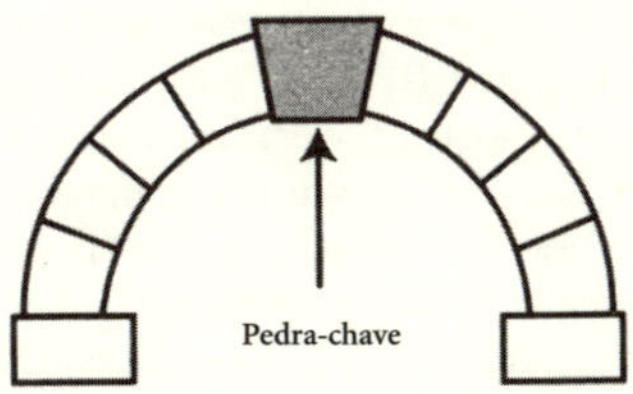

PEDRO, O APÓSTOLO (SÃO PEDRO) – O nome de São Pedro era Simão quando encontrou Jesus, que passou a chamá-lo de Cephas ("rocha"). A versão latina desse nome é Pedro. Nos Evangelhos do Novo Testamento, Jesus parece ter uma preferência especial por esse apóstolo, que está presente em episódios fundamentais de sua história. No Novo Testamento, ele diz a Pedro: "Sobre esta pedra construirei minha Igreja."

Pedro é mencionado no *CDV* durante a longa explicação de Teabing a respeito da natureza do **Santo Graal** quando cita passagens do **Evangelho de Maria**, nas quais esse apóstolo tem dúvidas de que Jesus tenha falado com **Maria Madalena** sem o conhecimento dos outros. "E Pedro disse: 'O Salvador realmente falou com uma mulher sem nosso conhecimento? [...] Ele a preferiu a nós?'" Teabing prossegue, dizendo que Pedro tinha ciúme porque Cristo na verdade teria escolhido Maria, e não a ele, para continuar sua Igreja. De acordo com o **Evangelho de Maria**, embora Pedro possa de fato ter ficado enciumado por Jesus ter conversado com Maria a sós, não há nenhuma indicação nesse texto de que a mensagem de Jesus para ela esteja relacionada com a fundação da Igreja.

PENTAGRAMA – O pentagrama aparece pela primeira vez no *CDV* como um símbolo desenhado por Saunière com seu próprio sangue, sobre seu estômago, pouco antes de sua morte. Langdon, levado à cena do crime, explica seu significado como um símbolo de Vênus, a Deusa do Amor e da Sexualidade humana, assim como sua longa associação com o culto da natureza.

O pentagrama é um dos símbolos mais antigos que o homem conhece. Sua forma mais comum é a de uma estrela de cinco pontas, com braços eqüilaterais e ângulos idênticos em todos os seus pontos. Quando inscrito dentro de um círculo, é denominado "pentáculo". Esse símbolo era comumente conhecido como pentáculo de Vênus ou de Istar, dependendo de qual deusa estava sendo cultuada.

As origens do pentagrama estão perdidas no passado distante da humanidade, e exemplos de seu uso foram citados em civilizações tão remotas quanto os sumérios, na antiga região da Mesopotâmia. Seu sentido original, bem como seu desenvolvimento, é hoje tema de conjecturas, mas os acadêmicos identificaram-no como um símbolo primitivo do corpo humano, dos quatro elementos e do espírito e, também, do próprio universo. Os pitagóricos usavam-no como símbolo de reconhecimento e podem tê-lo associado à divindade grega Higéia (Deusa da Saúde).

O pentagrama, como símbolo, continua em uso em nossos dias. Os seguidores da magia Wicca, bem como adeptos de outras organizações esotéricas, o utilizam em seus ritos. Ele aparece também nas insígnias e distintivos de hierarquia militares como representação dos cinco pilares do Islã e, de forma infame, como um símbolo para a adoração do demônio e de outras forças do mal – uso esse que é, como observa Langdon, historicamente incorreto.

PENTAGRAMA DE VÊNUS – Uma das mais intrigantes teorias para explicar a origem do **pentagrama** é astronômica: o planeta Vênus traça um pentagrama no céu. Como? Quando os movimentos do planeta são traçados sobre o das estrelas, ele parece mover-se sobre esse fundo em um padrão regular. Os antigos imaginavam que as estrelas que viam mover-se no céu eram "fixadas" em uma esfera cujo centro seria a Terra. Eles usavam essas estrelas fixas como um ponto de referência para medir o movimento dos planetas, que se deslocavam de forma independente das estrelas, surgindo em diferentes áreas da esfera em momentos diversos. Se um observador registrar a posição de Vênus em relação às estrelas fixas no mesmo dia, durante seis anos, e conectar essas posições em ordem ao redor da esfera, surge um pentagrama. Vênus retorna à sua posição original no sexto ano, começando o ciclo mais uma vez. Essa observação não sobreviveu aos estudos astronômicos posteriores: é verdade que traçar o movimento do planeta a partir de uma posição oriental mostra algo similar a um pentagrama, ainda que não seja tão parecido assim com essa forma. A figura resultante seria completamente diferente em outros lugares do mundo, e, como sabemos hoje, as leis dos movimentos planetários há muito não se baseiam mais na Terra como centro do universo.

PERGAMINHOS DO MAR MORTO – "Pergaminhos do Mar Morto" é a expressão que denomina, em seu conjunto, o que restou dos cerca de oitocentos manuscritos descobertos em cavernas construídas em uma rocha calcária na margem do Mar Morto, em Qumran. Beduínos que exploravam o local em 1947 foram os primeiros a encontrar parte desses documentos, alguns dos quais foram vendidos para antiquários e estudiosos, dando início a uma corrida para ver quem conseguia recuperar o maior número possível desses textos. Entre 1948 e 1956, dez novas cavernas foram descobertas e escavadas, revelando um verdadeiro tesouro em pergaminhos e fragmentos. Esses manuscritos são extremamente variados e incluem Escrituras e escritos relacionados à vida em comunidade – comentários, leis, etc. Um deles – que é chamado de "Pergaminho de Cobre" porque, ao contrário da maioria dos outros, foi redigido em finas folhas desse metal – fornece instruções sobre como encontrar um grande número de tesouros escondidos.

Os textos de **Nag Hammadi** e os Pergaminhos do Mar Morto estão entre as mais importantes descobertas relacionadas à compreensão moderna do judaísmo e do cristianismo. Da mesma forma como o material de Nag Hammadi esclareceu muitas das diferentes facetas do início do movimento cristão, os Pergaminhos do Mar Morto contêm informações de inestimável valor sobre um grupo de judeus não ortodoxo que viveu no auge do poder de Roma e no início da era cristã. Esses documentos foram escritos por um grande número de sábios ascetas conhecidos como essênios, mas há um debate em torno disso. Tanto os desvios contidos nos pergaminhos em relação às tradicionais Escrituras judaicas quanto as semelhanças entre os ensinamentos do Cristo e os editos contidos nesses manuscritos criaram um desafio para os estudiosos e teólogos dessas duas religiões. A controvérsia sobre a real identidade dos autores, sua fonte direta – política e teológica – e, sobretudo, a razão para estarem escondidos continuam causando polêmica em nossos dias.

PHI – *Phi* (pronuncia-se "fi") é um número interminável e que nunca se repete, 1,6180339087... É mais conhecido pelos matemáticos como Razão Áurea, ou Seção Áurea, e, na terminologia de Brown, como a **Divina Proporção**. Essa expressão é mencionada no *CDV* como o tema principal de uma palestra da qual Robert Langdon se lembra enquanto foge do **Louvre** com Sophie Neveu. (Não é mera coincidência que "phi" também esteja presente no nome de Sophie.)

Langdon explica a seus alunos que esse número representa um "componente básico na Natureza", presente em tudo – de populações de colméias a conchas de náutilos, das sementes de girassóis ao corpo humano" (por exemplo, na razão entre a altura total do corpo e a altura entre o umbigo e o chão). Como um eco de sua proporção e beleza naturais, *Phi* tem sido amplamente usado na arte (*A Última Ceia* de Dali), na arquitetura (o Partenon) e na música (Bartók, **Mozart**).

Embora essa descrição corresponda à realidade de forma geral, há alguns detalhes incorretos. Dan Brown escreve o termo com maiúsculas no livro: *PHI.* Na prática, os matemáticos usam Phi para designar a Divina Proporção e *phi* para designar sua recíproca. Simbologistas, como Langdon, escreveriam o par como Ø e ø. Langdon também diz que *Phi* é derivado da seqüência de Fibonacci, mas os registros históricos indicam que o número já era conhecido muito antes de **Fibonacci** ter criado sua seqüência.

Segundo o cientista Mario Livio, a primeira definição do que seria chamado, muito depois, de Razão Áurea foi "estabelecida em torno de 300 a.C. pelo criador da Geometria, Euclides de Alexandria, como um sistema formalmente dedutível".

Os gregos classificaram essa razão com a letra *tau.* As expressões Seção Áurea e Média Áurea provavelmente só começaram a ser usadas no século XIX. A palavra *Phi* surgiu somente quando foi usada pelo matemático americano Mark Barr, no início do século XX, como um tributo ao escultor grego Fídias, cujas obras incluem, entre outras, o Partenon de Atenas e o templo de Zeus em Olímpia.

A Razão Áurea é considerada uma das técnicas usadas por **Leonardo da Vinci** em alguns de seus trabalhos. Nem todos os especialistas estão de acordo. O modelo matemático para essa razão só ficaria conhecido na Itália após sua publicação por Pacioli, na última década do século XV, quando Leonardo já tinha pintado ou desenhado a maioria de suas obras.

PIRÂMIDE – A pirâmide de vidro foi projetada pelo arquiteto I. M. Pei, de origem chinesa, para servir como a nova entrada do **Louvre**. É uma das primeiras coisas vistas por Langdon quando ele é intimado a comparecer à cena do assassinato. Há uma segunda pirâmide, a pirâmide invertida, que se estende *para dentro* da terra, enquanto a original está sobre o chão. É essa pirâmide invertida que é mencionada no final do livro de Dan Brown.

A pirâmide é a assinatura da reforma do Louvre e também um emblema das muitas mudanças arquitetônicas feitas no prédio sob a orientação de I. M. Pei. Com essa obra, todas as entradas foram centralizadas em um único lugar, conduzindo a um novo espaço aberto subterrâneo que permite o acesso a todas as galerias, assim como a restaurantes, lojas e novas áreas de armazenamento e suporte vitais para o próprio museu. A estrutura concebida por Pei, que hoje é aceita e mesmo admirada pelos parisienses, enfrentou um furioso debate público, assim como ataques frontais feitos pela imprensa francesa quando os planos foram anunciados.

A pirâmide é constituída por seiscentos e noventa e oito painéis de vidro temperado, muito leve e transparente – e não por seiscentos e sessenta e seis painéis, o conhecido "número de Satanás" mencionado por Brown/Langdon e outros amantes de teorias da conspiração. Os painéis são ligados por suportes de aço igualmente leves. Sua combinação cria uma forma grandiosa – uma pirâmide baixa, com cerca de vinte dois metros de altura, que transmite ao mesmo tempo uma impressão de elevação e de grandeza.

PLANTARD, PIERRE – Apesar de não ser mencionado no *CDV*, esse nome é essencial para a maioria das lendas que fazem parte do livro.

Pierre Plantard (1920-2000) existiu de fato. Foi um cidadão francês que se autoproclamou grão-mestre do **Priorado de Sião**, eleito em 1981. Tornou-se uma figura pública quando passou a ser um dos pontos centrais das investigações de Michael Baigent, Richard Leigh e Henry Lincoln em seu best-seller *O Santo Graal e a linhagem sagrada*, livro que inspirou Dan Brown. Nessa obra, Plantard ocupa uma posição similar à de Jacques Saunière no *CDV* – último grão-mestre do Priorado de Sião e descendente dos reis **merovíngios**.

No que se refere a Plantard, muitas vezes é difícil saber onde está o limite entre fatos e lendas. Os ***Dossiês secretos***, que teriam sido depositados na Biblioteca Nacional de Paris, parecem afirmar que Pierre Plantard é descendente de Jean de Plantard, que, por sua vez, era descendente da linhagem dos reis merovíngios.

Baigent, Lincoln e Leigh declararam que, ao longo de suas investigações sobre a lenda do **Santo Graal**, "todos os caminhos levavam, em última instância, a Plantard". Ele parece ter sido a principal fonte de informação para as várias histórias em torno de **Rennes-le-Château** e forneceu aos pesquisadores dados enigmáticos a respeito do Priorado de Sião, em geral criando mais dúvidas do que fornecendo soluções. Há um exemplo típico em sua entrevista sobre o Priorado de Sião feita pela revista francesa *Le Charivari*, na qual Plantard diz: "A sociedade da qual sou membro é extremamente antiga. Sou apenas o sucessor de outros, um ponto em uma série. Somos guardiões de algumas coisas. Mantemo-nos longe da publicidade." Ele é descrito em *O Santo Graal e a linhagem sagrada* como um homem digno e cortês, de aparência discretamente aristocrática, de trato afável e boas maneiras. Plantard declarou publicamente que não concordava com as conclusões do trabalho de Baigent, Lincoln e Leigh, mas se ofereceu para revisar a edição francesa do livro. Permaneceu ambíguo, contudo, em relação à questão de os merovíngios descenderem diretamente de Cristo.

Parece haver também um lado negro na história de Plantard. Ele foi acusado de ser simpatizante do nazismo e do anti-semitismo; associou-se a diversas publicações e organizações de extrema direita antes e depois da Segunda Guerra. Pode ter sido preso por apropriação ilícita e fraude nos anos 1950, assim como talvez tenha dado a história de **Bérenger Saunière** para o autor que popularizou os mistérios de Rennes-le-Château em troca de dinheiro. Suas afirmações de que era descendente dos merovíngios foram refutadas. Muitos dos documentos que usou para provar a existência da linhagem foram criados por ele ou por seus associados e depositados anonimamente na Biblioteca Nacional de Paris.

A impressão é de que, para cada afirmação feita por Plantard e pelo Priorado, surgem contestações imediatas, que, por sua vez, são atacadas com outras acusações. Códigos dentro de códigos, histórias dentro de histórias. As voltas e reviravoltas em relação ao mito de Pierre Plantard são uma ótima base para o *CDV*.

Pope, Alexander – Entre as muitas pistas que Sophie e Langdon seguem há um poema, copiado por Saunière, que diz: *"In London lies a knight a Pope interred."*

No **King's College**, acredita-se que "Pope" não se refere a um papa católico, mas ao famoso poeta Alexander Pope (1688-1744), e que o "cavaleiro" era **Sir Isaac Newton**, cujo funeral, segundo Brown, foi presidido pelo poeta, que "fez um discurso comovente antes de jogar um punhado de terra na tumba". É verdade que Pope admirava Newton e, possivelmente, compareceu ao seu funeral, porém não há registro de que o tenha conduzido – Newton era tão importante que a comitiva que transportou seu caixão incluía um lorde, dois duques e três condes. O bispo de Rochester celebrou a missa.

Também não há dúvida de que Pope escreveu o epitáfio para Newton, quatro anos mais tarde, quando foi erguido um monumento ao cientista. É um dos epitáfios mais famosos da história, escrito parcialmente em latim, parcialmente em inglês:

> *"Nature, and Nature's laws, lay hid in night.*
> *God said, Let Newton be! And all was light."**

Poussin, Nicolas – Considerado por muitos o maior pintor francês do século XVII, Poussin tornou-se famoso em Roma pintando quadros românticos e poéticos, baseados em temas clássicos da mitologia. É lembrado por Sophie como o segundo pintor predileto de seu pai, depois de **Leonardo da Vinci**. Ele também desempenha um papel interessante em parte do material que Dan Brown usou como fonte. No *CDV*, Poussin é o assunto de diversos textos didáticos escritos por Jacques Saunière. Tais textos, ao que parece, estão entre os preferidos de Langdon, que lida especificamente com os códigos ocultos nas obras de Poussin e do pintor holandês **David Teniers.**

Uma das pinturas de Poussin, *Les Bergers d'Arcadie* (Os pastores da Arcádia), criado em 1638, mostra um grupo de pastores de pé em frente a uma tumba sobre a qual está escrita, em latim, a frase *et in Arcadia ego* ("e na Arcádia eu"). Essa frase foi muitas vezes interpretada como uma alusão romântica à presença da morte mesmo nos domínios idílicos dos pastores. Contudo, há uma conexão direta entre a pintura e o mistério de **Rennes-le-Château**. Um dos pergaminhos que **Bérenger Saunière** teria encontrado na igreja desse vilarejo continha a seguinte mensagem codificada:

> SHEPHERDESS NO TEMPTATION THAT POUSSIN TENIERS HOLD THE KEY; PEACE 681 BY THE CROSS AND THIS HORSE OF GOD I COMPLETE [DESTROY] THIS DAEMON OF THE GUARDIAN AT NOON BLUE APPLES.**

Parece haver uma referência à pintura *Les Bergers d'Arcadie* na mensagem. Muitos autores que escreveram sobre o mistério de Rennes-le-Château disseram que uma tumba próxima ao vilarejo se parece com o túmulo retratado nessa tela. Poussin estaria de alguma forma vinculado ao segredo oculto em Rennes-le-Château? Os autores do *Santo Graal e a linhagem sagrada* men-

* Uma tradução aproximada seria: "A Natureza e as leis da Natureza escondidas na noite estavam. Deus disse: Faça-se Newton!, e tudo se fez luz." (N. T.)

** Uma tradução aproximada seria: "Pastora nenhuma tentação que Poussin Teniers possui a chave; paz 681 próximo à cruz e (d)este cavalo de Deus eu completo [destruo] este demônio do guardião ao meio-dia maçãs azuis." (N.T.)

cionam uma carta enviada pelo abade Luís Fouquet a seu irmão, Nicolas, superintendente de finanças de Luís XIV. A carta descreve um encontro que Fouquet tivera com Poussin em Roma:

> Nós discutimos algumas coisas que poderei lhe explicar com calma e mais detalhadamente – coisas que lhe dariam, por meio de *monsieur* Poussin, vantagens que nem mesmo os reis conseguiriam obter dele com facilidade e que, segundo suas palavras, é possível que ninguém mais venha a descobrir nos séculos que virão.

Pouco tempo depois de receber essa mensagem, que não apresenta explicações mais detalhadas, Nicolas Fouquet foi detido e permaneceu preso pelo resto de sua vida.

Priorado de Sião – Dan Brown anuncia, na página de abertura do *CDV*, que o Priorado de Sião é uma organização real, fundada em 1099, e que pergaminhos depositados na Biblioteca Nacional de Paris revelam uma lista de expoentes nas áreas de literatura, artes e ciência que teriam sido seus membros. O Priorado certamente é uma organização real, porém é difícil dizer o que mais pode ser afirmado a seu respeito com certeza. O grupo pode assegurar que surgiu na França em 1956 (não existia nada antes disso), quando registrou seus estatutos e os submeteu ao governo para oficialização. Durante a maior parte de sua história contemporânea, seu principal representante foi **Pierre Plantard**, um homem cujas afirmações a respeito de si mesmo foram tão confusas quanto as que fez sobre o Priorado. Na verdade, muitas vezes é difícil dizer qual a diferença real entre Plantard e o Priorado.

Temos, no que dizem estar contido nos ***Dossiês secretos*** e nas declarações públicas de Plantard e seus associados, apenas um esboço da história do Priorado. Essa organização secreta teria sido fundada na última década do século XI por **Godofredo de Bouillon**. Parece ser consenso que o Priorado tenha ordenado a formação dos **cavaleiros templários** e que, quase cem anos depois, tenha se separado deles, iniciando sua própria linhagem de grão-mestres. Mais ou menos nessa época, o Priorado também começou a se autodenominar "le Ordre de la Rose-Croix Veritas", ou Ordem da Verdadeira Rosa Cruz, vinculando-se assim aos **rosa-cruzes**. O grupo diz que **Bérenger Saunière** descobriu os pergaminhos que deram origem à controvérsia em torno de **Rennes-le-Château** obedecendo a ordens do Priorado. E lista uma série de grão-mestres, a partir da cisão, em 1188, com os templários, chegando a Thomas Plantard, filho de Pierre.

Sobre esse arcabouço mínimo, apresentado em linguagem poética e alegórica, em formatos pseudo-históricos, centenas de autores projetaram suas especulações e teorias a respeito do Priorado e de seu lugar na história. Essas teorias são demasiado numerosas para serem listadas, mas o *CDV* é baseado em uma das mais famosas e mais persistentes delas, descrita exaustivamente em *O Santo Graal e a linhagem sagrada:* a de que é um antigo guardião da linhagem sangüínea de Cristo e **Maria Madalena**. Outras teses sustentam que o Priorado serve como fachada para diversas organizações esotéricas. Há ainda os que acreditam que o grupo defende uma teocracia dos "Estados Unidos da Europa".

Todas as acusações sobre a real origem ou natureza dessa sociedade, da mais simples à mais esdrúxula, têm sido contestadas por declarações do Priorado e de seus defensores. Parece que essa organização existe no contexto do que um estudioso chamou de "inferno hermenêutico" – uma terra fantasiosa de interpretações, hipóteses e evidências que, por sua própria abrangência e indefinição, parece impossibilitar a determinação de qualquer verdade. Talvez seja essa a essência do contínuo apelo que o Priorado suscita: sua própria natureza, até onde sabemos, é tão indefinida que permite a qualquer um projetar sobre ela, como interpretações, suas próprias esperanças, medos e fantasias.

"Rei dos Judeus" – Teabing, sempre disposto a distribuir conhecimentos dos primórdios da história do cristianismo de acordo com seu ponto de vista, conta uma história segundo a qual Cristo seria descendente do rei Salomão e do rei Davi, sendo, portanto, legítima e hereditariamente, "Rei dos Judeus", além do próprio Messias. Ainda de acordo com essa história, quando Jesus se casou com **Maria Madalena**, ele passou a fazer parte da **tribo de Benjamin**, uma linhagem sangüínea que continuou com Maria Madalena e seus descendentes para formar a dinastia merovíngia. Parte da lenda do **Priorado de Sião** diz que o herdeiro contemporâneo da linhagem de Jesus (que supostamente seria Sophie) é, de direito, o rei de Israel/Palestina – ou mesmo da França, dependendo da intenção daquele que está desencavando esses dois mil anos de segredos históricos.

RENNES-LE-CHÂTEAU – Poucos lugares no planeta, de Stonehenge ao Triângulo das Bermudas, têm sido foco de tantas teorias da conspiração quanto Rennes-le-Château, um pequeno vilarejo na França situado no topo de uma montanha no extremo leste dos Pireneus. Apesar de não ser mencionado no *CDV*, encontra-se no centro da conspiração da qual trata o livro.

Rennes-le-Château, como a maioria dos vilarejos e cidades da Europa, possui uma história complexa, com muitas camadas, que se origina nos tempos em que era um campo pré-histórico, passando a assentamento romano e depois a fortaleza medieval. Pouco antes da Revolução Francesa, essa localidade havia, por meio de uma série de casamentos, caído nas mãos da família Blanchefort. Correm rumores de que Marie – marquesa d'Hautpol de Blanchefort –, uma descendente titular, no mínimo, do grão-mestre templário de mesmo nome, transmitiu ao morrer um segredo ao padre de sua paróquia. Esse clérigo, o abade Bigou, que a revolução obrigou a exilar-se na Espanha pouco após a morte da marquesa, era o predecessor clerical do mais intrigante dos moradores de Rennes-le-Château: **Bérenger Saunière**.

ROSA – A rosa é rica em simbolismos, e o *CDV* explora muitos deles. A caixa de pau-rosa na qual está o críptex – que Sophie carrega enquanto escapa com Langdon do banco suíço em um carro-forte – exibe na tampa uma rosa, que ela associa a grandes segredos. Langdon imediatamente liga essa flor ao latim *sub rosa* (literalmente, "sob a rosa"), significando que qualquer coisa dita deveria permanecer confidencial. A rosa também tem sido usada pelo **Priorado de Sião** para simbolizar o **Santo Graal**. Uma das espécies possui cinco pétalas, associando-a à simetria pentagonal, o movimento de Vênus no céu e o **sagrado feminino**. Além disso, é usada como a rosa-dos-ventos, para apontar a "verdadeira direção".

À medida que explica tudo isso, Langdon tem uma epifania, compreendendo que o Graal deve estar oculto *sub rosa*, ou seja, sob o signo da rosa em alguma igreja com suas rosáceas, relevos em roseta e *cinquefoils*, as flores decorativas de cinco pétalas muitas vezes encontradas no topo das arcadas, logo acima da **pedra-chave**.

Mais à frente no livro, Teabing liga a rosa à feminilidade, suas cinco pétalas como representações dos "cinco estágios da vida feminina – nascimento, menstruação, maternidade, menopausa e morte". Ele também diz a Langdon e a Sophie que a palavra *rose* é idêntica em inglês, francês, alemão e em outras línguas e que o anagrama da palavra é Eros, o deus grego do amor e do sexo.

Muitos outros sentidos têm sido atribuídos à rosa: um emblema de Cristo, um símbolo da natividade e da profecia messiânica. Na cultura greco-romana, a rosa representava a beleza, a primavera e o amor. Também se referia à rápida passagem do tempo e, portanto, à aproximação da morte e do outro mundo. A festa romana da Rosalia era uma celebração para os mortos. As catedrais góticas possuem janelas de vitrais em rosáceas, com Cristo no centro de cada uma delas, nas três entradas das igrejas. A rosa, nesse contexto, é considerada símbolo da salvação que há no interior e que foi revelada por Deus. A partir do século XIII, a arte cristã muitas vezes representou Maria segurando uma rosa, ou num jardim de rosas, ou em frente a uma tapeçaria de rosas. Essa flor representa a união de Cristo e sua Igreja e de Deus e Seu povo.

Finalmente, a rosa é da mesma cor que a **maçã**, o que nos remete à trama do *CDV*. Na última linha do poema transcrito por Saunière, que leva à tumba de **Newton**, lemos as palavras:

> Busca o orbe da sua tumba ausente.
> Fala de Rósea carne e semeado ventre.

Langdon acredita que a última frase é uma alusão clara a **Maria Madalena**, "a Rosa que gerou a semente de Jesus".

ROSA-CRUZ – A doutrina rosa-cruz foi inicialmente exposta na obra *Allgemeine und General Reformation der gantzen weiten Welt* (A reforma universal e geral e de todo o mundo), publicada em 1614. Segundo esse registro, Christian Rosenkreuz, um nobre alemão, viajou para o Oriente quando jovem, acumulando conhecimentos e tornando-se um adepto de sabedorias ocultas. Esses saberes formaram uma abordagem ecumênica que pregava uma vida simples e honrada, assim como a veneração comum de um ser supremo ou deus. Metáforas dos alquimistas foram usadas para simbolizar a transformação mágica da alma humana.

Alguns estudiosos acreditam que Rosenkreuz era apenas uma figura fictícia, inventada pelo teólogo alemão Johann Valentin Andreae, que o **Priorado de Sião** diz ter sido seu grão-mestre de 1637 a 1654. Muitos afirmam que Andreae escreveu um dos manifestos de Rosenkreuz, *O casamento químico*, como uma sátira das obsessões pelo ocultismo então em voga. Tenha sido Rosenkreuz o fundador ficcional ou não dessa doutrina, os rosa-cruzes ainda existem hoje como uma sociedade esotérica baseada nos seus escritos. No século XVII, essa doutrina tornou-se popular entre os franco-maçons, que incorporaram muitos de seus símbolos, especialmente a **rosa** e a **cruz**. (O uso mais famoso do símbolo da rosa e da cruz antes disso foi quando apareceu no brasão de Lutero.) A ordem continua existindo, embora apresente hoje uma grande variedade de formas.

SAGRADO FEMININO – O sagrado feminino é um importante elemento no *CDV*, fornecendo um centro temático para os diversos personagens na busca do **Santo Graal**. O **Priorado de Sião**, ao qual Saunière pertence, o venera, Langdon o estuda, e os seguidores fanáticos do **Opus Dei** tentam garantir que a tradição do sagrado feminino no cristianismo continue suprimida, assim como foi pelos primeiros líderes romanos da Igreja, de Pedro a Constantino. De acordo com o livro, Jesus acreditava no conceito do sagrado feminino do modo como fora herdado dos egípcios, dos gregos e de outros povos de tradição mediterrânea. Toda a discussão em torno do papel de **Maria Madalena** entre os **apóstolos** e na história da Igreja depois disso é retratada no romance como "um grande acobertamento" das origens do cristianismo em um mundo de deuses e deusas.

A primeira menção que é feita ao sagrado feminino no *CDV* se dá quando Langdon chega à cena do assassinato de Jacques Saunière. Interrogado pelo capitão Fache, ele tenta explicar a iconografia que Saunière usou para "decorar" a cena de sua morte.

SANGREAL / SANGRAAL – Langdon identifica Sangreal como o nome histórico comum para os documentos e relíquias que constituem o que hoje conhecemos como o Santo Graal. Teabing explica depois que, com tempo, esse termo foi dividido e empregado tanto nas lendas quanto na Teologia, produzindo *San Greal* – Santo Graal. Contudo, se a divisão fosse feita em outro ponto, teríamos *sang real*, significando "sangue real". Baigent, Leigh e Lincoln, em *O Santo Graal e a linhagem sagrada*, sustentam que o Graal é chamado *Sangreal* ou *Sangraal*. A divisão dessas palavras poderia produzir tanto *san greal* ou *San Graal* (Santo Graal) quanto *sang real* ou *Sang raal* (sangue real). Contudo, Sir Thomas Malory, autor de *Le Morte d'Arthur* (A morte de Artur) e primeiro escritor conhecido a usar a palavra em inglês, emprega *sangreal* e *sang royal* em dois sentidos distintos: *Sangreal* como o "Santo Graal" e *sang royal* como "sangue real", talvez invalidando a etimologia de Teabing e Langdon. O *Oxford English Dictionary* (Dicionário de inglês de Oxford) sugere que a etimologia de duplo sentido, introduzida inicialmente no século XVII, é falsa.

SANTO GRAAL – Há tantas teorias sobre como e onde a história do Santo Graal surgiu quanto há versões do Graal em si. Entre as que foram identificadas por críticos e escritores estão: mitos celtas e outros mitos da Europa ocidental anteriores ao cristianismo, mitologias bizantinas e tradições cristãs ortodoxas do Oriente, um código para a linhagem secreta de Cristo, práticas de antigos cultos persas, cerimônias de veneração da natureza do Oriente Médio pré-cristão, simbologia dos alquimistas e muitas outras.

A versão moderna da história do Santo Graal foi disseminada, na transição entre os séculos XII e XIII, por diversos autores, em diversas línguas, incluindo francês, inglês, alemão, espanhol e galês. O mais antigo romance do Graal ainda existente é o *Perceval*,[8] de Chrétien de Troyes.

O Graal, como objeto, é descrito de várias formas por diferentes autores. Já surgiu sob a forma de uma pedra, um objeto feito de ouro com pedras preciosas, um relicário e um cálice. O sentido de sua busca também apresenta variações. Em uma delas, na qual o guardião do Graal é conhecido como o Rei Pescador, encontrá-lo significa um retorno do reino à saúde e à prosperidade. E essa narrativa também enfatiza uma intenção mais pessoal: para muitos, trata-se de uma jornada espiritual interna rumo à iluminação e à comunhão com Deus.

Sejam quais forem a sua história e significado como relíquia ou idéia, cada um dos personagens do *CDV* está envolvido na busca do Graal, e a versão de Dan Brown para essa lenda tem um sentido completamente novo. "O maior encobrimento da história da humanidade", diz Teabing. "Não só Jesus era casado, mas também era pai. Minha cara, **Maria Madalena** era o Vaso Sagrado. Era o cálice que concebeu a descendência do sangue real de Cristo."

Saunière, Bérenger – Pároco de **Rennes-le-Château**, para onde foi designado em 1885, e inspiração histórica para o personagem Jacques Saunière no livro. Durante uma restauração rotineira da igreja de seu vilarejo, Saunière (1852-1917) teria encontrado, em uma coluna que sustentava o altar, pergaminhos contendo mensagens codificadas. Após sua decodificação, descobriu que faziam referências indiretas a pessoas e coisas aparentemente não relacionadas: os pintores **Poussin** e **Teniers**, o rei **merovíngio Dagoberto**, o **Priorado de Sião** e "**maçãs** azuis". Intrigado, ele levou os documentos a seus superiores, que lhe disseram para ir a Paris mostrá-los a outros membros do clero, incluindo o abade Bieil, diretor do seminário de **Saint-Sulpice**.

Não se sabe muito sobre o que aconteceu durante a visita de Saunière a Paris (alguns chegam a duvidar de que ele tenha ido de fato), mas é dito que, quando retornou a Rennes-le-Château, começou a gastar muito dinheiro em projetos de restauração da igreja e em uma nova (e grande) casa para si mesmo. As mudanças variavam entre o banal e o bizarro. Ele apagou a inscrição na tumba de Marie, a marquesa d'Hautpol de Blanchefort (a inscrição fora criada pelo abade Bigou e era um perfeito anagrama de uma das mensagens codificadas). Além disso, construiu a Torre de Magdala, em homenagem a **Maria Madalena**, e uma luxuosa casa de campo, a Vila Betânia, na qual nunca residiu. Saunière restaurou e redecorou a igreja, mas seus novos toques artísticos pareceram pouco ortodoxos: uma estátua de um demônio sustentando uma bacia com água benta; a frase "Este lugar é terrível" gravada na porta da igreja; além de pinturas das Estações da Cruz nas paredes repletas de detalhes incongruentes e inquietantes.

Rennes-le-Château era um pequeno vilarejo, e o salário de Saunière como pároco era bem modesto. Onde foi que ele conseguiu o dinheiro para as restaurações e construções? Por que o gastou dessa forma? As respostas a essas perguntas encontram-se hoje enterradas junto com ele, e é nesse ponto que especulações ainda mais estranhas começam a surgir.

A riqueza de Saunière, pelo que conta a lenda, pode ser atribuída à descoberta de antigos tesouros dos visigodos. Ou a pagamentos recebidos de uma sociedade secreta que possuía algo a ser escondido na área. Ou à localização secreta do **Santo Graal**. Ou ao famoso Money Pit, de Oak Island, Nova Escócia. Foram traçadas ligações entre Saunière, o **Priorado de Sião**, os maçons e os **cavaleiros templários**. Astrônomos e geômetras catalogaram um número incrível de figuras – triângulos, **pentagramas**, pentágonos – dentro e ao redor de Rennes-le-Château, todos eles com algum tipo de significado esotérico. Há conexões sendo feitas entre Rennes-le-Château, Stonehenge e vários outros sítios megalíticos na Europa, assim como afirmações de que o vilarejo esconde algum tipo de portal matemático para uma outra dimensão.

Os pergaminhos que iniciaram essa trama nunca foram encontrados. Ainda assim, ao menos uma pessoa – **Pierre Plantard**, o último grão-mestre do Priorado de Sião – assegura tê-los colocado em segurança num cofre em Londres. Saunière e seus mistérios vêm sendo fonte de muitas especulações históricas e de narrativas fascinantes criadas por autores como Henry Baigent, Richard Leigh e Henry Lincoln (tanto em obras individuais quanto em *O Santo Graal e a linhagem sagrada*), bem como por Tim Wallace-Murphy e Lynn Picknett e Clive Prince.

Com certeza algo de estranho ocorre ou ocorreu em Rennes-le-Château, mas é impossível saber se estamos falando de uma conspiração real ou de teorias conspiratórias propriamente. Talvez haja um ponto em que essas próprias teorias acabem encobrindo completamente qualquer conhecimento real que pudéssemos ter dos fatos. De toda forma, com certeza nossas perguntas não serão respondidas por Bérenger Saunière!

Senechaux – Plural, em francês, da palavra *seneschal*, que significa um oficial ou administrador ao qual são confiadas tarefas de grande importância, geralmente associadas a sociedades ou grupos eclesiásticos ou feudais. No *CDV*, os *senechaux* são três oficiais do **Priorado de Sião** sob as ordens de Jacques Saunière, o grão-mestre dessa organização. Eles parecem ser um "círculo interno" constituído por pessoas de confiança. Os *senechaux* são assassinados, um a um, por Silas, o agente do **Opus Dei**. Todos eles, assim como Saunière, são guardiões da localização secreta do **Santo Graal**. Também são treinados para enganar eventuais interrogadores com uma mentira pré-combinada sobre a localização do Graal, garantindo que, mesmo que suas identidades sejam reveladas e eles interrogados, o Graal permanecerá num esconderijo seguro. A irmã Sandrine telefona para cada um deles ao perceber que Silas tinha ido até Saint-Sulpice com o objetivo de descobrir a **pedra-chave**. Contudo, ela fica perturbada ao perceber que suas ligações não completadas indicam que os *senechaux* estão mortos. O conceito de *senechaux* no *CDV* foi retirado da lista questionável que **Plantard** forneceu e que está disponível em sites.

SEXTA-FEIRA 13 – No *CDV*, Dan Brown cita um episódio envolvendo os cavaleiros templários e o identifica como a origem da superstição bastante disseminada de que toda sexta-feira 13 é um dia de azar. Na sexta-feira, 13 de outubro de 1307, o papa **Clemente V** "enviou ordens secretas lacradas para serem abertas simultaneamente por seus soldados em toda a Europa", escreve Brown. As ordens fatais diziam que Deus havia visitado o papa em uma visão e dito a ele que todos os templários eram hereges, culpados de homossexualidade, sodomia, profanação da cruz e de vários outros pecados. Os soldados, que na verdade eram do rei francês **Filipe, o Belo**, foram instruídos a capturar os templários e torturá-los para que estes reconhecessem a verdadeira dimensão de seus crimes contra Deus. Apesar de Brown descrever essas operações de captura, tortura e morte na fogueira como se todas elas tivessem acontecido num único dia extremamente movimentado, tais eventos, na realidade, ocorreram ao longo de muitos anos, e não apenas "naquele dia".

O verdadeiro crime dos templários parece ter sido obter poder. Sua ordem tornara-se ao mesmo tempo rica e influente, resultado da combinação da proteção papal com suas atividades financeiras. Além disso, eles supostamente detinham os segredos conhecidos como o **Santo Graal**. O papa acreditava que esses cavaleiros eram uma grande ameaça a seu poder e tinham de ser eliminados. Assim, muitos deles, mas não todos, foram presos naquela sexta-feira 13. Os que sobreviveram possivelmente continuaram guardando os segredos do Graal.

Ainda que Brown cite esse fato como a *principal* razão para as superstições em torno de sexta-feira 13, há diversas histórias associadas a esse dia, e algumas delas ocorreram centenas de anos antes do episódio dos templários. Na mitologia nórdica, havia treze comensais no banquete do Valhala quando Balder, filho de Odin, foi assassinado, o que levou à queda dos deuses. Em torno do ano 1000 a.C., Hesíodo escreveu em sua obra *Os trabalhos e os dias* que o dia 13 era ruim para semear, mas favorável para plantar. A sexta-feira tem, igualmente, uma conotação de azar para os cristãos, uma vez que alguns acreditam que foi esse o dia da crucificação de Jesus. Os cristãos também acreditam que treze dá azar, pois havia treze pessoas presentes na Última Ceia, incluindo o décimo terceiro apóstolo, que foi o traidor.

SHEKINAH – *Shekinah* é um termo hebraico que significa "a presença de Deus", e muitos sustentam que se trata do aspecto e dos atributos femininos dessa presença. O conceito cristão mais próximo seria o do Espírito Santo. Acreditava-se que Shekinah era a manifestação física da presença de Deus no Tabernáculo e, mais tarde, no **Templo de Salomão**. Quando o Senhor conduziu as tribos de Israel para fora do Egito, ele foi diante delas "em uma coluna de nuvem" – Shekinah (Êxodo, 13:22).

SHESHACH – No *CDV*, Sophie usa seu conhecimento do código **Atbash**. É um sistema de substituição no qual a seqüência do alfabeto é invertida, de forma que a última letra substitui a primeira, a segunda substitui a penúltima, e assim por diante. As letras em hebraico para o que foi transliterado como *sheshach* formam uma palavra que pode ser escrita como "Babel" após o acréscimo das vogais não presentes no hebraico.

SIMBOLOGIA – Os símbolos foram descritos pelo antropólogo Leslie White como "a associação arbitrária de significado a uma forma" e uma das poucas coisas que distingue os seres humanos das outras criaturas. Símbolos são abstrações. A Bíblia e, é claro, o *CDV* estão cheios de simbologia: da pose do ***Homem vitruviano*** que Saunière adota ao morrer à **cruz** ou à **maçã** – objetos tangíveis que tomam o lugar de conceitos intangíveis e muitas vezes complexos.

Os símbolos são uma forma mais curta de comunicação. Assim como a **rosa** sobre a mesa dos romanos era um símbolo da necessidade de que algumas coisas permanecessem em segredo, símbolos como a cruz propiciam uma forma sintética de lembrar as pessoas de uma realidade complexa.

No *CDV*, Langdon estava trabalhando em um artigo sobre o **sagrado feminino**. No final do livro, enquanto está na **Capela Rosslyn** com a viúva de Saunière, Marie, pensa sobre o que está escrito no papiro:

> Abaixo da antiga Roslin 'stá o **Graal**,
> Lâm'na e cálice guardam-lhe o portal.

Marie traça um triângulo, apontando para cima, na palma de Langdon. Um antigo símbolo do masculino. Depois, desenha um segundo triângulo, apontando para baixo, antigo símbolo para o cálice e o feminino. Ela o leva para a igreja, onde ele finalmente vê, na estrela-de-davi, a combinação da lâmina e do cálice – o masculino e o feminino, o selo de Salomão – marcando o Santo dos Santos, o lugar onde se acreditava que **Yahweh** e **Shekinah** residiam.

SMARTCAR – Após a fuga do **Louvre**, Langdon entra no SmartCar de Sophie junto com ela. Esse é um carro muito pequeno, desenvolvido em 1994 numa parceria da Mercedes-Benz com a Swatch, empresa suíça de relógios. Os relógios Swatch foram a inspiração para o design desse automóvel, que custa, em sua configuração básica, cerca de vinte mil dólares e é vendido em países europeus, entre outros.

SOPHIA – Palavra grega que significa "sabedoria" ou "conhecimento". É associada às deusas virgens, como Atená, e simboliza a sabedoria no Espírito Santo e **Maria Madalena**.

SUB ROSA – Literalmente, "sob a rosa". Essa expressão provavelmente tem origem nos tempos romanos, quando, num jantar formal, as mesas eram colocadas em "U", com o convidado de honra e seu anfitrião na parte oposta à abertura. Sobre o centro do U, pendurava-se uma rosa. Era uma lembrança de que uma rosa havia sido dada por Eros a Harpócrates, o Deus do Silêncio, para impedir que ele falasse sobre as aventuras de Vênus, mãe de Eros. Qualquer coisa dita *sub rosa* (sob a rosa) deveria permanecer em segredo.

TARÔ – A origem das cartas do **tarô** ainda é assunto de debates. Alguns estudiosos situam seu surgimento num lugar e numa época muito específicos: o norte da Itália no início do século XV. O primeiro uso prático desse baralho parece ter sido um jogo similar ao bridge atual. Uma vez que a filosofia dos alquimistas, astrólogos e herméticos era parte da vida intelectual da Idade Média, os ilustradores dos primeiros baralhos podem tê-la usado para codificar significados na iconografia das cartas. As diferentes interpretações e correspondências que as cartas do tarô inspiraram sugerem que ele seja mais do que um mero jogo de bridge.

Ocultistas, fãs de esoterismo e até mesmo autores de best-sellers modernos acreditam que essas cartas possuem uma história muito mais longa, que chega a Israel ou ao antigo Egito, guardando também um significado muito mais profundo. A cabala, uma forma de misticismo judaico, parece ter uma conexão com o tarô. Robert Langdon afirma que o tarô "havia sido criado como uma forma discreta de transmitir ideologias proibidas pela Igreja" e que seu naipe de Ouros é um indicador da "divindade feminina". Os críticos não concordam com teorias desse tipo, afirmando que o tarô foi inventado apenas para ser usado em "jogos inocentes". "A idéia de que [o naipe de] Ouros representa o pentáculo é uma interpretação intencionalmente errônea", segundo Sandra Miesel, que escreveu um longo artigo criticando duramente os "assim chamados fatos" do *CDV*.

Não parece haver nenhuma evidência concreta vinculando a origem dos baralhos a antigas tradições. A história aparentemente mostra que tais cartas só surgiram como uma forma de ocultismo *sistematizado* na França, no final do século XVIII. É claro que a tradição pode triunfar sobre a história, e não é difícil começar novamente a especular sobre as "coincidências", como a disposição dos Arcanos Maiores: a carta da Grande Sacerdotisa (A Papisa) em geral apresenta o número 2, e a carta de número 5, O Papa, é seu oposto lógico; assim como a Imperatriz e o Imperador (3 e 4, respectivamente) se contrapõem em equilíbrio.

TEMPLO DE SALOMÃO – Davi, o primeiro rei de Israel, desejava construir um templo para o Rei dos Reis, seu Deus. Em um sonho, Deus lhe disse que ele não poderia construir o templo, pois era um guerreiro e já havia derramado muito sangue. O templo seria edificado por seu filho, Salomão, que reinaria em paz para que a construção pudesse ser erguida.

Apesar de não ter construído o templo, o rei Davi planejou-o e reuniu boa parte do material necessário para isso. Após sua morte, Salomão ordenou que o primeiro templo fosse edificado. Para ajudá-lo, ele chamou os fenícios, que eram grandes construtores; assim a obra foi, na verdade, modelada de acordo com os templos fenícios desse período. A construção do Templo de Salomão no Monte Mória, onde hoje fica Jerusalém, envolveu milhares de pessoas durante sete anos e foi concluída em 953 a.C.

Esse templo apresentava uma diferença em

relação a construções do mesmo gênero no mundo antigo porque não continha nenhum ídolo. Isso refletia a crença de que os ídolos não eram necessários para que Deus estivesse presente: o templo fora erguido pela necessidade das pessoas, e não de Deus.

A história posterior do Templo de Salomão envolve um ciclo regular de destruição. A edificação original foi destruída por Nabucodonosor em 586 a.C. Setenta anos mais tarde, o segundo templo foi erguido no mesmo lugar e ampliado, em 19 a.C., pelo rei Herodes; porém, foi destruído pelos romanos em 70 d.C.

Voltando ao *CDV*, Langdon diz a Sophie que a principal missão dos **cavaleiros templários** na Terra Santa não era proteger os peregrinos, mas alojarem-se no Templo, de forma que pudessem "recuperar os documentos [secretos], retirando-os de sob as ruínas". Ele prossegue, explicando que ninguém sabe exatamente o que os templários encontraram, mas que foi "uma coisa que os fez ricos e poderosos além do que se possa imaginar".

No lugar do templo está hoje a mesquita de al-Aqsa, o terceiro local mais sagrado do Islã.

Teniers, David – David Teniers, o Jovem, nascido em 1610, foi um pintor holandês, filho de David, também pintor. Seus quadros abordavam temáticas históricas, mitológicas e alegóricas, incluindo uma série de pinturas retratando Santo Antônio. No início do *CDV*, Langdon menciona Teniers, assim como **Poussin**, como tema de livros escritos por Saunière.

Esses livros, ao que parece, alguns dos favoritos de Langdon, tratavam especificamente dos códigos ocultos nos trabalhos dos dois pintores. Essa é uma referência direta feita por Dan Brown às mensagens codificadas encontradas por **Bérenger Saunière**, o pároco de **Rennes-le-Château**, no altar de sua igreja. Uma dessas mensagens seria:

> SHEPHERDESS NO TEMPTATION THAT POUSSIN TENIERS HOLD THE KEY; PEACE 681 BY THE CROSS AND THIS HORSE OF GOD I COMPLETE [DESTROY] THIS DAEMON OF THE GUARDIAN AT NOON BLUE APPLES.*

Bérenger Saunière teria feito uma viagem a Paris logo após encontrar os documentos codificados. Nesse período, supõe-se que tenha comprado reproduções do quadro do papa Celestino V, feito por Teniers, e de *Les Bergers d'Arcadie* (Os pastores da Arcádia), de Poussin.

Tertuliano – Primeiro grande escritor latino do cristianismo, cujas extensas obras cobriam todos os temas teológicos da época: paganismo, judaísmo, polêmicas, política, disciplina, moral e toda a reorganização da vida humana sob sua interpretação da doutrina cristã. Também advogava uma disciplina rígida e um estilo de vida austero, acreditando que as mulheres deviam deixar de lado jóias preciosas, pois estas ajudavam o homem a cair em tentação, e que o celibato era a forma mais perfeita de existência.

Tribo de Benjamim – Uma das doze tribos de Israel, da descendência de Jacó, filho de Benjamim, de cuja herança fazia parte a cidade de Jerusalém, segundo a Bíblia. A história desse povo é mencionada na aula que Teabing dá a Sophie sobre a verdadeira natureza do **Santo Graal**. **Maria Madalena**, conta ele, era da tribo de Benjamim, e, portanto, sua união com Jesus, descendente da casa real de Davi e da tribo da Judéia, possuía uma enorme importância política. A Bíblia relata, no Livro dos Juízes, que a tribo de Benjamim foi atacada pelas outras tribos de Israel por ter dado proteção a alguns criminosos e "filhos de Belial". Foi praticamente dizimada, mas os ***Dossiês secretos*** afirmam que alguns sobreviventes mudaram-se para o leste da Europa – primeiro para a província grega da Arcádia, depois para o Danúbio e para o Reno. *O Santo Graal e a linhagem sagrada* sugere que essa tribo pode ter dado origem aos francos e, portanto, aos merovíngios.

Verso iâmbico – Um iambo é uma unidade poética na qual se alternam uma sílaba breve e outra longa, também conhecida como "pé de verso". Uma linha de verso iâmbico é construída com esses elementos. Se houver cinco deles na mesma linha, a métrica é chamada de pentâmetro iâmbico. Apesar de estar presente na poesia de várias línguas, originou-se na poesia grega. Alguns acreditam que a universalidade dessa métrica resulta de sua semelhança com as batidas do coração humano.

Yahweh – O nome próprio de Deus no Antigo Testamento. Gerado a partir das letras hebraicas

* Uma tradução aproximada seria: "Pastora nenhuma tentação que Poussin Teniers possui a chave; paz 681 próximo à cruz e (d)este cavalo de Deus eu completo [destruo] este demônio do guardião ao meio-dia maçãs azuis." (N.T.)

Yod, Heh, Vav e Heh – o *tetragrammaton* (ver **Adonai**). Falar o nome de Deus durante as rezas é proibido entre os judeus, que usam a denominação Adonai em seu lugar. Essa restrição resulta de uma interpretação do Terceiro Mandamento que diz que é proibido "usar o nome de Deus em vão". Ao escrever o nome do Senhor, eles o substituem por Yahweh.

A transliteração do antigo hebraico como Yahweh reflete a dificuldade de decidir como um idioma que não é falado há mais de dois mil anos e que não possui vogais teria estabelecido a pronúncia das letras Yod, Heh, Vav e Heh e como pode ter se dado a sua transliteração em qualquer linguagem contemporânea. De acordo com a argumentação no *CDV*, YHWH era, na verdade, um acrônimo hebraico que combinava a versão arcaica dos nomes masculino e feminino de Deus; e Haveh, a versão hebraica de "Eva", está misturada em Yahweh.

Fontes de pesquisa na Web

Indo mais fundo no CDV

BETSY EBLE

Levante a mão se você já tiver procurado uma imagem da *Última Ceia* para ver quem estava de fato sentado do lado direito de Jesus. Agora levante a mão se você nunca tinha ouvido falar do Opus Dei. Existe uma linhagem de merovíngios? Priorado de Sião? Sou a única pessoa do mundo que nunca ouviu falar dessas coisas?

Para sorte de todos nós, as respostas a essas e outras perguntas estão indexadas nos sites de pesquisa e ampliadas por metadados, e sua relevância já foi estabelecida por dezenas ou centenas de milhares de outros usuários. Se você está começando a pesquisar um assunto, a Web é um ótimo lugar para começar.

Na manhã em que este artigo foi escrito havia quatrocentos e sessenta mil* resultados para a pesquisa de "Da Vinci Code" no Google. Com esse número, é possível encontrar informações para confirmar ou invalidar quase qualquer afirmação que se possa fazer.

Passei todo o verão de 2003 pesquisando as referências literárias, artísticas e históricas do *CDV*. Depois, organizei uma coletânea de informações encontradas exclusivamente na Web e publiquei-a como um guia de leitura: *Depth & Details, A Reader's Guide to Dan Brown's The Da Vinci Code* (Profundidade e detalhes, um guia de leitura para *O Código Da Vinci*, de Dan Brown). Nesse guia, destaco sites interessantes que estão relacionados a cada um dos capítulos do livro, de forma que o leitor possa ir cruzando referências à medida que for lendo o livro. A seguir, apresento um resumo dos sites mais interessantes (em inglês).

Símbolos

www.symbols.com – Com certeza, valerá a pena você se sentar diante do computador com uma xícara de café ou um copo de suco e sair navegando pelo enorme trabalho de pesquisa e pela bela apresentação desse site. Ainda que eu não esteja muito certo se alguém o acessa para pesquisar símbolos visualmente (descrevendo-os por sua simetria, largura da linha, etc.), é divertido ver o que surge em symbols.com quando se tenta fazer isso. Para usar o índice alfabético, que certamente é uma abordagem mais simples, basta começar com uma das letras, selecionar uma palavra e ir em frente – isso lhe garantirá horas intermináveis de leitura! No que diz respeito especificamente ao *CDV*, você encontrará os símbolos do cálice, de Vênus, o pentáculo, cruzes pagãs e cristãs, símbolos maçônicos e muito mais.

Galeria de Arte – Olga's Gallery

Um museu de arte on-line: www.abcgallery.com. Se o seu objetivo é encontrar imagens de alta qualidade de obras de arte famosas, esse é o site perfeito para fazer sua busca. A única coisa chata é que algumas janelas com anúncios irão se abrir na tela, mas é um preço pequeno a pagar para ver uma coleção tão ampla de peças. Quase todas elas apresentam anotações e links para outros sites. Nesse endereço virtual estão todas as obras de Leonardo citadas no *CDV*, como *A Madona das rochas*, *A Última Ceia* e a *Mona Lisa*, bem como as pinturas de Monet, Caravaggio, Picasso e Bosch mencionadas no livro.

* Quando este artigo foi traduzido, já havia oitocentos e cinqüenta e nove mil resultados para a pesquisa "Da Vinci Code", no Google. A pesquisa em português, "Código Da Vinci", apresentou um retorno de cinqüenta e nove mil resultados. (N. T.)

Opus Dei

O Opus Dei é uma prelazia da Igreja Católica que tem um papel importante no *CDV*. O primeiro lugar onde pesquisar informações sobre essa polêmica organização é o seu próprio site: www.opusdei.org.* Na seção "FAQ", você encontrará rapidamente suas áreas de interesse. Para um estudo mais aprofundado sobre os motivos da criação do Opus Dei, leia alguns trabalhos escritos por seu fundador, Josemaría Escrivá, em www.escrivaworks.org.br.

Para obter uma visão independente sobre o papel do Opus Dei, visite www.rickross.com/groups/opus.html. O Ross Institute reuniu diversas histórias e artigos sobre essa organização. Grande parte desse material provém de fontes consideradas confiáveis, como os jornais *U. S News*, *New York Daily News*, *Guardian* e a agência de notícias Associated Press, e fornece uma visão equilibrada sobre as atividades do grupo.

A biografia do espião Robert Hanssen, membro do Opus Dei, também citado no *CDV*, está disponível no site da Court TV, em www.crimelibrary.com/terrorists_spies/spies/hanssen/5.html?sect=23.

Leonardo da Vinci

Muitos dos tópicos abordados no *CDV* são realmente controversos, mas o conteúdo relacionado a Leonardo da Vinci vem sendo pesquisado há séculos, e já se publicou bastante coisa a respeito. Bill Gates chegou a comprar o *Códex Leicester*, um livro de rascunhos e estudos desse artista. Suas obras de arte, arquitetura, escultura e engenharia também estão documentadas na Web. Um site muito abrangente sobre a vida e obra de Leonardo está em www.lairweb.org.nz/leonardo. Você encontrará tópicos como o período em que ele foi aprendiz de Verrochio, questões sobre sua sexualidade e suas produções e até mesmo informações sobre sua morte no dia 2 de maio de 1519, aos sessenta e sete anos. O site apresenta muitos factóides interessantes, como a idéia de que foi Leonardo que inventou as tesouras e de que ele levou dez anos para pintar os lábios da Mona Lisa.**

Louvre

Se você prometeu aperfeiçoar seu francês após ter lido o *CDV*, uma sugestão é usar seus novos conhecimentos visitando www.louvre.org. Uma noção básica desse idioma é suficiente para ler os pequenos trechos no livro, mas navegar pelo site do museu em francês é mais complicado. Há versões do site em inglês e espanhol que podem ser facilmente acessadas a partir da página inicial. Faça uma visita virtual a algumas galerias, vale a pena. Tanto a Grande Galeria quanto a *Mona Lisa* estão em exibição nesse endereço. Posso até imaginar Robert Langdon e Sophie Neveu andando furtivamente pela Grande Galeria procurando as pistas deixadas por Saunière.

Depois de ter visitado o Louvre, você pode ir a outro site onde há vinte e cinco *webcams* situadas em diversos pontos de Paris – www.parispourvous.net/index.php3?wpe=c3 – e terá uma visão em tempo real de muitos dos lugares mencionados no livro.

Maria Madalena

Autora de *The Woman With the Alabaster Jar* (A mulher do vaso de alabastro), Margaret Starbird, citada no *CDV*, contribuiu com vários artigos para o popular www.magdalene.org. Esse site exibe artigos, orações, poesias e diversos outros tópicos relacionados a Maria Madalena. Uma seção dedicada a ela, com artigos sobre escritos e referência bíblicas, também está disponível em www.beliefnet.com/index/index_10126.html. A galeria de obras de arte retratando Madalena é particularmente interessante. Em www.beliefnet.com há seções sobre o gnosticismo e sobre o livro de Dan

* Na maioria dos casos, a configuração de seu computador fará com que você seja direcionado para o site em português. Caso contrário, use o seletor de idiomas situado no canto superior direito do site para escolher o idioma desejado entre as muitas opções disponíveis. (N. T.)

** Um bom ponto de partida para quem não lê inglês é http://planeta.terra.com.br/arte/mundoantigo/vinci/. (N. T.)

Brown. Um dos um aspectos de destaque desse site é a apresentação de pontos de vista opostos tanto sobre o papel de Maria Madalena na história do cristianismo quanto sobre o conteúdo do *CDV*.

Matemática, Arte e Arquitetura

Em http://www-gap.dcs.st-and.ac.uk/~history/Mathematicians/Fibonacci.html há uma bela página dedicada a Fibonacci – "pai" da seqüência de Fibonacci, o código encontrado na cena de assassinato no início do *CDV*. Muitos dos links existentes na Web sobre Fibonacci remetem a esse site, o que indica que seu conteúdo é considerado correto e informativo por muitas pessoas.

A Divina Proporção, também conhecida como Razão Áurea, ou *Phi*, está bem documentada na Web. Qualquer curso básico sobre história ou arquitetura inclui uma aula sobre o uso da Razão Áurea na construção do Partenon e seu uso nas pinturas de Leonardo e Durer. Um bom site com muitos links relacionados a *Phi*, arte e arquitetura está em www.mcs.surrey.ac.uk/personal/R.Knott/Fibonacci/fibInArt.html.

Ironicamente, apesar de tratar da beleza da Razão Áurea nas obras de arte, esse é um site feio, mas fácil de ler, e os links são bastante informativos.

Criptologia

Se o seu interesse é aprender mais sobre criptologia e códigos, há um guia básico em www.murky.org/cryptography/index.shtml. Lá você encontrará informações sobre criptologia moderna e clássica, assim como algumas charadas. Se quiser fazer seus próprios anagramas ou criptogramas, tente os seguintes sites: criador de anagramas – www.wordsmith.org/anagram/advanced.html – e criador de criptogramas –www.wordles.com/getmycrypto.asp.

Priorado de Sião

O Priorado de Sião é uma sociedade "secreta" baseada na Europa que afirma guardar importantes segredos sobre as origens do cristianismo. Foi o fundador da Ordem dos Cavaleiros Templários e, possivelmente, da franco-maçonaria. Entre seus grão-mestres supostamente estavam Sir Isaac Newton e Leonardo da Vinci. Outras informações sobre os cavaleiros templários e o Priorado de Sião estão disponíveis em seu site oficial internacional, www.ordotempli.org/priory_of_sion.htm.

Linhagem real – merovíngios

Eis aqui o que a Wikipedia.com tem a dizer sobre os merovíngios: "De acordo com a versão esotérica da história divulgada por Michael Baigent, Richard Leigh e Henry Lincoln em *O Santo Graal e a linhagem sagrada*,[9] os reis merovíngios eram descendentes diretos de Maria Madalena e Jesus Cristo, uma vez que chegaram ao sul da França após a crucifixão e ressurreição de Cristo." Os autores afirmam também que a Igreja Romana matou todos os que restavam dessa dinastia – os hereges cátaros do Languedoc e os templários – durante a Inquisição, a fim de conquistar poder por meio da dinastia "espiritual" de Pedro, e não por meio do "sangue sagrado" (*sangreal*) dos descendentes de Maria Madalena. Muitos historiadores não aceitam essas teorias. Os merovíngios constituíram, de fato, uma dinastia de reis francos dos séculos V a VIII. O site dos Cavaleiros Templários apresenta uma árvore genealógica da linhagem merovíngia – www.ordotempli.org/the_merovingians.htm.

Cavaleiros templários

Os autores da revista *Templar History* criaram um site de fácil leitura em www.templarhistory.com. Nesse endereço, estão disponíveis artigos aprofundados a respeito de vários aspectos relacionados aos templários – de discussões baseadas em fatos históricos à investigação dos mitos e das lendas que surgiram em torno dessa ordem monástica. Exibe também resenhas sobre livros a respeito desses cavaleiros.

Igrejas

Muitas das cenas do *CDV* se passam em igrejas como Saint-Sulpice, Capela Rosslyn, Temple Church e a Abadia de Westminster. Muitas delas possuem seus próprios sites, nos quais exibem plantas arquitetônicas e fotografias. Os Rosslyn Templars criaram um site com imagens e um detalhamento da arquitetura e do simbolismo da Capela Rosslyn (www.rosslyntemplars.org.uk/rosslyn.htm). Uma hipótese fascinante e criativa de que o Templo de Salomão tinha, na verdade, a forma de um corpo humano com diagramas é encontrada em home.earthlink.net/~tonybadillo/. Ainda que as imagens sejam um pouco pequenas para que seja possível ver os túmulos dos cavaleiros mencionados no *CDV*, a Temple Church, em Londres (www.templechurch.com), apresenta uma interessante seção dedicada à história da igreja. Saint-Sulpice é um local bastante fotografado, e há muita informação publicada a seu respeito. O site de fotografias pbase.com mostra belas imagens em alta resolução da igreja e de Paris em geral. Usando a pesquisa do site com palavras-chaves como "Paris", "Louvre" e "Sulpice", você encontrará dezenas de belas imagens. Picsearch (www.picsearch.com) também é uma boa fonte de imagens.

Sites sobre o CDV

Desde que comecei a pesquisar sobre o *CDV* para meu guia de leitura, surgiram diversos sites sobre esse livro e seus personagens. Entre os mais interessantes está o da Random House (www.danbrown.com). O site de Dan Brown oferece links para imagens, pesquisa histórica, etc.; contudo, há outro, não tão bem elaborado porém com muitos links interessantes, em www.darkprotocols.com/darkprotocols/id36.html. A apresentação do conteúdo é confusa, porém há muitas referências visuais e links de interesse para os leitores do livro.

Colaboradores

Dan Burstein (editor) – Fundador e membro gestor da Millennium Technology Ventures Advisors, uma empresa de capital de risco sediada em Nova York que investe em companhias inovadoras na área de tecnologia. É também jornalista premiado e autor de seis livros sobre economia global e tecnologia.

Seu livro *Yen, o Japão e seu novo império financeiro,*[10] publicado em 1988, sobre a ascensão do poder financeiro do Japão, foi um best-seller em mais de vinte países. Em 1995, *Road Warriors*, também de sua autoria, esteve entre os primeiros a analisar o impacto da Internet e das tecnologias digitais sobre os negócios e a sociedade. Em *Big Dragon*, de 1998 (numa co-autoria com Arne de Keijzer), ele traça uma visão de longo prazo sobre o papel da China no século XXI. Burstein e De Keijzer fundaram recentemente sua própria editora, Squibnocket Press, e estão trabalhando na série *The Best Things Ever Said*, que em breve lançará títulos sobre o futuro da Internet, dos *blogs* e da nanotecnologia.

Enquanto trabalhava como jornalista free-lance na década de 1980, Burstein publicou mais de mil artigos em cerca de duzentos jornais e revistas, incluindo: *The New York Times*, *Wall Street Journal*, *Los Angeles Times*, *Boston Globe*, *Chicago Tribune*, *New York Magazine*, *Rolling Stone* e muitas outras nos Estados Unidos, na Europa e na Ásia. Atuou também como consultor para a ABC News, CBS News, *Time* e outras grandes organizações jornalísticas.

Durante a última década, Burstein tem investido ativamente em empresas startups fundadas com capital de risco. Seu portfólio é formado por mais de vinte e cinco companhias de tecnologia. De 1988 a 2000, foi consultor sênior do The Blackstone Group, um dos principais bancos de investimento de Wall Street. Além de ter trabalhado como um importante consultor de estratégia corporativa, desempenhou outras tarefas de consultoria para organizações como Sony, Toyota, Microsoft e Sun Microsystems.

Arne de Keijzer (gerente editorial) – Escritor, ex-consultor de negócios para a China e sócio de Dan Burstein na Squibnocket Press. Entre seus livros estão um popular guia de viagens para a China e dois títulos com Dan Burstein: *The Rise, Fall and Future of the Internet Economy* (um dos títulos da série *Best Things Ever Said*, da Squibnocket Press) e *Big Dragon: China's Future – What it Means for Business, the Economy, and the Global Order*. Já escreveu para publicações diversas, do *New York Times* a *Powerboat Reports*.

Diane Apostolos-Cappadona – Professora adjunta de Arte Religiosa e História da Cultura no Center for Muslin-Christian Understanding. Também é professora adjunta e membro do corpo docente em Arte e Cultura no Liberal Studies Program, ambos na Georgetown University. A Dra. Apostolos-Cappadona foi curadora convidada e autora do catálogo da exposição *In Search of Mary Magdalene: Images and Traditions* (2002). Ela está preparando a introdução da edição revisada de *Sacred and Profane Beauty: The Holy Art*, de Gerardus van der Leeuw; dois volumes editados, *Sources and Documents in the History of Religious Art in 19th-century America*; e um livro-texto, *The Art of the World's Religions*. É professora de diversos cursos, incluindo Arte, Criatividade e o Sagrado; Cristandade Ortodoxa Oriental: História e Teologia; e A Síntese Medieval: Arte e Religião na Idade Média. Em parceria com Deirdre Good, apresentou uma série de palestras e workshops especiais intitulados "A Verdade sobre o *CDV*".

Michael Baigent – Nascido na Nova Zelândia em 1948, formou-se em Psicologia na Canterbury University, Christchurch. Mora na Inglaterra desde 1976. É autor de *Ancient Traces* e de *From the Omens of Babylon*. Em co-autoria com Richard Leigh e Henry Lincoln, escreveu dois best-sellers internacionais: *O Santo Graal e a linhagem sagrada* e *A herança messiânica.*[11] Com

Richard Leigh escreveu também *As intrigas em torno dos manuscritos do Mar Morto,*[12] *Secret Germany* e *The Elixir and the Stone.* Seu mais recente livro, escrito com Richard Leigh, é *A Inquisição.*[13]

AMY D. BERNSTEIN – Escritora e acadêmica especializada em Literatura da Renascença. Entre seus trabalhos encontra-se uma nova edição dos sonetos de Jacques de Billy de Prunay, um monge beneditino, autor e tradutor de Gregory de Nazianzus e outros escritores da patrística.

PETER W. BERNSTEIN – Sócio de Annalyn Swan na A.S.A.P. Media, trabalhou como consultor editorial neste livro. Foi editor nas revistas *U.S. News and World Report* e *Fortune e publisher* na Times Books e na Random House. Além de autor de best-sellers, é o criador e atual editor do *The Ernst & Young Tax Guide*, além de co-autor de *The Practical Guide to Practically Everything.* Em coautoria com sua mulher, Amy, editou *Quotations from Speaker Newt: The Red, White and Blue Book of the Republican Revolution.*

DAVID BURSTEIN – Estudante de latim do segundo grau, está escrevendo o livro *Harry Potter and the Prisoner of the New York Times Bestseller List.* É autor de um livro de poemas e sete peças de teatro. Como ator, desempenhou papéis de destaque em produções escolares das peças *Noises Off, The Wind and the Willows, Muito barulho por nada, Cinderela* e *Fiddler on the Roof.* Burstein também atua como executivo responsável pelo levantamento de fundos para o Westport Youth Film Festival.

ESTHER DE BOER – Estuda Teologia na Free University of Amsterdam e é sacerdote da Dutch Reformed Churches, em Ouderkerk ann de Amstel.

DENISE BUDD – Tem mestrado em Artes pela Rutgers University de New Brunswick e Ph.D. pela Columbia University. Em 2002, concluiu a tese de doutorado sobre Leonardo da Vinci, um estudo focado na reinterpretação das evidências documentais relativas à primeira metade da carreira desse artista. Ex-professora da Columbia University, atualmente dá aulas na Rutger University enquanto continua suas pesquisas.

JOHN CASTRO – Escritor, editor e pesquisador residente em Nova York. Trabalhou em publicações de Jesse Jackson (líder de um movimento norte-americano pelos direitos civis), do jornalista Marshall Loeb e de Charles Fergusson, empreendedor ligado a empresas de Internet. John também é diretor teatral, ator e escritor de peças, apaixonado por Shakespeare. Formou-se pelo St. John's College, em Annapolis, Maryland.

MICHELLE DELIO – Escreve sobre muitos assuntos relativos à tecnologia e colabora para a revista *Wired.* Também publicou artigos em Salon.com sobre temas que vão de "como bloquear spam" a motocicletas Harley-Davidson.

JENNIFER DOLL – Trabalhou como pesquisadora e editora associada para este livro, função que também desempenhou para muitas outras publicações. Consultora editorial da *Reader's Digest,* colaborou, ainda, para organizações como McKinsey & Company, revista *Continental e* The Teaching Commission. Em seu tempo vago, escreve ficção. Atualmente está se dedicando à produção de seu primeiro livro.

DAVID DOWNIE – Escritor, editor e tradutor *freelance* residente em Paris. Durante os últimos vinte anos, tem escrito sobre cultura, viagens e culinária européia para revistas e jornais americanos e ingleses e, ocasionalmente, também para publicações da França, Itália e Holanda. Seus trabalhos foram publicados em diversos países. Seu último livro, *Cooking the Roman Way: Authentic Recipes from the Home Cooks and Trattorias of Rome,* elogiado pelos críticos, é sobre a comida e os aspectos culturais da culinária contemporânea de Roma. Atualmente está trabalhando em uma coleção de ensaios sobre viagens intitulada *Paris, Paris.*

BETSY EBLE – Desde a infância, tem se dedicado à criação de objetos, incluindo suas próprias bonecas de pano. Durante o dia, trabalha em arquitetura da informação e num projeto de interfaces para aplicações on-line. Durante a noite e nos fins de semana, pinta, escreve artigos em seu blog e coleciona pesquisas sobre ficção histórica. Seu livro *Depth & Details – A Reader's Guide to Dan Brown's The Da Vinci Code* foi o primeiro guia a reunir detalhes e pesquisas sobre o *CDV.*

BART D. EHRMAN – Possui o título de "James A. Gray Distinguished Professor of Religious Studies" na University of North Carolina, em Chapel Hill, onde é professor desde 1988. Uma autoridade nos temas Novo Testamento e história do cristianismo primitivo, participou de programas de rádio e televisão em emissoras como CNN, History Channel e A&E. Gravou diversas palestras populares para The Teaching Company. Entre os mais recentes dos treze livros que escreveu ou editou estão: *Lost Cristianities: The Battles for Scripture and the Faiths We Never Knew* e *Lost Scriptures: Books That Did Not Make It Into the New Testament.*

RIANE EISLER – Cientista social, historiadora da cultura e estudiosa da teoria evolucionária. É a autora do best-seller *O cálice e a espada: Nossa história, nosso futuro*,[14] um estudo multidisciplinar sobre a cultura humana. Entre os seus outros livros estão *O prazer secreto: Sexo, mito e política do corpo*,[15] *Tomorrow's Children* e *The Power of Partnership: Seven Relationships That Will Change Your Life.* Presidente do Center for Partnership Studies, lecionou na UCLA e realizou várias conferências em todo o mundo.

GLENN W. ERICKSON – Deu aulas de Filosofia na Southern Illinois University, Texas A&M University, Western Caroline University e na Rhode Island School of Design, assim como em cinco universidade federais no Brasil e na Nigéria, algumas vezes como bolsista da Fullbright. É autor de mais de dez livros sobre Filosofia (*Negative Dialetics and the End of Philosophy*), Lógica (*Dictionary of Paradox*, com John Fossa), crítica literária (*A Tree of Stories*, com sua esposa, Sandra S. F. Erickson), poesia, contos, História da Arte (*New Theory of the Tarot*) e História da Matemática.

TIMOTHY FREKE – Graduado em Filosofia, autor de mais de vinte livros e autoridade mundial em espiritualidade. Em co-autoria com Peter W. Gandy, incluindo *The Jesus Misteries* e *Jesus and the Lost Goddess.* Realiza palestras e organiza seminários internacionais sobre a gnose, ou iluminação espiritual. Mais informações sobre as obras e seminários de Freke e Gandy estão disponíveis no site www.timfreke.demon.co.uk.

PETER GANDY – Com mestrado em Civilizações Clássicas, especializou-se nas antigas religiões pagãs dos Mistérios. É especialmente conhecido por seus trabalhos sobre Jesus, escritos com Timothy Freke, entre os quais *The Jesus Mysteries* e *Jesus and the Lost Goddess.*

DEIRDRE GOOD – Dá aulas sobre o Novo Testamento no General Theological Seminary da Episcopal Church em Nova York. É autora de diversas publicações e fez vários seminários sobre as tradições relativas a Maria e ao feminino nos textos coptas e gnósticos. Seu mais recente livro é *Mariam, the Magdala, and the Mother.*

SUSAN HASKINS – Escritora, editora, pesquisadora e tradutora. Proferiu diversas palestras em todo o mundo e participou de um grande número de programas de televisão sobre o tema Maria Madalena. Autora de *Mary Magdalen: Myth & Metaphor*, atualmente está traduzindo do italiano e editando *Three Sixteenth-Century Marian Writings* (textos do século XVI, de três escritoras italianas, sobre a vida da Virgem).

COLLIN HANSEN – Editor da revista *Christian History.* Com formação acadêmica em Jornalismo e História da Igreja, já escreveu sobre o secularismo europeu, a guerra do Iraque e a educação cristã de nível superior.

STEPHAN A. HOELLER – Ph.D., é bispo da Ecclesia Gnostica e membro sênior da English Gnostic Transmissions in America. Entre os muitos livros de sua autoria estão *Gnosticism, Jung and the Lost Gospels* e *Freedom: Alchemy for a Voluntary Society.* O Dr. Hoeller foi catedrático de Religiões Comparativas no College of Oriental Studies, em Los Angeles, durante dezesseis anos.

KATHERINE LUDWIG JANSEN – Professora adjunta de História na Catholic University. É autora de *The Making of the Magdalen: Preaching and Popular Devotion in the Later Middle Ages.*

KAREN KING – Professora de História Eclesiástica na Harvard University Divinity School. Seus livros mais recentes – *What is Gnosticism?* e *The Gospel of Mary of Magdala: Jesus and the First Woman Apostle* – receberam muitos elogios. Especializada em estudos comparativos de religiões e de história, tem se dedicado ao ensino e a pesquisas nas áreas da história do cristianismo e de estudos sobre o feminino. Seus interesses teóricos pessoais estão voltados para a formação da identidade religiosa, os discursos da normatividade (ortodoxia e heresia) e estudos de gênero/sexo.

DAVID KLINGHOFFER – Autor de *The Lord Will Gather Me In* e *The Discovery of God: Abraham and the Birth of Monotheism*. Também escreve freqüentemente para a *National Review*.

RICHARD LEIGH – Romancista e autor de contos. Entre os vários livros que escreveu com Michael Baigent estão *O Santo Graal e a linhagem sagrada*,[16] *As intrigas em torno dos manuscritos do Mar Morto*,[17] *A herança messiânica*,[18] *The Temple and the Lodge, Secret Germany: Claus von Stauffenberg and the Mystical Crusade Against Hitler, The Elixir and the Stone* e, mais recentemente, *A Inquisição*.[19]

HENRY LINCOLN – Embora tenha começado sua carreira como ator, no início da década de 1960 estava escrevendo para televisão e produzindo mais de duzentos scripts. Seu fascínio inicial pela egiptologia (ele aprendeu a ler hieróglifos por conta própria) levou-o à pesquisa de mistérios históricos, mitologias e religiões comparativas. Após se deixar encantar pelos segredos de Rennes-le-Château, apresentou diversos documentários para a BBC sobre outros mistérios históricos, incluindo *O homem da máscara de ferro*, *Nostradamus* e *A maldição de Tutankamon*. Escreveu *O Santo Graal e a linhagem sagrada*[20] com Michael Baigent e Richard Leigh.

JAMES MARTIN, S. J. – Padre jesuíta e editor associado de *America*, uma revista católica norte-americana. É autor de diversos livros sobre religião e espiritualidade, incluindo as memórias *In Good Company: The Fast Track from the Corporate World to Poverty, Castity and Obedience*.

RICHARD P. MCBRIEN – Professor de Teologia, com o título de "Crowley-O'Brien Professor of Theology da University of Notre-Dame", foi também diretor do Departamento de Teologia (1980-91) dessa instituição, além de presidente da Catholic Theological Society of America. Seus interesses acadêmicos incluem Eclesiologia, a relação entre religião e política, bem como as dimensões teológicas, doutrinais e espirituais da tradição católica. Seu mais recente livro é *Lives of the Saints: From Mary and St. Francis of Assisi to John XXIII and Mother Teresa*. O reverendo McBrien é sacerdote da Arquidiocese de Hartford, em Connecticut.

CRAIG M. MCDONALD – Jornalista e editor premiado, entrevistou diversos autores, incluindo James Ellroy, Anne Rice, Dennis Lehane, Walter Mosley, Alistair Macleod e Dan Brown. Suas entrevistas são publicadas em *Writers on Writing* e estão disponíveis no site www.modestyarbor.com.

BRENDAN MCKAY – Professor de Ciência da Computação na Australian National University. Tornou-se famoso há alguns anos por ter derrubado a teoria do livro *O código da Bíblia*.[21]

LAURA MILLER – Escreve sobre filmes, livros, teatro, cultura digital e questões sociais para diversos jornais e revistas norte-americanos de circulação nacional. Seus textos já foram publicados em jornais e revistas como *The New York Times*, *San Francisco Chronicle*, *Harper's Bazaar* e *Wired*. Também colabora regularmente para Salon.com.

SHERWIN B. NULAND – Autor de *Leonardo da Vinci*[22] e do best-seller *Como morremos*,[23] ganhador do National Book Award de melhor obra não ficcional, em 1994. Entre os outros livros de sua autoria estão: *The Mysteries Within: A Surgeon Reflects on Medical Myth*; *Doctors: The Biography of Medicine* e *The Wisdom of the Body*, publicado também sob o título de *How We Live*. É clínico e professor de Cirurgia na Yale University, onde também leciona História da Medicina e Bioética.

LANCE S. OWENS, M.D. – Clínico atuante e padre ordenado de uma das paróquias da Ecclesia Gnostica. Formou-se em História pela Georgetown University e pela Utah State University e tem doutorado pela Columbia University. Mantém o site www.gnosis.org.

ELAINE PAGELS – É a autora do best-seller *Os Evangelhos gnósticos*,[24] ganhador do National Book Critics Circle Award e National Book Award, que já está disponível em nova edição. Formou-se em História e tem mestrado em Estudos de Cultura Clássica pela Stanford University e doutorado pela Harvard University. A professora Pagels também escreveu *Além da crença: O Evangelho desconhecido de Tomé*,[25] outro best-seller; além de *Adão, Eva e a serpente*[26] e *A origem de Satanás*.[27] Atualmente é a "Harrington Spear Paine Professor of Religion" na Princeton University.

LYNN PICKNETT E CLIVE PRINCE – Escritores e pesquisadores, realizam palestras sobre paranormalidade, ocultismo e mistérios religiosos e históricos. Seu best-seller *A grande heresia: O segredo da identidade de Cristo*[28] serviu como fonte importante para o *CDV*, de Dan Brown. Em *Turin Shroud: In Whose Image? The Truth Behind the Centuries-Long Conspiracy of Silence*, formulam a tese de que foi Leonardo que criou o tão reverenciado Santo Sudário como um embuste. Picknett também é autora de *Mary Magdalene*. Ambos moram em Londres.

JAMES M. ROBINSON – Professor of Religion Emeritus da Claremont Graduate University e editor geral de *Nag Hammadi Library*. Uma das principais autoridades mundiais no tema do cristianismo primitivo, supervisionou a equipe de estudiosos e tradutores que trabalhou nos manuscritos descobertos em Nag Hammadi.

DAVID A. SHUGARTS – Jornalista com mais de trinta anos de atuação, foi repórter, fotógrafo, editor adjunto e editor-chefe de diversas publicações. Suas especialidades incluem escrever sobre aviação e embarcações aquáticas. Recebeu cinco prêmios da Aviation/Space Writers Association. Foi o fundador da revista *Aviation Safety*, em 1981, e de *Powerboats Reports*, em 1988.

MARGARET STARBIRD – Com mestrado pela University of Maryland, estudou na Christian Albrechts University, em Kiel, Alemanha, e na Vanderbilt Divinity School. Escreveu diversos textos sobre o conceito do sagrado feminino. Entre os livros de sua autoria estão: *Magdalen's Lost Legacy: Symbolic Numbers and the Sacred Union in Christianity*; *The Goddess in the Gospels: Reclaiming the Sacred Feminine*; *The Feminine Face of Christianity* e *The Woman With the Alabaster Jar*.

KATE STOHR – Trabalhou como pesquisadora e editora associada neste livro. Jornalista freelance e produtora de documentários, tem reportagens publicadas em jornais e revistas como *The New York Times*, *US News & World Report*, *Christian Science Monitor*, Time Digital, *People*, *Rosie* e *In Style*. Seus trabalhos mais recentes abordam temas como plantações em áreas urbanas, migração após a aposentadoria, gerenciamento de lixo, questões trabalhistas e justiça ambiental.

ANNALYN SWAN – Parceira de Peter Bernstein na A.S.A.P. Media, trabalhou como consultora editorial neste livro. Escritora e editora profissional, faz parte da equipe de escritores da *Time*. É crítica de música e editora de artes da *Newsweek* e editora-chefe da *Savvy*. Em co-autoria com o crítico de arte Mark Stevens, escreveu a biografia do artista Willem de Kooning, a ser publicada pela editora Knopf no final de 2004.

DAVID VAN BIEMA – Escritor sênior da revista *Time*, especializado em religião.

BRIAN WEISS – Ao longo de mais de trinta anos, tem escrito sobre temas diversos, incluindo tecnologia, comércio, aviação e farmacologia. Foi editor sênior em várias publicações norte-americanas de circulação nacional, além de autor de uma coluna de jornal veiculada nacionalmente e colaborador em muitos livros. Sua empresa, Word'sworth, em Pasadena, Califórnia, presta serviços de comunicação e assessoria de marketing para um grande número de organizações.

DAVID WILK – Trabalhou como consultor editorial neste livro. Na área editorial, já desempenhou as atividades de escritor, editor, *publisher* e distribuidor. Foi diretor do Literature Program para o National Endowment of Arts e atualmente é um executivo sênior na CDS, em Nova York.

KENNETH L. WOODWARD – Editor colaborador da revista *Newsweek*, escreve freqüentemente sobre religião. Seu mais recente livro é *The Book of Miracles: the Meaning of the Miracle Stories in Christianity, Judaism, Buddhism, Hinduism and Islam*.

NICOLE ZARAY – Trabalhou como pesquisadora e editora associada neste livro. Escritora e diretora de cinema, produziu e dirigiu o documentário independente *Work Life and the Unknowable*. É co-roteirista de um filme ainda não lançado, *Monopolis*, e também do show "*off-off* Broadway" *Bread and Circus 3099*.

Agradecimentos

Devemos agradecimentos especiais e toda nossa estima a cada uma das muitas pessoas que ficaram animadas com o projeto de publicação deste livro e aceitaram o desafio de vencer todos os obstáculos para que ficasse pronto em tempo recorde.

Primeiro, gostaríamos de agradecer a Gilbert Perlman, Steve Black e seus colegas na CDS, por sua visão, seu apoio e espírito de colaboração. Eles moveram montanhas e fizeram com que as coisas andassem num ritmo que nunca havíamos visto antes, após vinte anos lidando com livros. David Wilk mostrou ser o melhor amigo que um autor pode ter, transformando o número quase infinito de fibras envolvidas nesse projeto numa peça coerente de papiro. Agradecimentos também a Kari Stuart, Hope Matthiessen, Kipton Davis, Lane Jantzen, Elizabeth Whiting e Kerry Liebling.

Não teríamos conseguido concluir este livro sem uma equipe fantástica de consultores e colaboradores editoriais, assim como de pesquisadores e editores associados. John Castro, David Shugarts e Brian Weiss executaram trabalhos hercúleos em diversos aspectos desta obra.

Tivemos grande auxílio da nossa equipe editorial na A.S.A.P. Media, formada por Peter Bernstein, Annalyn Swan, Kate Stohr, Jennifer Doll e Nicole Zaray.

A equipe de produção trabalhou fervorosamente para trazer ao mundo a parte física deste livro. Agradecimentos especiais a George Davidson, Jaye Zimet, Leigh Taylor, Lee Quarfoot, Nan Jernigan, Gray Cutler, Suzanne Fass, David Kessler, Mike Kingcaid, Ray Fergusson e Jane Elias.

Nossas famílias nos apoiaram intelectual, artística e moralmente ao longo de todo o projeto, fornecendo grandes idéias, informações e design. Nosso carinho e agradecimentos a: Julie O'Connor, Helen de Keijzer, Hannah de Keijzer, David Burstein e Joan O'Connor.

Diversos amigos e colegas de profissão nos auxiliaram nos momentos difíceis, fornecendo informações essenciais, contribuindo com novas idéias sobre como contar a história ou, no geral, nos ajudando a manter o restante de nossas vidas em ordem enquanto tentávamos concluir este livro: Ann Malin, David Kline, Sam Schwerin, Peter Kaufman, Mary Edelston, Susan Friedman, Carter Wiseman, Stuart Rekant, Ben Wolin, Bob Stein, Gregory Rutchick, Cynthia O'Conner, Petra Talvitie, Ilene Lefland e Jen Prosek. Nossos melhores votos por uma vida sem câncer para Craig Buck e Phil Berman.

Elaine Pagels, uma das principais estudiosas no campo dos Evangelhos gnósticos e apócrifos, nos encorajou e apoiou desde o início dessa jornada. É uma verdadeira mulher renascentista. Também gostaríamos de agradecer a todos os nossos outros autores e colaboradores. Em grupo, eles foram a espinha dorsal deste projeto: Diane Apostolos-Cappadona, Michael Baigent, Amy Bernstein, Esther de Boer, Denise Budd, Michelle Delio, David Downie, Betsy Eble, Bart D. Ehrman, Riane Eisler, Glenn W. Erickson, Timothy Freke, Peter Gandy, Deirdre Good, Susan Haskins, Collins Hansen, Stephan A. Hoeller, Katherine Ludwig Jansen, Karen L. King, David Klinghoffer, Richard Leigh, Matthew Landrus, Henry Lincoln, James Martin, Richard P. McBrien, Craig McDonald, Brendan McKay, Laura Miller, Anne Moore, Sherwin B. Nuland, o Opus Dei Awareness Network, Lance S. Owens, Elaine Pagels, Lynn Picknett, a prelazia do Opus Dei, Clive Prince, James Robinson, Margaret Starbird, David Van Biema e Kenneth Woodward.

– Dan Burstein e Arne de Keijzer

Notas – Livro II – Parte III

1. Baigent, Michael; Leigh, Richard; Lincoln, Henry. *O Santo Graal e a linhagem sagrada*. Rio de Janeiro: Nova Fronteira, 1993.
2. Picknett, Lynn; Prince, Clive. *A grande heresia: O segredo da identidade do Cristo*. São Paulo: Beca, 2000.
3. Disponível no site da Quadrante – Sociedade de Publicações Culturais: www.quadrante.com.br.
4. Baigent, Michael; Leigh, Richard; Lincoln, Henry. Op. cit. *O Santo Graal e a linhagem sagrada.*
5. Pagels, Elaine. *Os Evangelhos gnósticos*. São Paulo: Cultrix, 1979.
6. Idem. *As origens de Satanás*. Rio de Janeiro: Ediouro, 1996.
7. Kramer, Heinrich; Spenger, James. *O martelo das feiticeiras* (trad. Paulo Fróes). 17. ed. Rio de Janeiro: Rosa dos Tempos, 2004.
8. De Troyes, Chrétien. *Perceval*. 2. ed. São Paulo: Martins Fontes, 2002.
9. Baigent, Michael; Leigh, Richard; Lincoln, Henry. Op. cit. *O Santo Graal e a linhagem sagrada.*
10. Burstein, Dan. *Yen, o Japão e seu novo império financeiro*. São Paulo: Cultura, 1990.
11. Leigh, Richard; Baigent, Michael; Lincoln, Henry. *A herança messiânica*. Rio de Janeiro: Nova Fronteira, 1994.
12. Leigh, Richard; Baigent, Michael. *As intrigas em torno dos manuscritos do Mar Morto*. Rio de Janeiro: Imago, 1994.
13. Idem. *A Inquisição*. Rio de Janeiro: Imago, 2001.
14. Eisler, Riane. *O cálice e a espada: Nossa história, nosso futuro*. Rio de Janeiro: Imago, 1989.
15. Idem. *O prazer secreto: sexo, mito e política do corpo*. Rio de Janeiro: Rocco, 1996.
16. Baigent, Michael; Leigh, Richard; Lincoln, Henry. Op. cit. *O Santo Graal e a linhagem sagrada.*
17. Leigh, Richard; Baigent, Michael. Op. cit. *As intrigas em torno dos manuscritos do Mar Morto.*
18. Leigh, Richard; Baigent, Michael; Lincoln, Henry. Op. cit. *A herança messiânica.*
19. Leigh, Richard; Baigent, Michael. Op. cit. *A Inquisição.*
20. Baigent, Michael; Leigh, Richard; Lincoln, Henry. Op. cit. *O Santo Graal e a linhagem sagrada.*
21. Drosnin, Michael. *O código da Bíblia*. São Paulo: Cultrix, 1997.
22. Nuland, Sherwin B. *Leonardo da Vinci*. Rio de Janeiro: Objetiva, 2001.
23. Idem. *Como morremos*. Rio de Janeiro: Rocco, 1995.
24. Pagels, Elaine. Op. cit. *Os Evangelhos gnósticos.*
25. Idem. *Além da crença: O Evangelho desconhecido de Tomé*. Rio de Janeiro: Objetiva, 2004.
26. Idem. *Adão, Eva e a serpente*. Rio de Janeiro: Rocco, 1992.
27. Idem. Op. cit. *As origens de Satanás.*
28. Picknett, Lynn e Prince, Clive. Op. cit. *A grande heresia: O segredo da identidade do Cristo.*

INFORMAÇÕES SOBRE OS PRÓXIMOS LANÇAMENTOS

Para receber informações sobre os lançamentos da EDITORA SEXTANTE, basta enviar um e-mail para atendimento@esextante.com.br ou cadastrar-se diretamente no site www.sextante.com.br

Para saber mais sobre nossos títulos e autores, e enviar seus comentários sobre este livro, visite o nosso site: www.sextante.com.br

EDITORA SEXTANTE

Rua Voluntários da Pátria, 45 / 1.404 – Botafogo

Rio de Janeiro – RJ – 22270-000 – Brasil

Telefone: (21) 2286-9944 – Fax: (21) 2286-9244

E-mail: atendimento@esextante.com.br

PAPEL CHAMOIS·FINE alcalino

"Este livro foi impresso em papel Chamois Fine Dunas 80g/m², da Ripasa S/A, fabricado em harmonia com o meio ambiente."